भारतीय समाज

डॉ० पवन कुमार मिश्र
असोसिएट प्रोफेसर
डेलही इंस्टिट्यूट ऑफ रूरल डेवलपमेंट,
दिल्ली

किताब महल

प्रथम संस्करण : 2024
प्रस्तुत संस्करण : 2026

ISBN : 978-93-87253-82-7

मूल्य : ₹240.00

Head Office

किताब महल पब्लिशर्स

4655/21, अंसारी रोड, (ग्राउंड फ्लोर)

दरियागंज, नई दिल्ली–110002

फोन : 011-23273230, 43526875

(WhatsApp) 9335107914

Email : kitab_mahal@hotmail.com

प्रकाशक : किताब महल, 4655/21, अंसारी रोड, (ग्राउंड फ्लोर) दरियागंज, नई दिल्ली–110002

फोनः +91 9350075776 Email : info@kitabmahalpublishers.com

Visit : www.kitabmahalpublishers.com

मुद्रक : अवतार ऑफसेट, 43/2, साईट-IV, साहिबाबाद इंडस्ट्रियल एरिया, गाजियाबाद (यू.पी.)

भूमिका

विगत एक दशक में भारतीय सामाजिक संरचना में काफी बदलाव देखने को मिले भारतीय जनसांख्यिकीय परिवर्तन के साथ समाज की विभिन्न इकाईयों, यथा–परिवार, विवाह, समूह इत्यादि में भारी मात्रा में परिवर्तन दृष्टिगोचर हुए हैं। तात्कालिक समाज की संरचना और उसमें आए हुए परिवर्तनों के साथ पाठीय परिदृश्य को समझना समाजशास्त्र के विद्यार्थियों के लिए अति आवश्यक हो गया है। यह पुस्तक इसी बात को ध्यान में रखते हुए स्नातक स्तर के विद्यार्थियों के लिए लिखी गयी है।

प्रस्तुत पुस्तक भारतीय समाज के विभिन्न तथ्यों को एक जगह इकट्ठा कर उनके समेकित अध्ययन को सुनिश्चित करती है। पुस्तक लेखन में अनेक विचारकों, संबंधित पुस्तकों, शोध पत्रों इत्यादि की मदद ली गयी है जिसकी वजह से पुस्तक की मौलिकता का दावा पूर्णतया नहीं किया जा सकता है, किन्तु विद्यार्थियों के लिए पुस्तक की उपयोगिता, मौलिकता से कहीं अधिक महत्त्वपूर्ण होती है। पुस्तक की भाषा को सरल और सुगम बनाने का प्रयास किया गया है, साथ ही प्रत्येक शीर्षक और उप शीर्षक का अंग्रेजी अनुवाद भी दिया गया है। प्रत्येक अध्याय के अंत में सन्दर्भ और संबंधित प्रश्नों को दिया गया है, ताकि छात्र/छात्राएँ संबंधित विषय के प्रति अच्छे से समझ बना सकें।

पुस्तक में इस बात का विशेष ध्यान रखा गया है कि यह केवल अकादमिक रूप से ही नहीं वरन प्रतियोगी परीक्षाओं के लिए भी बराबर उपयोगी हो। पुस्तक लेखन में त्रुटियाँ होना स्वाभाविक हैं। सभी शिक्षकों से अनुरोध है कि उन त्रुटियों को संज्ञान में अवश्य लें, ताकि आगामी संस्करण में उसे सुधारकर पुस्तक को और परिष्कृत किया जा सके।

डॉ0 पवन कुमार मिश्र

विषय सूची

1

भारतीय समाज का पाठीय परिदृश्य (शास्त्रीय दृष्टिकोण)

(Indian Society : Classical View)

भारतीय समाज का इतिहास लगभग पाँच हजार वर्ष पूर्व से शुरू होता है। प्राचीन मनीषियों द्वारा समाज को समय-समय पर अपने ज्ञान द्वारा सभ्य और परिष्कृत बनाया गया है। सामाजिक जीवन को निश्चित क्रम देने व संगठित रखने के उद्देश्यों से प्रेरित होकर सामाजिक चिन्तकों ने कुछ नियमावलियों व दार्शनिक सिद्धान्तों की रचना की। सामाजिक तथा व्यक्तिगत जीवन को विभिन्न इकाईयों में बाँटकर प्रत्येक इकाई के लिए कुछ अधिकार एवं कर्तव्य निर्धारित किए गए। जिससे प्रत्येक व्यक्ति को उसकी क्षमता एवं योग्यता के अनुसार अवसर प्राप्त हुए। भारतीय समाज को स्थायित्व देने वाले प्रमुख दो आधार हैं—

(1) सैद्धान्तिक अथवा दार्शनिक आधार (Theoretical or Philosophical Base)

(2) व्यावहारिक अथवा संगठनात्मक आधार (Practical or Organisational Base)

(1) सैद्धान्तिक अथवा दार्शनिक आधार (Theoretical or Philosophical Base)

दार्शनिक आधार के अन्तर्गत निम्नलिखित बिन्दुओं का समावेश किया गया है—

(*i*) जीवन चक्र—भारतीय समाज में समस्त जीवन को चक्रों में विद्यमान माना जाता है। इस रूप में किसी भी व्यक्ति की किसी भी जीवन की क्रियाएँ उसके अगले जीवन के भाग्य दशाओं, सामाजिक पद तथा सुख को निश्चित करने वाली मानी जाती है। दूसरे शब्दों में व्यक्ति जन्म-मरण के द्वारा पुनः जीवन के चक्र में सदैव जन्म-जन्मांतर तक चलता रहता है। परम्परागत रूप से 84 लाख योनियों की कल्पना की गई है जिनमें से होकर मनुष्य को गुजरना पड़ता है। इस जन्म-मरण के चक्र से केवल उसी दशा में छुटकारा मिल सकता है और वह दशा है मोक्ष की। मोक्ष से अभिप्राय है मनुष्य के शरीर में व्याप्त आत्मा या बाह्य अंश का सम्पूर्ण ब्रह्म में मिल जाना। जब तक मनुष्य का शरीर अनेक प्रकार की इच्छाओं का दास बना रहता है तब तक वह इन पुनर्जीवन के बन्धन से मुक्त नहीं हो सकता, लेकिन

जब मनुष्य भौतिक जगत की इच्छाओं से अपने को मुक्त कर लेता है वह मोक्ष को प्राप्त कर लेता है। इस तथ्य को प्रसिद्ध कवि Words Worth ने भी स्वीकार किया है–

"For, Man who is from God sent forth,
Doth again to God return."

इस प्रकार मोक्ष को अंतिम लक्ष्य मानकर व्यक्ति निर्लिप्त भाव से अपने कर्तव्यों का प्रतिपालन करता है। जिससे समाज संगठित संतुलित रहता है।

(*ii*) पुरुषार्थ–पुरुषार्थ वे लक्ष्य हैं जिनको प्राप्त करना प्रत्येक व्यक्ति का कर्तव्य होता है। ये पुरुषार्थ चार माने गए हैं (1) धर्म (2) अर्थ (3) काम (4) मोक्ष धर्म का तात्पर्य सतकर्मों से है जो प्रत्येक व्यक्ति के लिए अनिवार्य होते हैं। धर्म के अन्तर्गत दयालुता, क्षमा, कर्तव्य पालन, अहिंसा उदारता आदि गुणों को सम्मिलित किया जा सकता है। अर्थ को भौतिक आवश्यकताओं की पूर्ति के क्रम में परिभाषित किया जा सकता है। अर्थ वह साधन है जिसके माध्यय से एक गृहस्थ अपने कर्तव्यों का निष्पादन कर पाता है। पुरुषार्थों में तीसरा क्रम काम है, जो अपने विस्तृत अर्थों में परमानन्द की प्राप्ति है अर्थात् काम केवल रति में ही नहीं अपितु सभी प्रकार की सांस्कृतिक तत्त्वों में पाया जाता है इसके अन्तर्गत सभी प्रकार की कलाएँ अर्थात् नृत्य-संगीत, गीत इत्यादि सम्मिलित किए जा सकते हैं। अन्तिम पुरुषार्थ मोक्ष है जो प्रत्येक प्राणी का अभीष्ट माना गया है जिसका उल्लेख ऊपर किया जा चुका है व्यक्ति के वैयक्तिक विकास हेतु ये चार पुरुपार्थ भारतीय समाज म अत्यन्त महत्त्वपूर्ण माने गए हैं व्यक्ति का जीवन पुरुषार्थों द्वारा नियमित एवं निर्धारित होता है।

(*iii*) संगति–भारतीय सामाजिक चिन्तन की यह महत्त्वपूर्ण विशेषता है। इसके अनुसार मनुष्य के शरीर के विभिन्न अंगों की संगति पाई जाती है। ठीक उसी प्रकार मनुष्य की समस्त क्रियाओं में भी संगति होती है। धर्म तथा संस्कार का महत्त्व भी यही है क्योंकि इनके द्वारा मनुष्य तथा प्राकृतिक शक्ति में संगति बनाए रखने का प्रयत्न किया जाता है। इस परम्परा में यह भी निहित है कि संगति के अभाव में व्यक्ति तथा समाज दुख-पीड़ा एवं कलह का शिकार होगा यही बात परिवार में भी देखी जा सकती है। पारिवारिक सम्बन्धों में अनेक निषेध इसी दृष्टि से लागू किए जाते हैं, ताकि संगति बनी रहे। ग्रामीण जनता की व्यवस्था के बने रहने का आधार भी यही संगति है। राजनीति के दोष में अनेक राजनयिक नेताओं ने संगति बनाए रखने पर बल दिया है। गीता में इस सिद्धान्त का निम्न रूप में उल्लेख किया गया है–

आत्मौपम्येन सर्वत्र समं पश्यति योऽर्जुन।
सुखं वा मदि वा दुःख योगी परमो मतः।।

इस प्रकार की संगति का जीवन वास्तविक ज्ञान का आधार है क्योंकि इसी रूप के द्वारा व्यक्ति प्राणियों के विभिन्न परिवर्तित होने वाले तथा पृथक स्वरूपों के बीच पाई जानें वाली अविभक्तता, अपरिवर्तनीयता एवं अविनाशिता को पहचान पाता है।

(*iv*) अन्तर्ज्ञानवाद—अन्तर्ज्ञानवाद को विश्वास के रूप में देखा जा सकता है कि यह समाज महत्त्व का नहीं है बल्कि महत्त्व तो आध्यात्मिक बातों का है। इस विश्वास की अभिव्यक्ति माया में विश्वास के द्वारा होती है। हम देखते हैं कि त्याग तथा सामाजिक वस्तुओं से विमोह को भारतीय संस्कृति में बार-बार दोहराया गया है। इसको अनाशक्ति भी कहा गया है। यह परम्परा आर्थिक जीवन सामाजिक संगठन धर्म तथा दर्शन रूपी क्षेत्रों में देखी जा सकती है। चूँकि हमारा शरीर एक अपवित्र कलश के समान है जिसमें आत्मा कुछ क्षणों के लिए निवास करती है, यह जल्दी ही अपवित्र हो जाता है। इसलिए इसको निरन्तर पवित्र एवं शुरू करते रहना आवश्यक है। एक दिन चूँकि सभी व्यक्ति हमसे छूट जाएँगे, इसलिए इतना मोह बढ़ाने की क्या आवश्यकता है। बच्चों, माता-पिता, पति-पत्नियों से सम्बन्ध इसलिए केवल बल औपचारिक होने चाहिए। साधना अथवा समाधि श्रेष्ठता ज्ञान को प्राप्त करने का साधन है, जो इस जीवन की समस्त समस्याओं से छुटकारा दिला सकता है।

(*v*) वैदिकवाद—भारतीय समाज का अत्यन्त महत्त्वपूर्ण तत्त्व यह रहा है कि समस्त महत्त्वपूर्ण विषय वास्तव में मन से सम्बन्धित होते हैं। भारत के समस्त ऋषियों का उद्गम मन से ही हुआ, इसलिए इन्हें मनीषि भी कहा गया है। मन का शरीर से विरोध है। धार्मिक क्रियाओं का अन्तिम लक्ष्य व्यक्ति का शरीर के बन्धन से मुक्त होना है। हम यह भी देखते हैं कि वैदिक बातों में तथा पवित्रता में घनिष्ठ सम्बन्ध पाया जाता है इसलिए जीवन की प्रथम अवस्था में ब्रह्मचर्य अवस्था में, विद्यार्थी का एक पवित्र जीवन व्यतीत करने का उपदेश दिया गया है। गृहस्थ आश्रम में प्रवेश करने पर इसमें परिवर्तन अवश्य आ जाते हैं लेकिन यहाँ स्पष्ट किया गया है कि ज्ञान प्राप्त करने के लिए व्यक्ति को अपने ऐच्छिक सुख से ऊपर उठना होगा। इसके लिए मन को शुद्ध एवं संयत करना अत्यन्त आवश्यक है।

(*vi*) पवित्रता-अपवित्रता की भावना—पवित्रता का सम्बन्ध स्वास्थ्य एवं कल्याण से है। अपवित्रता का सम्बन्ध रोग, मृत्यु तथा प्राकृतिक शक्तियों के घात-प्रहारों से है। वैयक्तिक घरेलू संस्कारों में पवित्रता लाने पर काफी बल दिया गया है। अपवित्र वस्तुओं से सम्पर्क होना अपवित्रता उत्पन्न करता है। भोजन तथा तरल पदार्थों के रूप में शरीर में जो कुछ ग्रहण किया जाए वह पवित्र होनी चाहिए। खाने-पीने पर भारतीय समाज में निषेध बतलाए गए हैं, उनका उद्देश्य व्यक्ति को संरक्षण प्रदान करता है। निम्न कोटि की जातियों के साथ सम्पर्क स्थापित करने के निषेधों के पीछे भी यही भावना थी। परिवारों में स्त्रियों के द्वारा अपवित्रता उत्पन्न होती है। मासिक धर्म तथा शिशु जन्म के समय शरीर से निकलने वाले पदार्थ अपवित्र होते हैं इसलिए इन अवस्थाओं में इन्हें अलग रखने की परम्परा है। यदि किसी स्त्री ने पर पुरुष के साथ सम्भोग किया है तो उसे पूरे परिवार में अपवित्र माना जाता है। प्रोफेसर श्रीनिवास ने अपनी पुस्तक 'सोशल चेंज इन मोडर्न इण्डिया' में भारतीय समाज में पवित्रता-अपवित्रता की परम्परा के अनेक उदाहरण दिए हैं। उनकी

पुस्तक रिलिजन एण्ड सोसाइटी एमॉग दी कूर्ग आफ साउथ इण्डिया तथा ड्यूमा तथा पोकाक द्वारा सम्पादित पत्रिका कान्ट्रीब्यूशन्स टू इण्डिया सोशियोलाजी (1956) में इनका समुचित विवरण देखा जा सकता है।

(*vii*) धर्म—धर्म का अर्थ है कर्तव्य परायणता है। भारतीय चिन्तन में अधिकारों की बात नहीं कही गई है क्योंकि अधिकार तो स्वयं कर्तव्यों से उत्पन्न होंगे। भारतीय समाज की संगठन प्रकार्यात्मकता के सिद्धान्त पर किया गया है और इस रूप में प्रत्येक व्यक्ति का इसमें उचित प्रकार बतलाया गया। धर्म शास्त्रों की रचना भी इसी दृष्टि से की गई। वेदों के इस प्रकार के नियमों का वर्णन किया गया कि व्यक्ति को क्या करना चाहिए और क्या नहीं करना चाहिए विधियाँ तथा निषेध। इस प्रकार इनमें बतलाया गया कि व्यक्ति के स्वयं अपने प्रति, देश के प्रति तथा समस्त मानवता के प्रति क्या-क्या कर्तव्य है। धर्म कोई स्थिर धारणा नहीं है यह गत्यात्मक है जो प्रत्येक व्यक्ति के लिए बदलती रहती है जैसे-जैसे वह जीवन की विभिन्न अवस्थाओं से होकर गुजरता चला जाता है। इसी धर्म पालन में उसका तथा समस्त समाज का कल्याण निहित होता है।

(*viii*) अहिंसा—भारतीय जीवन के लगभग सभी पहलुओं में अहिंसा की परम्परा देखने को मिलती है। परिवार में अहिंसा का स्वरूप अनशन में देखा जा सकता है। यदि परिवार का कोई सदस्य दुखी है अथवा उसे किसी प्रकार अनावश्यक रूप से क्षति पहुँची है तो वह अनशन कर लेता है। इसके परिणामस्वरूप परिवार के सदस्य उससे समझौता करके पारिवारिक एकता को पुनः स्थापित कर देते हैं। ग्रामीण समुदायों में इसका स्वरूप स्थायी रूप से हुक्कापानी बन्द कर देने या निष्कासन में देखा जा सकता है। ऐसी स्थिति में समुदाय के नियमों को भंग करने वाले व्यक्ति को पश्चाताप करना पड़ता है तथा वह अपने अपराध का प्रायश्चित करके पुनः समुदाय का अंग बन जाता है। इससे ग्रामीण समुदाय की एकता बनी रहती है। इस प्रकार अहिंसा की परम्परा प्रत्येक प्रकार की बुराई को चुनौती देने के लिए हुई है। अहिंसा का इस रूप में जीवन शक्ति का सम्मान करना भी हुआ। इस कारण हमें मांस सेवन पर निषेध देखने को मिलता है। इसका यह भी अर्थ है कि हम न केवल जीवों के प्राण लें बल्कि उनके जीवन की रक्षा के लिए उन्हें भोजन भी करवाए। वास्तव में अहिंसा एक प्रकार की तपस्या या अनुशासन है। हम केवल जीवों की हत्या न करें पर उनकी रक्षा के लिए उनका पालन करें, बल्कि हम अपनी वाणी या विचार से किसी को आघात न पहुँचाए, इस प्रकार अहिंसा की तपस्या तो विचार या वाणी एवं क्रिया तीनों में अनुशासन पालन करने की तपस्या है। **श्रीमद्भागवत गीता** में उल्लेख है कि—

देव द्विज गुरुप्राज्ञपूजनं शौचमार्जवम्।
ब्रह्मचर्य अहिंसा च शरीरं तप उच्चते॥
अनुदेगकरं वाक्यं सत्य प्रियहित यत्।
स्वाध्यायाम्यनं चैन वाह्य तप उत्यते॥

मनः प्रसादः सौम्यतवं मौनमात्य विनिग्रहः।
मावसं शुदिरित्येन्तपी मानस मुच्यते ॥[1]

***(ix)* कर्म तथा पुर्नजन्म**–भारतीय समाज में प्रत्येक व्यक्ति के लिए कुछ कर्म निर्धारित हैं जिन्हें उसे अनिवार्य रूप से पूरा करना होता है, यह कर्म का सिद्धान्त व्यक्ति को सामाजिक जीवन जीने के लिए प्रेरित करता है। गीता में श्रीकृष्ण ने स्पष्ट रूप से कहा है–

कर्माण्एवाधिकारस्ते मा फलेषु कदाचन अर्थात् परिणाम की चिन्ता से मुक्त होकर कर्म करो। यदि व्यक्ति कर्म फल से युक्त रहता है अर्थात् निर्लिप्त भाव से कर्म नहीं करता तो उसके कर्म फल संचित होते जाते हैं यह स्थिति बन्ध की स्थिति कहलाती है। बन्ध के कारण व्यक्ति को अपना संचित कर्म फल भोगने हेतु बार-बार जन्म लेना पड़ता है और उसके पुनर्जन्म में मिलने वाले सुख-दुख हानि-लाभ यश-अपयश अथवा किस योनि में जन्म लेगा (प्रारब्ध) निर्धारित करते हैं। कर्म एवं पुर्नजन्म के सिद्धान्त में सामाजिक जीवन के संगठन निहित है। क्योंकि हर व्यक्ति यह मानकर चलता है कि वह आज जो कुछ भी है पूर्वजन्म के कर्मों के कारण है इसके लिए वह सामाजिक व्यवस्था का दोष नहीं देता। इस प्रकार सामाजिक विघटन की स्थिति नहीं उत्पन्न होती।

***(x)* ऋण तथा यज्ञ**–भारतीय सामाजिक परंपरा में गृहस्थ जीवन को इसलिए सर्वोच्च माना गया है क्योंकि व्यक्ति ऋणों तथा यज्ञों की पूर्ति करता है। व्यक्ति के जीवन के पीछे मात्र उसका स्वयं का योगदान नहीं अपितु समाज के विभिन्न इकाईयों का भी योगदान रहता है। अतः वह इनके प्रति ऋणी है ऋण पाँच प्रकार के माने गए हैं–देवऋण, ऋषिगण, पितृऋण, अतिथि ऋण, भूत ऋण। यह माना गया है कि व्यक्ति के अस्तित्त्व के लिए माता-पिता ज्ञान के लिए ऋषि अथवा गुरु, जीवन में सुख-समृद्धि के लिए देवता जिम्मेदार होते हैं, इसके अतिरिक्त गृहस्थ को अतिथियों का सत्कार तथा प्राणियों की रक्षा का भी भार दिया गया है इन सबकी पूर्ति के लिए पाँच प्रकार के ऋणों की व्यवस्था की गई है। इन ऋणों के साथ-साथ पाँच महायज्ञों की भी व्यवस्था की गयी है। ऋणों तथा यज्ञों की सहायता से व्यक्ति का समाजीकरण किया जाता है एवं उसको सामूहिक जीवन की शिक्षा दी जाती है। एक महत्त्वपूर्ण बात यह है कि ये ऋण अथवा यज्ञ अपने शब्दिक अर्थ में न होकर अपने कर्तव्यों के रूप में होते हैं।

***(xi)* संस्कार**–भारतीय समाज के प्रमुख सैद्धान्तिक आधारों में संस्कार महत्त्वपूर्ण स्थान रखता है। संस्कार का तात्पर्य शुद्धीकरण से होता है। व्यक्ति के जीवन को नियमित तथा अनुशासित रखने के लिए तथा संस्कृति के हस्तांतरण के उद्देश्य के लिए संस्कारों की व्यवस्था प्राचीन मनुष्यों द्वारा की गयी है। संस्कार सोलह माने गए हैं, जिनकी शुरुआत व्यक्ति के जन्म से पूर्व होती है और अन्त व्यक्ति की मृत्यु के पश्चात। व्यक्ति के जीवन

की विभिन्न अवस्थाओं के लिए जो कर्म निर्धारित किए गए हैं, वे उन कर्मों को पवित्र बनाए रखने के लिए संस्कारों की अनिवार्यता मानी गयी है।

(2) व्यावहारिक अथवा संगठनात्मक आधार (Practical or Organisational Base)

इसके अन्तर्गत निम्नलिखित बातों का समावेश किया गया है–

(*i*) संस्तरण–चूँकि किसी भी समूह की प्रकार्यात्मकता की माप संगति की सीमा के आधार पर की जाती है, हमारे लिए यह जानना आवश्यक हो जाता है कि किस प्रणाली द्वारा व्यक्तियों की विविध इच्छाओं तथा उनके विरोधी लक्ष्यों को समाज में पूरा किया जाता है। इसके लिए समाज को अधिकारों, कर्तव्यों तथा उत्तरदायित्वों की एक अत्यन्त ही विशिष्ट व्यवस्था की परम्परा होती है। चूंकि सभी व्यक्ति इस परम्परा को मान लेते हैं इसलिए समाज में संगति रहती है।

लेकिन प्रश्न यह उठता है कि इन कर्तव्यों एवं अधिकारों का विवरण किस प्रकार किया जाता है? इसके लिए हमें समाज में जीवन के प्रत्येक पहलू में संस्तरण की वर्गव्यवस्था देखने को मिलती है। संस्तरण से अभिप्राय समूहों, व्यक्तियों अथवा वस्तुओं का श्रेणी पद या वर्ग के अनुसार एक श्रम में सजाना है। हिन्दू देवी-देवताओं को भी मूल्यों के अनुसार श्रेणीवद्ध किया जाता है, जैसे देवगणों को देवियों से श्रेष्ठ माना जाता है, तथा देवताओं को पुरुषों से श्रेष्ठ। आराधना की विधियों को भी पवित्रता क्रम के अनुसार श्रेणीबद्ध किया जाता है। भोजन एवं पेय पदार्थों को इस प्रकार श्रेणीबद्ध किया जाता है कि पवित्रता या अपवित्रता की सीमा का अनुमान किसी वस्तु के विषय में लगाया जा सकता है। देव कुलों से सर्वश्रेष्ठ देवों को सर्वाधिक पवित्र विधियों का प्रयोग करना होता है।

इस प्रकार का सम्बन्ध व्यक्तियों के आपसी सम्बन्धों में भी लागू होता है। परिवार में आयु एवं वंश के अनुसार संस्तरण की परम्पराएँ होती हैं। बड़ी आयु वालों को संस्तरण में युवकों से ऊँचा, पितृवंशीय परिवारों को मातृवंशियों से ऊँचा इत्यादि। इसी प्रकार जातियों के अन्दर, जो जाति सबसे अधिक पवित्र समझी जाती है उसे सर्वश्रेष्ठ स्थान प्राप्त होता है, जैसे ब्राह्मणों को सबसे श्रेष्ठ समझा जाता है। सबसे नीचे उन जातियों को रखा जाता है जो अत्यन्त ही अपवित्र होती हैं। इस प्रकार जातियों में पवित्रता की सीमा के अनुसार एक प्रकार का संस्तरण परम्परा से चला आ रहा है।

(*ii*) खण्डात्मकता–समाज को सामाजिक समूहों में तथा वस्तुओं को खण्डों में बाँटने की परम्परा भारतीय समाज में बहुत पुरानी है। कोई भी व्यक्ति किसी स्पष्ट परिभाषित संयुक्त या नातेदारी समूहों का सदस्य होता है। किसी उपजाति का सदस्य होता है। उस उपजाति को किसी मुख्य जाति में अपना एक स्थान होता है, जो वर्ण व्यवस्था में पाए जाने वाले स्थान से भिन्न होता है। ब्राह्मणों तथा क्षत्रियों में और भी अनेक उपसमूह होते हैं। इस प्रकार धार्मिक विचारों में खण्डात्मकता देखने को मिलती है जो इन्हें ग्रहण करने

की विधियों के अनुसार खण्डों में बँटी होती है। उदाहरण के लिए कोई भी व्यक्ति कर्म, ज्ञान एवं भक्ति के द्वारा धार्मिक ज्ञान की प्राप्ति कर सकता है। धार्मिक विश्वासों के रूप में हमें 'विविधता में एकता' प्राप्त करने के उद्देश्य की परम्परा के दर्शन होते हैं।

***(iii)* पुरुष प्रधानता**—संस्तरण एवं अपवित्रता की परम्परा की चर्चा में हमने यह बतलाया था कि भारतीय परम्परा के अनुसार स्त्रियों की अपेक्षा पुरुषों को श्रेष्ठ समझा जाता है। लेकिन इसका यह अर्थ बिल्कुल नहीं कि स्त्रियों को कोई महत्त्व दिया ही नहीं जाता है। परिवार या जाति में अविवाहित पुरुष को समुदाय का उस समय तक पूरा सदस्य नहीं समझा जाता था, जब तक कि उसका विवाह न हो जाए और पुत्र उत्पन्न न हो जाए। यद्यपि औपचारिक संरचनाओं में पुरुषों को प्रधानता दी गई है। देवों को देवियों से पुत्रों को पुत्रियों से अधिक महत्त्वपूर्ण समझा जाता है। ग्रामीण समुदायों में अनेक संस्कार केवल पतियों-पुत्रों की स्वास्थ्य रक्षा के लिए ही किए जाते हैं। लेकिन फिर भी यह उल्लेखनीय है कि देवियाँ ही दोनों का कारण होती है, देवतागण नहीं। संस्कारों में यद्यपि पुरुषों को स्त्रियों की अपेक्षा अधिक महत्त्वपूर्ण माना जाता है फिर भी संस्कारों की पूर्णता के लिए स्त्रियों का उनमें भाग लेना अनिवार्य है। यज्ञोपवीत संस्कार केवल पुरुषों का किया जाता है, स्त्रियों का नहीं। इस प्रकार ग्रामीण पंचायतों एवं निर्णयों में पुरुष ही भाग लेते ही स्त्रियाँ नहीं।

***(iv)* परिवारात्मकता**—भारतीय परम्परा में समाज नातेदारी से सम्बद्ध होता है। इसका व्यापक अर्थ यह है कि समाज में व्यक्ति की अपेक्षा समूह अधिक महत्त्वपूर्ण है। इस प्रकार परिवार में व्यक्ति का महत्त्व कम तथा परिवार का अधिक है। एकाकी परिवार की अपेक्षा संयुक्त परिवार का अधिक महत्त्व है। विवाह संस्कार में प्रमुखता इस भावना की अधिक है कि यह दो परिवारों का मिलन है न कि दो प्राणियों का। विवाह जाति या परिवार के अस्तित्त्व को बनाए रखने के लिए महत्त्वपूर्ण है, न कि व्यक्तियों के किन्हीं हितों की पूर्ति के लिए।

***(v)* संयुक्त परिवार**—संयुक्त परिवार भारतीय समाज में परंपरागत संगठन का एक महत्त्वपूर्ण आधार रहा है। वस्तुतः संयुक्त परिवार एक ऐसा परिवार है जिसमें कई पीढ़ी के व्यक्ति सम्मिलित रूप से रहते हैं। इस सन्दर्भ में **इरावती कार्वे** लिखती हैं, "संयुक्त परिवार उन व्यक्तियों का समूह है जो सामान्यतया एक मकान में रहते हैं, एक ही रसोई में बना भोजन करते हैं, सम्पत्ति के एक समान स्वामी है, एक समान पूजा-पाठ करते हैं और आपस में किसी खास प्रकार के रक्त सम्बन्ध में बँधे रहते हैं।"[2]

मैक्समूलर ने संयुक्त परिवारों को परम्परा कहा। संयुक्त परिवार भारतीय समाज में सहयोगिता के आदर्श रूप चित्रण प्रस्तुत करता है।

***(vi)* जाति प्रथा**—भारतीय सामाजिक संगठन मुख्यतः जाति पर आधारित है जातिगत संस्तरण से भारतीय सामाजिक संस्तरण निर्मित है प्रारम्भिक समय में जाति प्रथा श्रम विभाजन का परिणाम थी किन्तु उत्तर वैदिक काल में पश्चात् यह रूढ़िगत हो गयी।

सामान्यतः जाति परिवारों का एक संकलन है। जिसका एक सामान्य नाम होता है, उसे एक ही काल्पनिक पूर्वज, मानव या देवता से अपनी वंश परम्पवरा होने का दावा करते हैं, एक ही परम्परागत व्यवसाय को करने पर जोर देते हैं और एक सजातीय समुदाय के रूप में उनके द्वारा मान्य होते हैं। जो अपना ऐसा ही मत व्यक्त करने योग्य है।

केतकर की मान्यता है कि "जाति एक सामाजिक समूह है जिसकी सदस्यता उन्हीं लोगों को प्राप्त होती है, जिन्होंने उसी समूह में जन्म लिया है तथा जिसके सदस्यों पर एक दृढ़ सामाजिक नियम के द्वारा अपने समूह से बाहर विवाह करने पर निषेध लगा दिया जाता है। जाति प्रथा मात्र अन्तर्विवाही समूह की नहीं है अपितु अधिकारों एवं कर्तव्यों को निर्धारित करने वाली एक संस्था है।"[3]

जे. एच. हट्टन ने जाति व्यवस्था को मनुष्य की सामाजिक सुरक्षा का आधार बताया है, जाति व्यवस्था में व्यक्ति की स्थिति पर्याप्त रूप से सुदृढ़ होती है और उस पर सामाजिक नियंत्रण बना रहता है।"[1]

(*vii*) वर्ण व्यवस्था–वर्ण व्यवस्था जाति व्यवस्था से पुराना संगठन है। दूसरे शब्दों में जाति व्यवस्था वर्ण व्यवस्था का आनुवांशिक रूप है मूलतः वर्ण का अर्थ रंग से है किन्तु प्राचीन भारतीय परम्परा के आधार पर गुण किसी व्यक्ति के वर्ण को निश्चित करता था। गीता में श्रीकृष्ण ने अर्जुन को उपदेश देते हुए कहा है कि जो विद्या अध्ययन का कार्य करे वो ब्राह्मण है, जो लोगों की रक्षा करे वह क्षत्रिय है, जो भरण-पोषण का कार्य करता है वैश्य है तथा जो सेवा का कार्य करे वह शूद्र वर्ण के अन्तर्गत आता है। वर्ण व्यवस्था का सर्वप्रथम उल्लेख ऋग्वेद के पुरुष सूक्त में किया गया है। श्रमविभाजन का यह सरलतम एवं सर्वाधिक उचित व्यवहार माना गया है।

(*viii*) आश्रम व्यवस्था–आश्रम का शाब्दिक अर्थ एक जगह पर विश्राम करने से है। प्राचीन भारतीय चिन्तन में व्यक्ति को 100 वर्ष का माना गया है, जिसको चार भाग में विभाजित किया गया है। ब्रह्मचर्य, गृहस्थ, वानप्रस्थ, संन्यास प्रत्येक आश्रम में व्यक्ति अपने जीवन में 25 वर्ष बिताता है और पुरुषार्थो को प्राप्त करता है ब्रह्मचर्य आश्रम मुख्यतः विद्याध्ययन व इन्द्रियनिग्रह के लिए है जिसमें बालक गुरु के समीप बैठकर ज्ञानार्जन करता है और अपने आपको गृहस्थ जीवन लिए तैयार करता है। 25 वर्ष की अवस्था के उपरान्त विवाह के द्वारा व्यक्ति गृहस्थ आश्रम में प्रवेश करता है जहाँ पर वह धर्म, अर्थ, एवं काम तीनों पुरुषार्थों की प्राप्ति करता है चारों आश्रमों में गृहस्थ आश्रम को श्रेष्ठ माना गया है क्योंकि गृहस्थ आश्रम द्वारा सामाजिक आवश्यकताओं की पूर्ति की जाती है। पचास वर्ष की अवस्था के उपरान्त व्यक्ति अपने पुत्र को अपनी सारी जिम्मेदारियाँ देकर स्वयं को सामाजिक कार्यों में संलग्न कर लेता है। इस प्रकार 25 वर्ष की अवस्था वह वानप्रस्थी होकर बिताता है 15 वर्ष की अवस्था के उपरान्त व्यक्ति पूर्णतयः निवृत्ति मार्ग को अपना लेता है

एवं मोक्ष प्राप्ति के लिए वनों में चला जाता है। आश्रम व्यवस्था के द्वारा संतुलित सामाजिक जीवन की परिकल्पना की गयी थी जिससे सामाजिक एवं वैयक्तिक विघटन की दर नगण्य होती थी।

उपर्युक्त विशेषताओं से स्पष्ट है कि व्यक्ति और समाज की प्रगति जीवन के मूलभूत तथ्यों तथा व्यक्तियों के अपने कर्तव्यों के पालन में निहित है। सामाजिक जीवन को संगठित बनाए रखने के दृष्टिकोण से उपर्युक्त विशेषताएँ आवश्यक समझी गयीं तथा ऐसे जीवन दर्शन का निर्माण किया गया ताकि सामाजिक जीवन संगठित बना रहे। भारतीय समाज के इन परम्परागत आधारों ने व्यक्ति की उन्नति के साथ-साथ सामाजिक विकास को भी प्रश्रय दिया।

निष्कर्ष (Conclusion)

अब तक के वर्णन से यह स्पष्ट हो जाता है कि भारतीय समाज का विकास किसी एक विशिष्ट कारक के चलते नहीं हुआ है अपितु इसके विकास में अनेक कारकों ने योगदान दिया। समय-समय पर भारत में विभिन्न रूप रंग वाले विचित्र संस्कृतियों वाले लोगों ने कभी व्यापारी, कभी धर्म प्रचारक तो कभी, आक्रमणकारी के रूप में भारत में प्रवेश किया। वह अपनी तात्कालिक अवस्थाओं की पूर्ति के लिए यहाँ आते गए और शनैः शनैः इस मिट्टी की गंध से बँधते गए और यहीं के होकर रह गए। भारतीय संस्कृति कभी संकुचित नहीं रही। यह उस विशाल समूह की भाँति भी है, और व्यक्ति में भी रहेगी जो धरती के विभिन्न भागों में बहने वाली लम्बी, चौड़ी, छोटी, तीव्र गति युक्त, मन्दगति युक्त वाली नदियों को बिना किसी हलचल के अपने में आत्मसात कर लेता है और समस्त नदियाँ अपनी पहचान खोकर समुद्र के नाम से जानी जाती हैं। भारतीय समाज और संस्कृति ऐसे ही समुद्र के समान हैं जिसमें ईरानी, यूनानी, शक, कुशाण, मंगोल, अरबी, तुर्की आदि विभिन्न प्रजातियाँ यहूदी, मुस्लिम, इसाई, फारसी इत्यादि विचित्र धर्म, विभिन्न धर्म, विभिन्न बोलियाँ रूपी नदियाँ समाहित हो गयी हैं और इनकी मूल परम्पराएँ भारतीय संस्कृति की मूल परम्पराओं का अंग बन गयीं।

यह बतलाना आवश्यक है कि भारतीय समाज की इन परम्पराओं को हमें पृथक, रूप में स्वतन्त्र नहीं समझना चाहिए। यह सब एक ही वास्तविकता की विविध अभिव्यक्तियाँ हैं। भारतीय परम्परा एक आदर्श रूप की ओर संकेत करती है जिसकी एक मात्र विशेषता है उसमें अन्तर्निहित आध्यात्मिकता। सम्पूर्ण समाज एक आध्यात्मिक सत्य है। ऊपर हमने जितनी भी विशेषताओं का वर्णन किया है वह इसी आध्यात्मिकता को समझाने के विभिन्न तरीके हैं। यही आध्यात्मिकता समाज के समन्वय, समाज की वर्ण व्यवस्था, समाज की अर्थव्यवस्था, संस्कृति, धर्म, राजनायिक संस्थाओं विचारों, दर्शन, तत्त्वज्ञान, कला, एवं साहित्य विज्ञान इत्यादि में विभिन्न रूपों में प्रतिबन्धित है। नैतिकता भी इसी आध्यात्मिकता

की ही एक अभिव्यक्ति है। समाज में पाया जाने वाला कर्म सिद्धान्त एवं पुर्नजन्म का चक्र भी आध्यात्मिकता की वास्तविकता को दर्शाता है। भारतीय समाज की परम्परा को केवल भारतीय मानना भी हमारी भूल होगी। यह तो समस्त मानव की परम्परा है।

अभ्यास प्रश्न

1. भारत के दार्शनिक आधारों की विवेचना कीजिए।
2. भारतीय समाज की सांगठनिक संरचना का उल्लेख कीजिए।
3. कर्मवाद से क्या तात्पर्य है?
4. संगति का क्या अभिप्राय है?

संदर्भ

1. Shrimad Bhagawat Geeta || 17.14 ||
2. Irawati Karve "Kinship Organization in India", p. 78
3. Ketkar, history of caste in India, p. 15
4. Caste in India, J.H. Hutton

2

भारतीय समाज का क्षेत्रीय परिदृश्य
(Field View of Indian Society)

भारत के पाठीय परिदृश्य का अध्ययन करने के उपरान्त हम क्षेत्रीय परिदृश्य की चर्चा करना अत्यन्त आवश्यक समझते हैं। पाठीय अध्ययन बिना क्षेत्र कार्य अध्ययन के महज एक वृतान्त रहता है। अध्ययन की विश्वसनीयता क्षेत्रीय कार्य से ही सम्भव है। क्षेत्रीय कार्य का तात्पर्य किसी क्षेत्र विशेष, स्थान विशेष, अथवा किसी भौगोलिक परिस्थिति की सामाजिक संरचना के विभिन्न पक्षों के वैज्ञानिक अध्ययन से है। इस प्रकार के अध्ययन द्वारा किसी समाज विशेष के विभिन्न पक्षों के बारे में प्रामाणिक जानकारियाँ जुटाई जाती हैं और अध्ययनकर्ता वास्तविक स्थिति का करीब से चित्रण करने में सफल होता है।

उदाहरण के लिए एम.एन. श्रीनिवास ने मैसूर के श्रीपुरम नामक गाँव का अध्ययन क्षेत्रीय दृष्टिकोण से किया श्री निवास ने क्षेत्र या समग्र में से कुछ इकाइयों को चुनकर साक्षात्कार, अनुसूची, अथवा प्रश्नावली विधि के द्वारा उनका अध्ययन किया। इस आधार पर निकाला गया निष्कर्ष क्षेत्रीय कार्य के आधार पर निकाला गया निष्कर्ष माना गया है। वर्तमान समय में इस प्रकार के अध्ययनों का प्रचलन अधिक है अनेक समाजशास्त्रियों, मानवशास्त्रियों, शोधार्थियों द्वारा इस विधि द्वारा अध्ययन किया जा रहा है।

भारतीय समाज : क्षेत्रीय परिदृश्य
(Indian Society and Field View)

जनगणना कार्य भी क्षेत्रीय कार्य के अन्तर्गत आता है इसके द्वारा भारतीय समाज समस्त पक्षों को जानकारी मिलती है। 2011 की जनगणना से यह ज्ञात हुआ है कि भारत में लगभग 4636 समुदाय 751 अनुसूचित जन जातियाँ 1046 अन्य पि. वर्ग विद्यमान है। भारत एक बहुभाषाभाषी बहुधर्मी, बहु संस्कृति विशेषताओं वाला, वह समाज का उत्तम उदाहरण है। भारतीय समाज को परिदृश्य की विभिन्न परिदृश्यों में विभाजित किया गया है।

(1) भौगोलिक परिदृश्य (Geographical View)
(2) धार्मिक परिदृश्य (Religious View)
(3) भाषायी परिदृश्य (Linguistic View)
(4) जनसंख्यात्मक परिदृश्य (Demographic View)
(5) प्रजातीय परिदृश्य (Racial View)
(6) सांस्कृतिक परिदृश्य (Cultural View)
(7) जातीय परिदृश्य (Caste View)
(8) जनजातीय परिदृश्य (Tribal View)

1. भौगोलिक परिदृश्य (Geographical View)

भारतवर्ष का क्षेत्रफल 32,78,263 वर्ग कि. मी.है। क्षेत्रफल की दृष्टि से यह संसार का सातवाँ सबसे बड़ा देश है। इसकी जनसंख्या एक अरब तीन करोड़ के लगभग है। जनसंख्या की दृष्टि से चीन के बाद संसार में भारत का दूसरा स्थान है। कृषि योग्य भूमि की दृष्टि से संसार में संयुक्त राष्ट्र अमेरिका के बाद भारत दूसरे स्थान पर है। भारत की मुख्य भूमि 8.4° उत्तर अक्षांश से लेकर 34.6° उत्तर अक्षांश और 68.7° 'पूर्व देशांतर से लेकर 97.25° पूर्व देशान्तर के मध्य विस्तृत है। उत्तर से दक्षिण तक इसकी दूरी 3,214 कि.मी. तथा पूर्व से पश्चिम तक इसकी दूरी 2,933 कि.मी. है। कर्कवृत्त भारत को लगभग दो भागों में विभाजित करता है। भारत की स्थल सीमा पर पाकिस्तान, अफगानिस्तान, चीन, नेपाल, भूटान, म्यांमार और बांग्लादेश हैं। पूर्व में बांगलादेश के साथ भारत की 4,096 कि.मी. लम्बी, उत्तर में चीन के साथ 3,917 कि.मी. लंबी अंतर्राष्ट्रीय सीमा है। भारत की नेपाल के साथ 1,458 कि.मी. लंबी तथा भूटान के साथ 587 कि.मी. लंबी अन्तराष्ट्रीय सीमा है। भारत की स्थल सीमा के कुल लम्बाई 15,200 कि.मी. तथा समुद्री किनारे की कुल लम्बाई 6,100 कि.मी. है। प्रायद्वीपीय पठार, हिन्द महासागर में लगभग 1,600 कि.मी. की दूरी तक घुस गया है। इसी के कारण हिंद महासागर दो सागरों अर्थात् अरब सागर और बंगाल की खाड़ी के रूप में बँट गया है। भारत का विस्तार इतना अधिक है कि जब अरुणाचल प्रदेश में सूर्योदय होता है, तब राष्ट्रपिता महात्मा गांधी की जन्मभूमि काठियावाड़ के पोरबंदर रात के अंधेरे में डूबा रहता है। भारत का दक्षिणतम् भाग इंदिरा प्वांइट निकोबार द्वीप समूह में है। इसे विपरीत भारत का उत्तरतम् भाग जम्मू और कश्मीर राज्य में है। इस राज्य की उत्तर सीमा पर पामीर है। जहाँ से विभिन्न दिशाओं में पर्वत श्रेणियाँ फैली हैं इन दोनों भागों में बीच लगभग 3,000 कि.मी. का विस्तार है। इसीलिए भारत में विविध प्रकार के मौसम और जलवायु की दशाएँ तथा प्राकृतिक संसाधन है।

विशाल भूभाग में फैली भारतीय स्थलाकृतियों को सुविधापूर्वक निम्नलिखित सात भू-आकृतिक इकाइयों में वर्गीकृत किया जा सकता है।

(क) हिमालय पर्वत

(*i*) उत्तरी पर्वत श्रेणियाँ

(ख) गंगा सिंधु का मैदान

(*ii*) विशाल मैदान

(*iii*) थार मरूस्थल

(ग) प्रायद्वीपीय पठार

(*iv*) मध्यवर्ती उच्च भूमि

(*v*) प्रायद्वीपीय पठार

(*vi*) तटीय मैदान

(*vii*) द्वीप समूह

(*i*) उत्तरी पर्वत श्रेणियाँ—भारत की उत्तरी सीमा पर स्थित हिमालय पर्वत की शृंखलाएँ संसार में सबसे ऊँची हैं। विशाल सिन्धु नदी और शक्तिशाली ब्रह्मपुत्र इसे तीन भागों में विभाजित कर देता है। ये भाग हैं, मुख्य हिमालय उत्तर पश्चिम हिमालय (हिमालय पार की पर्वत श्रेणियाँ) तथा दक्षिण पूर्व हिमालय (पूर्वांचल)

मुख्य हिमालय का विस्तार उत्तर पश्चिम में सिन्धु नदी से लेकर दक्षिण पूर्व में ब्रह्मपुत्र नदी तक है। ये संसार के सबसे 'युवा' पर्वत हैं। अपनी युवा अवस्था के कारण इनमं संसार का सबसे ऊँचा पर्वत शिखर माउंट एवरेस्ट (89.59 मी.) है। इस पर्वत का नाम भारत के पूर्व महा-सर्वेक्षक जॉर्ज एवरेस्ट के नाम पर रखा गया है।

(*ii*) विशाल मैदान—हिमालय से धीरे-धीरे ढलवाँ होते गए मैदान काफी विस्तृत हैं। मैदान के मध्यवर्ती तथा पूर्वी भागों का निर्माण गंगा और ब्रह्मपुत्र नदियों तथा इसकी सहायक नदियों के द्वारा हुआ है। इस मैदान के पश्चिमी भाग अर्थात् पंजाब के मैदान का निर्माण सिंधु की सहायक नदियों के द्वारा हुआ है। विशाल मैदानों की उत्पत्ति नूतन काल में हुई है। ये मैदान लगभग 20 वर्ष पुराने हैं। इनका निर्माण बड़ी नदियों द्वारा निक्षेपित अवसादों से हुआ है।

(*iii*) थार मरुथल—राजस्थान के शुष्क मैदान भारत के विशाल मैदान का ही विस्तार है। अरावली श्रेणी के पश्चिम में स्थित ये मैदान कम वर्षा के कारण शुष्क हो गए हैं। इस मरुस्थलीय क्षेत्र के दो प्रादेशिक ढाल हैं। एक पश्चिमी की ओर तथा दूसरा दक्षिण की ओर। दक्षिण की ओर का ढाल राजस्थान की नदियों का मुख्य निकास मार्ग रहा है। लूनी (नमकीन नदी) के बड़े मोड़ के दक्षिण की चट्टानी पहाड़ियाँ लगभग 1,000 मी. ऊँची है लूनी की निचली घाटी, मरुस्थल का सबसे नीचा भाग है। यह समुद्र तल से मात्र 20 मीं. ऊँचा है।

(*iv*) मध्यवर्ती उच्च भूमि—पश्चिम में अरावली पर्वत श्रेणी से तथा पूर्व में विंध्य की कगार से सीमांकित पहाड़ी प्रदेश की चौड़ी पट्टी को मध्यवर्ती उच्चभूमि कहते हैं।

इसकी दक्षिणी सीमा पर नर्मदा की भ्रंश घाटी है। इन उच्च भूमियों में मध्य प्रदेश का आधार, राजस्थान का एक तिहाई तथा उत्तर प्रदेश का थोड़ा-सा भाग शामिल है। यह पूरा का पूरा प्रदेश वनाच्छादित है। इसमें अधिकतर गोंड, संथाल उराँव और मील नाम की जनजातियाँ रहती हैं। अरावली पर्वत श्रेणी, पूर्वी राजस्थान की उच्च भूमि, मध्यभारत का पठार, बुंदेलखण्ड की उच्चभूमि, मालवा का पठार, विंध्य की कगारी भूमि विंध्य श्रेणी और नर्मदा घाटी इसी प्रदेश के अंग हैं तथा अन्तिम चार दक्षिणी उच्च भूमि के भाग हैं।

(*v*) प्रायद्वीपीय पठार—बंगाल की खाड़ी और अरब सागर के अभिमुख भारत का सबसे बड़ा भू-आकृतिक विभाग प्रायद्वीतिया पठार हैं। यह उत्तर में सतपुड़ा पर्वत श्रेणी से लेकर दक्षिण में कन्याकुमारी तक 1,500 कि.मी. की दूरी में फैला है। इसका पूर्व पश्चिम विस्तार राजमहल की पहाड़ियाँ और सहयाद्रि (पश्चिमी घाटी के मध्य) 1,400 कि.मी. की दूरी है। दक्षिण में पठार की धरातल की ऊँचाई 1,000 मी. से अधिक ही है। लेकिन उत्तर में इसकी ऊँचाई अधिक-से-अधिक 500 मी. ही है। इसकी आकृति त्रिभुज के समान है इसकी चार भू-आकृतिक उप-इकाइयाँ हैं। पश्चिमी घाट दक्कन का पठार, पूर्वी घाट तथा पूर्वी पठार।

(*vi*) तटीय मैदान—प्रायद्वीपीय पठार की पूर्वी और पश्चिमी सीमाओं पर तटीय मैदान है। पश्चिमी तटीय मैदान की तुलना में पूर्वी तटीय मैदान शुष्क और चौड़ा है। पश्चिमी मैदान में दो सुविख्यात प्रायद्वीपीय कठियावाड़ और कच्छ, तथा गुजरात का विस्तृत मैदान है। पूर्वी तट पर कई डेल्टा हैं। इनके नाम हैं—महानदी, गोदावरी, कृष्णा और कावेरी के डेल्टा। पश्चिमी तट पर कोई डेल्टा नहीं है। पश्चिमी तट लगभग सीधा है। लेकिन पूर्वी तट लगभग वक्र है। पहले पर्याप्त वर्षा होती है तथा यहाँ बालू के टिब्बे नहीं है; जबकि दूसरे में वर्षा की कमी रहती है तथा यहाँ स्थानान्तरिय बालू के टिब्बे हैं।

(*vii*) द्वीप समूह—बंगाल की खाड़ी और अरब सागर में अनेक द्वीप हैं। बंगाल की खाड़ी के द्वीप, अपेक्षाकृत बहुत बड़े और आवास योग्य हैं। अरबसागर के द्वीपों की अपेक्षा बंगाल की खाड़ी के द्वीप समुद्री पर्वतों की पानी से बाहर निकली चोटियाँ हैं, जबकि अरब सागर के द्वीप पूर्णतया मूंगे के निक्षेपों से बने हैं।

2. धार्मिक परिदृश्य (Religious View)

भारतीय समाज को यदि धार्मिक समाज कहा जाए तो कोई अतिशयोक्ति नहीं होगी। भारतीय समाज में धर्म व्यापक शाश्वत एवं स्थायी तत्त्व है। जिसके आधार पर भारतीय समाज का जीवन निर्धारित, गतिमान, एवं नियमित होता है। प्राचीनकाल से भारत विभिन्न धर्मों की भूमि रहा है। विश्व में अन्य कोई ऐसा देश नहीं है, जहाँ इतनी धार्मिक बहुलता और विविधता पायी जाती है। प्रमुख रूप से भारत में छह धर्म विद्यमान हैं। ये हैं हिन्दू, मुस्लिम, सिक्ख, इसाई, बौद्ध तथा जैन इसके अतिरिक्त, पारसी, यहूदी एवं अन्य जन-जातीय धर्मों को मानने वाले लोग भी रहते हैं। मुख्य इसके धर्मों में अनेक पंथ समुदाय

और मत-मतान्तर पाए जाते हैं। उदाहरण के लिए हिन्दू धर्म–शैव, वैष्णव, शाक्त, ब्रह्मसमाज और आर्यसमाज में विभाजित है, जबकि इस्लाम–शिया, सुन्नी। इसाई प्रोटेस्टेन्ट तथा कैथोलिक, सिक्ख–अकाली तथा गैर अकाली, बौद्ध धर्म–हीनयान व महायान, जैन–श्वेताम्बर एवं दिगम्बर सम्प्रदायों में विभाजित हैं। इस्लाम, इसाई, पारसी, और यहूदी धर्मों की उत्पत्ति भारत से बाहर हुई किन्तु इन धर्मों का वर्तमान समय में भारतीयकरण हो गया है। अर्थात् संस्कृति में ये घुलमिल गए। 2011 की जनगणना के अनुसार भारत में विभिन्न धर्मों के अनुयायिक का प्रतिशत निम्नलिखित सारणी में दर्शाया गया है–

क्र.सं.	*धर्म*	*प्रतिशत*
1.	हिन्दू	79.8
2.	इस्लाम	14.23
3.	इसाई	2.30
4.	सिक्ख	1.72
5.	बौद्ध	0.70
6.	जैन	0.37
7.	पारसी एवं अन्य	0.66

3. भाषायी परिदृश्य (Linguistic View)

मानवीय समाज के उन्नत सांस्कृतिक विकास में जिस घटक का सर्वाधिक योगदान रहा है, वह भाषा ही हैं। भाषा के आविष्कार के पश्चात् मानवीय अंतः क्रिया में प्रतिगामी परिवर्तन आए। ब्रिचारों के आदान-प्रदान, सांस्कृतिक हस्तान्तरण इत्यादि सम्भव्र और सुदृढ़ होने लगा और इस प्रकार भाषा सामुदायिक जीवन की प्रमुख आधार बन गयी। हर्टन एवं हंट भाषा को परिभाषिक करते हुए कहते हैं कि "भाषा आवाजों का ऐसा समूह है जिसमें प्रत्येक आवाज़ का पृथक अर्थ होता है।" अतः हम कह सकते हैं कि विचारों की अभिव्यक्ति एवं समझने के लिए जिन ध्वनि संकेतों का प्रयोग किया जाता है वह भाषा है।

भारत में पायी जाने वाली भाषाएँ–भारत में लगभग 179 भाषाएँ तथा 544 बोलियाँ पायी जाती हैं। प्रत्येक भौगोलिक क्षेत्र अथवा उपक्षेत्र की अपनी एक भाषा या बोली होती है।

भारत में पायी जाने वाली भाषाओं को प्रमुख तीन भाषाई परिवारों में बाँटा गया है–

(1) **इण्डो आर्यन भाषा परिवार**–इसके अन्तर्गत हिन्दी, उर्दू, बंगाल, असमिया उड़िया, सिन्धी, मराठी, गुजराती, राजस्थानी, बिहारी, हिमालयी आदि भाषाएँ आती हैं।

(2) **द्रविड़ भाषा परिवार**–इसमें तेलुगू, कन्नड़, तमिल, मलयालम, एवं गोण्डी आदि भाषाएँ आती हैं।

(3) **आस्ट्रिक भाषा परिवार**–इसमें मुण्डारी, संथाली, खासी, हो, खडिया, विरहोर भूमिज, कोरवा, कोरक एवं जुआंग, आदि भाषाएँ प्रमुख हैं।

इनके अतिरिक्त चीनी, तिब्बती परिवार की भाषाएँ जैसे मणिपुरी, नेवाड़, लेपचा, एवं नगा भाषा का भी प्रचलन हैं असमिया, बंगला, गुजराती, हिन्दी, कन्नड़, कश्मीरी, मलयालम, मराठी, उड़िया, पंजाबी, संस्कृत, सिन्धी, तमिल, तेलुगू, उर्दू, कोंकणी, मणिपुरी और नेपाली। इनमें से प्रत्येक की अपनी एक लिपि है, इनमें हिन्दी का स्थान प्रमुख है जिसे देश के लगभग 30 प्रतिशत लोग बोलते हैं।

4. जनसंख्या परिदृश्य (Demographic View)

भारत वर्ष की जनसंख्या विश्व में दूसरा स्थान रखती है। 2011 की जनसंख्या के अनुसार देश की जनसंख्या 121 करोड़ 11 लाख के करीब है, जो 1901 की जनसंख्या 23 करोड़ के मुकाबले लगभग साढ़े पाँच गुना अधिक है। 2011 की जनसंख्या के अनुसार देश की जनसंख्या का घनत्व 382 व्यक्ति प्रति वर्ग कि. मीटर है। भारत में 62.87 करोड़ पुरुष एवं 58.64 करोड़ स्त्रियाँ हैं। इसी 2011 में प्रति हजार जन्मदर 19.3 और मृत्युदर 7.3 है। ग्रामीण जनसंख्या एवं नगरीय जनसंख्या में अत्यधिक भिन्नता देखने को मिलती है। ग्रामीण जनसंख्या 63.3 और नगरीय जनसंख्या 37.7 प्रतिशत है। साक्षरता कुल जनसंख्या का 74.04 प्रतिशत है। 1991 में जहाँ 927 स्त्रियाँ 1000 पुरुषों पर थीं, वहीं 2011 में यह जनसंख्या बढ़कर 940 हो गयी।

5. प्रजातिय परिदृश्य (Racial View)

भारत को विभिन्न प्रजातियों का द्रवण पात्र (Malting pot) कहा जाता है। प्राचीनकाल से ही भारत में विभिन्न प्रजातियों के लोग आक्रमणकारी पर्यटक, तीर्थयात्री, शरणार्थी आदि के रूप में आते रहे और यहीं के होते चले गए। भारत में प्रमुख रूप से चार प्रजाति समूहों के लोग पाए जाते हैं ये दविड़ आर्य, मंगोलायंड एवं प्रोटो आस्ट्रेलायड (प्राक आग्नेय मानव) प्रोटो आस्ट्रेलायड भारत के मूल निवासी माने जाते हैं जिनके अन्तर्गत मध्य भारत की जनजातियाँ आती हैं। द्राविड़ प्रजाति के लोग दक्षिण भारत में पाये जाते हैं, जबकि उत्तरी भारत आर्यों की सन्तान है। देश के उत्तरी पूर्वी पहाड़ियों पर मंगोलायड प्रजातियों के लोग पाए जाते हैं। कहने का तात्पर्य यह है कि विश्व में पायी जाने वाली तीन प्रमुख प्रजातियों काकेशायड, मंगोलायड, निग्रोयड के प्रतिनिधि भारत में पाए जाते हैं इसलिए भारत को विभिन्न प्रजातियों का संगम स्थल कहा जाना अक्षरशः सत्य है।

6. सांस्कृतिक परिदृश्य (Cultural View)

भारत बहुसंस्कृति विभिन्नताओं वाला देश है। कश्मीर से लेकर कन्याकुमारी तथा अरूणाचल प्रदेश से लेकर गुजरात तक विभिन्न संस्कृतियाँ जीवित अवस्था में पायी जाती

हैं। यहाँ एक कहावत प्रचलित है 'कोस कोस में बदले पानी चार कोस में वाणी' अर्थात् दो मील पर पानी और आठ मील पर बोली में बदलाव आता है, इसे ऐसे देखा जा सकता है कि उत्तर और दक्षिण के लोगों की वेष-भूषा, खान-पान, में काफी अन्तर है। पंजाब, राजस्थान, मिजोरम, अरुणाचल प्रदेश इन सभी राज्यों में खान-पान की दृष्टि में पंजाब, मिजोरम, अरुणाचल प्रदेश जैसे मांसाहारी हैं जबकि राजस्थान शाकाहारी है। इसी तरह इन राज्यों तथा इन जैसे अन्य राज्यों में कला, नृत्य, संगीत में भिन्नता देखने को मिलती है। पंजाब में गिद्दा और भांगड़ा, राजस्थान में घूमर, गुजरात में गरबा एवं दक्षिण में भरतनाट्यम नृत्यों की प्रधानता है। विभिन्न प्रान्तों के त्योहारों एवं उत्सवों में भी विभिन्नता पायी जाती है। देवी-देवताओं में भी हम भिन्नता देख सकते हैं। महाराष्ट्र में गणपति पूजा, दक्षिण में शिव पूजा, उत्तर में राम और कृष्ण की पूजा अन्य प्रान्तों में स्थानीय देवी-देवताओं फसलों में सम्बन्धित वृत्त, त्योहार, पूजा-पाठ प्रचलित है। इस प्रकार विभिन्न भागों में लोगों के विभिन्न व्यवहार प्रतिमान देखने को मिलती है। यहाँ एक विवाह, बहुपति विवाह एवं बहुपत्नी विवाह को मानने वाले लोग भी है। पितृसत्तात्मक एवं मातृसत्तात्मक दोनों प्रकार की परिवार व्यवस्था यहाँ पर विद्यमान है। अतः हम ये कह सकते हैं कि हमारा देश सरगम के सात स्वरों की स्वर लहरियों की तरह भिन्नता लिए हुए है।

7. जातीय परिदृश्य (Caste View)

भारत में लगभग 4,636 जातीय समूह हैं। जाति को परिभाषित करते हुए मजूमदार एवं मदान कहते हैं कि "जाति एक बन्द वर्ग है" इसका का तात्पर्य ऐसे वर्ग से है जिसमें दूसरे वर्गों के साथ खान-पान, विवाह सामाजिक सहवास रखने पर प्रतिबन्ध है। विभिन्न जातियों के बीच ऊँच-नीच का एक संस्तरण है, इस आधार पर छुआछूत, अस्पृश्यता इत्यादि भावनाएँ भी पैदा होती हैं। विभिन्न जातियों के बीच उपजातियाँ पायी जाती हैं। उपजातियों में भी संस्तरण पाया जाता है। कुछ विशेष जातियाँ भारत के विशेष प्रान्तों में ही पायी जाती हैं। सरकार द्वारा जातियों के मध्य समानता स्थापित करने के लिए अनेक कार्यक्रम चलाए जा रहे हैं।

8. जनजातीय परिदृश्य (Tribal View)

जनजातियों पर किए गए एक सर्वेक्षण में भारत में कुल 635 जनजातीय समूह हैं। 2001 की जनगणना के अनुसार जनजातीय जनसंख्या आठ करोड़ पार कर चुकी है। प्रत्येक जनजाति की अपनी विशिष्ट संस्कृति एवं सभ्यता होती है। वितरण की दृष्टि से मध्य भारत जनजातियों का स्वाभाविक विकास स्थान है। यहाँ गोड़ मील कोल मुंडा इत्यादि जनजातियाँ रहती हैं जबकि कदार मालापान्त्रम पनियन आदि दक्षिण भारत में निवास करती हैं।

नीलगिरी की पहाड़ियों पर होड़ा पशुपालक जनजाति रहती है। उ.प्र. भारत में खासी, लेपचा इत्यादि जनजातियाँ रहती हैं। आधुनिक सभ्यता के प्रभाव से गोड़ भील इत्यादि प्रभावित हुए हैं। जबकि कुछ जनजातियाँ जैसे अण्डमान की आँगे ओराव आदि अभी भी पुरा पाषाण काल का जीवन व्यतीत कर रही है।

उपरोक्त विवेचन से यह स्पष्ट होता है कि विभिन्न मुद्दों पर बंटे होने के बावजूद भारत वर्ष एक सूत्र में बँधा हुआ है। भारतीय संस्कृति न्यायसंगत पथ पर चलने का आह्वाहन हमेशा से करती रही है एवं समस्त विश्व को अपना परिवार मानती है।

क्षेत्रपरक दृष्टिकोण का महत्त्व (Importance of Field View)

क्षेत्रपरक दृष्टिकोण का महत्त्व गत 60-65 वर्षों में अधिक हो गया है, क्योंकि आजकल पाठीय परिदृश्य या शास्त्रीय दृष्टिकोण को अधिक प्रामाणिक एवं विश्वसनीय नहीं माना जाता, अधिकांश समाजशास्त्रियों का विचार है कि प्राचीन लिखित ग्रंथों के विचारों का मूल्यांकन वैज्ञानिक अध्ययन द्वारा किए गए तथ्यों की भाँति वैज्ञानिक नहीं मानते। उनका मत है कि क्षेत्र-कार्य का अध्ययन ही भारतीय समाज की यथार्थता को उद्घाटित कर सकते हैं, जिससे हम वास्तविकता का ज्ञान प्राप्त करेंगे। वर्तमान समय में क्षेत्राधारित दृष्टिकोण का महत्त्व कई कारणों से है, यथा–

1. क्षेत्रपरक अध्ययन के द्वारा यथार्थ के वास्तविक तथ्यों की प्राप्ति होती है।
2. डॉ. ए. आर. देसाई के अनुसार, भारतीय ग्रामीण समाज परीक्षण हेतु हमें एक विशाल प्रयोगशाला प्रदान करता है।
3. ग्रामीण जीवन से सम्बन्धित क्षेत्रकार्य के अध्ययन से हमें प्राप्त होने वाली जानकारी विश्वस्त, प्रामाणित तथा वास्तविक भी होती है।
4. क्षेत्रपरक अध्ययनों से ग्रामीण जीवन में होने वाले परिवर्तनों के बाह्य तथा आन्तरिक कारकों के बारे में ग्रामीणों के दृष्टिकोण का ज्ञान सही रूप में होता है।

क्षेत्र कार्य पर आधारित अध्ययन समाज के संगठन, संरचना, व्यवस्था, परिवर्तन, सामाजिक प्रगति एवं विकासादि के बारे में वास्तविक तथा उपलब्ध कराते हैं। इतना ही नहीं, पाठीय/शास्त्रीय दृष्टिकोण का परम्परागत भारतीय के दार्शनिक एवं परम्परागत आधारों को भी स्पष्ट करते हैं। प्राचीनता का मूल्यांकन क्षेत्राधारित अध्ययन द्वारा यथार्थ रूप से हो सकता है। क्षेत्रीय अध्ययनों के माध्यम से योजना निर्माताओं और सम्बन्धित प्रशासकों को भी क्षेत्रीय योजना बनाने में सहायता मिलती है। इनके माध्यम से क्षेत्र/गाँव में होने वाले परिवर्तनों की दिशा को समझा जा सकता है तथा उसकी दिशा में वाँछित बदलाव लाया जा सकता है।

पाठीय एवं क्षेत्रीय दृष्टिकोण के अन्तर (Difference between Learning and Field View)

पाठीय दृष्टि और क्षेत्र कार्य दृष्टि का भारत समाज के अध्ययन और उसे सही परिप्रेक्ष्य में समझने की दृष्टि से अपना-अपना विशेष महत्त्व है। पाठीय दृष्टि के अनुसार भारतीय समाज को ऐतिहासिक परिप्रेक्ष्य में ही इसी ढंग से समझा जा सकता है। अतीत में लिखित सामग्री के आधार पर भूतकालीन समाज को समझा जा सकता है। भारतीय समाज को दार्शनिक एवं संगठनात्मक आधार पर संगठित किया गया, ताकि व्यक्ति ओर समाज का निरन्तर सर्वागीण विकास होता रहे। पाठीय दृष्टि स्पष्ट करता है कि भारतीय समाज के विकास में विभिन्न कारकों का योगदान रहा है। विभिन्न धर्मों, संस्कृतियों, प्रजातियों, संस्कृतियों के लोगों कें परस्पर घुलने-मिलने, परस्पर आदान-प्रदान करने से ही भारतीय समाज विकसित हुआ है।

पाठीय दृष्टि एवं क्षेत्र-कार्य दृष्टि भारतीय समाज को समझने में एक-दूसरे से पर्याप्त सीमा तक सहयोग करते हैं। वे एक-दूसरे को आसानी से समझ सकते हैं। वे यह ज्ञात कर सकते हैं कि वेद, पुराण, स्मृतियों और अन्य धर्म ग्रंथों के आधार पर वर्णित भारतीय समाज का स्वरूप कैसा था, तत्कालीन भारतीय समाज में कौन-सी संस्थाएँ विद्यमान थी। संस्थाएँ व्यक्ति के जीवन एवं व्यवहारादि को किस रूप में प्रभावित करती थी। व्यक्ति के जीवन में धर्म, वर्ण, आश्रम, संस्कार, पुरुषार्थ, कर्म आदि का क्या स्थान था और ये व्यक्ति को कैसे प्रभावित करती थी। स्पष्ट है कि पाठीय दृष्टि को अपनाए बिना भारतीय समाज के दार्शनिक और संगठनात्मक आधारों को समझना असम्भव ही होगा।

क्षेत्र-कार्य दृष्टि की अपनी पृथक महत्ता है। समय व्यतीत होने के साथ सामाजिक संस्थाओं का रूप परिवर्तन हो जाता है तथा सामाजिक संगठन के आधारों में भी थोड़ा बहुत बदलाव आते हैं। उदाहरण के लिए भारत में कालान्तर में वर्ण व्यवस्था का स्थान जाति प्रथा ने ग्रहण कर लिया। जाति प्रथा ने भारतीयों को कई रूपों में प्रभावित किया और आज भी कर रही है। क्षेत्र-कार्य दृष्टि के द्वारा इस परिवर्तन को समझाया जा सकता है। यह भी बताया जा सकता है कि वर्तमान समय में जाति व्यवस्था किन क्षेत्रों में कमजोर और शिथिल पड़ी है तथा किन क्षेत्रों में उसका प्रभाव और भी अधिक हो गया है, जाति और राजनीति में क्या सम्बन्ध है, जाति मतदान व्यवहार को किस सीमा तक प्रभावित करती है इन सब तथ्यों का अध्ययन केवल क्षेत्र-कार्य दृष्टि को अपनाकर ही हो सकता है। क्षेत्राधारित अध्ययनों के द्वारा ही वर्तमान भारतीय समाज को सही रूप से समझा जा सकता है। किन्तु इससें भी पाठीय परिदृश्य को विस्मृत नहीं करना है, क्योंकि पाठीय परिदृश्य के आधार पर ही हम परम्परागत भारतीय समाज का सही परिप्रेक्ष्य समझ सकते हैं। स्पष्ट है कि पाठीय और क्षेत्र-कार्य दृष्टि में परस्पर घनिष्ठ एवं पूरक सम्बन्ध स्थापित है।

अभ्यास प्रश्न

1. भारतीय क्षेत्रीय परिदृश्य की व्याख्या कीजिए।
2. क्षेत्र परक दृष्टिकोण का अध्ययन में क्या महत्व है?
3. पाठीय एवं क्षेत्रीय दृष्टिकोण में क्या अन्तर है?

3

वर्तमान तथा अतीत के मध्य अन्तर्सम्बन्ध (Interrelation between Past and Present)

भारतीय समाज को अध्ययन करने हेतु विभिन्न दृष्टिकोणों का प्रतिपादन विद्वानों द्वारा किया गया जिनमें प्रमुख दो दृष्टिकोण भारतीय समाज का शास्त्रीय दृष्टिकोण एवं क्षेत्रीय कार्य दृष्टिकोण का उल्लेख हम पूर्व में कर चुके हैं। पूर्व अध्ययनों के अवलोकन से यह स्पष्ट होता है कि क्षेत्रीय कार्य दृष्टिकोण एवं शास्त्रीय दृष्टिकोण में पूरक सम्बन्ध है अर्थात् एक को समझे बगैर दूसरे को नहीं समझा जा सकता है। शास्त्रीय दृष्टिकोण जहाँ अतीत के अध्ययन पर बल देता है वहीं क्षेत्रीय कार्य दृष्टिकोण वर्तमान सामाजिक परिस्थितियों एवं प्रक्रियाओं का अध्ययन है। इस प्रकार हम यह कह सकते हैं कि अतीत को समझे बिना किसी विद्वान के लिए वर्तमान परिस्थितियों को पूरी तरह से समझना अत्यन्त दुष्कर होता है। अतः अतीत पर केंन्द्रित अध्ययन एवं वर्तमान पर केन्द्रित अध्ययन की कमियों को दूर करते हुए एक तीसरी विचारधारा का उदय हुआ, जो वर्तमान तथा अतीत के मध्य अन्तः सम्बन्धों का अध्ययन करती है।

1. अतीत केन्द्रित अध्ययन (Past Centralised Study)
2. वर्तमान केन्द्रित अध्ययन (Present Centralised Study)
3. वर्तमान तथा अतीत के मध्य अन्तः सम्बन्धों पर केन्द्रित अध्ययन (Study Centralised on Past & Present)

1. अतीत केन्द्रित अध्ययन (Past Centralised Study)

विलियम जोंस ने 1787 में, एशियाटिक सोसायटी ऑफ बंगाल की स्थापना की और भारत की समृद्ध प्राचीन संस्कृति तथा दार्शनिक परम्परा के अध्ययन की शुरुआत की। सर हेनरी मेन, अल्फ्रेड लायड, और मैक्स मूलर आदि विद्वानों ने भारत के अतीत सम्बन्धी विषयों का अध्ययन करके भारत की महान सांस्कृतिक विरासत को लोगों के सामने ले आए जिसे भारत वासी करीब-करीब भूल चुके थे। नातेदारी और जाति व्यवस्था एकीकृत ढांचे का काम करती है। भारतीय समाज का विकास इन व्यवस्थाओं के माध्यम से विभिन्न जातीय

और नृजातीय समूहों की एकीकरण पर आधारित है। **इरावती कारवे** ने अपना अध्ययन अतीत पर केन्द्रित रखा। अपनी मुख्य कृति 'किनशिप आर्गनाइजेशन इन इण्डिया (1953)' में उन्होंने भारत को चार क्षेत्रों में बाँटा और उनका तुलनात्मक अध्ययन किया।[1] इस कृति की शुरुआत महाभारत के विभिन्न पात्रों की वंशावली से होती है, साथ ही उन्होंने भारत के विभिन्न भागों से एकत्रित की गयी जानकारियों का भी उपयोग किया। उन्होंने हिन्दू धर्म की नए प्रकार से व्याख्या की। उनके लेखन में भारत शास्त्र और सामाजिक सर्वेक्षण का सम्बन्ध है।

2. वर्तमान केन्द्रित अध्ययन (Present Centralised Study)

इस प्रकार के अध्ययनों की प्रासंगिकता तब बढ़ जाती है, जब लिखित सामग्री का अभाव हो अथवा लिखित सामग्री प्रामाणिक न हो। इस विचारधारा के प्रबल समर्थकों में मैलिनोवस्की व रेडिक्लिफ ब्राउन प्रमुख हैं। इन विद्वानों के अनुसार ऐतिहासिक विधि से किए गए अध्ययन में वैज्ञानिक दृष्टिकोण का पूर्णतः अभाव होता है। क्योंकि अतीत से सम्बन्धित अभिलेख किसी-न-किसी रूप में पक्षपात पूर्ण होते हैं। कल्पनाओं पर आधारित होते हैं और पूर्वाग्रह पूर्ण होते हैं।

3. वर्तमान तथा अतीत के मध्य अन्तः सम्बन्धों पर केन्द्रित अध्ययन (Study Centralised on Past & Present)

यद्यपि भारतीय समाज में अतीत के अध्ययन से सम्बन्धित विभिन्न अभिलेख एवं लिखित सामग्रियाँ उपलब्ध हैं फिर भी उनके आधार पर भारतीय समाज का निरूपण पूर्ण रूप से तार्किक नहीं होता। उदाहरणार्थ महाकाव्यकालीन समाजों का जैसा वर्णन हमें रामायण और महाभारत में मिलता है वैसा वास्तविक रूप में उनका जैसा पाया जाना काल्पनिक है। अतः वास्तविक रूप से जानकारी प्राप्त करने के लिए किसी भी समाज का क्षेत्रीय कार्य के आधार पर अध्ययन आवश्यक हो जाता है। प्राथमिक तथ्यों के संग्रह के पश्चात् उनके निरीक्षण और परीक्षण से ही समाज के वास्तविक स्वरूप का पता चल पाता है। मजूमदार तथा मदान के अनुसार ऐतिहासिक विधि से प्राप्त निष्कर्ष मात्र कुछ भ्रम पूर्ण प्राकल्पनाओं का निर्माण करते हैं।

भारतविदों ने प्राचीन कानून और समाज का सावधानी से अध्ययन किया। हेनरी मेन, ने 1871 में 'विलेज कम्युनिटी इन द ईस्ट एण्ड द वेस्ट' नामक पुस्तक लिखी जिसमें भारतीय ग्रामों के बारे में विस्तृत रूप से चर्चा की गयी है। इसके अलावा कार्ल मार्क्स एवं मैक्स वेवर ने भारतीय अतीत का अध्ययन किया। केवल अतीत के अध्ययन के आधार पर परखने वाले विद्वानों में बी.एन.सील, राधाकमल मुखर्जी, डी.पी.मुखर्जी, जी.एस. घुरिये, आनन्द कुमार स्वामी, इत्यादि प्रमुख हैं।

अतीत का अध्ययन मूलतः आधुनिकता के विरुद्ध परम्परा की प्रतिक्रिया मानी जाती है। आनन्द कुमार स्वामी ने परम्परा और आधुनिकता के बीच अन्तर को स्पष्ट किया और साथ ही साथ पूर्व और पश्चिम की तुलना भी की। उनकी यह मान्यता थी कि पश्चिमी देशों के भौतिक उपलब्धियों ने पारम्परिक आध्यात्मिकता को दबा दिया है, इसलिए भारतीय समाज पश्चिम में आध्यात्मिक को नवजीवन प्रदान करने में प्रेरक साबित हो सकता है। मूर्धन्य समाजशात्री, गोविन्द सदाशिव घुरिये, मुम्बई विश्वविद्यालय में समाजशास्त्र का अध्यापन करते थे। उन्होंने ऐतिहासिक भारतशास्त्र सम्बन्धी और सांख्यिकी के आधार पर जन जातियों और जातियों का अध्ययन किया। 1930 के दशक के आरम्भ में उन्होंने भारत में जाति और प्रजाति पर 'कास्ट एंड रेस इन इंडिया' नामक पुस्तक प्रकाशित की। भारतीय जातियों के सम्बन्ध में जानकारी के लिए यह पुस्तक आज भी महत्त्वपूर्ण है। अपनी इस पुस्तक में उन्होंने जाति प्रथा की ऐतिहासिक, तुलनात्मक और एकीकृत परिप्रेक्ष्य में जाँच की है। बाद में उन्होंने 'भारत यूरोपीय संस्कृतियाँ' में नातेदारी व्यवस्था का तुलनात्मक अध्ययन किया।

अपने नातेदारी और जाति के अध्ययनों में घुरिये ने दो मुद्‌दों पर विशेष बल दिया (क) भारत की नातेदारी और जाति व्यवस्था की तरह कुछ अन्य देशों में भी ऐसी ही व्यवस्था है और (ख) भारत में उपयुक्त विवेचना से स्पष्ट होता है कि भारतीय समाज और उससे जुड़े विभिन्न पक्षों का वैज्ञानिक एवं तार्किक विश्लेषण वर्तमान केन्द्रित अध्ययन करता है। किन्तु यदि हम अतीत से हट कर मात्र वर्तमान पर अपना अध्ययन केन्द्रित रखे तो यह एकांगी हो जाता है। किसी-न-किसी रूप में अतीत वर्तमान को प्रभावित करता है। इसलिए भारतीय समाज को सही अर्थों मे समझने के लिए यह आवश्यक है कि अतीत का सही मूल्यांकन किया जाए और वर्तमान के साथ इसकी निरन्तरता को उचित सन्दर्भों में देखा जाए। निष्कर्ष रूप में यह कहा जा सकता है कि वर्तमान भारतीय समाज का सही मूल्यांकन अतीत के परिप्रेक्ष्य में ही किया जा सकता है।

भारतीय समाज के विभिन्न पहलुओं पर गौर करने के पश्चात यह पाया गया है कि न तो मात्र अतीत के अध्ययन से भारतीय समाज को पूरी तरह समझा जा सकता है और न मात्र वर्तमान पर आधारित अध्ययन से अपितु यह कार्य ऐतिहासिक पद्धति एवं क्षेत्रीय कार्य दोनों के सम्यक सन्तुलन से हो सकता है। इस सन्दर्भ में प्रो. डी.पी. मुखर्जी का उल्लेख करना प्रासंगिक होगा। उनके अनुसार परम्परा संस्कृति का मुख्य आधार है। व्यक्तियों को परम्परा से पोषण मिलता है। इससे उनका उद्देश्य या दिशा बोध लुप्त नहीं होता है। प्रायः परम्परा भार-स्वरूप भी बन जाती है जैसा कि भारत के संदर्भ में हुआ। लोग इसको आदर्श मानकर इसकी पूजा करने लग गए। परम्परा के प्रति लोगों में आलोचनात्मक दृष्टि का प्रभाव होने के कारण सांस्कृतिक ठहराव आना स्वाभाविक था। इसलिए वैयक्तिकता (Individuation) को भी प्रोत्साहित करना चाहिए। व्यक्ति संस्कृति में नई शक्ति का

संचार कर इसका पुननिर्माण कर सकते हैं। समाज में व्यक्ति को न तो पूर्णरूप से स्वतन्त्र होना चाहिए और न ही पराधीन क्योंकि स्वस्थ व्यक्तित्त्व के विकास के लिए वैयक्तिकता और समायोजन के बीच संतुलन होना चाहिए। समायोजन व्यक्ति को समाज के साथ जोड़ने वाली कड़ी है। व्यक्ति की स्वतन्त्रता का मतलब अव्यवस्था नहीं है बल्कि परंपरा की सृजनात्मक अभिव्यक्ति से है।

उपर्युक्त विवेचन के आधार पर यह कहा जा सकता है कि मात्र अतीत के अध्ययन से अथवा मात्र वर्तमान के अध्ययन से प्राप्त किए गए निष्कर्ष पक्षपात युक्त होंगे। किसी भी तथ्य को समुचित रूप से समझने के लिए यह आवश्यक है कि किए गए अध्ययन इस प्रकार से हों जिनमें ऐतिहासिक अध्ययन के साथ-साथ क्षेत्रीय कार्य का उचित सन्तुलन हो अपनी यह संरचना अनुपम तो है ही साथ ही समाजशास्त्रीय दृष्टिकोण से बहुत महत्त्वपूर्ण भी। इसकी प्राचीनता और सातत्य में समायोजन के गुण का विशेष महत्त्व है। अपने लम्बे इतिहास में भारतीय समाज ने परिवर्तनमान परिस्थितियों, आवश्यकताओं तथा आन्तरिक एवं बाह्य संघातों से समायोजन करते हुए अपने अस्तित्त्व और अस्मिता को संरक्षित रखा किन्तु इसी प्रक्रिया ने भारतीय समाज के संयोजक की जटिलता प्रदान की। अपनी प्रजातीय सांस्कृतिक जनसांख्यकीय एवं धार्मिक संरचना में भारतीय समाज के इस जटिल संयोजन को भली-भाँति समझा जाय अन्यथा भारतीय समाज का बोध दुष्कर है।

अभ्यास प्रश्न

1. वर्तमान एवं अतीत के मध्य अंतर्सम्बन्ध स्थापित कीजिए।
2. अतीत केन्द्रित अध्ययन पर एक संक्षिप्त टिप्पणी लिखिए।
3. वर्तमान केन्द्रीय अध्ययन क्या है?

संदर्भ

1. Irawati Karve, Kinship Organization in India, p. 18

4

भारतीय सामाजिक संरचना एवं संयोजन–गाँव, कस्बे एवं नगर
(Social Structure & Composition of India–Village, Town and City)

भारतीय समाज की संरचना एवं संयोजन में तीन प्रमुख घटकों की भूमिका रही है। इनका क्रमानुसार वर्णन गाँव, कस्बा एवं नगरों के संदर्भ में किया जा सकता है।

गाँव (Village)

परम्परागत रूप से भारत ग्रामीण अर्थव्यवस्था प्रधान देश रहा है। आज भी देश की 65.70 प्रतिशत जनसंख्या कृषि एवं इसके अनुषंगिक व्यवसायों पर निर्वाह करती है। भारत के कुल सफल घरेलू उत्पाद में कृषि का योगदान लगभग 22 प्रतिशत है। गाँव भारतीय समाज की सबसे सरल इकाई हैं जो आज भी कमोवेश नहीं है जो सभ्यता से प्रस्फुटन काल में था। प्राथमिक व्यवसाय की प्रधानता, अल्प जनसंख्या, गतिशीलता का अभाव, प्राथमिक काल संबंधों की बहुलता इत्यादि ग्रामीण समुदाय के प्रमुख लक्षण हैं।

फेयर चाइल्ड के अनुसार "ग्रामीण समुदाय पड़ोस की अपेक्षा विस्तृत क्षेत्र है जिससे आमने-सामने के संबंध पाए जाते हैं जिससे सामूहिक जीवन हेतु अधिकांशतः सामाजिक शैक्षणिक धार्मिक तथा अन्य सेवाओं की आवश्यकता होती है तथा मूल अभिवृत्तियों एवं व्यवहारों के प्रति सामान्य सहमति होती है।"[1]

इनसाइक्लोपीडिया ऑफ सोशियल साइन्सेज के अनुसार "एकाकी परिवार से बड़ा सम्बन्धित एवं असम्बन्धित लोगों का समूह जो एक बड़े मकान अथवा निवास के अनेक स्थानों पर रहता हो, घनिष्ठ सम्बन्धों में आबद्ध हो तथा कृषि योग्य भूमि पर मूलरूप से संयुक्त रूप में कृषि करता हो ग्राम कहलाता है।"[2]

मैरिल और एल्ड्रिज के अनुसार, "ग्रामीण समुदाय के अन्तर्गत संस्थाओं और ऐसे व्यक्तियों का संकलन होता है, जो छोटे से केन्द्र के चारों ओर संगठित होते हैं तथा सामान्य प्राकृतिक हितों में भाग लेते हैं।"[3]

बरट्राण्ड ने ग्रामीणता के निर्धारण में दो आधारों (1) कृषि द्वारा आय अथवा जीवन यापन (2) कम घनत्व वाला जनसंख्या क्षेत्र को, प्रमुख माना है।[4]

सेण्डरसन के अनुसार "एक ग्रामीण समुदाय में स्थानीय क्षेत्र के लोगों का सामाजिक अन्तःक्रिया और उनकी संस्थाएँ सम्मिलित हैं जिसमें वह खेती के चारों ओर बिखरी झोपड़ियों तथा पुरवा या ग्रामों में रहती हैं और जो उनकी सामान्य क्रियाओं का केन्द्र है।"[5]

गाँव की विशेषताएँ (Features of Village)

उपर्युक्त परिभाषाओं के आधार पर गाँव की प्रमुख विशेषताओं को निम्नलिखित रूप में प्रकट किया जा सकता है–

(1) प्राथमिक व्यवसाय पर आधारित अर्थव्यवस्था–प्राथमिक व्यवस्था का तात्पर्य जीविकोपार्जन के साधन के रूप में प्राकृतिक वस्तुओं के उपयोग से है। ग्रामीण अर्थव्यवस्था में विनिमय का स्वरूप, वस्तु विनिमय (बार्टर प्रणाली) होता है। यहाँ पर मुद्रा प्रणाली का प्रचलन अल्पअवस्था में होता है। कृषि, पशुपालन एवं अन्य प्राकृतिक वस्तुओं पर आधारित उद्योगों की प्रमुखता ग्रामीण अर्थव्यवस्था में पायी जाती है।

(2) सरल जीवन पद्धति–गाँव की यह प्रमुख विशेषता है जो इसे नगरों से अलग करती है। जहाँ नगरों में कृत्रिमता, औपचारिक नियम, जटिलता इत्यादि का बाहुल्य होता है वहीं गाँवों में अपेक्षाकृत सरल जीवनपद्धति को देखा जा सकता है क्योंकि गाँव में जीवन निर्वाह हेतु न्यून आवश्यकता होती है।

(3) परिवारात्मकता–गाँव में किसी भी व्यक्ति की पहचान उसके अपने गुणों की वजह से न होकर परिवार की वजह से होती है। अर्जित परिस्थिति की अपेक्षा प्रदत्त प्रस्थिति का अधिक महत्त्व होता है। यहाँ निजता, स्व इत्यादि अवधारणाओं का विलोपन देखने को मिलता है। उसकी जगह पर परिवारात्मकता और सामूहिकता के पदों में व्यक्ति की योग्यताएँ और क्षमताएँ पायी जाती हैं।

(4) परम्परागत मूल्यों पर आधारित समाज–गाँव परम्पराओं के उद्‌भव एवं संरक्षक केन्द्र होते हैं। एक समान व्यवहार एक व्यक्ति की कई पीढ़ियों को करते हुए देखा जाना गाँव का प्रमुख लक्षण है।

(5) प्राथमिक सम्बन्धों पर आधारित समाज–गाँव में व्यक्तियों के मध्य अधिकतर सम्बन्ध प्राथमिक होते हैं क्योंकि व्यक्तियों को आमतौर से सारा गाँव जानता है। इस प्रकार आमने-सामने के सम्बन्ध होते हैं। यही कारण है कि गाँव वालों के सम्बन्ध बहुत सरल होते हैं। उनमें द्वितीय सम्बन्धों की विशेषताएँ नहीं पायी जाती।

(6) सामाजिक नियंत्रण नियमन–कानून का स्थान गाँव में बहुत कम होता है। उसकी जगह प्रथाएँ, रीति-रिवाज धर्म आदि ग्रामीण समाज में नियंत्रण रखते हैं। आपस के लड़ाई-झगड़े पंचायत द्वारा तय किए जाते हैं। पुलिस को भी बहुत से मामलों में हस्तक्षेप नहीं रखना पड़ता।

(7) समरूपता–आर्थिक समानता के कारण गाँव का समाज हमेशा एक-सा रहता है। उसके व्यवहार भाषा सभ्यता आदि में भी समानता पायी जाती है।

(8) विशेषज्ञता का अभाव–गाँव वालों को कृषि से सम्बन्धित थोड़ा-थोड़ा हर काम जानना पड़ता है। जैसे हल को ठीक करना, अन्य वस्तुओं की मरम्मत आदि इस तरह वह किसी एक काम में विशेषज्ञ नहीं होते। इसके अतिरिक्त व्यवस्थाओं की कमी और उसकी सरलता के कारण भी विशेषीकरण की प्रक्रिया सम्भव नहीं।

(9) जनमत का महत्त्व–गाँव वालों को अपने तथा परिवार के बदनामी का बड़ा विचार रहता है। वह कोई ऐसा कार्य नहीं करते जिससे जनमत उनके विरुद्ध हो जाए। प्रायः ऐसा भी देखा गया है कि नेता की राय का वर्ग की राय समझा जाता है।

(10) स्त्रियों की निम्न दशा–गाँव में अभी भी स्त्रियाँ अशिक्षित होती हैं। गाँव में आज भी उनका स्थान पुरुषों से नीचा है। धर के काम के साथ पति के कृषि सम्बन्धी कार्यों में भी हाथ बँटाती है।

(11) धर्म का महत्त्व–गाँव के लोग आज भी धर्म को अधिक महत्त्व देते हैं। कोई भी ऐसा कार्य जो धर्म के विरुद्ध होता है, करने से डरते हैं आमतौर से धर्म में विश्वासों के प्रति उनमें कोई परिवर्तन नहीं होता। इसके विपरीत नगरों में धार्मिक मूल्यों का महत्त्व धीरे-धीरे कम होता जा रहा है, जबकि गाँव की जनता जादू मन्त्र तथा अन्य दैवीय बातों पर अधिक विश्वास करती है।

(12) अशिक्षा और भाग्यवाद–भारतवर्ष में गाँवों में बहुत थोड़े लोग पढ़े-लिखे हैं। शिक्षा का अभाव ही भाग्यवाद का मुख्य कारण है जो भी मुसीबतें उन पर आती हैं उसको वे दैवी प्रकोप मानते हैं। इसका उपयुक्त उदाहरण कृषि के सम्बन्ध में दिया जा सकता है। प्रायः गाँव की जनता फसलों के सम्बन्धों में, वर्षा के सम्बन्ध में भगवान की खुशी और नाखुशी पर विश्वास रखती है। वर्षा होने के कारण वह यह अनुभव करती है कि वह सब भगवान की खुशी है। इसके विपरीत अपने व्यवसाय के सम्बन्ध में भी ग्रामीण जनता भाग्यवादी होती है।

(13) जजमानी प्रथा–जजमानी प्रथा परंपरागत भारतीय समाज में सेवा पर आधारित विनिमय व्यवस्था रही है। प्राथमिक समाजों में जहाँ प्रतीकात्मक मुद्रा उदाहरणार्थ वर्तमान समय के नोट, सिक्के आदी का चलन नहीं था सेवा ही एक मात्र विनियम का आधार था। भारतीय समाज में सामाजिक संस्तरण का आधार जाति प्रथा रही। विभिन्न जातियों का पृथक-पृथक व्यवसाय रहा है। एक जाति अपनी व्यवसायिक सेवा दूसरी जाति को प्रदान करती है, बदले में वह जाति अपनी व्यवसायिक जाति सेवा प्रदान करती है। सेवा प्रदान करने वाली जाति को कमीन कहा जाता है। और सेवा प्राप्त करने वाली जाति को जजमान कहा जाता है।

(14) जाति प्रथा–ग्रामीण समाज में जाति प्रथा एक अनिवार्य एवं महत्त्वपूर्ण लक्षण सदा है जिसके आधार पर व्यवसायिक सामाजिक, आर्थिक, सांस्कृतिक, राजनैतिक ढाँचे का निर्माण हुआ। जाति प्रथा अपने सदस्यों के व्यवहार का सामाजिक तथा पारिवारिक नियमन करती है और इनके उल्लंघन करने पर जुर्माना समूह से बहिस्कृत करना इत्यादि रखती है।

(15) जाति पंचायत/ग्राम पंचायत–ग्रामीण समाज की प्रत्येक जाति की अपनी-अपनी पंचायत होती है जिसमें विवादों का निपटारा होता है। समग्र रूप से पूरे गाँव की एक पंचायत होती है जिसे ग्रामीणों के विवादों के निपटारे के लिए पंचों की समिति होती है, जिसका मुखिया सरपंच कहलाता है। प्राचीन समय से ही पंचायत और जाति पंचायत भारतीय ग्रामीण समाज का प्रमुख अंग रही है। उपरोक्त वर्णित विशेषताओं के अलावा ग्रामीण समाज में भाग्यवादिता, आत्मनिर्भरता, संयुक्त परिवार, प्राकृतिक घनिष्ठता एवं कम जनसंख्या जैसी विशेषताएँ पायी जाती है।

भारतीय गाँव एक सांख्यिकीय अध्ययन (Indian Village–A Statistical Study)

भारतीय गाँवों की जनसंख्या जनगणना के आधार पर निम्न सारणी में प्रदर्शित किया गया है।

ग्रामीण जनसंख्या 1901-2011

क्र.सं.	जनगणना वर्ष	जनसंख्या (दस लाख)	प्रतिशत (ग्रामीण)
1.	1901	213	89.2
2.	1911	226	89.07
3.	1921	223	88.8
4.	1631	246	88.00
5.	1641	275	86.1
6.	1951	299	82.7
7.	1961	360	82.00
8.	1961	439	80.1
9.	1981	524	76.7
10.	1991	629	74.3
11.	2001	743	72.2
12.	2011	833	68.84

भारतीय गाँव : एक इकाई (Indian Village : A Unit)

भारतीय गाँव एक इकाई के रूप में है अथवा नहीं, इस बात को लेकर समाजशास्त्रियों में एक लम्बे समय तक बहस छिड़ी रही। अधिकांश समाजशास्त्रियों का झुकाव इस मत की तरफ रहा है कि परम्परागत ग्रामीण समाज एक इकाई के रूप में जीवन निर्वाह करता था किन्तु औद्योगीकरण के पश्चात् समाज के एक इकाई के रूप में होने की परिकल्पना संदेहास्पद होगा। जैसा कि पहले उल्लेख किया जा चुका है कि ग्रामीण समाज में व्यक्ति नहीं अपितु परिवार इकाई होता है। अतः परिवारों के योग से निर्मित भारतीय गाँव की एक इकाई के रूप में सामने आता है। भारतीय गाँव को एक इकाई के रूप में सिद्ध करने के लिए निम्न तर्क दिए जा सकते हैं।

(1) पृथकता–गाँव, नगरी, समाजों अथवा जन-जातीय समाजों से पृथक अपना स्वतन्त्र अस्तित्त्व रखते हैं। इतना ही नहीं गाँव के अतिरिक्त शेष विश्व में क्या घट रहा है इसका उन्हें कुछ विशेषज्ञान नहीं होता–और न ही उसके बारे में जानने का ग्रामीण व्यक्ति प्रयत्न करते हैं।

(2) कृषि पर निर्भरता–गाँव का मुख्य व्यवसाय कृषि एवं इससे सम्बन्धित व्यवसाय है। उदाहरणार्थ पशुपालन, कुटीर उद्योग इत्यादि। चूँकि कृषि व्यवसाय पर आधारित अर्थव्यवस्था एक सरल अर्थव्यवस्था है जिसमें संसाधनों के निवेश के नाम पर जो भी संसाधन आवश्यक होते हैं। गाँव में सहजता से मिल जाते हैं।

(3) समुदाय के लोगों की आर्थिक आधार पर परस्पर निर्भरता–गाव में प्रत्येक व्यक्ति एक विशिष्ट जाति से सम्बन्धित होता है जिसका एक विशिष्ट व्यवसाय होता है। उदाहरणार्थ एक ग्रामीण धोबी का कार्य कपड़े धोना है और वह अपने कुटुम्बियों के साथ मात्र कपड़े धोने का कार्य पीढ़ी दर पीढ़ी करता चला आ रहा है, ऐसे में उसे अपने जीवन निर्वाह के लिए अपने अन्य ग्रामीण सदस्यों पर जो कि भिन्न व्यवसायों में लगे रहते हैं निर्भर रहना पड़ता है यही स्थिति अन्य व्यवसायों में लगे ग्रामीण सदस्यों पर लागू होती है कुम्हार बर्तन बनाता है और बनाकर लोहार के यहाँ पहुँचाता है और बदले में लोहार कुम्हार के घर के फर्नीचर बनाता है। इसी तरह परस्पर सहायता करते हुए गाँव के सदस्य परस्पर जीवन-यापन करते हैं।

(4) ग्रामीण समुदाय के समान अनुभव एवं परम्पराएँ–ग्रामीण समुदाय को एक इकाई के रूप में परिभाषित करने के पीछे यह एक महत्त्वपूर्ण तर्क है समस्त गाँव के व्यक्ति एक-सी परम्पराओं का पालन करते हैं। वह किसी भी व्यक्ति वस्तु घटना या विश्वास के बारे में एक सामान्य अनुभव रखते हैं जिसका हस्तांतरण पीढ़ी दर पीढ़ी होता रहता है।

(5) सामान्य उत्सव एवं त्योहार–प्रत्येक गाँव का अपना एक विशिष्ट देवता होता है गाँव के अन्तर्गत कुछ विशिष्ट पेड़, स्थल अथवा कोई भी प्राकृतिक वस्तु हो सकती है

जिसकी सम्मिलित रूप में पूजा की जाती है उदाहरणार्थ पूर्वी मध्य भारत (अवध क्षेत्र) में प्रत्येक गाँव में एक ग्राम देवी होती हैं जिन्हें स्थानीय भाषा में चौरा माई कहा जाता है विवाह, जन्म अथवा अन्य उत्सवों के अवसर पर समस्त ग्रामीण लोग एक इकाई के रूप में इकट्ठा होते हैं और सम्मिलित प्रार्थना में सहभागी होते हैं। इसी तरह फसल के कटने अथवा बोने पर भी उत्सव इत्यादि का आयोजन समस्त ग्राम वासियों द्वारा संयुक्त रूप से किया जाता है।

कहने का तात्पर्य है कि त्योहारों अथवा उत्सवों में ग्रामवासी एक इकाई के रूप में भाग लेते हैं।

(6) यातायात एवं संचार साधनों का अभाव—ग्रामीण समुदाय का एक इकाई के रूप में मानने का एक कारण है कि अभी भी वह एक बाहरी समाज से पूर्णतयः संचार नहीं कर पाया है। इसकी तमाम वजहें जिनमें सम्पर्क सड़कों का अथवा रेल लाइनों का अभाव प्रमुख है।

(7) भौगोलिक सीमा—प्रत्येक गाँव को जनगणना विभाग अथवा डाकखाना विभाग के द्वारा एक इकाई माना गया है। इसकी भौगोलिक सीमा को स्पष्ट रूप से मान्यता प्रदान की गयी है। संकट के अथवा संक्रमण की स्थिति में गाँव एक इकाई के रूप में उभर कर सामने आता है। उदाहरणार्थ बाढ़, अग्निकांड अथवा किसी भी दुर्घटना, मृत्यु के समय सम्पूर्ण ग्रामवासी एक होकर सामना करते हैं। गाँव के एक व्यक्ति का एक बाहरी व्यक्ति द्वारा अपमान करना पूरे गाँव का अपमान माना जाता है। अथवा गाँव के बहन-बेटियों के साथ बद्तमीजी करना पूरे गाँव के साथ बद्तमीजी मानी जाती है। एम.एन. श्रीनिवास ने मैसूर के गाँव रामपुरा की सामुदायिक एकता का उल्लेख करते हुए लिखते हैं "अगर किसी वर्ष मानसून नहीं आता है। इसका अर्थ है सभी के लिए अनावृष्टि। जब कभी हैजा, मलेरिया, प्लेग, चेचक, आदि रोग फैलते हैं तो सारा गाँव एकता में बँध जाता है। पूरा गाँव स्थान छोड़कर दूसरी जगह रहने को चला जाता है। जब श्रीनिवास अध्ययन कर रहे थे तो वर्तमान रामपुरा गाँव को बसे हुए 70 वर्ष ही हुए थे। पुराना गाँव दूसरे स्थान पर था। मलेरिया के प्रकोप से बचने के लिए भागकर ही लोग नये स्थान पर आ जाते थे। देवता को प्रसन्न करने के लिए गाँव के लोग मिलकर पूजा या आराधना करते हैं। बीमारी को सांस्कारिक रूप से गाँव के बाहर फेंक आते हैं। गाँव की सीमा का भौगोलिक ही नहीं सांस्कृतिक महत्त्व है। रामपुरा की भाँति ही डॉ. ब्रजराज चौहान ने राजस्थान के गाँवों राणावतों की सादड़ी में अकाल व प्लेग के समय ग्रामवासियों द्वारा प्रकट की गयी एकता का उल्लेख किया है।

उपरोक्त वर्णन से यह स्पष्ट होता है कि भारतीय ग्रामीण समुदाय एक इकाई के रूप में काम करता है। प्रत्येक ग्रामीण गाँव के सारे व्यक्तियों को व्यक्तिगत रूप से जानता है, सबके सुख-दुख में भागीदार होता है, हालाँकि वर्तमान वैश्वीकरण के युग में इस प्रक्रिया में

कमी अवश्य आयी है लेकिन अभी भी गाँव का एक इकाई के रूप में समावेश देखा जा सकता है।

गाँवों के प्रकार (Types of Villages)

कृषि के विकास के साथ ही साथ गाँव का भी विकास हुआ देश काल परिस्थितियों के अनुसार गाँव में भिन्नता भी देखने को मिलती है, उदाहरणार्थ भिन्न राजनीतिक व्यवस्था आर्थिक व्यवस्था अथवा धार्मिक व्यवस्था के चलते गाँव की संरचना तथा प्रकार्यों में अन्तर उत्पन्न हो जाता है। अलग-अलग आधारों को लेकर विभिन्न विद्वानों ने ग्रामों का वर्गीकरण किया है–

एस.सी. दुबे का वर्गीकरण–एस.सी. दुबे ने छह आधारों को लेकर गाँव का वर्गीकरण किया है–

1. स्थानीय परम्परा के आधार पर
2. दूसरे समुदायों से दूरी के आधार पर
3. अधिकार और सत्ता के आधार पर
4. भूमि के स्वामित्व के आधार पर
5. प्रजातीय तत्त्व और जातियों के आधार पर
6. आकार, जनसंख्या और भू-क्षेत्र के आधार पर

गिडिंग्स का वर्गीकरण–गिडिंग्स ने गाँवों का वर्गीकरण कृषि के स्थायित्व के आधार पर किया–(क) प्रवासी कृषि (ख) अर्द्ध स्थायी कृषि ग्राम (ग) स्थायी कृषि करने वाले ग्राम।

धार्मिक ग्रन्थों में रामायण तथा महाभारत में दो प्रकार के गाँवों घोष तथा ग्राम का उल्लेख है घोष ऐसा गाँव है जिसमें पशु चरण एक मुख्य व्यवसाय था, जबकि ग्राम घोष से बड़ा होता था।

सोरोकिन जिम्मरमैन तथा गाल्टिन का वर्गीकरण–इन विद्वानों के अनुसार ग्राम निम्नलिखित प्रकार के हैं–

1. भूस्वामित्व एवं सामाजिक स्तरण के आधार पर
2. घरों के संगठन के आधार पर

घरों के संगठन के आधार पर इन गाँवों को दो भागों में बाँटा गया है–

(*i*) केन्द्रित गाँव

(*ii*) विकेन्द्रित गाँव

भूस्वामित्व एवं सामाजिक स्तरण के आधार पर गाँवों को पाँच भागों में बाँटा गया है–

(*i*) सामूहिक स्वामित्व वाले गाँव

(*ii*) सामूहिक किरायेदारी ग्राम
(*iii*) व्यक्तिगत स्वामित्व वाले ग्राम
(*iv*) व्यक्तिगत किरायेदारी ग्राम
(*v*) बड़े भूस्वामी कर्मचारी वाले गाँव

ग्रामीण शक्ति संरचना एवं परिवर्तन (Rural Power Structure and Change)

भारत में गाँवों की परम्परागत शक्ति एवं सत्ता संरचना को जमींदारी के उन्मूलन से पूर्व के सामन्तवादी सामाजिक संगठन के रूप में देखा है। यह संरचना जमींदार प्रथा पर आधारित थी और दूसरी ओर ग्रामीण तथा जाति पंचायतों पर जमींदारी प्रथा ग्रामीणों के भौतिक तथा आर्थिक हितों अथवा उनकी अपेक्षाओं का प्रतिनिधि कही जा सकती थी तथा ग्रामीण और जाति पंचायतें उनकी आधारभूत सामाजिक विशेषताओं की द्योतक थीं।

गाँव में कृषि लोगों का मुख्य व्यवसाय था, इसलिए भूमि सम्बन्धी अधिकार उनके सामाजिक सम्बन्धों में प्रभुता तथा अधीनता की स्थिति करते थे। भूमि-सम्बन्धी अधिकारों की व्यवस्था जमींदारी प्रथा से निश्चित होती थी। धीरे-धीरे यह शक्ति संस्था के रूप में विकसित हो गई तथा ग्रामीण नेतृत्व इससे पूरी तरह प्रभावित होने लगा। जमींदारी प्रथा ग्रामीण सामाजिक संरचना में इतनी महत्त्वपूर्ण थी कि यह वहाँ की जाति तथा सामुदायिक पंचायतों की भूमिका को भी प्रभावित करती थी।

जमींदारी प्रथा के बाद ग्रामीण सामाजिक व्यवस्था का दूसरा महत्त्वपूर्ण शक्ति-स्रोत जाति संगठन था, जो ग्रामीणों की सामाजिक व्यवहारवादी, संस्कारवादी तथा परम्परागत अपेक्षाओं तथा उनके हितों को निश्चित करता था। इसलिए जमींदारों प्रथा के साथ इसकी अपनी शक्ति संरचना विकसित हो गई।

इन दोनों के अतिरिक्त गाँव पंचायतें थीं जो गाँवों में शक्ति का महत्त्वपूर्ण स्त्रोत थी। पंचायती राज की स्थापना के काफी पहले से ही गाँवों में सभी जाति के बुजुर्गों की समिति होती थी, जो गाँवों पंचायत के नाम से जानी जाती थी, जो जमींदारों की सामूहिक संस्था की शक्ति पर भी नियन्त्रण रखती थी।

इस प्रकार गाँव में जमींदारी प्रथा, जाति पंचायत तथा गाँव के पंचायत यह तीनों गाँवों की शक्ति व्यवस्था के संस्थात्मक प्रतिमान कहे जा सकते हैं। लेकिन कहने से हमारा अभिप्राय यह नहीं है कि इनके अतिरिक्त गाँव में शक्ति के और दूसरे स्रोत नहीं थे। अन्य दूसरे स्रोतों में हम पुरोहितों या प्रथाओं, रीतिरिवाजों तथा जनरीतियों की शक्ति का उल्लेख कर सकते हैं जिनको लगभग प्रत्येक गाँव में प्रत्येक सदस्य अचेतन रूप में स्वीकार करता था, तथा जिनका उल्लेख करने से ग्रामीण जीवन में काफी गम्भीर समस्या उत्पन्न हो सकती थी।

शक्ति एवं प्रभुत्व के नये प्रतिमान–वर्तमान में ग्रामीण शक्ति संरचना में भारी मात्रा में परिवर्तन आए हैं। पंचायत राज संस्थाओं के माध्यम से शक्ति के स्रोतों में भी बदलाव आया है।

इस प्रकार प्रो. योगेन्द्र सिंह के अनुसार समकालीन भारत के गाँवों में शक्ति संरचना को निम्न प्रकार समझा सकते हैं–

(1) गाँवों में शक्ति तथा प्रभुत्व अभी भी उच्च जाति के लोगों (जैसे राजपूत, ब्राह्मण तथा भूमिहर) तथा उच्च वर्गों के लोगों (पहले के भूमिपति तथा महाजनों) के हाथ में केन्द्रित है।

(2) निम्न वर्गों तथा जातियों के लोग संगठित रूप में इन उच्च जातियों तथा वर्गों के साथ अधिकारिक प्रतिस्पर्धा कर रहे हैं। यह प्रवृत्ति वर्ग समूहों की अपेक्षा जाति समूहों में अधिक व्यापक रूप से देखी जा सकती है। जाति स्तर पर शक्ति संरचना में विभाजन उत्पन्न कर दिया है बल्कि ग्रामीण जीवन में सामाजिक तनाव तथा असुरक्षा भी उत्पन्न कर दी है।

(3) गाँवों में नवीन शक्ति संरचना में जिस लौकिक प्रजातांत्रिक मूल्य व्यवस्था के विकसित होने की अपेक्षा की गई थी वह गाँवों की मूल्य व्यवस्था तथा सामाजिक संरचना में प्रवेश नहीं कर पाई है।

(4) गाँव की राजनीति आज भी विभिन्न जातियों तथा वर्गों के आर्थिक अधिकारों से वंचित रहने से निश्चित हो रही है। गाँव का शक्ति ढाँचा उन समूहों के पक्ष में झुक रहा है जिन्होंने गाँव के लोगों की आर्थिक अपेक्षा को नियन्त्रित कर रखा है।

ग्रामीण समुदाय के सामाजिक-सांस्कृतिक आयाम
(Socio-cultural Dimensions of Village Community)

ग्रामीण लोग जिनका मुख्य व्यवसाय कृषि है प्रकृति के अधिक निकट हैं, नातेदारी और भिन्नता को घनिष्ट बन्धन मानते हैं, और परम्परा, समान राय और अनौपचारिकता पर बल देते हैं। गाँवों में जनसंख्या घनत्व इतना कम होता है कि यह न केवल उत्पादन और वितरण को प्रभावित करता है बल्कि समूचे समुदाय के लोगों के जीवन के स्तर को प्रभावित करता है। शहरों की तुलना में जन्म और मृत्यु दोनों ही अधिक होती है जो कि ग्रामीण लोगों के गुणात्मक एवं गुणवत्तापरक विकास को विपरीत प्रभावित करती है। ग्रामीण लोगों के जीवन का एक और पक्ष जिस पर अध्ययन की आवश्यकता है वह है आयु और लिंग समूहों में उनका वितरण। गाँवों में परिवार संरचना, जाति रचना, धार्मिक विभेद, आर्थिक जीवन भूमि सम्बन्ध, गरीबी और जीवन स्तर भी ग्रामीण लोगों के जीवन को प्रभावित करते हैं। इन सभी पक्षों का अलग-अलग वर्णन करना जरूरी हैं।

1. परिवार—परिवार और परिवारवाद गाँवों के भौतिक और सांस्कृतिक जीवन में निर्णायक भूमिका अदा करते हैं और ग्रामीण सामूहिकता की मनोवैज्ञानिक विशेषताओं को परिवर्तित करते हैं। एक ओर जहाँ संयुक्त परिवार प्रमुख रूप में अभी भी मिलते हैं। दूसरी ओर एकल परिवार भी विद्यमान हैं। एकल परिवार ग्रामीण क्षेत्रों में बाजार अर्थव्यवस्था के विकास के परिणाम स्वरूप, युवा वर्ग के शहरों में चले जाने के कारण और ग्रामीण समाज पर शहरी सामाजिक आर्थिक शक्तियों में चले जाने से पाए जाते हैं इस परिवर्तन के बावजूद, शहरी परिवार की तुलना में ग्रामीण परिवारिक कहीं अधिक समजातीय एकीकृत और समन्वित रूप में कार्य करने वाला है। माता-पिता के बीच, पति-पत्नी के बीच सहोदर (भाई-बहन के बीच तथा निकट तथा नातेदारी के बीच) के सम्बन्ध ग्रामीण परिवारों की अपेक्षा अधिक मजबूत होते हैं और अधिक समय तक चले हैं। ग्रामीण परिवारों की अन्य विशेषता यह भी है कि ये कृषि कार्यों में एक-दूसरे की सहायता करते हैं, सबसे बूढ़े सदस्य द्वारा संचालित सम्पति में समान अधिकार रखते हैं, और क्योंकि वे अपना समय अधिक एक साथ व्यतीत करते हैं, उनके विश्वास अभिवृत्तियाँ, आकांक्षाएँ और मूल्य समान होते हैं। सदस्यों की परस्पर निर्भरता उनमें सामूहिक पारिवारिक चेतना अधिक विकसित करती है और वैयक्तिक भावनात्मक चेतना क्रम कम। यद्यपि शहरीकरण, औद्योगीकरण, शिक्षा आदि के प्रभाव ने परम्परागत सत्तात्मक संरचना को कमजोर किया है, केन्द्रीयकृत प्रवृत्तियों को जन्म दिया है और एकल क्रियाशीलता पर आधारित आर्थिक समानता को क्रम किया है फिर भी परिवार अणुकृत नहीं हुआ है। यह कहना तर्क संगत न होगा कि यद्यपि ग्रामीण परिवार में गुणात्मक परिवर्तन हो रहे हैं, परिवारवाद का प्रभाव कम हो रहा है, पारिवारिक अहं कम हो रहा है और प्रथाओं के शासन के स्थान पर कानून का शासन आ गया है, फिर भी परिवार का विघटन नहीं हो रहा है।

2. जाति व्यवस्था—एक समय था (1940 तक) जब ग्रामीण क्षेत्रों में जाति प्रथा बड़ी कठोर थी, जाति समितियाँ बड़ी शक्तिशाली थीं और जाति ही व्यक्तियों की गतिशीलता के लिए अवसरों और प्रस्थिति की निर्धारण करती भी यहाँ तक की भू-स्वामित्व और शक्ति संरचना भी जाति के आधार पर चलती थी। लेकिन 950 के बाद संचार साधनों के प्रसार से शिक्षा के विकास से प्रतिस्पर्धात्मक अर्थव्यवस्था के विकास आदि से सवकेन्द्रित जाति गतिशील वर्गों में बदल गई है। कुछ जातियाँ अपनी पूर्व प्रस्थिति और कार्यों को समाप्त करती जा रही है और प्रभावशाली जातियों में उभर रही है। ए.आर.देसाई, आन्द्रे बेतेइ, योगेन्द्र सिंह, बी.आर. चौहान आदि विद्वानों ने जाति व्यवस्था में हो रहे परिवर्तनों, लोगों पर इसके घटते प्रभावों और वर्ग व्यवस्था के बढ़ते प्रभावों की ओर संकेत किया है।

जाति व्यवस्था पर आधारित ग्रामीण ऋणग्रस्तता सहित आर्थिक जीवन में भी परिवर्तन आ रहा है। आर के नेहरू ने कुछ गाँवों के अपने अन्वेषणात्मक अध्ययन में संकेत

दिया है कि जाति ऋणग्रस्तता और ग्रामीण क्षेत्रों में ऋण देने के सम्बन्ध में, पूर्व में जितने घनिष्ठ सम्बन्ध होते थे जो आज भी विद्यमान हैं। ऐसी जातियाँ भी होती थीं जिनके ऐसे सदस्य होते थे जो अनुवांशिक ऋणी होते थे, जबकि कुछ अन्य वे होते थे जो मुख्य रूप से ऋणदाता होते थे हाल के कुछ अध्ययनों से इनमें आए परिवर्तनों का पता चला है। जाति के आधार पर आवासीय स्वरूपों में भी परिवर्तन आए हैं। जाति व्यवस्था से सम्बन्धित और महत्त्वपूर्ण तत्त्व थे–व्यावसायिक, आर्थिक और सामाजिक गतिशीलता जाति के सदस्य आवश्यक रूप से जाति निर्धारित कार्यो को नहीं करते फलस्वरूप कुछ जातियाँ सीढ़ी में नीचे उतरती हैं और कुछ ऊपर चढ़ रही हैं। पूर्व में शिक्षा के प्रति लोगों के दृष्टिकोण को जाति निर्धारित करती थी, लेकिन आज सबसे पिछड़ी जातियों ने अपने बच्चों को शिक्षा प्राप्त करने के लिए भेजना शुरू कर दिया है। ग्रामीण लोगों का धार्मिक जीवन जो कठोरता से जाति द्वारा निर्धारित होता था अब इससे बिल्कुल प्रभावित नहीं है। गाँव में धार्मिक प्रथाएँ भी धीरे-धीरे बदलती जा रही हैं। आज गाँवों के राजनैतिक जीवन को जाति भी प्रभावित कर रही है। राजनैतिक चुनाव में उम्मीदवारों को चयन या अस्वीकृति और साथ ही प्रचार का तरीका भी पूर्ण रूपेण जाति विचारों से निर्धारित नहीं होते हैं। आज जाति सम्बन्धों के बाहर के अतिरिक्त विचार राजनैतिक पूर्वागृहों और वरीयताओं को काफी प्रभावित करते हैं। नेतृत्व भी आज के ग्रामीण समाज में पूर्ण रूपेण जाति सदस्यता पर निर्भर नहीं है। जाति के नेता ग्रामीण लोगों के सामाजिक, आर्थिक, राजनैतिक और वैचारिक जीवन में अब नेता नहीं है। जजमानी तथा अन्तर्जाति सम्बन्धों में महत्त्वपूर्ण परिवर्तन आए हैं। नये विधानों में भी ग्रामीणों के अन्तर्जातिय सम्बन्धों को प्रभावित किया है। संक्षेप में ग्रामीण जीवन के विविध क्षेत्रों में महत्त्वपूर्ण परिवर्तन हुए हैं।

3. धर्म–ग्रामीण धर्म को तीन को सम्बन्ध में देखा जा सकता है।

(*i*) विशेष दृष्टिकोण देने वाला जैसे आत्माओं के कब्जे में होने की बात, जादू, टोने, भूत विद्या, पूर्वजों की पूजा आदि में विश्वास करना।

(*ii*) धार्मिक प्रथाओं की संस्था के रूप में प्रार्थना, बलि व कर्मकाण्ड आदि सहित।

(*iii*) संस्थात्मक समूह के रूप में जैसे वैष्णव, शैव आदि।

स्वतन्त्रता से पूर्व ग्रामीण सामाजिक जीवन की प्रक्रिया के निर्धारण में धर्म महत्त्वपूर्ण भूमिका अदा करता था ऐसा इसीलिए था क्योंकि ग्रामीण लोगों के धर्म के प्रति पूर्वानुकूलता शहरी लोगों की अपेक्षा अधिक थी वर्षा, दैवी प्रकोप आदि प्राकृतिक शक्तियों पर निर्भर कृषि में उच्च, निम्न उत्पादन देवताओं का प्रसंग या अप्रसन्न होना ग्रामीण जन्म में धार्मिकता की ओर संकेत करता है। आत्माओं, जादू, भूतविद्या, और अन्य प्रकार के आदि धर्मों में विश्वास ग्रामीण लोगों में अत्यधिक प्रचलित रहे हैं।

ग्रामीण लोगों का धार्मिक दृष्टिकोण उन्हे वैदिक, भावात्मक और व्यवहारिक जीवन को भी प्रभावित किए हुए था। उनके जीवन के किसी भी ऐसे पक्ष को ढूँढ़ना कठिन था जिस

धर्म का रंग न चढ़ा हो। उनके धार्मिक विश्वासों, लोकगीतों, कलाकृतियों, वैवाहिक रीति-रिवाजों और सामाजिक उत्सवों को भी प्रभावित करते थे। रीति, संस्कार वे धार्मिक साधन हैं जिनके द्वारा व्यक्ति शुद्धता और उसका सामाजिक जीवन विश्वस्त हो जाता है। खान-पान सम्बन्धी संस्कार, बीज बोने और फसल काटने सम्बन्धी संस्कार, अनेक संस्कार हैं। ये संस्कार ग्रामीण जीवन में प्रभावी हैं। ये संस्कार व्यक्ति और सामाजिक समूहों के जीवन के अनेक क्षेत्रों में उनके व्यवहार के स्वरूप को निश्चित करते थे। एक विशेष जाति के लिए संस्कारों का विशिष्ट विधान था। उनके सदस्यों में इन संस्कारों का कठोर क्रियान्वयन सामाजिक निन्दा या जाति निष्कासन का भय, स्वीकृति प्रदान करता था।

ग्रामीण क्षेत्रों में मन्दिरों का भी बड़ा महत्त्व था और आज भी है। मन्दिर के बल प्रार्थना के लिए वरन् शिक्षा, सांस्कृतिक कार्यक्रमों के प्रबन्ध, सामाजिक उत्सवों और सामाजिक कल्याण कार्यों के करने में, सार्वजनिक सभाओं को जुटाने में, नैतिक मूल्यों के प्रचार-प्रसार में तथा न्याय प्रदान करने में भी प्रयोग किए जाते हैं। देवी, देवताओं की मूर्तियों के साथ-साथ स्थानीय देवताओं के भी चित्र मन्दिरों में मिलते हैं। गाँवों में कुछ मन्दिर सार्वजनिक और कुछ निजी स्वामित्व वाले हैं।

स्वतन्त्रता के पश्चात् नये आर्थिक व राजनैतिक वातावरण में, नये प्रतिमान, मूलरूप से गैर धार्मिक और धर्म निरपेक्ष तथा उदारवादी लोकतान्त्रिक विचारों से उत्पन्न प्रतिमानों का उदय हुआ है और धार्मिक प्रभुत्व वाले प्रतिमानों पर उनका वर्चस्व बढ़ने लगा है। गाँव के लोगों ने लोकतान्त्रिक तथा समतावादी विचारों को अपनाना शुरू कर दिया है। नई धर्म निरपेक्ष संघ व संस्थाएँ तथा नये धर्मनिरपेक्ष नेतृत्व और सामाजिक नियंत्रणों का ग्रामीण समाज के अन्दर ही उदय होना शुरू हो गया है। इसका भी यह अर्थ नहीं है कि आज के ग्रामीण लोगों के मस्तिष्क पर धर्म का शक्तिशाली नियन्त्रण नहीं रहा वास्तव में समकालीन ग्रामीण एक ओर तो धार्मिक कट्टरवाद और प्रभुत्व सम्पन्न सामाजिक अवधारणाओं के बीच संघर्षों का युद्ध स्थल बन गया है और दूसरी ओर धर्म निरपेक्ष लोकतांत्रिक प्रगति का।

4. कृषक वर्ग संरचना—यदि हम स्वतन्त्रता के पश्चात् के भारतीय ग्रामीण वर्ग की संरचना का विश्लेषण करें तो हमें चार वर्ग मिलते हैं। कृषि क्षेत्र में तीन वर्ग हैं। भूस्वामी आसामी और मजदूर, जबकि चौथा वर्ग है—गैर कृषि वालों का।

5. ग्रामीण निर्धनता एवं ऋण ग्रस्तता—भारत की लगभग 74 प्रतिशत जनसंख्या गाँवों में रहती है। गाँवों में निर्धनता अत्यधिक है। मोटे तौर पर ग्रामीण जनसंख्या का 39 प्रतिशत है। 70 प्रतिशत जनसंख्या के लिए कृषि ही जीविका का मुख्य साधन है। लेकिन कृषि राष्ट्रीय आय में 40 प्रतिशत से भी कम का योगदान करती है। इसका एक कारण यह है कि भूमि का वितरण असमान है।

कस्बा
(Town)

कस्बा सामान्यतः गाँव एवं नगर के बीच की कड़ी माना जाता है। कस्बा एक ऐसा क्षेत्र है जहाँ पर गाँव व नगर दोनों की विशेषताएँ पायी जाती हैं। यहाँ ग्रामीण एवं नगरीय लोग अपने व्यापारिक उद्देश्य के लिए आते हैं। मूलतः यह एक व्यापारिक क्षेत्र के रूप में विकसित हुआ और धीरे-धीरे स्थायित्व पाया गया। **सिन्हा** ने कस्बे को परिभाषित करते हुए कहा है "कस्बा एक संगठित समूह है जिसमें सामान्यतः प्रमुख व्यवसाय, कृषि क्रियाओं के विपरीत वाणिज्य तथा उद्योग से संबंधित हैं।"[6] आकार के आधार पर नगरीय बस्तियों को कई भागों में बाँटा गया है उनमें से एक कस्बा भी है। सामान्यतः कस्बा उस बस्ती को कहा जाता है जिसमें 500 से लेकर 10,000 तक व्यक्ति रहते हों।

भारत में कस्बे का निर्धारण 1981 की जनगणना के आधार पर किया गया है, जो निम्न प्रकार हैं–

(1) वे सभी स्थान जिसमें नगर निगम, छावनी नोटीफाइड नगर क्षेत्र या इसके समकक्ष की कोई इकाई है।
(2) न्यूनतम जनसंख्या 5,000 होनी चाहिए।
(3) पुरुष कार्यशील जनसंख्या का 75 प्रतिशत भाग कृषि के अलावा अन्य व्यवसायों में लगा हो।
(4) जनघनत्व 1,000 व्यक्ति प्रति मील हो।
(5) प्रान्तीय जनगणना अधिकारी के अनुसार नगरीय सुविधाओं युक्त हो।

स्पष्ट है कि Town और City में कोई स्पष्ट विभाजक रेखा का निर्धारण कठिन है। ब्रिटेन में नगर के लिए आज भी Town शब्द का प्रयोग होता है। फिर भी भारतीय परिप्रेक्ष्य में सीमावर्ती क्षेत्र या अविकसित नगरों को कस्बे की श्रेणी में रखा जा सकता है।

नगर ग्रामीण नगरीय अनुबन्ध

"नगर सभ्यता का परनाला है"–**रूसो**

नगरों का विकास मानव के सांस्कृतिक रूप से उन्नति स्थायित्व की इच्छा एवं सभ्यता की तरफ शनैः-शनैः झुकाव का क्रमिक परिणाम है नगर की बनावट के लिए भौगोलिक, सांस्कृतिक, आर्थिक एवं जनसंख्यात्मक तत्त्वों का महत्त्वपूर्ण योगदान होता है नगरों के विकास में उद्योगों का संकेन्द्रण मानव जीवन की सुविधाओं का पाया जाना यातायात तथा संचार सुरक्षा, चिकित्सा तथा शिक्षा आदि प्रमुख घटक प्रमुख रूप से पाए जाते हैं। चार्ल्स कूले ने नगरों की उत्पत्ति के सन्दर्भ में यातायात संदेश के साधनों को महत्त्वपूर्ण माना है। **कूले** के मतानुसार "जिन स्थानों पर यातायात एवं संचार के विकास की

स्थिति अनुकूल थी वहीं पर बड़े नगरों का जन्म हुआ यही कारण है कि नदियों अथवा समुद्र के किनारे बड़े-बड़े नगरों का विकास हुआ।" **एन्डरसन** कहते हैं कि "नगर ऐसे स्थानों पर विकसित होते हैं जहाँ पर आर्थिक एवं भौगोलिक स्थिति काफी मात्रा में उपलब्ध होती है।" वह नवीन आविष्कारों एवं परिवर्तनों को उत्पत्ति एवं विकास का महत्त्वपूर्ण कारक मानते हैं। कुछ नवीन आविष्कारों एवं परिवर्तनों की उत्पत्ति एवं विकास को महत्त्वपूर्ण कारक मानते हैं। कुछ विद्वान नगरों का विकास गाँवों से हुआ मानते हैं। ममफोर्ड ने लिखा है कि आजकल जो नगर दिखाई पड़ रहे हैं। उनमें से अधिकतर गाँवों से हुआ मानते हैं। ममफोर्ड ने लिखा है कि आजकल जो नगर दिखाई पड़ रहे हैं उनमें से अधिकतर गाँवों में ही मजबूत थे। राजनीतिक सत्ता भी नवीन नगरों की उत्पत्ति का एक प्रमुख कारक है। ऐतिहासिक साक्ष्यों के आधार पर इस बात को सिद्ध किया जा सकता है कि राजनैतिक सत्ता स्थापित होने के पश्चात् शासक वर्ग अपने लिए व्यापार तथा सैनिकों के लिए शिविर इत्यादि स्थापित करते हैं। ऐसे स्थानों पर ज्यादातर वाणिज्य को प्रोत्साहन दिया जाता है। शासक वर्ग इस स्थान पर शिक्षा एवं स्वास्थ्य सेवाएँ धार्मिक स्थल आदि उपलब्ध कराने का प्रयास करते थे, उदाहरणार्थ कानपुर अंग्रेजों के शासनकाल में एक नगर रूप में अस्तित्त्व में आया क्योंकि अंग्रेजों ने अपना एक सैनिक शिविर (परेड) वहाँ पर लगाया और उनकी आवश्यकताओं एवं सुविधाओं के लिए शिक्षा स्वास्थ्य, व्यापार को प्रोत्साहन दिया। इसके फलस्वरूप पास के गाँव के लोगों को रोजगार मिला एवं वे यहाँ पर आने लगे एवं बसने लगे। धीरे-धीरे नागरिक जीवन स्वचालन में आ गया। व्यापार एवं उद्योग को प्रोत्साहन देने के लिए यहाँ फैक्टरियाँ एवं बड़े-बड़े कारखाने स्थापित होने लगे एवं शहर दैनिक जीवन के लिए कम और उद्योगों के लिए ज्यादा जाना जाने लगा। एक समय ऐसा भी आया जब इसे पूरब का मानचेस्टर भी कहा जाने लगा।

नगर
(City)

नगर के अर्थ का निर्धारण करना अत्यन्त जटिल एवं कठिन प्रक्रिया है। इस सन्दर्भ में मैकाइवर एवं पेज का कथन महत्त्वपूर्ण है कि प्रत्येक व्यक्ति यह जानता है कि शहर अथवा नगर क्या है किन्तु इसकी संतोषजनक परिभाषा किसी ने नहीं दी। सामान्यतः नगर का अर्थ उस जगह से लगाया जाता है। जहाँ कृषि के अतिरिक्त मनुष्य द्वारा अन्य व्यवसायों को अपनाया जाता है। द्वैतीयक सम्बन्धों की प्रधानता आर्थिक सामाजिक संस्कृति जटिलता जनसंख्या का अधिक घनत्व कृत्रिमता प्रतिस्पर्द्धा, विकेन्द्रीकरण सामाजिक नियंत्रण के औपचारिक साधन प्रमुख रूप से नगर के लक्षण हैं। शहर अंग्रेजी शब्द सिटी (City) का हिन्दी रूपान्तरण है। सिटी (City) शब्द लैटिन भाषा के सिविटास (Civitas) शब्द से बना

है जिसका अर्थ नागरिकता है। अंग्रेजी भाषा का Urban शब्द भी लैटिन भाषा के Urbs से निर्मित है जिसका अर्थ 'शहर' ही होता है।

परिभाषा (Definition)

कानूनी दृष्टिकोण से शहर या नगर वह स्थान है जिसे उच्च सत्ता के चार्टर द्वारा नगर घोषित किया गया हो।

नगर की परिभाषा जनसंख्या के आधार पर की गयी है। अमेरिका के जनगणना ब्यूरो ने नगर ऐसे स्थान को माना है जहाँ की जनसंख्या 25,000 या उससे अधिक हो। फ्रांस में 2000 तथा मिस्र में 11,000 जनसंख्या वाले क्षेत्र को नगर माना है।

बर्गल के अनुसार–"नगर ऐसी संस्था है जहाँ के अधिकतर निवासी कृषि कार्य के अतिरिक्त अन्य उद्योगों में व्यस्त हों।"[7]

थियोडोरसन के अनुसार–"नगरीय समुदाय एक ऐसा समुदाय है जिसमें उच्च 'जनघनत्व गैर कृषि व्यवसायों की प्रमुखता, जटिल श्रम विभाजन के उत्पन्न उच्च मात्रा का विशेषीकरण और स्थानीय सरकार की औपचारिकता व्यवस्था पायी जाती है। नगरीय समुदायों की विशेषता जनसंख्या की विभिन्नता, अवैयक्तिकता एवं द्वैतीयक सम्बन्धों का प्रचलन तथा औपचारिक सामाजिक नियंत्रण पर निर्भरता आदि है।"[8]

लुईसवर्थ के अनुसार–"समाजशास्त्रीय दृष्टिकोण से एक नगर की परिभाषा सामाजिक विभिन्नता वाले व्यक्तियों के बड़े, घने बसे हुये एवं स्थायी निवास के रूप में की जा सकती है।"[9]

विलकाक्स के अनुसार–"नगर का मतलब उस जगह से है जहाँ की जनसंख्या का प्रतिवर्ष घनत्व एक हजार आदमियों से ज्यादा हो तथा वहाँ पर कृषि न होती हो।"

के. डेविस ने नगर की व्यापक परिभाषा देते हुए निम्न सम्बद्ध बताए–

(1) सामाजिक विषमता–नगर ऐसे स्थान होते हैं जहाँ विभिन्न स्थानों से व्यक्ति आते हैं। जो विभिन्न विचार रखने वाले, विभिन्न धर्मों के मानने वाले तथा विभिन्न संस्कृतियों के पोषक होते हैं ये व्यक्ति विभिन्न उद्योगों एवं विभिन्न प्रकार के व्यापार में लगे रहते हैं। इसलिए नगरों का सर्वप्रथम विशिष्ट लक्षण यह है कि नगरों में सामाजिक विषमता पाई जाती है।

(2) द्वैतीयक सम्पर्क–चूँकि विभिन्न प्रकृति एवं विभिन्न संस्कृति के लोगों को अपनी आवश्यकताओं की पूर्ति के लिए घुल-मिलकर रहना पड़ता है, इसलिए उनके दृष्टिकोण में उदारता के साथ-साथ छिछलापन और उदासीनता भी आ जाते हैं। जैसे मशीनों के पुर्जे एक-दूसरे से घनिष्ठता से सम्बन्धित होते हुए भी एक-दूसरे से सम्बन्ध स्थापित नहीं कर पाते, इसी प्रकार व्यक्तियों में भी सम्बन्धों की द्वैतीयकता पायी जाती है। वे दूसरे व्यक्तियों से केवल उसी कार्य हेतु मिलते हैं जिससे उनके हितों की रक्षा हो अथवा उनके

स्वार्थ की पूर्ति हो। उनके सम्बन्धों में पूर्ण रूप से द्वैतीयकता और अवैयक्तिकता पायी जाती है। यही कारण है कि नगरों में अनेक द्वैतीयक समूह होते हैं।

(3) सामाजिक सहिष्णुता—चूँकि नगरों के व्यक्तियों के पारस्परिक सम्बन्ध अप्रत्यक्ष तथा अवैयक्तिक होते हैं। इसलिए नगरों के जीवन में कुछ-न-कुछ सामाजिक सहिष्णुता का होना अनिवार्य है। शिक्षा, अशिक्षा, सम्पन्नता और दरिद्रता इत्यादि अनेक प्रकार की विषमताएँ नगर में देखी जा सकती हैं लेकिन यह सब जानते हुए भी नगर का व्यक्ति इन विषमताओं के प्रति उदासीन रहता है। यह उदासीनता आर्थिक रूप से पारस्परिक परिचय के कारण उत्पन्न होती है। कुछ समय बाद नगरवासी ऐसा हो जाता है कि उसे कुछ भी विचित्र नहीं लगता। लेकिन इस प्रकार की सामाजिक सहिष्णुता की भी एक सीमा होती है। नगर विशिष्टता और सुविधा के दृष्टिकोण के बाह्य समरूपता भी चाहता है।

जनसंख्या को कभी-कभी नगर का मुख्य तत्त्व नहीं माना जा सकता क्योंकि नगरों के बनने में विशेष सामाजिक तत्त्वों का मुख्य हाथ होता है। इनका यह भी कहना है कि नगरों के विशेष सामाजिक तत्त्वों का मुख्य हाथ होता है इन का यह भी कहना है कि किसी जगह की आबादी चाहे कितनी ही हो लेकिन अगर उस जगह पर नागरीय दशाएँ मौजूद हैं तो हम ऐसे स्थान को नगर कह सकते हैं। इस कथन का एक और समाजशास्त्री ने समर्थन किया है, उसका कहना है नगर एक अधिक जटिल घटना है इसलिए इसका निर्धारण एक खास क्षेत्र में रहने वाले व्यक्तियों के जीवन और उनके सामाजिक तथा अन्य सम्बन्धों की प्रकृति द्वारा ही होना चाहिए।

इस प्रकार से यह कहा जा सकता है कि नगर सामाजिक, राजनैतिक, धार्मिक, आर्थिक तथा सांस्कृतिक भिन्नता के कारण उस समुदाय को कह सकते हैं जहाँ व्यक्तिवाद घनी आबादी, विभिन्न धर्मों के मानने वाले विभिन्न का वह समुदाय है, जहाँ पर अधिकतर द्वितीय समूहों का नियंत्रण होना है घनी आबादी होती है और लोगों में अप्रत्यय दो सम्बन्ध होते हैं।

नगरीय जीवन की विशेषताएँ (Characteristics of Urban Life)

(1) **दो मुख्य वर्ग, पूंजीपति और श्रमिक वर्ग**—शहर में उद्योग-धन्धों का प्रधान्य रहता है जिनमें श्रम-पूँजी का स्थान मुख्य है। इस कारण शहरों के अधिक निवासी पूँजीपति और श्रमिक वर्गों में बँटे होते हैं।

(2) **व्यस्त जीवन**—शहर के लोगों का जीवन बड़ा ही व्यस्त होता है। उनका एक-एक मिनट बड़ा कीमती होता है। यह लोग दिन-दिन भर अपने-अपने कार्यों में व्यस्त रहते हैं और रात में देर से घर लौटते हैं।

(3) **परिवार में एकता की कमी**–शहरों में संयुक्त परिवार प्रथा धीरे-धीरे खत्म होने जा रही है और छोटे-छोटे परिवार बनते जा रहे हैं। पारिवारिक नियंत्रण की कमी के कारण और व्यक्तिवादी भावना की वजह से शहर के परिवारों में एकता की कमी देखने को मिलती है।

(4) **औद्योगीकरण**–शहरों में बड़े-बड़े उद्योग धन्धे होते हैं। जिनमें लाखों आदमी काम करते हैं। ग्राम्य जीवन की अपेक्षा जहाँ मिलें और कारखाने अधिक होते हैं। यही कारण है कि यहाँ का वातावरण अत्यधिक व्यस्त रहता है।

(5) **घनी जनसंख्या**–शहरों में घनी आबादी होती है। व्यक्तियों के सम्बन्ध अधिकतर औपचारिक होते हैं। विभिन्न प्रकार के व्यवसायों के कारण देहाती इलाकों की जनता भी नगरों का रूख करती है। यही वजह है कि जनसंख्या का घनत्व बढ़ जाता है।

(6) **कृत्रिमता**–प्रायः शहर के लोगों की बातें दिखावटी या बनावटी होती हैं, इन लोगों में प्रेम और आदर का अभाव होता है। देहातों की भाँति जीवन सरल नहीं होता।

(7) **औपचारिक सामाजिक नियंत्रण**–तमाम समाजशास्त्रियों ने सामाजिक नियंत्रण की बहुत ही संस्थाएँ बतलायी हैं जिनमें से मुख्य कानून, परिवार, रीति-रिवाज तथा धर्म आदि हैं। चूँकि शहर में धर्म, रीति-रिवाज तथा परम्पराओं का प्रभाव गाँव के मुकाबले में कम होता जा रहा है, इसलिए शहर में सामाजिक नियंत्रण का मुख्य साधन कानून है। कानून के तोड़ने पर पुलिस तथा अदालत द्वारा अपराधी को दंड दिया जाता है।

(8) **फैशन**–नगरों में पैसा अधिक होने के कारण हर क्षेत्र में फैशन अधिक होता है और यह फैशन बराबर रहते हैं जैसे वस्त्र में, खाने-पीने के तौर-तरीकों में, जीवन के स्तर आदि में।

(9) **उच्च शिक्षा**–ज्यादा आबादी तथा पैसे की अधिकता होने के कारण शहर में उच्च शिक्षा की अन्य संस्थाएँ होती हैं, जैसे विश्वविद्यालय, इन्जीनियरिंग कालेज, मेडिकल कालेज तथा टेक्नीकल इन्स्टीट्यूटस आदि।

(10) **स्वतन्त्र विवाह व्यवस्था**–शहर में बाल विवाह कम या बिल्कुल नहीं होते। शिक्षित होने के कारण लड़के और लड़कियों की मर्जी शादी से पहले मालूम कर ली जाती है। इसके अतिरिक्त शहर में प्रेम विवाह तथा अदालती विवाह भी लड़के और लड़कियाँ अपनी मर्जी से कर लेते हैं।

(11) **सामाजिक विभिन्नता**–शहर में विभिन्न धर्मों, विभिन्न जातियों, विभिन्न संस्कृतियों के सामने वाले तथा विभिन्न भाषा बोलने वाले लोग होते हैं। इस तरह से इन लोगों में विभिन्न प्रकार की सामाजिक विभिन्नता पायी जाती है।

(12) **श्रमविभाजन तथा विशेषीकरण होना**—शहर में आमतौर से प्रत्येक व्यक्ति अपने कार्य का विश्लेषक होता है, जो कि सिर्फ एक ही काम करता है। शहर में श्रम विभाजन पाया जाता है अर्थात् किसी वस्तु के कारखानों में बहुत से लोग काम करते हैं।

(13) **अप्रत्यक्ष सामाजिक सम्बन्ध**—शहर में अधिकतर व्यक्तियों में अप्रत्यक्ष सम्बन्ध होते हैं यहाँ तक की देखा गया है कि एक व्यक्ति अपने पड़ोसी या मोहल्ले वाले लोगों में बहुत दिनों में परिचित हो पाता है या बहुत बड़े-बड़े नगरों में एक ही बिल्डिंग में रहने वाले सदस्य एक-दूसरे को काफी दिनों तक नहीं जान पाते। ऐसे सम्बन्धों की अप्रत्यक्ष सम्बन्ध कहते हैं।

(14) **आवश्यकता से अधिक व्यय**—झूठी या दिखावटी सामाज़िक प्रतिष्ठा को बनाए रखने में शहर के लोग आवश्यकता से अधिक व्यय करते हैं। इस व्यय के अन्तर्गत तमाम खर्चे आ जाते हैं, जिनकी आवश्यकता अधिक न हो।

नगरीय सम्पर्कों की द्वैतीयकता और ऐच्छिकता अवसरों की अनेकता और सामाजिक गतिशीलता सभी व्यक्ति को अपने सम्बन्ध में अपने निर्णय लेने तथा अपने भावी जीवन की स्वयं योजना बनाने को बाध्य करते हैं चूंकि प्रत्येक व्यक्ति अनेक विविध समूहों का सदस्य हो सकता है, विविध हितों के लिए कार्य कर सकता है, इसलिए उसका सामाजिक व्यक्तित्त्व निराला हो जाता है। सम्भवतः किसी दूसरे व्यक्ति का ठीक वैसा ही सामाजिक व्यक्तित्त्व नहीं होता। इसके अतिरिक्त नगरों की प्रतियोगिता उसे किसी के मुकाबले में भी खड़ा कर देती है और वह किसी विशेष सम्बन्ध अथवा हित से अपने को बँधा हुआ नहीं पाता है। दूसरों से उसकी भिन्नता की चेतना और दूसरों के साथ अपने सम्बन्धों का ज्ञान उसे स्वयं अपने-बारे में सोचने के लिए विवश कर देता है और तब वह अपने को दूसरों से पृथक समझने का प्रयत्न करता है। इस प्रकार की आत्मचेतना का परिणाम यह होता है कि व्यक्ति में वैयक्तिकता की मात्रा बहुत बढ़ जाती है।

(15) **प्रतिस्पर्धा का अवसर**—नगर में जीवन के प्रत्येक क्षेत्र में प्रतिस्पर्धा देखने को मिलती है, उदाहरण के लिए कारोबारी तथा राजनैतिक क्षेत्र आदि। इसके अतिरिक्त राजनैतिक तथा आर्थिक क्षेत्र में कुछ लोगों को ऐसे अवसर प्राप्त हो जाते हैं, जिनके द्वारा वह एकदम से तरक्की कर जाते हैं।

(16) **व्यक्तिवाद**—शहर में अधिकतर व्यक्ति अपना हित पहले देखता है। यहाँ पर सामुदायिक स्वार्थ का महत्त्व कम है। इसके विपरीत व्यक्तिवादी बातों पर अत्यधिक ध्यान दिया जाता है।

(17) **मानसिक तनाव**—शहरों में बेकारी की समस्या, महँगाई तथा व्यस्त जीवन के कारण अधिकतर व्यक्ति खासतौर से मध्य वर्ग के लोग मानसिक अशान्ति में फँसे रहते हैं।

(18) **धर्म के नियंत्रण में कमी**—शहर में अधिकतर व्यक्तियों पर धर्म नियंत्रण कम होता जा रहा है। नगर के लोग प्रायः धर्म के मामलों में अत्यधिक अंधविश्वासी नहीं होते। वे प्रत्येक बात को तर्क के आधार पर समझने की कोशिश करते हैं।

(19) **सामाजिक समस्याएँ**—समाज में जितनी भी सामाजिक समस्याएँ हैं, शहर उनके बड़े-बड़े अड्डे हैं, जैसे—अपराध, बाल अपराध, भिक्षावृत्ति, वेश्यावृत्ति आदि। इसके अतिरिक्त अनेकानेक ऐसी समस्याएँ भी होती हैं, जिनके कारण नगर निवासियों का जीवन दुर्लभ हो जाता है।

(20) **मानव सभ्यता के पोषक**—चूंकि नगर उच्चशिक्षा के केन्द्र होते हैं, अतः शैक्षणिक सांस्कृतिक गतिविधियों के साथ-साथ सभ्यता का विकास एवं प्रसार होता रहता है इसी तथ्य को ध्यान में रखते हुए रूसों ने नगरों को सभ्यता का परनाला कहा है।

(21) **सामाजिक गतिशीलता**—नगर जहाँ एक ओर भौगोलिक गतिशीलता को प्रोत्साहन देते हैं। वहीं दूसरी ओर सामाजिक गतिशीलता को प्रोत्साहन देते हैं। श्रम का विभाजन, प्रतिस्पर्धा की भावना, अवैयक्तिकता ये सभी व्यक्ति को अपनी स्थिति को ऊँचा उठाने के अवसर प्रदान करते हैं। नगर में व्यक्ति अपनी कार्यकुशलता, अपनी प्रखर बुद्धि, अपनी नवीनता, अपनी अन्वेषण करने की क्षमता के आधार पर कहीं से कहीं पहुँच पाता है। क्योंकि इतने बड़े विशाल जनसमूह के यह पता चलाना कठिन होता है कि व्यक्ति की जाति क्या है? उसका धर्म क्या है? इसलिए व्यक्ति की स्थिति उसके जन्म से निश्चित न होकर इस बात से निश्चित होती है कि वह क्या करता है और कैसा लगता है कि वह अपनी स्थिति को अपने जीवन काल में कितनी ही सीमा तक उठा, गिरा सकता है। इस प्रकार स्थिति प्राप्ति के लिए एक निरन्तर संघर्ष की स्थिति नगरों में देखी जा सकती है। नगरों में व्यक्तियों को ऐसे अवसर प्राप्त होते हैं कि वे एक सामाजिक समूह की सदस्यता त्याग कर एक इकाई समूह का समूह सदस्य बन जाए। जहाँ कुछ भी स्थायी नहीं होता वहाँ निरन्तर सामाजिक गतिशीलता की स्थिति कार्यशील देखी जा सकती है।

भारत में नगरीकरण (Urbanisation in India)

इसमें सन्देह नहीं कि भारत की अधिकांश जनसंख्या अभी गाँवों में निवास करती है, लेकिन हमें यह भी नहीं भूलना चाहिए कि भारत की जनसंख्या का पाँचवाँ भाग नगर क्षेत्रों में भी निवास करता है इसी प्रकार हमें यह भी नहीं भूलना चाहिए कि यद्यपि गत बीस वर्षों में उद्योगों का बड़ी तेजी से विकास हुआ है फिर भी हमारी अर्थव्यवस्था अभी भी मुख्यतः कृषि पर ही आधारित है। इसलिए हमें भारत में नगरीकरण की प्रक्रिया को अच्छी तरह समझने की चेष्टा करनी चाहिए। भारत में नगर जनसंख्या में समस्त नगरों की जनसंख्या का कुल योग लिया जाता है। जनगणना हमें भारत में नगरीकरण की प्रक्रिया को

अच्छी तरह समझने की चेष्टा करनी चाहिए। भारत में नगर जनसंख्या में समस्त नगरों की जनसंख्या का कुल योग लिया जाता है। जनगणना की परिभाषा के अनुसार नगर की परिभाषा 1901 से 1951 तक लगभग एक जैसी हो रही है, केवल 1961 की जनगणना में केवल 2700 ऐसे नगरों को ही सम्मिलित किया गया जिनका कुल योग 80 लाख था तथा जो कुछ जनसंख्या का 18 प्रतिशत थी। 1951 जनगणना के अनुसार भारत में 54.74 करोड़ जनसंख्या थी जिसमें से 10 करोड़ 88 लाख व्यक्ति नगरों में निवास करते थे। 2011 की जनगणना के अनुसार, भारत में 121.01 करोड़ जनसंख्या है, जिसमें से 37.7 करोड़ व्यक्ति नगरों में रहते हैं। 1971 में देश में 3,126, 1981 में 4,029 तथा 1991 में 4,689 नगर थे जो वर्तमान में 5,000 से अधिक हो चुके हैं। यद्यपि 1951 और 1991 के बीच कुल जनसंख्या में 2.3 गुना वृद्धि हुई, किन्तु जनसंख्या का पुनर्वितरण बड़ा आश्चर्यजनक रहा है क्योंकि 10 लाख से अधिक आबादी वाले नगरों की आबादी में छह गुना से अधिक बढ़ोत्तरी हुई है। 10 लाख जनसंख्या वाले नगर 1951 में मात्र पाँच थे जो 1991 में बढ़कर 23 लाख और 2001 में 35 लाख हो गए। 50 लाख से अधिक जनसंख्या वाले चार महानगर ग्रेटर मुम्बई, कोलकाता, दिल्ली, चेन्नई है। 2011 की जनगणना के अनुसार भारत का सबसे बड़ा नगर ग्रेटर मुम्बई है, जिसकी जनसंख्या 1.63 करोड़ से अधिक ही हैं। उसके बाद कोलकाता (1.32 करोड़), दिल्ली (1.27 करोड़) तथा चेन्नई (64.24 लाख) नगर आते हैं। भारत का सर्वाधिक नगरीकृत राज्य तमिलनाडु है, वहाँ 43.46 प्रतिशत जनसंख्या नगरीय क्षेत्रों में निवास करती है। उसके बाद महाराष्ट्र (42.40 प्रतिशत), गुजरात (37.35 प्रतिशत), उत्तर प्रदेश (20.78 प्रतिशत) मध्य प्रदेश (26.67 प्रतिशत), राजस्थान (23.38 प्रतिशत), छत्तीसगढ़ (20.08 प्रतिशत) तथा बिहार (10.47 प्रतिशत) आते हैं।

भारतीय नागरिक संरचना (Indian Citizen Framework)

नगरों में हमें भिन्न संस्कृतियों के दर्शन होते हैं। वहाँ हमें तरह-तरह की सामाजिक परिस्थिति देखने को मिलता है। कहीं भारतीय अपनी संस्कृति का पोषण कर रहे हैं, तो कहीं चीनी अपनी संस्कृति का। प्रत्येक ने अपनी संस्कृति के पोषण के लिए एक भिन्न प्रकार की सामाजिक परिस्थिति को जन्म दे रखा है, उसका उद्देश्य और दृष्टिकोण भिन्न-भिन्न है। प्रत्येक के सामाजिक व्यवहार, हित, रीति-रिवाज भिन्न-भिन्न होते हैं। वे भिन्न-भिन्न धर्मों का पोषण करते हैं। नगरों में रहने वाले विभिन्न धर्मों के अनुयायियों, विभिन्न राजनैतिक विचारों को मानने वालों के अलग संघ बने होते हैं। सभी संघों के सदस्य अपने हितों की रक्षा के लिए निरन्तर प्रयत्न करते रहते हैं। इसका स्पष्ट प्रभाव सामाजिक सहिष्णुता पर पड़ता है। भिन्न-भिन्न संघों के व्यक्ति परस्पर एक-दूसरे की सुविधाएँ एवं सहिष्णुताएँ प्रदान नहीं करते हैं। उनमें सहानुभूति एवं हार्दिक सम्बन्धों का सर्वथा अभाव ही रहता है।

इसके अतिरिक्त नगरों में जहाँ जनसंख्या की विषमता पाई जाती है, वहाँ व्यवसायों और पेशे की बहुलता भी पाई जाती है। व्यक्ति अलग-अलग पेशों में लगे होते हैं। वे अपने-अपने व्यवसाय या पेशों के लोगों से मिलना-जुलना ही ठीक समझते हैं। इस दृष्टि से एक ही मोहल्ले अथवा एक गली में रहने वाले लोग एक-दूसरे को नहीं जान पाते। एक ही पड़ोस के लोग आदि अलग-अलग व्यवसाय में लगे हुए हैं, तो उनमें नमस्कार, बन्दगी तक के सम्बन्धों का भी अभाव पाया जाता है। परिणामस्वरूप पड़ोस या मोहल्ले के लोग सुख-दुख के समय एक-दूसरे के काम नहीं आ पाते हैं।

नगरों में व्यक्तियों को ऐसे अनेक अवसर मिल जाते हैं कि वे अपनी बुद्धि, कार्यकुशलता, दक्षता के आधार पर अपने को सामाजिक व आर्थिक रूप में ऊँचा उठा सकें। प्रत्येक व्यक्ति इसी प्रकार अपने को ऊँचा उठाने के प्रयत्न में लगा रहता है। इसका परिणाम यह होता है कि सहयोग के स्थान पर संघर्ष वैमनस्य, स्पर्द्धा का जन्म हो जाता है। व्यक्ति अपने हितों की रक्षा के लिए दूसरे व्यक्ति को भारी हानि पहुँचाने से नहीं चूकता। इसका परिणाम यह होता है कि समाज में सुरक्षा नहीं रहती तथा अपराधों की संस्था में वृद्धि होने लगती है।

नगरों में आर्थिक अवसरों के प्राप्त होने के परिणामस्वरूप आर्थिक असमानता बहुत हो जाती है। कहीं श्रमिक हैं तो कहीं करोड़पति। इस प्रकार कितने ही आर्थिक वर्ग बन जाते हैं। इन आर्थिक वर्गों में एक-दूसरे की सहायता करने के स्थान पर एक-दूसरे का शोषण करने की प्रवृत्ति उत्पन्न हो जाती है, जिससे समाज को बड़ी हानि उठानी पड़ती है।

नगरों में जनसंख्या धीरे-धीरे इतनी विषम हो जाती है कि व्यक्तियों को स्वच्छ हवा और सूर्य का प्रकाश मिलना कठिन हो जाता है। इससे मकान और भोजन की भी अनेक समस्याएँ उत्पन्न हो जाती हैं। औद्योगिक केन्द्रों के गन्दी बस्तियों से कौन परिचित नहीं होगा। जहाँ समाज के कीचड़ में मनुष्य गन्दे कीड़ों के समान पलते हुये देखे जाते हैं। लोग होटलों और सरायों में रहकर जीवन व्यतीत करते हैं। वे सड़ा-गला भोजन खाते हैं। इन सबका परिणाम उनके स्वास्थ्य पर पड़ता है और फिर स्वास्थ्य के बिगड़ने के साथ-साथ सामाजिक सम्बन्ध भी बिगड़ने लगते हैं। उनके स्वभाव में चिड़चिड़ापन एवं असन्तोष आ जाता है। ऐसी ही परिस्थितियों ने कितनी ही सामाजिक क्रान्तियों को जन्म दिया है।

परिवार सामाजिक जीवन की एक महत्त्वपूर्ण इकाई है। परिवार के सदस्यों की एकता एवं घनिष्ठता सामाजिक सम्बन्धों को बहुत कुछ अंशों में प्रभावित करती है। नगरों के भिन्न-भिन्न सदस्य भिन्न-भिन्न व्यवसायों और पेशों में लगे रहते हैं। वे अपना अलग परिवार बसाने की ताक में रहते हैं। उनका अधिक समय घर से बाहर ही व्यतीत होता है। वे किसी प्रकार के पारिवारिक नियंत्रण को स्वीकार नहीं करते। वे किन्हीं सामाजिक रीति-रिवाजों व परम्पराओं को पसन्द नहीं करते। इसका सबसे बड़ा परिणाम यह होता है

कि वे तरह-तरह के नैतिक पतन के शिकार हो जाते हैं। बेटे अपने माँ-बाप की आज्ञाओं का उल्लंघन करने में शर्म नहीं समझते।

नगरों में जनसंख्या की विषमता का एक और सामाजिक प्रभाव यह होता है कि व्यक्तियों के आपसी सम्बन्धों में बनावटीपन आ जाता है। उनके सम्बन्धों में आत्मीयता की भावना का लोप हो जाता है। व्यक्ति केवल अपने स्वार्थों के लिए ही सम्बन्धों को बनाए रखना चाहते हैं। उनकी मनोवृत्ति यह होती है कि "मुँह पर बुराई मत करो और पीठ पीछे बुराई करने से मत चूको।" वे सोचते हैं कि किसी भी व्यक्ति से बिगाड़ पैदा क्यों किया जाए, न जाने किस समय किससे कौन-सा काम पड़ जाए। इसलिए लोग ऊपर से मीठे बने रहते हैं।

नगरों में चूँकि विभिन्न वर्गों विभिन्न जातियों एवं विभिन्न व्यक्तियों से व्यक्तिगत सम्बन्ध स्थापित होने की सम्भावना नहीं रहती, इसीलिए व्यक्तियों में अवैयक्तिकता की वृद्धि हो जाती है। इस अवैयक्तिकता के भी अनेक सामाजिक परिणाम देखने में आते हैं। इसी अवैयक्तिकता का यह प्रभाव होता है कि परिवार के सभी सदस्य न एक साथ बैठकर भोजन करते हैं और न चाय पीते हैं। सभी सदस्य अपना अलग-अलग धन्धा करते हैं। सभी अपना भिन्न-भिन्न प्रकार से मनोरंजन करते हैं। माता-पिता, पिता-पुत्र, भाई-बहन, बहन-बहन, भाई-भाई के सम्बन्धों में भी इस अवैयक्तिकता का प्रभाव पड़ता है। उनका पारस्परिक स्नेह का आधार अब स्वार्थ हो जाता है। भाई अपने भाई से केवल स्वार्थ के लिए ही मिलता है और स्वार्थ के वशीभूत होकर ही वह रात के अन्धेरे में उसका खून भी कर देता है।

इसके अतिरिक्त नगर की द्रव्यमयी सभ्यता ने नगर वासियों को बिल्कुल नास्तिक बना दिया है। व्यक्ति को व्यक्ति से कोई प्रयोजन नहीं होता, उसे तो व्यक्ति के कार्यों में ही प्रयोजन होता है। यदि कोई व्यक्ति अपने कार्य को उचित ढंग से नहीं कर सकता है तो उसके स्थान पर अन्य व्यक्तियों के मिलने की कठिनाई नहीं होती है।

लेकिन इसका अर्थ है कि नगरों के सामाजिक प्रभाव केवल विघटनकारी ही हैं। इन सामाजिक प्रभावों का अपना रचनात्मक स्वरूप भी है। नगरों ने जनसंख्या की विषमता में जिस वैमनस्य एवं स्वार्थ की भावना को उत्पन्न किया है उसमें हमें मानव-मानव में निकटता के दर्शन होते हैं। भौगोलिक संकीर्णता की प्राचीरें टूट गई हैं तथा संस्कृतियों की अपनी परिधियाँ समाप्त हो गई हैं जिसमें भिन्न-भिन्न वर्गों के तथा जातियों के बालक, बालिकाएँ, तथा युवक-युवतियाँ साथ-साथ रहने के कारण एक-दूसरे के समीप आ रहे हैं। संस्कृतियों को मिला अपने विचारों को संकीर्णता से निकालकर एक व्यापक दृष्टि के क्षितिज पर लाकर पटक दिया है। व्यक्तियों के दृष्टिकोणों में कट्टरता के स्थान पर निरन्तर नये परिवर्तन हो रहे हैं, कल तक जो भारतीय छूआ-छूत व जाति-पाति के भेदभाव के बोधक थे आज इन्हें

घृणा की दृष्टि से देखते हैं। आज की इस विषमता में अर्न्तजातीय विवाह भी सम्भव हो रहे हैं।

नगरों में सम्बन्धों की वैयक्तिकता ने जहाँ व्यक्ति-व्यक्ति के बीच एक गहरी खाई बना देती है, वहाँ एक विचित्र प्रकार की सामाजिक सहिष्णुता को भी जन्म दिया है। अवैयक्तिकता की वृद्धि के कारण नगरवासी प्रायः अपने पड़ोसियों के प्रति उदासीन से रहते हैं, क्योंकि उनके पड़ोसी विभिन्न सस्कृतियों एवं विभिन्न देशों के होते हैं। फलस्वरूप वे अपनी विचारधाराओं, मान्यताओं, कार्यकलापों में किसी प्रकार का हस्तक्षेप करना उचित नहीं समझते। इस अवैयक्तिकता के कार्य फलस्वरूप नगरों में प्रत्येक व्यक्ति को पूर्ण स्वतन्त्रता प्राप्त होती है। वह किसी या कितने ही संघों का सदस्य हो सकता है। विभिन्न नैतिक नियमों का अनुसरण कर सकता है विभिन्न सामाजिक स्वरूपों को अपना सकता है। यही कारण है कि हमें नगरों में भिन्न-भिन्न प्रकार के सामाजिक और नैतिक आदर्श देखने को मिलते हैं। नगरों की अवैयक्तिकता नगरवासियों के कार्य पर बल देती हुई उनकी सामाजिक स्थिति को परिवर्तित करने में सहायता देती है।

ग्रामीण नगरीय जीवन में एक तुलनात्मक अध्ययन
(A Comparative Study of Rural-Urban Life)

मैकाइवर और पेज ने नागरिक और ग्रामीण जीवन की तुलना तीन आधारों पर की–

(1) नगर व गाँव में केवल मात्रा का अन्तर–वास्तव में कोई यह नहीं कह सकता कि वह कौन-सी सीमा है जहाँ गाँव समाप्त होता है, और शहर शुरू होता है। जनसंख्या तथा क्षेत्रफल का भी कोई खास महत्त्व नहीं है। इसीलिए इसको भी आधार नहीं माना जा सकता। इस प्रकार नगर व गाँव में मात्रा सम्बन्धी ज्ञान स्पष्ट न होने के कारण इसकी तुलना में कठिनाई मालूम होती है। इसके विपरीत इस बात के निर्धारण में काफी मुश्किल प्रतीत होती है कि नागरिक सीमाएँ कहाँ से आरम्भ होती हैं और ग्रामीण सीमाओं का अन्त कहाँ पर होता है।

(2) नगरों में विभिन्न प्रकार का पर्यावरण–दूसरी परेशानी यह है कि सब नगरों का पर्यावरण एक-सा नहीं होता। ऐसा भी देखा गया है कि एक ही नगर के विभिन्न क्षेत्रों में एक-सी नागरीय विशेषताएँ नहीं पायी जातीं। उदाहरण के लिए यदि लखनऊ की तुलना गोंडा, बस्ती, बलिया से की जाए तो सबकी परिस्थितियों में अन्तर दिखलाई पड़ता है इसलिए यह निश्चित करना कि गाँव कहाँ खत्म होता है और शहर कहाँ शुरू होता है? बड़ा कठिन है।

(3) नगर व गाँव का परिवर्तनशील स्वभाव–आजकल नगरों का औद्योगीकरण और नगरीयकरण होने के कारण अधिकतर नगर गाँव की ओर फैलते जा रहे हैं, जिसका

नतीजा यह है कि बहुत से ग्रामीण तत्त्व नगर में प्रवेश करते जा रहे हैं और दूसरी ओर गाँव के लोग शहरों से अनेक नगरीय विशेषता लाकर उनको गाँव में प्रचलित कर देते हैं। इसके अतिरिक्त गाँव वाले आज भी बहुत रूढ़िवादी हैं लेकिन फिर भी दोनों प्रकार के परिवर्तन किसी हद तक हमारी सभ्यता के अंग बन चुके हैं। इसके अलावा नगरों कि विशेषताओं और गाँव की ग्रामीण विशेषताओं में भी बराबर परिवर्तन हो रहा है। आज कल गाँव वाले अपने बच्चों को उच्च शिक्षा प्राप्त करने के लिए अधिक-से-अधिक शहरों में भेज रहे हैं, और जब वह गाँव लौट कर आते हैं जो चाहते हैं कि गाँव में भी वही परिवर्तन हो जो शहरों में हो रहे हैं। इसके अलावा शहरों में गतिशीलता और वर्गवाद का विकास होने के कारण नगरों में ग्रामीण विशेषता का प्रयास बढ़ गया है। इस तरह से यह तय करना और कठिन हो गया कि हम किस प्रकार नगर शहर की तुलना करें।

अन्त में यह स्पष्ट करना भी आवश्यक प्रतीत होता है कि गाँवों की अपेक्षा नगरों में तेजी से परिवर्तन होता है। किसी सामाजिक रीति-रिवाज को आसानी से ग्रहण कर लिया जाता है। दूसरी ओर नगरों की भाँति ग्रामों में परिवर्तन तो आ रहा है, परन्तु धीरे-धीरे। इसके कई मुख्य कारण है। जैसे ग्रामवासियों का अशिक्षित होना, अपने भाग्य के निर्माण में देवी शक्तियों पर आश्रित होना, नये परिवर्तन को देर से स्वीकार करना, अपने रीति-रिवाजों की रक्षा के लिए अत्यधिक दृढ़ता से काम लेना आदि। इसके विपरीत सामाजिक गतिशीलता की दृष्टि से भी ग्राम समाज का अपना एक विशेष स्थान है। उनकी अपनी एक विशेष संस्कृति होती है, परन्तु काफी तेजी से गाँवों के सांस्कृतिक मूल्यों पर भी नगरीय संस्कृति के भौतिक और अभौतिक तत्त्वों की छाप पड़ती जा रही है।

ग्रामीण नगरीय सांतत्य

(Rural Urban Continum)

ग्रामीण नगरीय सांतत्य ऐसे क्षेत्रों को कहा जाता है जहाँ पर ग्राम की सीमा समाप्त होती है और नगर की सीमा शुरू होती है। ऐसे क्षेत्रों में ग्रामीण अवस्थाओं के साथ-साथ नगरीय अवस्थाएं भी पायी जाती हैं। जैसा कि पहले यह उल्लेख किया जा चुका है कि यह निर्धारित करना कि कहाँ गाँव की सीमा समाप्त होती है और कहाँ नगर की सीमा शुरू होती है फिर भी ऐसे क्षेत्र को चिन्हित किया जा सकता है, जिसमें लगभग दोनों क्षेत्रों की विशेषताओं का मिश्रण पाया जाता है। चूंकि नगरीय जीवन भौतिक और अभौतिक सभ्यताओं का केन्द्र होता है और सभ्यता का प्रवाह अधिक घनत्व से कम घनत्व वाले क्षेत्रों की ओर होता है, अतः नगरीय सभ्यता ग्रामीण जीवन को प्रभावित करती है जिससे दोनों में परस्पर अन्तःक्रिया होती है और परिणाम ग्रामीण नगरीय सांतत्य के रूप में आता है।

ग्राम्यनगर (Rurban)—शब्द का सर्वप्रथम प्रयोग गाल्पिन ने अपनी पुस्तक (Rural life) में किया। किन्तु ग्रामीण नगरीय सांतत्य को विकसित करने का क्षेत्र राबर्ट

रेडफील्ड को जाता एवं नगरीय जीवन दो भिन्न प्रकार की जीवन पद्धतियाँ हैं। सोरोकिन, जिमरमैन तथा वेबर ने भी ग्रामीण नगरी अन्तर का श्रेणीकरण किया है।

ग्रामीण नगरीय सांतत्य एक ऐसी घटना है जो न तो पूर्णतः ग्रामीण है और न ही नगरीय अपितु हम इसको ऐसी प्रक्रिया के रूप में परिभाषित कर सकते हैं कि इसका ग्रामीण जीवन नगरीय जीवन की ओर उन्मुख हो रहा है। दूसरे शब्दों में जब ग्रामीण जीवन तकनीक में उन्नत साधनों का प्रयोग करने लगता है वहाँ पर भी यातायात, संचार आदि साधनों का प्रयोग होने लगता है। तो गाँव की कड़ी नगर से जुड़ जाती है और दोनों ही क्षेत्र एक-दूसरे के निकट आते हैं। फलस्वरूप एक सांतत्य का निर्माण होता है जिसे ग्रामीण सांतत्य कहते हैं। बर्गल लिखते हैं "नगर की सीमा के बाहर एक ऐसा विशाल क्षेत्र है जहाँ ग्राम्य एवं नगरीय परिवार इतने मिश्रित हो जाते हैं कि उनको नगरीय या ग्रामीण क्षेत्र कहना नितान्त असम्भव हो जाता है। ऐसे मिश्रित प्रदेश 'ग्राम्य नगर' कहलाते हैं। यहाँ पर पाठकगण स्पष्ट रूप से समझ लें कि ग्राम्यनगर और उपनगर दो अलग-अलग बाते हैं। ग्राम्यनगर जहाँ ग्रामों के नगरीकरण की प्रक्रिया हैं; वही उपनगर किसी महानगर के बाहरी छोरों पर बसे हुए नगर तुल्य कस्बाई क्षेत्र हैं।

ग्रामीण नगरीय सांतत्य के दौरान सामाजिक, सांस्कृतिक व आर्थिक सम्बन्धों में भी परिवर्तन आते हैं। गाँव में जहाँ व्यवसाय और जाति के पुराने सम्बन्धों में कुछ नमी आयी है। वहीं अन्तर्जातीय सम्बन्धों के नये समीकरण भी स्थापित हुए हैं परम्पराओं के कुछ पहलुओं का नया मूल्यांकन भी हुआ है कहने का तात्पर्य है कि ग्रामीण नगरीय सांतत्य वह प्रक्रिया है जिसकी अन्तिम परिणति गाँव के नगरों में बदल जाने में होती है।

अभ्यास प्रश्न

1. ग्राम को परिभाषित कीजिए।
2. ग्राम की विशेषताओं का उल्लेख कीजिए।
3. ग्रामीण समाज की शक्ति संरचना एवं परिवर्तनों को स्पष्ट कीजिए।
4. श्यामाचरण दुबे ने ग्राम वर्गीकरण के कौन-कौन से आधार बताए हैं?
5. जजमानी प्रथा क्या है?
6. प्रभु जाति की संकल्पना दीजिए।
7. नगर को परिभाषित कीजिए।
8. भारत में नागरिक संरचना का उल्लेख कीजिए।
9. ग्रामीण नगरीय सांतत्य और ग्राम्य नगर में अंतर स्पष्ट कीजिए।

संदर्भ

1. Fairchild, Dictionary of Sociology, p. 52
2. Encyclopedia of Social Sciences edi. By Adam Kuper, p. 35
3. Merrill and Eldredge, Culture and Society, p. 145
4. Bertrand, Basic Sociology, p. 419
5. Dwight Sanderson, Rural Sociology and Rural Social Organization, p. 293
6. MMP Sinha, The Impact of Urbanization on Land Use in the Rural-urban Fringe, p. 16
7. Bergal, Uraban Sociology, p. 6
8. George A. Theodorson, Studies in Human Ecology, p. 5
9. Louis Wirth, Louis Wirth on cities and Social Life : Selected papers, p. 62

5

भारत में जनजातियाँ

(Tribes in India)

जनजाति क्या है? किसी मानव समूह को एक जनजाति मानने के लिए यथार्थ रूप में कौन-सी कसौटियाँ हैं? जनजातीय जीवन की क्या विलक्षणताएँ हैं? यह रोचक किन्तु दुःखद है कि मानवशास्त्री, समाजशास्त्री, सामाजिक कार्यकर्ता प्रशासन तथा ऐसे ही दूसरे लोग जनजातियों तथा उनकी समस्याओं से सैद्धान्तिक स्तर अथवा व्यावहारिक आधार पर जुड़े रहे हैं। विषय वस्तु की अपनी अवधारणा एवं परिभाषा के विषय में एकमत नहीं हैं। आर्थर विलके इत्यादि (1976) समस्या को उचित परिप्रेक्ष्य में यह कहकर प्रस्तुत करते हैं कि वर्षों तक भारत में जनजातीय लोगों के आधिकारिक आलेख व चित्रण को, संदिग्धता ने जकड़ रखा था। उदाहरणार्थ सन् 1917 से 1931 की जनगणना तक जनजातियों के नामकरण सन्दर्भों में उत्तरोत्तर संशोधन होते रहे, जैसे आदिवासी अथवा 'दलित वर्ग' सन् 1941 की जनगणना तक इन विशिष्ट विशेषणों को त्याग दिया गया। स्वतन्त्रता के पश्चात् 'अनुसूचित जनजातियों तथा आदिवासी' (जैसा उन्हें सामान्यतः पुकारा जाता है) का अभिप्राय ग्रहण करने की प्रथा चलती रही। इस प्रकार का प्रमाणीकरण भी संदिग्धता को पूर्णतया समाप्त नहीं कर पाया।

वर्तमान अध्याय में विचार-विमर्श के आधार स्वरूप यहाँ जनजाति की कुछ परिभाषाएँ दी जा रही हैं—

इम्पीरियल गजेटियर ऑफ इण्डिया के अनुसार "'जनजाति' समान नाम धारण करने वाले परिवारों का एक संकलन है, जो समान बोली बोलते हों, एक ही भूखण्ड पर अधिकार करने का दावा करते हों अथवा दखल रखते हों तथा जो साधारणतया अन्तर्विवाही न हों यद्यपि मूल रूप में चाहे वैसे रहे हों।"[1]

ऑक्सफोर्ड शब्दकोष के अनुसार "जनजाति के विकास के आदिम अथवा आचरण में लोगों का एक समूह है, जो एक मुखिया की सत्ता स्वीकारते हों तथा साधारणतया अपना एक समान पूर्वज मानते हों।"[2]

राल्फ लिंटन के अनुसार "सरलतम रूप में जनजाति ऐसी समान बोलियों वाले लोगों का एक समूह है जिसका एक सान्निध्य वाले भूखण्ड अथवा भूखण्डों पर अधिकार हो और जिनमें एकता की भावना संस्कृति में गहन समानता, निरन्तर सम्पर्क तथा कतिपय सामुदायिक हितों में समानता से उत्पन्न हुई हो।"[3]

एन. के. बोस के अनुसार "जनजाति समान संस्कृति वाली जनसंख्या का एक स्वतन्त्र राजनीतिक वियोजन है।"[4]

सिन्हा के अनुसार "जनजाति समान नाम के तले एकत्रित एक जनसमूह हैं। जिसमें कि समूह के सदस्य इस बात पर गर्व महसूस करते हैं कि वे समान भाषी समान भूखण्ड स्वामी हैं तथा जो लोग उनके नाम के अंशधर नहीं हैं वे बाहरी ही नहीं बल्कि शत्रु हैं।"[5]

डी.एन. मजूमदार के अनुसार 'जनजाति' क्षेत्रीय सम्बन्ध युक्त तथा अन्तर्विवाही सामाजिक समूह है। उसके कार्यों में कोई विशेषता नहीं होती, जैसे जनजातीय अधिकारियों द्वारा शासित, वंशानुक्रम अथवा अन्य दोनों से जुड़े हुए अन्य जनजातियों अथवा जातियों से सामाजिक दूरी को मान्यता देने वाले, अपने प्रति किसी प्रकार की सामाजिक असमानताओं को नहीं जोड़ते (जैसा कि जाति संरचना में होता है) जो जनजातीय परम्पराओं में विश्वास रखते हैं तथा प्रथाओं का पालन करते हैं, विदेशी स्रोतों के विचारों के प्राकृतिकी कारण में अनुदारता तथा सबसे अधिक सजातीयता और क्षेत्रीय अखण्डता में विश्वास करते हैं।[6]

जनजाति की विशेषताएँ (Characteristics of Tribe)

जनजाति की विशेषताओं के सम्बन्ध में सभी विचार एकमत नहीं हैं। विभिन्न विचारकों ने अपने-अपने ढंग से जनजाति की विशेषताओं या आधार को बताया है। **बोगाड्र्स** ने लिखा है "जनजाति समूह रक्षा की आवश्यकता, रक्त सम्बन्धों के बंधन और एक सामान्य भू-भाग को जनजाति की आवश्यकताओं के रूप में माना है।" इन विभिन्नताओं और समानताओं के मध्य जनजाति की निम्न विशेषताओं का उल्लेख किया जा सकता है–

(1) निश्चित सामान्य भू-भाग–जनजाति का एक निश्चित और सामान्य भू-भाग होता है जिस पर वह निवास करती है। सामान्य भू-भाग की अनुपस्थिति में जनजाति में उसकी अन्य विशेषताएँ–सामुदायिक भावनाएँ, सामान्य बोली आदि भी नहीं रहेंगी। इसलिए जनजाति के लिए एक सामान्य निवास स्थान जरूरी है।

(2) एकता की भावना–किसी विशेष भौगोलिक क्षेत्र में रहने वाले हर एक समूह को जनजाति नहीं कहा जा सकता, जब तक कि उसके सदस्यों में एकता की भावना न हो। यह मानसिक तत्त्व जनजाति की एक अनिवार्य विशेषता है।

(3) सामान्य बोली–जनजाति के सदस्य एक सामान्य भाषा बोलते हैं। इससे भी उसमें एकता की सामुदायिक भावना का विकास होता है।

(4) अन्तर्विवाही समूह—जनजाति के सदस्य सामान्यतया अपनी ही जाति में विवाह करते हैं। परन्तु अब यातायात और संदेश वाहन के साधनों के विकास से अन्य जातियों से सम्पर्क में आने के कारण जनजातियों से बाहर विवाह करने की प्रथा भी बढ़ती जा रही है।

(5) रक्त सम्बन्धों का बन्धन—जनजाति में पाई जाने वाली सामुदायिक एकता की भावना का एक बड़ा कारण उसके सदस्यों में परस्पर रक्त सम्बन्धों का बन्धन है। जनजाति के सदस्य अपनी उत्पत्ति किसी सामान्य वास्तविक या काल्पनिक पूर्वज से मानते हैं और इसलिए अन्य सदस्यों से रक्त सम्बन्ध मानते हैं। इन सम्बन्धों के आधार पर ही परस्पर बँधे रहते हैं।

(6) रक्षा की आवश्यकता का अनुभव—जनजाति के सदस्य रक्षा की आवश्यकता का सदैव अनुभव करते हैं। इस आवश्यकता को ध्यान में रखकर जनजाति का राजनैतिक संगठन स्थापित किया जाता है और किसी एक व्यक्ति की शासन के सब अधिकार सौंप दिए जाते हैं। यह नेता अपनी शारीरिक और मानसिक शक्ति तथा चतुराई से सम्पूर्ण जनजाति की रक्षा करता है। जनजातीय मुखिया की सहायता करने के लिए एक जनजातीय समिति होती है जो मुखिया को परामर्श देती है। आमतौर से मुखिया समिति के परामर्श को मानता है। जनजाति अनेक छोटे-छोटे समूहों में बँटी होती हैं जिनके अपने-अपने मुखिया होते हैं। ये मुखिया अपने-अपने समूहों की समस्याओं को हल करते हैं और जनजाति के आदेश के अनुसार काम करते हैं।

(7) राजनैतिक संगठन—इस तरह हर एक जनजाति का एक राजनैतिक संगठन होता है, जो जाति के सदस्यों में सामंजस्य रखता है, उनकी रक्षा करता है और महत्त्वपूर्ण मसलों पर निर्णय देता है।

(8) धर्म का महत्त्व—जनजाति में धर्म का बड़ा महत्त्व है। जनजातीय राजनैतिक तथा सामाजिक संगठन धर्म पर आधारित है क्योंकि धार्मिक स्वीकृति प्राप्त कर लेने पर सामाजिक और राजनैतिक नियम अनुलंघनीय बन जाते हैं। **बोगार्ड्स** के अनुसार "राज्यों में धर्म ने भी विशेषतः पितृपूजा के रूप में 'आज्ञापालन की आदत' का विकास करने में महत्त्वपूर्ण सेवा की हैं।"

(9) सामान्य नाम—जनजाति का एक सामान्य नाम होता है।

(10) सामान्य संस्कृति—एकता की भावना, सामान्य भाषा, सामान्य धर्म, सामान्य राजनैतिक संगठन आदि के कारण जनजाति में एक सामान्य संस्कृति पाई जाती है।

(11) गोत्रों का संगठन—जनजाति अनेक गोत्रों से मिलकर बनती है। उसके सदस्यों में परस्पर आदान-प्रदान के नियम होते हैं।

जनजातियों या आदिवासियों का वर्गीकरण
(Classification of Tribals and Aboriginals)

भारत की जनजातियों को निम्नलिखित आधारों पर वर्गीकृत किया जा सकता है–

(1) भौगोलिक वर्गीकरण (2) आर्थिक वर्गीकरण (3) सांस्कृतिक सम्पर्क के आधार पर वर्गीकरण (4) धार्मिक विश्वास के आधार पर वर्गीकरण (5) राज्यों की जनसंख्या के आधार पर

(1) भौगोलिक वर्गीकरण (Geographical Classification)

भौगोलिक आधार पर वी.एस. गुहा ने भारतीय जनजाति को तीन भागों में बाँटा–

(क) उत्तरी पूर्वी वर्ग की जनजातियाँ–भारत में उत्तरी पूर्वी वर्ग के आदिवासी आसाम, मणिपुर और त्रिपुरा के प्रदेशों में पाए जाते हैं। ये तिब्बत और वर्मा के सीमावर्ती इलाकों, दुर्गम पर्वत मालाओं तथा जंगलों में रहते हैं। इनकी जनसंख्या लगभग 21 लाख है। प्रजाति के दृष्टि से ये मंगोल हैं। अधिकतर लोग तिब्बत वर्मी वंश की बोलियाँ प्रयोग करते हैं। इनमें कुछ बोलियाँ आग्नेय परिवार की मोनख्येर भाषा से मिलती-जुलती हैं।

इस क्षेत्र में बसने वाली जनजातियों में उल्लेखनीय हैं–सुवनसिरी नदी के पश्चिम में बसी हुई आका, डफ़ला, गुरंग, आपाटनी जनजातियाँ, दिहोंग घाटी की गालंग, मिनयंग, पासी, परम और पंगी जनजातियाँ, दिवोंग तथा लोहित नदियों के बीच को मिश्मी जनजातियाँ, अधिक पूर्व में खामीऱ सिफी जनजातियाँ तथा उससे ऊपर पटकोई पर्वत माला के दोनों ओर सुप्रसिद्ध नागा जनजाति। इन जनजातीय क्षेत्रों के अलावा आसाम राज्य में बड़ों कचारी, देअरी, होजाई, लालंग, मेच मिरि और रामा जनजातियाँ हैं। आसाम के स्वतन्त्र जिलों तथा जनजातीय क्षेत्रों में अनोर, अम्बा, शेरडुकपेन, डिमासा, गारो, हाजंग, खासी, जयन्तिया, कुकी, लखेर, लुशाई, मिकिर और सिटेंग जनजातियों तथा मणिपुर और त्रिपुरा में भी कुकी, लुशाई तथा नागा जनजातियाँ हैं।

उत्तरी-पूर्वी वर्ग के आदिवासियों में सबसे प्रसिद्ध जनजाति नागा है–यह पाँच बड़े भागों में विभाजित है। उत्तर में रगयन और कोनयक नागा, पश्चिम में रेंगमा, सेमा तथा अंगामी नामा केन्द्रीय भाग में आओ, तहोटा, फोम, चंग, संतर तथा थिमस्त सुंगर नागा, दक्षिण में कच और कबुई नागा तथा पूर्व में तंग-खुल और कल्यों केंगु नागा। नागा नाम संस्कृत के 'नग्न' शब्द से बना है क्योंकि ये बहुत से अधिकतर नग्न ही रहते हैं। इनके शारीरिक लक्षण हैं–गठा हुआ शरीर, थोड़ी चपटी नाक, कुछ मोटी आँखें, सफाचट दाढ़ी व मूँछें तथा माथे पर कटे हुए बाल। प्रायः ये नग्न रहते हैं। केवल कुछ अवसरों पर वे अपने को कपड़े से ढक लेते हैं। पुरुष कभी-कभी चुस्त कपड़े गले में बालों की रस्सी में गुथी हुई कौड़ियों की माला, भुजाओं में कसी हुई गोल चूड़ियाँ तथा कानों में पीतल की बालियाँ और

सिर पर कंगूरे-नुमा टोप पहिनते हैं। स्त्रियों में नीले रंग का कड़ा हुआ लहंगा, हँसुली, बाजूबंद और कौड़ियों का बना हुआ हार पहनती हैं। इन लोगों को गोदना गुदवाने का बड़ा शौक होता है। इनके हथियारों में विशेष तौर से भाला, खांडा या गड़ासा तथा तीर-कमान का प्रयोग किया जाता है। इनके मुख्य उद्यम शिकार, खेती, कपड़े बुनना, रुई का व्यापार, लोहारी, बढ़ई गिरी, बर्तन बनाना, बाँस की चीजें बनाना तथा सुअर, मुर्गियाँ, गाय, बैल, कुत्ते आदि पालना तथा मछली मारना आदि है। ये कबीले के बाहर विवाह करते हैं। कहीं-कहीं पर बहुपतित्त्व, की प्रथा भी अत्यन्त प्रचलित है। तलाक का रिवाज है। ये अत्यन्त खूँखार होते हैं। नरहत्या इनके लिए खेल से अधिक नहीं है। परन्तु भारत सरकार के प्रयत्न के नागाओं में अब धीरे-धीरे सभ्यता बढ़ रही है। इधर इनमें से कुछ ने एक अलग नागा देश की माँग की है। इस सिलसिले में बड़ा खून-खराबा भी हो चुका है। अब भारत सरकार ने एक पृथक नागा प्रदेश की स्थापना कर दी है।

(ख) केन्द्रीय वर्ग के आदिवासी—इस वर्ग में बंगाल, बिहार, दक्षिणी, उत्तर-प्रदेश दक्षिणी राजस्थान, मध्यप्रदेश, उत्तरी महाराष्ट्र और उड़ीसा शामिल है। क्षेत्रफल तथा आदिवासियों की संख्या की दृष्टि से यह प्रदेश अति बड़ा है। इससे केवल संथालों की संख्या की 25 लाख से ऊपर है। पूर्व से पश्चिम की ओर चलने पर इस क्षेत्र की महत्त्वपूर्ण जनजातियाँ हैं—खोंड, संथाल, सौर या सरव, गोंड, हो, भुइया या खरिया या खड़िया और जुआंग। उड़ीसा प्रान्त में आदिवासियों की संख्या 30 लाख से ऊपर (30,09,580) है। बिहार की जनसंख्या का दसवाँ भाग आदिवासी है जिनकी संख्या कुल 38,80,097 है। ये बिहार के पश्चिम में अरावली पर्वतमाला तक चले गए हैं। गोंडवाना तथा भूतपूर्व हैदराबाद, बस्तर, कंकर राज्यों में गोंड रहते हैं। कोरक, अंगोरिया, परधान, और बेंगा जातियाँ सतपुड़ा पहाड़ के दोनों ओर केवल पहाड़ियों में बसी हुई है। पहले के बस्तर राज्य के माड़िया तथा मुड़िया जन जातियाँ पाई जाती हैं ये गोंड हैं। राज्यों के पुन संगठन से मध्य भारत के मध्यप्रदेश में सम्मिलित हो जाने से अब इस प्रदेश में आदिवासियों की संख्या राज्य की कुल जनसंख्या का 18.58 प्रतिशत अर्थात् 48,44,128 है।

केन्द्रीय वर्ग के क्षेत्र के निवासी आग्नेय परिवार की भाषाएँ बोलते हैं। इन पर पड़ोसी हिन्दुओं का बड़ा प्रभाव पड़ा है। ये शिकार और अन्तः संग्रह की अवस्था से निकलकर अब आमतौर से झूम खेती करती है। पहले ये वल्कल के कपड़े पहनते थे, अब सूती कपड़े का प्रयोग करते हैं। ये टोकरी बनाने और लकड़ी पर नक्काशी का काम करते हैं। इनमें कुछ उन्नत जातियों में ग्रामीण पंचायत और लोक तन्त्रीय आधार पर बनी हुई आखेट-परिषद भी होती है, जो गाँवों के आपसी झगड़े निपटाती है। प्रजाति की दृष्टि से ये प्रायः प्रोटो-आस्ट्रेलॉयड है।

(ग) दक्षिणी क्षेत्र में आदिवासी—आदिवासी का दक्षिणी क्षेत्र कृष्णा नदी के नीचे तथा उत्तरी भाग के दक्षिण में है। ये सबसे अधिक पश्चिमी घाट के पहाड़ों में वाइनाड से कन्या कुमारी तक पाए जाते हैं। मद्रास प्रान्त की सबसे प्रसिद्ध जनजाति टोडा, नीलगिरी की पहाड़ियों में रहती है। आन्ध्रराज्य की चेंचू जाति कृष्णा नदी के पास पहाड़ियों में रहती है। केरल में भारत की सबसे पुरानी जनजातियाँ मिलती हैं जिनमें अधिक संख्या कादर जनजाति की है। केरल के ये आदिवासी केवल शिकार और अन्न संग्रह करके अपना पेट भरते हैं। कुछ समय पहले तक इनका एकमात्र वस्त्र पत्तों या घास की बनी कौपनी (लंगोट) मात्र था। दक्षिणी क्षेत्र की कुछ जनजातियों में कहीं-कहीं मातृ मूलक व्यवस्था भी पाई जाती है। डॉ. गुहा के अनुसार कादर, इरुला और पुलयन जातियों में नीग्रटों प्रजाति की कुछ विशेषताएँ मिलती हैं।

उपरोक्त तीन क्षेत्रों के अलावा अण्डमान और निकोबार द्वीप में जाखा, ओंगे, अण्डमानी और नीकोबारी आदि जनजातियाँ पाई जाती हैं। उत्तर में हिमाचल प्रदेश के दुर्लभ पर्वतमालाओं में गद्दी, गुज्जर, जाट, लम्बा, खम्पा, कनोरा, लाहौल तथा पंगवाल आदि जनजातियाँ रहती हैं। मुख्य रूप से वे चम्बा जिले के लाहौल तथा मद्रास जिले के स्पीति प्रदेश में बसी हुई हैं। इनमें अधिकतर 12.1 पालन और खेती प्रचलित है। इस उत्तरी प्रदेश के उत्तर में हिमालय के पहाड़ी क्षेत्र में भी आदिवासी पाए जाते हैं। इनमें मुख्य जनजातियाँ हैं—देहरादून जिले के जौनसारी, अल्मोड़ा तथा अस्कोट में राजी या वनमानुष, भोक्सा भूइया, भूटिया, बोरा, खारवाड़, सिक्किम तथा दार्जिलिंग के उत्तरी भाग में लेपचा लोग रहते हैं।

(i) भाषायी वर्गीकरण (Linguistic Classification)

वर्तमान समय में भारत के लोगों को चार विभिन्न भाषाई परिवारों में विभाजित किया जा सकता है, इनके नाम हैं—भारतीय यूरोपीय (आर्य) द्रविड़ आस्ट्रिक (कोलोर मुण्डा) तथा तिब्बत चीनी (चीनी तिब्बती)। **डी.एन. मजूमदार** (1655) का मत हैं कि "जहाँ तक जनजातीय लोगों का सम्बन्ध है आर्य भाषा केवल सांस्कृतिक सम्पर्क के फलस्वरूप सामने आती है। क्योंकि हमारे लगभग सभी जनजातीय लोगों का संम्बन्ध पूर्व आर्य अथवा अनार्य प्रजातियों तथा उद्भव से हैं", अतः अधिकांश विद्वान इस दृष्टि से सोचते हैं कि भारत के जनजाति लोग मुख्यतः तीन भाषा परिवारों में वर्गीकृत किए जा सकते हैं—

1. द्रविड़, 2. आस्ट्रिक, 3. तिब्बत चीनी

1. द्रविड़—द्रविड़ भाषा के अन्तर्गत आने वाली भाषाओं को बोलने वाले जनजातिय लोग मध्य दक्षिण भारत में बसते हैं। गोंड, टोडा, पलिया, चेंचू, इरुला, कादार इत्यादि द्रविड़ परिवार से सम्बन्धित जनजाति है।

2. आस्ट्रिक—आस्ट्रिक परिवार की बोलियाँ मुण्डा भाषा परिवार के रूप में भी जानी जाती है। मैक्समूलर प्रथम विद्वान थे जिन्होंने इसे द्रविड़ भाषा परिवार से अलग किया

तथा उन्होंने ही इस समूह को मुण्डा बोली परिवार का नाम प्रदान किया। इसी परिवार की बोलियाँ मुख्यतः छोटा नागपुर क्षेत्र की जनजातियाँ द्वारा बोली जाती हैं, किन्तु उनका प्रचलन कुछ कम सीमा तक मध्यप्रदेश, उड़ीसा, पश्चिम बंगाल, मद्रास तथा बिहार के शिमला की पहाड़ियों तक फैलकर हिमालय के तराई क्षेत्रों में भी हैं। बंगाल, बिहार तथा उड़ीसा की संथाली बोली तथा बिहारी क्षेत्र की मुण्डा, हो, खरिया भूमिज व कुछ अन्य बोलियाँ भी इस परिवार में सम्मिलित हैं। तिब्बत चीनी बोलियाँ मंगोल, प्रजाति समूह की अधिकांश जनजातियों द्वारा बोली जाती हैं।

3. तिब्बत चीनी–यह परिवार दो शाखाओं में विभाजित किया जाता है– (1) तिब्बत–वर्मी (2) सियामी चीनी। असम, मेघालय तथा उत्तर पूर्वी भारत के अन्य भागों की जनजातियाँ इस परिवार की एक न एक बोली बोलती हैं।

(ii) प्रजातीय वर्गीकरण (Racial Classification)

भारत में होने वाला प्रथम प्रजातीय वर्गीकरण का प्रयास सर हरबर्ट रिज्ले द्वारा किया गया था। उन्होंने अपनी खोजों को 'पीपुल्स ऑफ इण्डिया' नामक पुस्तक में 1919 में प्रकाशित कराया। वह समस्त भारतीय जनसंख्या को सात प्रजातीय प्रकारों में वर्गीकृत करते हैं–

(1) टर्को ईरानी (Turko Iranian), (2) भारतीय आर्य (Indo Aryan), (3) सीथो द्रविड़ (Scytho Dravidian), (4) आर्य द्रविड़ (Aryo Dravidian), (5) मंगोल द्रविड़ (Mangole Dravadian), (6) मंगोलॉइड (Mongloid), (7) द्रविड़ (Dravidian)।

बी. एस. गुहा, छह प्रमुख प्रजातियों की सूची प्रस्तुत करते हैं, जो निम्नलिखित हैं–

(1) नीग्रीटो (The Negrito)

(2) आद्य आस्ट्रेलायड (The Proto Australaid)

(3) मंगोलॉयड (The Mongoloid)

  (*i*) पुरामंगोल (Palaeo Mangoloids)

  (*ii*) लम्बे सिर वाले (Long Headed)

  (*iii*) चौड़े सिर वाले (Broad Headed)

(4) मध्य भूसागरीय (The Mediterranean)

  (*i*) पूरा भूमध्य सागरीय (Paleto Mediterranean)

  (*ii*) मध्य सागरीय (Mediterranean)

  (*iii*) प्राच्य प्रकार (Oriental Type)

(5) पाश्चात्य चौड़े सिर वाले (The Western Branthy Cephal)

  (*i*) एल्पीनायड (Alpinaid)

(*ii*) डिनारिक (Dinaric)

(*iii*) आरमीनायड (Armenoid)

(6) नार्डिक (The Nordic)

भारत की जनजातीय जनसंख्या की वंशानुक्रमणिका मुख्यतः तीन प्रजातियों में ढूँढ़ी जाती हैं–

कोचीन और ट्रावनकोर की पहाड़ियों की जनजातियाँ जैसे कादर, इरुला, पलियन आदि, असम के अंगमी नागा तथा पूर्वी बिहार की राजमहल पहाड़ियों की जनजातियाँ नीग्रीटो प्रजातीय प्रकार में सम्मिलित है जिनका आकार छोटा होता है, त्वचा का रंग काला, काले सख्त बाल, पतले होंठ तथा नाक चौड़ी होती है। आद्य-आस्ट्रेलायड प्रजातीय प्रकार के लोगों का छोटे से मध्यम, आकार, लम्बा तथा ऊँचा सिर चौड़ा तथा छोटा चेहरा तथा छोटी चपटी नाक होती है। मध्य अथवा केन्द्रीय भारत की अधिकांश जनजातियाँ इस प्रजातीय प्रकार में आती हैं किन्तु कुछ दक्षिण भारतीय जनजातियाँ जैसे चेंचू, भील आदि भी इस प्रकार की प्रजातीय विशेषताओं को प्रदर्शित करते हैं।

जहाँ तक मंगोल प्रजातीय समूह का सम्बन्ध है, उत्तर पूर्वी भारत की अधिकांश जनजातियाँ इस प्रजातीय प्रकार में सम्मिलित हैं तथा पीले रंग की त्वचा वाली होती है, उनके बाल सीधे तथा काले, चपटी नाक, उन्नत गाल की हड्डियाँ तथा शिखरा मोड़ सहित बादाम के आकार वाली आँख होती हैं। नागा, चकमा, लेपचा आदि इस प्रजातीय समूह की कुछ महत्त्वपूर्ण जनजातियाँ हैं।

भारत में विभिन्न प्रजातियाँ आईं और यहीं घुल-मिलकर रह गई इसलिए भारत को प्रजातियों का द्रवणपत्र (Melting Pot) कहा जाता है।

(2) आर्थिक वर्गीकरण (Economic Classification)

हार्नवार्ड ने भारतीय सन्दर्भ में जो आर्थिक वर्गीकरण प्रस्तुत किया वह निम्न प्रकार से हैं–

(1) पुरुषों के सजातीय शिकारी समुदाय तथा जाल डालने वाले, महिलाएँ, संग्रहकर्ता के रूप में चेंचू, खरिया तथा कोरवा, कुछ भारतीय जनजातियाँ इस श्रेणी में आती हैं।

(2) शिकारियों, जाल डालने वाले कृषकों के सजातीय समुदाय कमार, बैगा तथा विरहोर भारत के कुछ उदाहरण हैं।

(3) शिकारियों, जाल डालने वाले कृषकों और शिल्पियों के श्रेणीकृत समाज अधिकांश भारतीय जनजातियाँ इस श्रेणी में आती हैं। चेरों तथा अगारिया तमाम ऐसी जनजातियाँ शिल्पी के रूप में प्रसिद्ध हैं।

(4) पशुपालक–टोडा तथा महान भीलों की कुछ उपजातियाँ भारत में ऐसी श्रेणी का शास्त्रीय उदाहरण प्रस्तुत करती हैं।

(5) सजातीय शिकारी तथा पशुपालक इस श्रेणी का भारतीय जनजातियों में प्रतिनिधित्व नहीं हैं। टोडा शिकार नहीं करते और न तो वे मछली या चिड़ियाँ पकड़ते हैं।

(6) नृजातीय दृष्टि से स्तरीकृत पशुओं का प्रजनन एवं व्यापार करने वाले उत्तर प्रदेश के निचले हिमालय क्षेत्र के भोटिया पाक का प्रजनन करवाते हैं तथा घूमने वाले व्यापारी हैं।

(7) सामाजिक दृष्टि से श्रेणी वह पशुपालक शिकारी (कृषक तथा शिल्पी जनसंख्या सहित)

उपरोक्त वर्गीकरण के अलावा झूम कृषि में संलग्न खासी, गारो, मोंडव बैगा जनजातियाँ कलाबाजी में अथवा सांप नचाकर अपना जीविका निर्वाह करने वाले उड़ीसा के मुंडपटु तमिलनाडु के कोटा का उल्लेख किया जा सकता है। संवैधानिक प्राविधानों के प्रयोग के फलस्वरूप अपेक्षाकृत छोटी संख्या में जनजातीय लोग सरकारी तथा अर्द्ध सरकारी पदों पर भी कार्यरत हैं। इस प्रकार की जनजातियों में मेघालय, मिजोरम तथा नागालैण्ड (देश के उत्तरपूर्वी सीमावर्ती क्षेत्र और मुख्यतः छोटा नागपुर की इकाई जनजातियाँ सम्मिलित हैं।

(3) सांस्कृतिक सम्पर्क पर आधारित वर्गीकरण
(Classification on the Basis of Cultural Link)

भारतीय जनजातियों को उनकी ग्रामीण व नगरीय समूहों से सांस्कृतिक दूरी के आधार भी वर्गीकृत किया जा सकता है। वैरियर एल्विन ने चार प्रकार के आदिवासियों का उल्लेख किया है–

(1) जो सर्वाधिक आदिम है तथा एक संयुक्त सामुदायिक जीवन व्यतीत करते हैं तथा कुल्हाड़े से कृषि करते हैं।

(2) वे जो, यद्यपि अपने एकाकीपन तथा पुरातन परम्पराओं से समान रूप से जुड़े हुए हैं अपेक्षाकृत अधिक वैयक्तिक है, कुल्हाड़े से कम ही कृषि करते हैं, बाह्य जीवन में अधिक अभ्यस्त हैं तथा सामान्यतः प्रथम वर्णित श्रेणी की अपेक्षा कम सरल तथा ईमानदार हैं।

(3) वे जो संख्या की दृष्टि से सर्वाधिक हैं, जो बाह्य प्रभाव के कारण अपनी जनजातीय संस्कृति, धर्म तथा सामाजिक संगठनों की क्षति के कारण अपनी पहचान खो रहे हैं।

(4) भील व नागा जैसी जनजातियाँ जो देश की प्राचीन कुलीनता की प्रतिनिधि कही जाती हैं, जो अपने मूल जनजातीय जीवन को बचाए हुए हैं तथा जिन्होंने संस्कृति सम्पर्क की लड़ाई को जीत लिया है।

मजूमदार जनजातियों को सांस्कृतिक सम्पर्क के आधार पर तीन समूहों में बाँटते हैं–

(1) जो ग्रामीण नगरीय समूहों से सांस्कृतिक दृष्टि से सबसे अधिक दूर हैं अर्थात् कमोवेश सम्पर्क से बाहर है।

(2) जो ग्रामीण नगरीय समूहों की संस्कृति के प्रभाव में हैं तथा जिन्हें परिणामस्वरूप परेशानियों तथा समस्याओं का सामना करना पड़ा।

(3) वे जो, यद्यपि ग्रामीण नगरीय समूहों के सम्पर्क में हैं, जिन्होंने ग्रामीण नगरीय संस्कृति में परसंस्कृति ग्रहण हो जाने के कारण, किसी प्रकार का संकट नहीं उठाया, अथवा उन्होंने वस्तुस्थिति को पलट दिया और अब कोई संकट नहीं उठाते। भले. ही उन्हें अतीत में ऐसा करना पड़ा हो।

भारतीय समाज कार्य अधिवेशन (1952) के पश्चात् एक जनजातीय कल्याण समिति गठित हो गई जिसने निम्नलिखित वर्गीकरण का सुझाव दिया था–

(1) जनजातीय समुदाय

(2) अर्द्ध जनजातीय समुदाय

(3) परसंस्कृतिकृत जनजातीय समुदाय

(4) पूर्णरूपेण आत्मसात्कृत जनजातियाँ

(4) धार्मिक विश्वासों पर आधारित वर्गीकरण

(Classification on the Basis of Religious Beliefs)

90 प्रतिशत जनजातियाँ किसी-न-किसी रूप पर हिन्दू रीति का अनुसरण करती हैं। ईसाई धर्म ग्रहण करने वाली जनजातियाँ भारत वर्ष में 6 प्रतिशत हैं। इसके अतिरिक्त बौद्ध, इस्लाम अथवा जैन धर्म भी नगण्य रूप में भारतीय जन जातियों में पाए जाते हैं। भौगोलिक परिप्रेक्ष्य के अनुसार "बंगाल की खाड़ी तथा अरब सागर के अन्तर्गत आने वाले द्वीपों में बसने वाली जनजातियों को छोड़कर पश्चिमी भारत तथा मध्य भारत के साथ दक्षिणी भारत की जनजातियों में अधिकतर कमोवेश हिन्दू विश्वास वाले हैं, उत्तर पूर्वी भारत की अधिकांश जनजातियों में ईसाई धर्म ने बहुत अधिक सफलता प्राप्त की है तथा नागालैण्ड तथा मिजोरम की 60 प्रतिशत जनसंख्या ईसाई धर्म का अनुसरण करती हैं। मध्यभारत में छोटा नागपुर की कुछ मुख्य जनजातियाँ भी ईसाई धर्म को मानती हैं और इनमें से ओरॉव, मुण्ड तथा हो उल्लेखनीय हैं। इस्लाम का अनुसरण करने वाली जनजातियाँ अधिकतर, लक्षद्वीप, हिमाचल प्रदेश, पश्चिम बंगाल, महाराष्ट्र और जम्मू तथा कश्मीर में तितर-बितर कर फैली हैं। इस प्रकार की जनजातियों में लक्षद्वीप मिनीकीया व अमानदिवि द्वीप समूहों की मूल जनसंख्या का लगभग 90 प्रतिशत इस्लाम के मानने वाले हैं। भारतीय जनजातियों में अरुणाचल प्रदेश के कुछ जनजातीय समूह बौद्ध धर्म के अनुयायी हैं।

(5) राज्यों में जनसंख्या पर आधारित वर्गीकरण

(Classification on the Basis of Population in States)

भारतीय संविधान में 560 जनजातियों का उल्लेख है, जो विभिन्न राज्यों के नगरीय एवं ग्रामीण क्षेत्रों में निवास करती हैं। 2011 की जनगणना के अनुसार भारत के विभिन्न

राज्यों में निवास करने वाली जनजातियों की संख्या को हम निम्नलिखित सारणी द्वारा प्रकट कर सकते हैं–

जनजातीय जनगणना, 2011

क्र.स.	राज्य (केन्द शासित देश)	जनसंख्या	पुरुष	स्त्री	बच्चे	साक्षरता	लिंग अनुपात
1.	मध्य प्रदेश	15,316,784	7,719,404	7,597,380	18.46%	50.55%	984
2.	उड़ीसा	9,590,756	4,727,732	4,863,024	15.86%	52.24%	1029
3.	महाराष्ट्र	10,510,213	5,315,025	5,195,188	14.78%	65.73%	977
4.	राजस्थान	9,238,534	4,742,943	4,495,591	18.40%	52.80%	948
5.	छत्तीसगढ़	7,822,902	3,873,191	3,949,711	15.33%	59.09%	1020
6.	गुजरात	8,917,174	4,501,389	4,415,785	15.85%	62.48%	981
7.	झारखंड	8,645,042	4,315,407	4,329,635	16.97%	57.13%	1003
8.	आंध्र प्रदेश	5,918,073	2,969,362	2,948,711	13.03%	49.21%	993
9.	वेस्ट बंगाल	5,296,953	2,649,974	2,646,979	13.17%	57.93%	999
10.	कर्नाटक	4,248,987	2,134,754	2,114,234	13.19%	62.08%	990
11.	असम	3,884,371	1,957,005	1,927,365	14.12%	72.06%	985
12.	मेघालय	2,555,861	1,269,728	1,286,133	19.86%	74.53%	1013
13.	नागालैंड	1,710,973	866,027	844,946	14.86%	80.04%	976
14.	जम्मू-कश्मीर	1,493,299	776,257	717,042	20.30%	50.56%	924
15.	त्रिपुरा	1,166,813	588,327	578,486	15.03%	79.05%	983
16.	बिहार	1,336,573	682,516	654,057	18.70%	51.08%	958
17.	मणिपुर	1,167,422	588,279	579,143	13.21%	72.58%	984
18.	मिजोरम	1,036,115	516,294	519,821	15.50%	91.51%	1007
19.	तमिलनाडु	794,697	401,068	393,629	13.08%	54.34%	981
20.	उत्तर प्रदेश	1,134,273	581,083	553,190	18.21%	55.68%	952
21.	अरुणाचल प्रदेश	951,821	468,390	483,431	15.86%	64.58%	1032
22.	केरल	484,839	238,203	246,636	11.23%	75.81%	1035
23.	हिमाचल प्रदेश	392,126	196,118	196,008	12.22%	73.64%	999
24.	उत्तराखंड	291,903	148,669	143,234	11.84%	73.88%	963
25.	सिक्किम	206,360	105,261	101,099	10.62%	79.74%	960

26.	दादरा एवं नगर हवेली	178,564	88,844	89,720	16.01%	61.85%	1010
27.	गोवा	149,275	72,948	76,327	9.99%	79.14%	1046
28.	लक्ष्यद्वीप	61,120	30,515	30,605	11,54%	91,70%	1003
29.	अंडमान-निकोबार द्वीप	28,530	14,731	13,799	13.47%	75.58%	937
30.	दमन एंड दीव	15,363	7,771	7,592	11.54%	78.79%	977
31.	पंजाब	–	–	–	–	–	–
32.	चण्डीगढ़	–	–	–	–	–	–
33.	हरियाणा	–	–	–	–	–	–
34.	दिल्ली	–	–	–	–	–	–
35.	पांडिचेरी	–	–	–	–	–	–
36.	भारत	104,545,71	52,547,215	51,998,50	16.01%	58.95%	990

भारत में जनजातीय समस्याएँ
(Tribal Problems in India)

विभिन्न मानवशास्त्रियों ने भारतीय जनजातियों की समस्याओं के अध्ययन में पर्याप्त रुचि ली है और वे इस निष्कर्ष पर पहुँचे हैं कि जनजातियों की समस्याएँ सीधी स्पष्ट व सरल नहीं है वरन् पर्याप्त जटिल व विस्तृत हैं। इन लोगों की समस्याएँ रहन-सहन, आचार-विचार, धर्म-कर्म, कला, भाषा, साहित्य आदि विभिन्न पक्षों से सम्बन्धित है। बाहरी संस्कृति के प्रभाव से ये लोग अपनी संस्कृति के अमूल्य तत्त्वों को खोते जा रहे हैं, जीवन के प्रति उदासीन होते जा रहे हैं, आर्थिक व सामाजिक क्षेत्र में अनेक प्रकार के शोषण व अन्धविश्वासों का शिकार होते जा रहे हैं, मजदूरी के लिए अथवा पेट के लिए ठेकेदारों व महाजनों के चंगुल में फँसते जा रहे हैं। पर्याप्त आय न होने के कारण ऋणग्रस्त तो हो ही रही है साथ ही पौष्टिक व पर्याप्त भोजन के अभाव में अनेक प्रकार के रोगों का शिकार बनते जा रहे हैं और विभिन्न औद्योगिक केन्द्रों में सस्ते प्रलोभनों जैसे शराब, वेश्यावृत्ति आदि का शिकार बन रहे हैं। इस प्रकार जनजातियों की समस्याएँ बहुमुखी व पर्याप्त जटिल हैं।

प्रो. मजूमदार तथा **मदान** के अनुसार भारतीय जातियों की समस्याओं को दो भागों में बाँटा जा सकता है–

(अ) वे समस्याएँ जो भारत की जनजातियों और दूसरे सभी ग्रामीण समुदायों में एक जैसी हैं।

(ब) वे समस्याएँ जो केवल जनजातीय समुदाय में ही पायी जाती हैं।

वास्तव में भारतीय जनजातियों की समस्याएँ पर्याप्य गंभीर है। बस्तर जिले के युवा गांधीवादी जिलाधीश डॉ. ब्रह्मदत्त शर्मा के शब्दों में आदिवासी एक निरीह, निपट बेजुबान जो न बोलता है, न कहता है और न कुछ सुनना चाहता है मगर उसकी दशा वह सब कुछ एक बारगी कह डालती है, जो वह छिपाता आ रहा "इस प्रकार आदिवासियों की समस्याओं की प्रकृति पर्याप्त गंभीर है। इन समस्याओं की जानकारी के लिए पर्याप्त छानबीन करनी होगी।"

जनजातियों की सामाजिक समस्याओं को भली-भाँति समझने के लिए सभी समस्याओं को सांस्कृतिक सामाजिक, आर्थिक, शैक्षणिक, राजनैतिक, स्वास्थ्य सम्बन्धी आदि बड़े भागों में बाँटा जा सकता है–

1. सांस्कृतिक समस्याएँ (Cultural Problems)

बाहरी संस्कृतियों के सम्पर्क से जनजातियों के जीवन में अनेक गम्भीर सांस्कृतिक समस्याएँ उत्पन्न हो गई हैं, जिससे उनकी सभ्यता के सामने एक महान संकट उपस्थित हो गया है।

मुख्य सांस्कृतिक समस्याएँ निम्न हैं–

(*i*) भाषा सम्बन्धी समस्या–बाहरी संस्कृति के सम्पर्क में आने से जनजातियों में प्रमुख समस्या भाषावाद कीं उत्पन्न हो गई है। अपनी भाषा के साथ जनजाति के लोग बाहरी भाषा भी बोलने लगे हैं। कुछ तो अपनी भाषा की ओर से इतने अधिक उदासीन हो गए हैं कि मानो उसे भूल ही गए हों। इनसे विभिन्न जनजाति के लोगों में सांस्कृतिक आदान-प्रदान में बाधा उत्पन्न होती है। इस बाधा में सांस्कृतिक मूल्यों और आदर्शों का पतन होने लगता है और सामुदायिक भावना का ह्रास होता है।

(*ii*) विभिन्न जनजातियों में सांस्कृतिक भिन्नता की समस्या–ईसाई मिशनरियों और हिन्दुओं के सम्पर्क से विभिन्न जनजातियों में आपस में भिन्नता उत्पन्न हो गई है। इससे सामाजिक और व्यक्तिगत दोनों प्रकार का विघटन उत्पन्न हो रहा है। ईसाई मिशनियों के प्रभाव से कुछ लोग ईसाई बन गए हैं। लोगों ने हिन्दुओं की जातिप्रथा को अपना लिया है, परन्तु ऐसा मानने नहीं दिया, जिसका स्वाभाविक परिणाम यह हुआ कि एक जनजाति के लोगों में आपसी सांस्कृतिक विभेद तनाव, सामाजिक दूरी या विरोध पैदा हुए। दूसरों की संस्कृति को अपनाने वाले अपने जातीय समूह और संस्कृति से दूर होते गए। वे अपनी संस्कृति को अन्य की अपेक्षा नीचा समझने लगे। साथ ही साथ वे उन संस्कृतियों को पूर्णतया अपना भी न सके जिनकी उन्होंने नकल की।

(*iii*) युवा-गृहों का निर्बल होना–ईसाई तथा हिन्दू लोगों के सम्पर्क से जनजातियों की अपनी संस्थाएँ नष्ट होती जा रही हैं। युवा गृह जो कि जनजातीय सामाजिक जीवन के प्राण थे। धीरे-धीरे खत्म होते जा रहे हैं।

(iv) **जनजातीय ललित कलाओं का ह्रास**—बाहरी संस्कृतियों के प्रभाव से जनजातीय ललित कलाओं का ह्रास होता जा रहा है। नागाओं में युवा गृह के लकड़ी के खम्बों पर बहुत सुन्दर काम किया जाता था, किन्तु युवागृहों के नष्ट होने से यह कला भी अपने आप से नष्ट होती जा रही है। नृत्य, संगीत, ललित कलाएँ, लकड़ी पर नक्काशी, आदि का काम दिन-प्रतिदिन घटता जा रहा है। बाह्य संस्कृतियों के सम्पर्क से जनजातियों के मन में इन ललित कलाओं के प्रति उदासीनता और अनादर बढ़ता जा रहा है।

(v) **धार्मिक समस्याएँ**—जनजातियों पर हिन्दू और ईसाई धर्म का स्पष्ट प्रभाव पड़ता है। राजस्थान के भील लोगों में हिन्दू धर्म के प्रभाव के कारण एक धार्मिक आन्दोलन 'भगत-आन्दोलन' चला जिसने भीलों को भगत और अभगत दो वर्गों में विभाजित कर दिया। बिहारी और आसाम की जनजातियाँ ईसाई धर्म से प्रभावित हैं। ईसाई धर्म के कारण एक ही समूह में नहीं वरन् एक ही परिवार में धार्मिक भेद-भाव दिखाई पड़ने लगे हैं। उससे सामुदायिक एकता और संगठन टूटने लगा है और पारिवारिक तनाव, भेदभाव, लड़ाई-झगड़े बढ़ते जा रहे हैं। जनजाति के लोग धर्म को अपनी अनेक सामाजिक और आर्थिक समस्याओं को सुलझाने के साधन के रूप में प्रयोग करते थे। नये धर्मों से नये विश्वास और संस्कार तो उन लोगों को मिल गए। परन्तु उनकी समस्याओं को सुलझाने के नये साधन न मिल सके। इससे जनजातियों में असंतोष पैदा होना स्वाभाविक है।

2. सामाजिक समस्याएँ (Social Problems)

सभ्य समाज के सम्पर्क में आकर जनजातियों में जो समस्याएँ उत्पन्न हुई हैं, उनमें से मुख्य सामाजिक समस्याएँ निम्नलिखित हैं—

(i) **कन्या मूल्य**—हिन्दुओं के प्रभाव से जनजातियों में कन्या मूल्य रुपए के रूप में मांगा जाने लगा और दिन-प्रतिदिन यह मूल्य इतना अधिक बढ़ता जा रहा है कि सर्वसाधारण मनुष्यों के लिए विवाह करना कठिन हो गया है। इस कारण कन्या हरण की समस्या बढ़ रही है।

(ii) **बाल विवाह**—बाल विवाह की समस्या जनजातियों से हिन्दुओं के सम्पर्क में आने के कारण पैदा हुई। इस समस्या के भयंकर परिणाम आ रहे हैं।

(iii) **नैतिकता का पतन**—जनजातियों में विवाह से पूर्व के और परिवार के बाहर यौन सम्बन्ध बढ़ते जा रहे हैं जिससे विवाह विच्छेदों की संख्या बढ़ रही है। नैतिकता के पुराने मूल्य सांस्कृतिक सम्पर्क की प्रक्रिया से टूट रहे हैं।

(iv) **वेश्यावृत्ति**—जनजातियों की गरीबी से लाभ उठाकर विदेशी व्यापार, ठेकेदार, एजेन्ट आदि रुपयों का लोभ दिखाकर उनकी स्त्रियों के साथ अनुचित यौन सम्बन्ध स्थापित कर लेते हैं जिससे वेश्यावृत्ति, गुप्तरोग आदि सामाजिक समस्याएँ बढ़ती जा रही हैं। औद्योगिक केन्द्रों में कार्य करने वाले जनजातीय श्रमिक वेश्यागमन आदि में फँस जाते हैं

और गुप्त रोग के शिकार बन जाते हैं। अपने गाँव में लौटकर वे उन रोगों को अपनी स्त्रियों में भी फैला देते हैं।

3. आर्थिक समस्याएँ (Economic Problems)

जनजातियों की मुख्य समस्या आर्थिक है। इन लोगों की आर्थिक स्थिति इतनी पिछड़ी हुई है कि ये लोग रोटी, कपड़े व मकान जैसी न्यूनतम आवश्यकताओं की पूर्ति नहीं कर पाते हैं। इनकी आर्थिक समस्याओं को निम्नलिखित आधारों पर सरलता से समझा जा सकता है।

(*i*) स्थानान्तरित खेती की समस्या–भारत के लगभग 90 लाख जनजातीय लोगों के खेती करने का ढंग काफी पुराना है जो कि समय शक्ति व जमीन को बर्बाद करने वाला है और उत्पादन की दृष्टि से लाभदायक नहीं है। जंगल काटकर ये लोग पहले आग लगा देते हैं और बाद में राख में बीज बिखेर देते हैं। इस ढंग से एक दो वर्ष तो कुछ पैदावार होती है लेकिन बाद में पैदावार बिल्कुल खत्म हो जाती है। 1-2 साल खेती के लिए दूसरा स्थान चुन लिया जाता है और जंगल काटने व बीज बिखेरने की पुरानी प्रक्रिया को अपनाया जाता है। इस प्रकार की खेती को स्थान परिवर्तन के कारण स्थानान्तरित खेती कहा जाता है। खेती के इस अनुत्पादक ढंग से आदिवासियों को या तो भूखा रहना पड़ता है या नौकरी व मजदूरी की खोज में इधर-उधर भटकना पड़ता है।

(*ii*) वनों में सम्बन्धित समस्याएँ–एक समय था जब जनजातीय समूहों का वनों के पशु, पक्षी, जमीन, वृक्ष आदि सभी उपलब्ध वस्तुओं पर पूर्ण अधिकार था, लेकिन आधुनिक युग की ठेकेदारी व्यवस्था ने यह अधिकार इन लोगों से छीनकर ठेकेदारों को दे दिया है, इन लोगों का अपने स्वार्थ के लिए खूब शोषण करते हैं। कम पैसा देते हैं और कठोर मेहनत लेते हैं। फलस्वरूप ये लोग अपने पेट को भी नहीं भर पाते वरन् प्रतिदिन कर्ज से लदते जाते हैं।

(*iii*) बदलती अर्थ व्यवस्था की समस्या–सभ्य संसार के सम्पर्क से इन लोगों की अर्थ व्यवस्था का रूप मुद्रा रहित अर्थ व्यवस्था से मुद्रा सहित अर्थ व्यवस्था में बदल गया है। ये लोग परिवर्तित अर्थ व्यवस्था में अपनी अज्ञानता व सरलता के कारण अनुकूलन नहीं कर पा रहे हैं वरन् अनेक व्यापारी, मादक वस्तुओं के विक्रेता आदि भोली-भाली जनता को ठगकर आर्थिक दृष्टि से पंगु बना रहे हैं।

(*iv*) ऋण ग्रस्तता की समस्या–जनजातियों की अज्ञानता भोलेपन व निर्धनता से लाभ उठाने के लिए अनेक महाजन और साहूकार जनजातीय क्षेत्रों में प्रवेश कर गए हैं। ये लोग ऋण देकर जनजातियों के लोगों को ऐसे जाल में फाँस देते हैं कि जीवनपर्यन्त भोली-भाली जनता कर्ज या ऋण से लदी रहती है। ऋण ग्रस्तता का भार इतना अधिक होता है कि उसे ढोते-ढोते जनजातीय लोग आर्थिक दृष्टि से बिल्कुल कमजोर हो जाते हैं।

***(v)* औद्योगिक मजदूरों की समस्याएँ**—औद्योगिक क्षेत्रों में काम करने वाले जनजातीय लोगों की आर्थिक स्थिति और भी अधिक गंभीर है। उन्हें अज्ञानता के कारण उचित मेहनत नहीं मिल पाती है, मिल का मालिक व ठेकेदार उनका खूब शोषण करते हुए लिखा है, 'वे पशुओं की भाँति काम करते हैं और उनके साथ पशु जैसा व्यवहार किया जाता है, पशुओं के नमूनों की तरह ही दिखलाएँ जाते हैं, और उसी तरह नियंत्रित किए जाते हैं।'

***(vi)* भूमि सम्बन्धी समस्याएँ**—जन जातियों के आर्थिक संकट का एक बहुत बड़ा कारण भूमि सम्बन्धी समस्याओं का होना है। पहले भूमि पर जनजातियों का एक साथ अधिकार हुआ करता था और ये लोग जंगलों को साफ करके अपनी इच्छानुसार स्थानान्तरित खेती किया करते थे, लेकिन अब भूमि सम्बन्धी नये कानूनों ने जनजातीय लोगों से यह स्वतन्त्रता छीन ली है। इतना ही नहीं महाजन व साहूकार इन लोगों की बची-खुची जमीन भी रुपया उधार देकर हड़पते जा रहे हैं।

***(vii)* शैक्षणिक समस्याएँ**—अधिकतर भारतीय जनजातियाँ अशिक्षा, अज्ञानता व अन्धविश्वास के मध्य पल रही हैं। हाँ इतना अवश्य है कि कुछ जनजातियों में ईसाई मिशनरियों के प्रभाव से अंग्रेज शिक्षा का प्रचलन होता जा रहा है। इस अंग्रेजी या आधुनिक शिक्षा ने लोगों में दो प्रकार की समस्याएँ उत्पन्न कर दी हैं। एक तो यह है कि शिक्षित जनजातीय युवक व युवतियाँ अपनी संस्कृति के मूल तत्त्वों को छोड़ते जा रहे हैं और दूसरे यह कि सभ्य संसार की तरह इन लोगों में भी शिक्षित बेकारी तेजी से पनप रही है।

***(viii)* राजनैतिक व प्रशासन सम्बन्धी समस्याएँ**—वर्तमान काल में जनजातियों में अनेक दृष्टि से महत्त्वपूर्ण परिवर्तन हो रहे हैं। वंशानुगत मुखिया और पंचायतों का स्थान जंगल के अधिकारी, पुलिस तथा अन्य सरकारी कर्मचारी लेते जा रहे हैं। ये लोग राजनैतिक सुधार उनके रीति-रिवाजों को न जानने के कारण कभी-कभी भयंकर भूल कर बैठते हैं। **एस.सी. राय** ने अनुसार "जब कोई व्यक्ति भारत में आदिम जातियों के प्रवेश में न्यास की व्यवस्था को निकट से मानकर देखता है तो उस पर इस बात का गहरा प्रभाव पड़ता है कि जज मजिस्ट्रेटों तथा पुलिस के अफसरों द्वारा अच्छे इरादे होते हुए भी जंगली जातियों के साथ घोर अन्याय होता है, क्योंकि वे अफसर इन जातियों के रीति-रिवाज व मनोवृत्तियों से सर्वथा अपरिचित होते हैं और यह नहीं जानते कि इनके साथ कैसा व्यवहार करना चाहिए।" इस प्रकार जनजातियों की राजनैतिक व प्रशासनिक समस्या पर्याप्त जटिल व गम्भीर है।

***(ix)* स्वास्थ्य सम्बन्धी समस्याएँ**—सांस्कृतिक सम्पर्क की प्रक्रिया के फलस्वरूप जनजातीय लोगों में अन्य समस्याओं के साथ-साथ स्वास्थ्य सम्बन्धी समस्याएँ भी घर करती जा रही हैं। जनजातियों के ये सीधे-सीधे व सरल लोग जब बाहरी लोगों के ठाठ-बाट रहन-सहन आदि को देखते हैं और उस स्थिति में अपनी तुलना करते हैं तो इन्हें मानसिक दृष्टि से क्षति पहुँचती है और जीवन के प्रति उदासीनता की भावना बढ़ती जाती है। यह सब परिस्थिति इन लोगों के स्वास्थ्य सम्बन्धी समस्याओं को विभिन्न क्षेत्रों के रूप में जन्म

देती है। इनकी स्वास्थ्य सम्बन्धी समस्याओं को निम्न आधारों पर सरलता से समझा जा सकता है–

(क) अधिक रोग और अज्ञानता–आर्थिक दृष्टि से पर्याप्त पिछड़े होने के कारण जीवन की न्यूनतम आवश्यकताओं को पूरा नहीं कर पाते हैं। इस प्रकार शारीरिक व मानसिक सुरक्षा तो निरन्तर पहुँचती रहती है, परिणामस्वरूप ये लोग हैजा, चेचक तपेदिक व अन्य गुप्त रोगों का शिकार बन जाते हैं। इतना ही नहीं औद्योगिक क्षेत्रों में काम करने वाले जनजातीय युवक नागरिक जीवन की अनेक बुराइयाँ जन जातीय क्षेत्रों में ले जाते हैं और जनजातीय युवकों को बड़े पैमाने पर अनेक भयंकर रोगों से ग्रस्त कर देते हैं। अज्ञानता के कारण ये लोग अपनी अच्छाई-बुराई को भी भली-भाँति नहीं समझ पाते हैं और धीरे-धीरे विभिन्न प्रकार के रोगों का शिकार बनते चले जाते हैं। जिनका सीधा प्रभाव इन लोगों के स्वास्थ्य पर पड़ता है।

(ख) उचित चिकित्सा का अभाव–जनजातीय क्षेत्रों में अनेक कारणों से भयंकर बीमारियाँ तो पनप ही रही हैं परन्तु इन बिमारियों के इलाज के लिए समुचित चिकित्सा की व्यवस्था भी नहीं है, जो कुछ व्यवस्था है भी तो उसका ये लोग विभिन्न अन्ध-विश्वासों के कारण फायदा नहीं उठा पाते हैं। इन लोगों के इलाज के लिए भारत सरकार द्वारा विशेष ध्यान दिया जा रहा है, लेकिन ये लोग बीमारियों को भूत-प्रेत का कारण मानते हैं और डॉक्टर को देखकर अपने मरीज को छिपा लेते हैं। इस स्थिति से भी जनजातीय लोगों के स्वास्थ्य का स्तर निरन्तर गिरता जा रहा है।

(ग) खान-पान–बाहरी संसार के सम्पर्क के कारण इन लोगों में देशी व विलायती शराबों का प्रचलन अत्यधिक बढ़ गया है। चूँकि यह शराब अधिक हानिकारक होती है इसलिए इसका बुरा प्रभाव जनजातियों के स्वास्थ्य पर पड़ रहा है। शराब व मादक द्रव्यों पर अधिक पैसा ख़र्च हो जाने के कारण, इन्हें संतुलित भोजन भी प्राप्त नहीं हो पाता, परिणामस्वरूप स्वास्थ्य का स्तर निरन्तर गिरता जाता है। पहले ये लोग ताड़, महुआ या चावल से बने मादक द्रव्यों का सेवन करते थे। जिसमें पैसा भी खर्च नहीं होता था और विटामिन 'बी' व सी की अधिक मात्रा होने के कारण हानि की अपेक्षा अधिक लाभ होता था। लेकिन वर्तमान परिस्थितियों में स्वास्थ्य की दृष्टि से इन्हें पर्याप्त हानि उठानी पड़ रही हैं।

(घ) कपड़े–सभ्य संसार के सम्पर्क में आने के कारण इन लोगों ने कपड़े पहनने शुरू कर दिए हैं। लेकिन आर्थिक स्थिति से पिछड़े होने के कारण ये लोग एक ही कपड़े को महीनों पहनते रहते हैं। जिससे अनेक प्रकार के चर्म रोग व गन्दी बीमारियाँ पैदा होती रहती हैं। यह स्थिति भी स्वास्थ्य की दृष्टि से हानिकारक है।

जनजातीय समस्याओं के मुख्य कारण
(Main Reasons for Tribal Problems)

जनजातियों की वर्तमान समस्याओं के मुख्य कारण निम्न हैं–

(1) दुर्गम निवास स्थान–भारत की अधिकतर जनजातियाँ देश के पहाड़ी भागों में तथा घने वनों में रहती हैं। संचार तथा यातायात के साधन आज भी आदिम दशा में ही है। इससे वे विज्ञान की सुविधाओं से लाभ नहीं उठा पा रहे हैं।

(2) बाहरी समूहों द्वारा शोषण–अनेक बाहरी समूह जैसे महाजन, ठेकेदार, व्यापारी आदि जनजातीय लोगों के पिछड़ेपन और अशिक्षा आदि से लाभ उठाकर उनका निरन्तर शोषण कर रहे हैं। इस शोषण के कारण जनजातियों में अनेक आर्थिक और सामाजिक समस्याएँ पैदा हो गई हैं।

(3) ईसाई मिशनरी–ईसाई मिशनरियों द्वारा आयोजित सेवा कार्यों ने भी जनजातियों में भिन्न-भिन्न प्रकार की समस्याएँ उत्पन्न की हैं, उनके प्रभाव से जनजातियों का सामाजिक जीवन छिन्न-भिन्न हो गया है और वे अपने जीवन के प्रति उदासीन होते जा रहे हैं।

(4) नये उद्योग धन्धों का प्रभाव–आजकल जनजातीय क्षेत्रों में या उनके आस-पास मिलें, खानों सम्बन्धी कार्य और अन्य उद्योग धन्धे पनपने लगे हैं। इन मिलों, खानों और चाय के बगीचों के प्रबन्धक जन जातियों की अज्ञानता का पूरा-पूरा लाभ उठाते हैं।

(5) सभ्य समाज से सम्पर्क–जनजातियों के लोगों के जीवन पर एक ओर हिन्दू सभ्यता और दूसरी ओर पाश्चात्य सभ्यता का काफी प्रभाव दिखाई देता है। जनजातियों के लिए ये दोनों ही सभ्यताएँ विदेशी हैं। अतः ऐसी स्थिति में उनके साथ सफल अनुकूलन की अनेक समस्याओं का उत्पन्न हो जाना स्वाभाविक हैं।

(6) नयी शासन व्यवस्था–अंग्रेजों के शासन काल से ही बहुत से जनजातीय क्षेत्रों में नयी शासन प्रणालियों को अपनाया जाने लगा, जिससे अनेक प्रशासक वनों के अफसर कचहरी से सम्बन्धित अधिकारी, सुधार अधिकारी आदि जनजातीय क्षेत्रों में गए। इनमें से ज्यादातर कर्मचारी और अधिकारी जनजातियों की संस्कृति से परिचित नहीं थे। अतः उन्होंने अपनी नासमझी और सहानुभूति रहित व्यवहार से जनजातियों में असन्तोष का वातावरण पैदा कर दिया है।

जनजातियों की समस्याओं के निवारण हेतु सुझाव
(Suggestions for Eradication of Tribal Problems)

सांस्कृतिक समस्याओं के सुझाव जनजातियों की इन सांस्कृतिक समस्याओं को सुलझाने के लिए निम्नलिखित सुझाव हैं–

1. **शैक्षिक सुझाव**–शैक्षिक सुझाव निम्नलिखित हैं–

(*i*) जनजातियों में शिक्षा, भाषा और सांस्कृतिक पृष्ठभूमि के अनुसार होनी चाहिए। इससे भाषा सम्बन्धी समस्या सुलझ सकेगी।

(*ii*) एलविन के अनुसार पश्चिमी अफ्रीका अकोमोटा कालेज के समान भारत में भी जनजातिय ललित कलाओं की रक्षा के हेतु एक कालेज की स्थापना होनी चाहिए।

(*iii*) शिक्षा के साथ-साथ जनजातियों में दस्तकारी या दूसरे पेशों के सम्बन्ध में ट्रेनिंग देने की भी व्यवस्था होनी चाहिए जिससे आगे चल कर उन्हें पेशों के चुनाव में असुविधा न हो और वे परिश्रम का मूल्य जान सकें।

(*iv*) शिक्षा के साथ ही साथ संगीत नृत्य, खेल तथा अन्य मनोरंजन का भी प्रबन्ध होना चाहिए और स्कूलों की छुट्टियाँ जनजातीय त्योहारों के अनुकूल और साप्ताहिक बाजार के दिन ही होनी चाहिए।

(*v*) धार्मिक समस्याओं को हल करने के लिए शिक्षा के द्वारा जन जातीय लोगों के धार्मिक कट्टरता एवं अन्ध विश्वासों को दूर करके धर्म को एक वैज्ञानिक स्तर पर लाना चाहिए।

जनजाति की शैक्षणिक समस्याओं के समाधान हेतु डॉ. पी.सी. विश्वास द्वारा दिये गए सुझाव निम्न हैं–

- इन लोगों को शिक्षा अपनी भाषा के माध्यम से दी जानी चाहिए और प्रादेशिक भाषा का स्थान गौण होना चाहिए।
- शिक्षा के साथ-साथ दस्तकारी अथवा अन्य व्यवसाय सम्बन्धी प्रशिक्षण।
- शिक्षा के साथ-साथ नृत्य, संगीत, खेल एवं अन्य जनजातीय मनोरंजन समुचित प्रबन्ध किया जाना चाहिए।
- इनके लिए दो प्रकार के स्कूल संचालित किए जाने चाहिए। प्राथमिक स्कूल और व्यवसायिक स्कूल/व्यवसायिक स्कूलों में खेती, मछली पकड़ने, पशुओं के पालने आदि की समुचित व्यावहारिक शिक्षा दी जानी चाहिए।

2. सामाजिक समस्याओं के सुझाव

जनजातियों की उपरोक्त सामाजिक समस्याओं को सुलझाने के लिए अग्रलिखित सुझाव दिए जाते हैं–

(*i*) स्वतन्त्र जनमत के द्वारा अत्यधिक कन्या मूल्य की कुरीति को धीरे-धीरे दूर करने का प्रयास किया जा सकता है।

(*ii*) बाल विवाह की कुरीति को रोकने के लिए समुचित कानून बनाए जाने चाहिए।

(*iii*) जन जातियों के सामाजिक जीवन को स्वतन्त्र आधार पर पुर्नजीवित करने के लिए युवा गृहों की संस्था को आधुनिक परिस्थितियों के अनुकूल बनाना होगा।

लड़के-लड़कियों को सामाजिक जीवन की उचित व व्यवहारिक शिक्षा युवा गृहों द्वारा सुविधापूर्वक व मनोवैज्ञानिक ढंग से दी जा सकती है।

(*iv*) वेश्यावृत्ति जैसी सामाजिक कुरीति को रोकने का एक मात्र उपाय आर्थिक स्थिति में सुधार लाना है। इस दृष्टि से जनजातियों को उचित आर्थिक संरक्षण व पुनर्वास की आवश्यकता है।

3. आर्थिक समस्याओं के सुझाव

जनजातियों की आर्थिक स्थिति में सुधार लाने के लिए निम्नलिखित सुझावों को क्रियान्वित किया जा सकता है—

(*i*) वनों व निर्जन प्रदेशों में रहने वाले जनजातियों के लिए जनों का महत्त्व है। अतः वनों व निर्जन प्रदेशों के उपयोग हेतु जनजातियों की दृष्टि से उचित व उपयोगी कानून बनाए जाने चाहिए।

(*ii*) प्रत्येक परिवार की खेती के लिए पर्याप्त भूमि उपलब्ध करने की व्यवस्था की जानी चाहिए।

(*iii*) जन जातियों में खेती के आधुनिक तरीकों के बारे में पर्याप्त प्रचार किया जाना चाहिए ताकि शक्ति व समय की बर्बादी न हो और कृषि उत्पादन बढ़ सके।

(*iv*) स्थानान्तरित या झूम खेती को समाप्त किया जाना चाहिए।

(*v*) खेती के उपकरण, बीज, बैल आदि के लिए सरकार की ओर से समुचित आर्थिक सहायता दी जानी चाहिए।

(*vi*) बेगार दासता, कम मजदूरी आदि समस्याओं का उचित कानून द्वारा अन्त किया जाना चाहिए।

(*vii*) कुटीर उद्योग-धन्धों के विकास के लिए आवश्यकतानुसार सरकारी अनुदान दिया जाना चाहिए।

4. राजनैतिक व प्रशासन सम्बन्धी समस्याओं के सुझाव

(*i*) जनजातियों के क्षेत्र में उन्हीं प्रशासकों को भेजा जाए जिन्हें जनजातीय जीवन के आर्थिक, राजनैतिक, सामाजिक, आदि पक्षों का भली-भाँति ज्ञान हो।

(*ii*) जनजातीय क्षेत्रों में भेजे जाने वाले प्रशासकों को पहले समुचित प्रशिक्षण दिया जाना चाहिए ताकि वे जनजातीय परम्पराओं के अनुसार शासन व्यवस्था को सुचारु रूप से चला सके।

(*iii*) अच्छा तो यही रहेगा कि जनजातियों के शिक्षित व योग्य युवक-युवतियों को आवश्यक प्रशिक्षण देने के बाद इन क्षेत्रों में प्रशासकों के पदों पर भेजा जाए।

(*iv*) जनजातियों के अधिक जनसंख्या वाले क्षेत्रों में प्रशासन में समुचित ताल-मेल बनाए रखने के लिए जनजातीय अनुसंधान परिषदों को नियमित किया जा

सकता है। इस कार्य में मानवशास्त्रियों व समाजशास्त्रियों का समुचित सहयोग लिया जा सकता है।

(*v*) जनजातियों के क्षेत्रों में स्वस्थ राजनैतिक वातावरण विकसित करने के लिए समाज सुधारकों का उचित सहयोग प्राप्त किया जाना चाहिए। ताकि इन लोगों में वांछित राजनैतिक चेतना का विकास हो सके।

5. स्वास्थ्य सम्बन्धी समस्याओं के सुझाव

(*i*) स्वास्थ्य के सम्बन्ध में जनजातियों में समाज सुधारकों द्वारा उचित व स्वस्थ जनमत बनाया जाना चाहिए।

(*ii*) जनजातियों के क्षेत्रों में पायी जाने वाली विटामिन युक्त खाद्य सामग्री के प्रयोग पर अधिक बल दिया जाना चाहिए।

(*iii*) अच्छा तो यही रहेगा कि जनजातियों के शिक्षित व योग्य युवक-युवतियों को आवश्यक प्रशिक्षण देने के बाद इन क्षेत्रों में प्रशासकों के पदों पर भेजा जाए।

(*iv*) जनजातियों के अधिक जनसंख्या वाले क्षेत्रों में प्रशासन में समुचित ताल-मेल बनाए रखने के लिए जनजातीय अनुसंधान परिषदों को नियमित किया जा सकता है। इस कार्य में मानवशास्त्रियों व समाजशास्त्रियों का समुचित सहयोग लिया जा सकता है।

(*v*) जनजातियों के क्षेत्रों में स्वस्थ राजनैतिक वातावरण विकसित करने के लिए समाज सुधारकों का उचित सहयोग प्राप्त किया जाना चाहिए ताकि इन लोगों में वांछित राजनैतिक चेतना का विकास हो सके।

(*vi*) चिकित्सा सम्बन्धी सुविधा के लिए अस्पतालों की संख्या बढ़ाई जानी चाहिए।

(*vii*) जनजातीय क्षेत्रों के लिए चलते-फिरते अस्पतालों की व्यवस्था की जाती है।

(*viii*) जनजातियों के शिक्षित युवक-युवतियों को डॉक्टरी कम्पाउन्डरी, नर्स व दाई आदि का प्रशिक्षण दिया जाना चाहिए।

(*ix*) खास-खास दवाइयों के बक्से सरकार की ओर से पंचायत घर, स्कूल, चौपाल आदि स्थानों पर उपलब्ध किए जाने चाहिए।

(*x*) स्वास्थ्य सम्बन्धी कार्यक्रमों का आयोजन करते हुए इन लोगों की सामाजिक सांस्कृतिक मान्यताओं को ध्यान रखा जाना चाहिए।

(*xi*) स्वास्थ्य सम्बन्धी कार्यक्रमों का आयोजन करते हुए इन लोगों की सामाजिक सांस्कृतिक मान्यताओं का ध्यान रखा जाना चाहिए।

(*xii*) दवाईयों के महत्त्व को समय-समय पर अधिकारियों द्वारा बतलाया जाना चाहिए।

जनजातीय कल्याण-कार्य 'संवैधानिक प्रावधान'
(Tribal Welfare Work—Constitutional Provisions)

संविधान में कहीं भी 'जनजाति' शब्द की परिभाषा नहीं है।

जनजाति में जनजाति की परिभाषा को सीमांकित करते हुए कहा गया है कि अनुसूचित जनजातियाँ वे हैं जिन्हें "राष्ट्रपति ने अनुच्छेद 342 की लोक अधिसूचना द्वारा जनजातियों या जनजाति समुदायों अथवा जनजातियों या जनजाति समुदायों के भागों को निर्दिष्ट किया है। स्वाधीनता के उदय और स्वतन्त्र भारत का संविधान स्वीकृत हो जाने के बाद उनके विकास और कल्याण का दायित्वों राष्ट्रपति एवं राज्यपाल के माध्यम से लोकप्रिय सरकार को सौंपा गया। निदेशक तत्त्वों का अनुगमन करने के लिए अनुसूचित जातियों और अनुसूचित जनजातियों के कल्याणार्थ विशेष अनुच्छेदों की व्यवस्था की गयी। इनमें से ज्यादातर दोनों वर्गों के लिए एक समान हैं, किन्तु ऐसी भी हैं जो इन दोनों में से किसी एक पर लागू होते हैं। निम्नलिखित के आधार पर इन संवैधानिक उपबन्धों को दो समूहों में विभाजित किया जा सकता है–

1. संरक्षण सम्बन्धी उपबन्ध
2. विकास सम्बन्धी उपबन्ध

संरक्षण सम्बन्धी उपबन्ध, जो उनके विकास के लिए आवश्यक हैं, उन्हें सामाजिक एवं आर्थिक शोषण तथा अन्याय से संरक्षण प्रदान करते हैं। अनुसूचित जनजातियों के विकास से सम्बद्ध उपबन्धों का उद्देश्य, उन्हें उनकी सामाजिक एवं आर्थिक उन्नति के लिए वास्तविक सुविधाएँ और सुअवसर प्रदान करना है। ये संवैधानिक उपबन्ध संक्षेप में निम्नलिखित हैं–

1. संरक्षी उपबन्ध

अनुच्छेद 15(4)–सामाजिक, आर्थिक और शैक्षिक हितों को प्रोत्साहन

अनुच्छेद 16(4)–पदों और नौकरियों में आरक्षण

अनुच्छेद 16-15–संपत्ति के मामलों में जनजातियों के हितों की सुरक्षा

अनुच्छेद 23–मानव के दुर्व्यवहार और गलत श्रम का प्रतिरोध आदि।

अनुच्छेद 29–सांस्कृतिक एवं शैक्षिक अधिकार अनुच्छेद

अनुच्छेद 46–अनुसूचित जातियों, अनुसूचित जनजातियों और अन्य दुर्बल वर्गों की शिक्षा और आर्थिक हितों की अभिवृद्धि

अनुच्छेद 164–बिहार, उड़ीसा, और मध्य प्रदेश के राज्यों में जनजातियों के कल्याण के भार साधक मंत्री की नियुक्ति

अनुच्छेद 330, 332 और 334–लोक सभा एवं विधान सभाओं में आरक्षण

अनुच्छेद 335—जनजातीय कल्याण हेतु आरक्षण की व्यवस्था।

अनुच्छेद 338—जनजातीय कल्याण हेतु विशेष अधिकारी की व्यवस्था

अनुच्छेद 339(1) जनजातीय कल्याण हेतु आयोग की नियुक्ति की व्यवस्था।

2. आर्थिक विकास के उद्देश्य से की गयी व्यवस्थाएँ

अनुच्छेद 275 के अर्न्तगत संविधान के उपबन्धों की पूर्ति के लिए राज्यों को संघ से अनुदान मिलने की व्यवस्था है।

अनुच्छेद 339 (2) के अनुसार संघ की कार्यपालिका शक्ति का विस्तार किसी ऐसे राज्य को ऐसे निर्देश देने तक होगा, जो उस राज्य की अनुसूचित जनजातियों के कल्याण के लिए निर्देश में आवश्यक बताई गई स्कीमों को बनाने और उनके निष्पादन के बारे में है।

प्रशासनिक व्यवस्थाएँ—संविधान के दसवें भाग में अनुच्छेद 244 और 244(क) के अन्तर्गत अनुसूचित क्षेत्रों के प्रशासन में सम्बन्धित व्यवस्थाएँ हैं। संविधान में अनुसूचित क्षेत्रों और जनजाति क्षेत्रों का एक विशिष्ट अर्थ बोध है। अनुसूचित क्षेत्रों का शासन पाँचवीं अनुसूची के उपबन्धों के अनुसार होता है। इसलिए इन क्षेत्रों को पाँचवीं अनुसूची क्षेत्र भी कहा जा सकता है। जनजाति क्षेत्रों का शासन छठी अनुसूची के उपबन्धों के आधार पर होता है।

नागालैंड, असम और मणिपुर के जनजाति क्षेत्रों व पर्वतीय क्षेत्रों से सम्बन्धित विशेष उपबन्ध अनुच्छेद 371—क (नागालैण्ड), अनुच्छेद 37—ख (असम), अनुच्छेद 371 (ग) मणिपुर के अन्तर्गत आते हैं।

इसके अतिरिक्त अनुसूचित जातियों के विरुद्ध अत्याचारों को रोकने के लिए अनुसूचित जाति तथा अनुसूचित जनजाति अत्याचारों की रोकथाम अधिनियम 1989 बनाया गया है, जो 30 जनवरी 1990 से लागू किया गया।

जनजातीय कल्याण योजनाएँ (Tribal Welfare Schemes)

जनजातीय कल्याण के लिए समय-समय पर केन्द्र एवं राज्य सरकार द्वारा अनेक योजनाएँ निर्मित की गयीं—

पंचवर्षीय योजनाओं में जनजातीय कल्याण—प्रथम पंचवर्षीय योजना (1951-56) में जनजातीय कल्याण के लिए 19.9 करोड़ रुपये की व्यवस्था की गयी थी, जो नवीं योजना में पचास हजार करोड़ रुपये तक पहुँच गया। पाँचवीं योजना में जिन क्षेत्रों में 50 प्रतिशत या इससे अधिक जनजातियाँ रहती हैं, उन्हें अलग दर्जा देकर उनके लिए अलग से उपयोजनाएँ तैयार करने की व्यवस्था की गयी।

योजना कार्यक्रम

जनजातीय कल्याण हेतु सरकार द्वारा समय-समय पर अनेक योजनाएँ बनाई गईं जिनमें कुछ योजनाओं का उल्लेख निम्नलिखित किया गया है–

(1) छात्रवृत्तियाँ–जनजातीय कल्याण हेतु सरकार द्वारा निम्न योजनाएँ क्रियान्वित की गईं–

(*i*) अस्वच्छ व्यवसायों में लगे लोगों के बच्चों के लिए मैट्रिक पूर्व छात्रवृत्ति–इस योजना के तहत ऐसे परिवार के बच्चों को दसवीं कक्षा तक की पढ़ाई के लिए आर्थिक सहायता दी जाती है, जो सफाई करने, मरे पशुओं की खाल निकालने और चमड़े का काम करते हैं। यह छात्रवृत्ति राज्य सरकारों और केन्द्रशासित प्रदेशों के प्रशासन के माध्यम से दी जाती है। इसमें आधा खर्च केन्द्र सरकार को वहन करना होता है, बल्कि केन्द्रशासित प्रदेशों को शत-प्रतिशत सहायता दी जाती है।

(*ii*) अनुसूचित जाति/जनजातियों के छात्रों के लिए मैट्रिक के बाद छात्रवृत्ति–पहली अप्रैल 2005 में इस योजना में संशोधन किया गया है। इस संशोधन के बाद विभिन्न पाठ्यक्रमों के लिए निर्वाह भत्ता बढ़ा दिया गया है। इसी तरह अध्ययन यात्रा खर्च, शोध ग्रन्थों के टंकण/मुद्रण खर्च और पुस्तक अनुदान में भी वृद्धि की गई है। इस छात्रवृत्ति की पात्रता के लिए सीमा बढ़ाकर एक लाख रुपये वार्षिक कर दी गई है।

(*iii*) विदेशों में उच्च शिक्षा के लिए छात्रवृत्ति तथा यात्रा अनुदान–इस योजना के अन्तर्गत चुने गए प्रतिभाशाली छात्रों को विदेशों में उच्च शिक्षा प्राप्त करने के लिए वित्तीय सहायता प्रदान की जाती है।

(*iv*) अनुसूचित जातियों अन्य पिछड़े वर्गों और अल्पसंख्यकों सहित कमजोर वर्गों के लिए कोचिंग तथा सम्बन्धित योजना–अनुसूचित जातियों व अन्य पिछड़े वर्गों तथा अल्पसंख्यकों सहित कमजोर वर्गों के लिए कोचिंग और संबंधित योजनाओं का उद्देश्य विभिन्न प्रतियोगी परीक्षाओं के बैठने में इच्छुक छात्रों की तैयारी कराता है। इसके तहत राज्य सरकारों/केन्द्रशासित प्रदेशों, विश्वविद्यालय और गैर सरकारी संगठनों द्वारा चलाए जा रहे परीक्षा पूर्व प्रशिक्षण केन्द्रों को निर्धारित प्रतिमानों के अनुसार धन उपलब्ध कराया जाता है।

(2) अनुसूचित जाति के बालक/बालिकाओं के लिए छात्रावास–माध्यमिक और उच्च माध्यमिक स्कूलों, कालेजों तथा विश्वविद्यालयों में पढ़ने वाले अनुसूचित जाति के बालक/बालिकाओं को पढ़ाई जारी रखने के लिए छात्रावास की भी सुविधा देने के वास्ते सरकार ने उनके लिए छात्रावासों की योजना बनाई है। इस योजना के अन्तर्गत छात्रावास निर्माण के लिए केन्द्र सरकार राज्य सरकारों को 50 प्रतिशत और केन्द्रशासित प्रदेशों को शत-प्रतिशत धनराशि देती है।

(3) अनुसूचित जाति की योग्यता बढ़ाना—इस कार्यक्रम का उद्देश्य आवासीय विद्यालयों में शिक्षा के जरिए बहुमुखी विकास के लिए सुविधाएँ उपलब्ध कराकर अनुसूचित जातियों के छात्रों की योग्यता बढ़ाना है। इसके तहत नौंवी से बारहवीं कक्षाओं तक पढ़ रहे अनुसूचित जाति के छात्रों को विशेष कोचिंग उपलब्ध कराकर उनकी कमियों को दूर करने के लिए राज्यों तथा केन्द्रशासित प्रदेशों को केन्द्र से शत-प्रतिशत सहायता उपलब्ध कराई जाती है। 15 हजार रुपये की आर्थिक सहायता प्रतिवर्ष प्रति छात्र उपलब्ध कराई जाती है जिसमें 5 हजार रुपये आवास तथा योजना की व्यवस्था के लिए, एक हजार रुपये छात्रों की योग्यता में सुधार लाने तथा विशेष कोचिंग देने वाले प्रधानाचार्य विशेषज्ञ को दिए जाने वाले मानदेय के लिए होते हैं।

(4) बाबा साहेब डॉ. अम्बेडकर फाउंडेशन—वर्ष 2004-05 के दौरान अनुसूचित जातियों/जनजातियों के प्रतिभावान छात्रों के लिए डॉ. अम्बेडकर राष्ट्रीय छात्रवृत्ति योजना शुरू की गई, जिसका उद्देश्य कमजोर वर्गों के प्रतिभावान विद्यार्थियों की पहचान करना और उन्हें शिक्षा शामिल करने में सहायता देना है। पिछले वर्ष इस कार्यक्रम के तहत 93 छात्रों को 250 लाख रुपये दिए गए।

(5) विशेष केन्द्रीय सहायता और विशेष संघटक योजना—राज्यों और केन्द्रशासित प्रदेशों को विशेष संघटक योजना के लिए विशेष केन्द्रीय सहायता के तहत शत-प्रतिशत अनुदान दिया जाता है। इस सहायता का इस्तेमाल अनुसूचित जाति के गरीबी रेखा के नीचे जीवन यापन करने वालों के लिए विकास कार्यक्रमों पर अतिरिक्त जोर देने के वास्ते किया जाता है। इस योजना के तहत राज्यों और केन्द्रशासित प्रदेशों को,पिछले वर्ष 393.26 करोड़ रुपये जारी किए गए।

(6) राष्ट्रीय अनुसूचित जाति वित्त और विकास निगम—राष्ट्रीय अनुसूचित जाति वित्त और विकास निगम गरीबी रेखा (ग्रामीण क्षेत्रों में 40,000 रुपये तथा शहरी इलाकों में 55,000 रु. वार्षिक प्रति परिवार) से नीचे गुजारा करने वाले अनुसूचित जाति के लोगों के लिए रोजगार के अवसर पैदा करने के वास्ते रियासती वित्त उपलब्ध कराता है और प्रशिक्षण उद्यमिता विकास तथा अभिनव परियोजनाओं के माध्यम से उनके हुनर का विकास करता है। निगम "महिला समृद्धि योजना" भी लागू कर रहा है। निगम ने वर्ष 2004-05 के दौरान 41,489 लाभार्थियों की मदद की है।

अभ्यास प्रश्न

1. जनजाति और इसकी विशेषताओं की विवेचना कीजिए।
2. जनजातीय वर्गीकरण दीजिए।
3. भारत में जनजातीय समस्याओं पर प्रकाश डालिए।
4. जनजातीय कल्याण हेतु सवैधानिक और गैर सवैधानिक प्रयासों का उल्लेख कीजिए।

सदंर्भ

1. Imperial Gazetier of India, Volume 21, p. 295
2. Oxford Dictionary, p. 1897
3. Ralf Linton, Quoted by E.T. Dalton, Tribal History of Eastern India, p. 83
4. N K Bose, Change in Tribal Culture before and after Independence Man in India, Vol. 44, p. 10
5. Sinha Surjit, Tribal Caste and Tribal Peasant Continui in central India Man in India, Vol. 45 no 1 Jan March.
6. D. N. Majumdar, Races and Cultures of India, Asia Publishing House, Bombay, 1961, p. 367.

6

कमजोर वर्ग (दलित एवं अन्य पिछड़े वर्ग) (Weaker Sections : Dalit and Other Backward Classes)

कमजोर और दलित वर्ग
(Weaker and Dalit Sections)

भारतीय समाज के इस खण्ड में संवैधानिक दृष्टि से दुर्बल/कमजोर और दलित है जिसके अन्तर्गत अनुसूचित जातियाँ, अनुसूचित जनजातियाँ और कतिपय अन्य पिछड़े हुए समूहों को सम्मिलित किया जाता है। इसके अन्तर्गत समाज के साधनहीन वर्ग को भी सम्मिलित किया जाता है। भारत के संवैधानिक में भ्रातृत्व और समानता पर बल दिया गया है। संविधान निर्माताओं का चिन्तन था कि यदि समानता को यथार्थता प्रदान करना है, तो भारतीय समाज के दुर्बल, कमजोर, दलित वर्गों को ऊँचा उठाना होगा तथा अन्य उच्च वर्गों की भाँति उन्हें भी विकास की सुविधाएँ उपलब्ध करानी होंगी। संविधान के अनुच्छेद 46 के अनुसार, "राज्य जनता के दुर्बलतम् अंगों के विशेषकर अनुसूचित जातियों एवं अनुसूचित जनजातियों के शिक्षा व अर्थ सम्बन्धी हितों की सावधानी से रक्षा करेगा तथा सामाजिक अन्याय एवं सभी तरह के शोषण से उनकी रक्षा करेगा।" सविधान में दुर्बल या कमजोर वर्ग शब्द का जिस तरह प्रयोग हुआ है, उससे यह तो लगता है कि इसके अन्तर्गत अनुसूचित जातियों और जनजातियों के अलावा कुछ अन्य वर्ग भी सम्मिलित हैं, किन्तु यह स्पष्ट नहीं है कि वे कौन से वर्ग होंगे। भारत में विद्वानों ने कमजोर वर्ग को परिभाषित करने हेतु मुख्यतः आर्थिक सामाजिक मापदण्डों का निर्धारण किया है।

कमजोर/दुर्बल वर्ग की विशेषताएँ/मापदण्ड (Characteristics of Weaker Sections)

1. वे लोग जो अपने जीवन की न्यूनतम मूलभूत आवश्यकताएँ भी पूर्ण न कर सके अर्थात भोजन, कपड़ा, निवास और चिकित्सा सम्बन्धी सुविधाएँ जुटाने में अक्षम हों तथा उनकी आय गरीबी की रेखा से बहुत नीचे हों।

2. वे लोग, जो मुख्यतः दैनिक मजदूरी पर आश्रित हों और वे लोग भी, जो अनियमित और ऋतुओं के परिवर्तन पर आश्रित हों।
3. वह लोग, जिनके उत्पादन में सक्रिय सहयोग देने के बाद भी निरन्तर श्रम का शोषण किया जाता रहा हो तथा जो अपनी दैनिक आवश्यकताओं की पूर्ति हेतु ऋणग्रस्त हों।
4. वे लोग, जिनके पास इतनी लागत पूंजी भी नहीं है कि वे कच्चे माल और अन्य उत्पादित वस्तुओं का क्रय कर सकें।
5. वे लघु व सीमान्त कृषक, जो कि सिंचाई आदि की सुविधाओं से वंचित हों।
6. वे लोग, जो मानवीय ऊर्जा, जिसमें परिवार के सदस्य ही कार्य करें और पशु-ऊर्जा के सहारे ही जीवन व्यतीत करें।

उपरोक्त सभी मापदण्डों के आधार पर दुर्बल वर्ग के अन्तर्गत समाज के उस वर्ग को रखा जाता है, जो आज भी घोषित और पिछड़ा सामाजिक तथा आर्थिक सुविधाओं से वंचित हो। इन मापदण्डों के आधार पर अनुसूचित जातियों, जनजातियों, पिछड़े हुए वर्गों, दलितों, लघु और सीमान्त कृषकों, बन्धुआ मजदूरी और भूमिहीन मजदूरों तथा परम्परागत शिल्पियों कारीगरों को कमजोर वर्ग में सम्मिलित किया गया है।

कमजोर वर्ग से सम्बन्धित मजदूर भीषण गरीबी और दासता के प्रतीक रहते हैं। अपनी आवश्यकता पूर्ति के लिए सेठ-साहूकारों से ऋण लेकर स्वयं को बन्धक/गिरवी रख देना ही बन्धुआ मजदूर कहा जाता है। बन्धुआ मजदूर उधार देने वाले के घर, खेत, दुकान पर गुलामों की भाँति कार्य करता रहा है। 25 अक्टूबर, 1975 में 'बन्धुआ श्रम प्रथा' निरोधक/अधिनियम पारित करके इस व्यवस्था को समाप्त कर दिया गया है तथा श्रम मंत्रालय को बन्धुआ मजदूरों का पता लगाने का कार्य सौंप दिया गया है। इस पर भी देश के विभिन्न भागों में बंधुआ मजदूर प्रणाली विभिन्न रूपों में प्रचलित है। इस प्रणाली के लिए गरीबी मुख्य रूप के उत्तरदायी है, अतः बेकारी व निर्धनता को दूर करने के लिए और भी अधिक उपाय किया जाना आवश्यक है।

भारत की कृषि अर्थव्यवस्था की एक बड़ी गंभीर समस्या, भूमिहीन, श्रमिक, सीमान्त किसानों और छोटे किसानों की है, जो गाँवों में अत्यधिक निर्धनता में जीवन यापन कर रहे हैं। इनकी भी स्थिति अत्यधिक दयनीय और निर्बल है, अतः उन्हें प्रायः ही विभिन्न कठिनाइयों का सामना करना पड़ता है। भारत की पिछड़ी हुई अर्थव्यवस्था का यह अपेक्षित और पिछड़ा भाग है, जो कि अनेक सामाजिक आर्थिक सुविधाओं से वंचित है। खेतिहर मजदूर सीमान्त और छोटे किसान मिलकर कुछ ग्रामीण परिवारों के लगभग 85 प्रतिशत भाग का निर्माण करते हैं। भारत सरकार द्वारा इनकी स्थिति सुधारने के लिए अनेक प्रयास किए गए हैं, जिनमें भूमि सुधार अधिनियम, न्यूनतम मजदूरी अधिनियम, बन्धक श्रम उन्मूलन अधिनियम, आवास की सुविधा, श्रमिकों का संगठन आदि प्रमुख है।

दलित वर्ग (Dalit Section)

भारतीय समाज में दलितों तथाकथित अछूतों की समस्या भी कम गंभीर नहीं रही है। दलित वर्ग के लोग सदियों से अत्यन्त पिछड़े और गंभीर समस्याओं से घिरे रहे हैं। वैदिक ग्रंथों में उन्हें चाण्डाल और निषाद कहा गया है। यह वर्ग अनेक प्रकार की निर्योग्यताओं से पीड़ित भी रहा है। इस वर्ग के लोगों को पेशा चुनने की स्वतन्त्रता नहीं रही है, यह प्रायः भूमिहीन कृषक रहे हैं, उन्हें सबसे कम वेतन मिलता रहा है तथा समाज के श्रम विभाजन में उन्हें सबसे निम्न स्थान पर रखा गया है। यह सब उनकी आर्थिक निर्योग्यताओं के उदाहरण हैं।

दलित वर्ग की समस्या जाति प्रथा के इतिहास के साथ सम्बन्धित है। 1991 की जनगणनानुसार दलितों की संख्या लगभग 13.82 करोड़ थी, जो कुल जनसंख्या का 16.48 प्रतिशत भाग है। मुस्लिम राज्य की स्थापनापरान्त इस वर्ग की स्थिति और भी गिर गयी। इस वर्ग के लोगों को अनुसूचित जाति, अछूत, दलित, बाह्य जाति, हरिजन आदि नामों से सम्बोधित किया जाता रहा है। इस वर्ग के लोगों की आर्थिक स्थिति अत्यन्त दयनीय होने के कारण इनके लिए 'दलित' (Depressed) शब्द को प्रयुक्त किया गया। आर्य समाज की मान्यता थी कि यह वर्ग अछूत नहीं, बल्कि दलित है, क्योंकि इन्हें समाज ने दबाकर रखा है तथा सभी प्रकार के अधिकारों से वंचित भी रखा है। इस वर्ग की दयनीय स्थिति के लिए ये स्वयं नहीं, वरन् समाज उत्तरदायी है। सन् 1931 की जनगणना के पूर्व तक इनके लिए 'दलित' शब्द का ही प्रयोग किया जाता रहा, किन्तु इस जनगणना आयोग के अध्यक्ष ने 'दलित' शब्द के स्थान पर 'बाहरी जातियाँ' शब्द का प्रयोग किया। गांधी जी ने दलितों को 'हरिजन'. कहकर सम्बोधित किया। 1935 की एक अनुसूची के आधार पर वैधानिक दृष्टि से 'दलितों' को 'अनुसूचित जाति' कहा गया। तब से लेकर आज तक सरकारी सन्दर्भ में यही शब्द प्रयुक्त किया जा रहा है।

अस्पृश्यता
(Untouchability)

अस्पृश्यता का विचार संभवतया इतना प्राचीन है जितना कि जाति प्रथा का। विचारकों का कथन है कि अस्पृश्यता की संस्था जातिवाद का सीधा परिणाम है। भारतीय समाज की अनेकों समस्याओं के समान अस्पृश्यता की समस्या भी सामाजिक व्यवस्था के लिए एक बहुत बड़ी चुनौती के रूप में रही है। अस्पृश्यता के द्वारा मानव-मानव के मध्य दीवार खड़ी हो गई है, जो समाज के इतिहास का काला अध्याय है। महात्मा गांधी ने अस्पृश्यता के सम्बन्ध में अपना विचार व्यक्त करते हुए ठीक ही कहा था कि "अस्पृश्यता जिस रूप में आज हिन्दू धर्म में प्रचलित है वह भगवान और मनुष्य दोनों के विरुद्ध है, अतः यह एक विषय के समान है जो "सारे समाज को खाये जा रहे हैं।"

अस्पृश्यता की समस्या भारतीय समाज के 8.9 करोड़ व्यक्तियों की ही समस्या नहीं है वरन् सम्पूर्ण हिन्दू समाज की व्यवस्था के लिए एक भयंकर खतरा है। डॉ. अम्बेडकर ने अस्पृश्यता को उपयुक्त शब्दों में स्मरण करते हुए कहा था "'हिन्दुओं का अछूतापन' एक अनोखी घटना है, संसार के दूसरे हिस्से में मानवता ने आज तक कभी इसका अनुभव नहीं किया। किसी दूसरे समाज में इस जैसी कोई चीज ही नहीं—प्रारम्भिक समाज में, प्राचीन समाज में अथवा वर्तमान समाज में।" इस समस्या की भयंकरता एवं गम्भीरता का अनुभव बहुत पहले देश में समस्त जागरूक समाज नेता व समाजशास्त्रियों ने किया और इसे दूर करने के लिए सरकारी व गैर सरकारी स्तर पर अनेक प्रयास किए गए हैं और होते रहे हैं, लेकिन व्यवहारिक रूप में इसका समाधान अभी तक नहीं हो सका है, अतः समाजशास्त्रीय ढंग से इस समस्या के विभिन्न पदों पर विचार कर लेना उचित जान पड़ता है।

अस्पृश्यता की उत्पत्ति (Origin of Untouchability)

ऐसा विश्वास किया जाता है कि वैदिक काल में अस्पृश्यता जैसी कोई बात नहीं थी परन्तु शूद्र जैसा वर्ण उपस्थित था। धर्म सूत्रों के युग में अस्पृश्यता की भावना सबसे पहले स्पष्ट हुई और नारी व शूद्र पुरुष से उत्पन्न सन्तानों को जिन्हें चाण्डाल कहकर सम्बोधित किया गया, मनुस्मृति में भी ऐसा निर्देश मिलता है कि चाण्डालों को गाँव से बाहर रहना चाहिए। डॉ. घुरिये ने अपनी पुस्तक में यह उल्लेख किया है कि ईसा से 800 वर्ष पूर्व यह प्रतिबन्ध न केवल चाण्डालों पर वरन् चौर्थ वर्ण शूद्रों पर भी लागू कर दिए गए क्योंकि इस समय तक चारों वर्ण एक-दूसरे से बिल्कुल पृथक हो गए थे। इसके बाद जैन और बौद्ध धर्म से प्रभावित लोगों ने अस्पृश्य लोगों की दयनीय स्थिति से द्रवित होकर इनकी स्थिति को सुधारने का प्रयत्न किया। फिर भी शूद्रों का समाज में निम्नतम स्थान रहा। मुसल की राज्य स्थापना होने तक इस दिशा में कोई विशेष उन्नति नहीं हो सकी। इस प्रकार 19वीं शताब्दी के अन्त तक अस्पृश्यों की समस्या इतनी गंभीर हो गई कि वे हिन्दू वर्ण व्यवस्था के अंग होने पर भी हिन्दू समाज से बिल्कुल भी सम्बन्धित न रह सके। परिणामस्वरूप लाखों अस्पृश्य व्यक्तियों ने इस्लाम अथवा ईसाई धर्म स्वीकार कर लिया और अपने आक्रोश का परिचय दिया। अंग्रेजों के आने के पश्चात अस्पृश्यों की निर्योग्यताओं में कमी अवश्य आई, परन्तु इस निर्योग्यताओं का सुधार धर्म परिवर्तन के रूप में हुआ।

भारतीय धर्म ग्रन्थों के अनुसार भारतीय हिन्दू समाज चार वर्गों में बँटा हुआ था—ब्राह्मण, क्षत्रिय, वैश्य और शूद्र। बाद में शूद्रों में दो भेद उत्पन्न हो गए। अस्पृश्य शूद्रों को पंचम वर्ग या अन्त्यज कहा गया है। आगे चल कर अस्पृश्यों को बोलचाल की भाषा में 'अछूत' नाम से सम्बोधित किया जाने लगा। इन लोगों में कुछ चेतना जाग्रत होने पर उन्हें यह अछूत शब्द अपमानजनक प्रतीत हुआ। इसलिए बाद में इन लोगों को दलित वर्ग के नाम से पुकारा जाना उचित समझा जाने लगा। आसाम के जनगणना के सर्वोच्च अधिकारी को दलित वर्ग शब्द भी उचित नहीं जान पड़ा तथा उसने इनके लिए 'बहिर्जाति' शब्द प्रयोग

किए जाने का सुझाव रखा, किन्तु इस शब्द के प्रयोग को भी अधिकांश लोगों ने उचित नहीं समझा। इस शब्द के आधार पर अस्पृश्य लोग अपने को हिन्दुओं से पृथक किए जाने की मांग करने लगे किन्तु गांधी जी के प्रयासों से यह संभव न हो सका। महात्मा गाँधी जी ने इन लोगों के लिए सम्मानसूचक शब्द 'हरिजन' शब्द का प्रयोग किया 1935 के अधिनियम में इन्हें अनुसूचित में रखा गया इसलिए इन्हें अनुसूचित जाति भी कहते हैं।

अस्पृश्यता की परिभाषा (Definition of Untochability)

अस्पृश्यता की परिभाषा करना काफी कठिन है, लेकिन अर्थ समस्या सरल है। डॉ. कैलाशनाथ काटजू जैसे विधिवेत्ता ने भी एक विधेयक में स्वीकार किया था कि अस्पृश्यता को परिभाषित करना संभव नहीं है किन्तु उन्होंने अस्पृश्यता को दूर करने हेतु 1955 में जो विधेयक निर्मित किया था, उसमें अस्पृश्यता के समाज में प्रचलित स्वरूप का उल्लेख किया गया है। इस विधेयक के अनुसार–

(अ) अस्पृश्यता के आधार पर किसी व्यक्ति को समान धर्म को मानने वाले अन्य व्यक्तियों के लिए खुले सार्वजनिक पूजा के स्थान में प्रवेश से,

(ब) किसी सार्वजनिक स्थान में पूजा करने या प्रार्थना करने या धार्मिक सेवा करने से अथवा किसी पवित्र जलाशय, कूप, भरने या जल स्रोत को उसी रूप में, जैसा समान धर्म के अनुयायियों को प्रयोग की अनुभूति है प्रयोग करने या स्नान करने से,

(स) दुकान, होटल, सार्वजनिक जलपान-गृह सार्वजनिक मनोरंजन स्थल या सार्वजनिक आवागमन के साधन, अस्पताल, औषधालय, शैक्षणिक, संस्था या दातव्य ट्रस्ट में पहुँचने या प्रयोग से रोकना अपराध है।

महात्मा गांधी के अनुसार "किसी व्यक्ति के जन्म की वजह से किसी के छूने मात्र से किसी का दूषित हो जाना है।"[1]

डॉ. कैलाशनाथ शर्मा के अपनी पुस्तक में 'अस्पृश्यता' को परिभाषित करते हुये उल्लेख किया है "अस्पृश्य जातियाँ वे हैं जिनके स्पर्श से एक व्यक्ति अपवित्र हो जाए और उसे पवित्र होने के लिए कुछ कृत्य करने पड़ें।"[2]

प्रो. मजूमदार के अनुसार "अस्पृश्य जातियाँ वे हैं जो विभिन्न सामाजिक व राजनैतिक निर्योग्यताओं से पीड़ित हैं जिनमें से अधिकतर निर्योग्यताओं को पररम्परा द्वारा निर्धारित करके सामाजिक रूप में उच्च जातियों द्वारा लागू किया गया है।"[3]

उपरोक्त परिभाषाओं से स्पष्ट है कि अस्पृश्यता समाज की निम्न जातियों के व्यक्तियों की सामान्य निर्योग्यताओं से सम्बन्धित है जिनके कारण इन लोगों को अपवित्र समझा जाता है और उच्च जातियों द्वारा इनका स्पर्श होने पर प्रायश्चित करना पड़ता है। अति संक्षेप में यह कहा जा सकता है कि अस्पृश्यता का सम्बन्ध कुछ जातियों की इन निर्योग्यताओं से है जो उन पर सवर्ण हिन्दुओं द्वारा लादी गई हैं। वस्तुतः अस्पृश्यता एक

जटिल धारणा है और इसकी उत्पत्ति किसी एक कारण से नहीं वरन् अनेक कारणों से हुई हैं–धर्म में निहित पवित्रता की भावना, सामाजिक निषेध, घृणित व्यवसाय, प्रजातीय व सांस्कृतिक भिन्नताएँ, हिन्दू धर्म में प्रवेश की हुई ऊँच-नीच की भावना, सामाजिक मनोवृत्ति आदि कारणों से अस्पृश्यता का मूल कारण मानते हैं, लेकिन जाति प्रथा अस्पृश्यता की उत्पत्ति में एक बहुत बड़ा कारक है, सब कुछ नहीं है। अतः **हट्टन** महोदय के शब्दों में यह कहना ही उपयुक्त होगा, "बहिष्कृत जातियों के स्तर की उत्पत्ति अशंतः प्रजातीय, अशंतः धार्मिक और अंशतः सामाजिक प्रथा का परिणाम है।"

अस्पृश्य लोगों की सामान्य निर्योग्यताएँ या अयोग्यताएँ
(General Incapability/Disability of Untouchables)

अस्पृश्य जातियों को हिन्दू समाज में परम्परात्मक रूप में निम्न समझा गया है, उनका शोषण किया गया है और इन्हें अनेक सामाजिक, धार्मिक, राजनैतिक व आर्थिक अधिकारों से वंचित रखा गया है। वस्तुतः हरिजन लोगों की ये ही निर्योग्यताएँ या अयोग्यताएँ हैं, ये ही उनकी समस्याएँ अथवा पिछड़ेपन के कारण हैं। इस प्रकार अस्पृश्यता की समस्या के निम्न जातियों के स्वस्थ सामाजिक जीवन में अनेक बाधाएँ, नियोग्यताएँ या अयोग्यताएँ उत्पन्न कर रखी है। इन अयोग्यताओं निर्योग्यताओं या बाधाओं का पृथक-पृथक संक्षित विवरण निम्न प्रकार है–

(अ) धार्मिक निर्योग्यताएँ (Religious Disabilities)

अस्पृश्य लोगों को अन्य सवर्ण हिन्दुओं की भाँति मन्दिरों में प्रवेश करने का अधिकार प्राप्त नहीं था। शूद्र के लिए वेद अध्ययन वर्जित था। वेद में इस प्रकार की चर्चा आती है कि स्त्री व शूद्र वेद पढ़ने के अधिकारी नहीं हैं। **गौतम धर्म सूत्र** में लिखा है (12-4) "यदि शूद्र वेद सुन ले तो उसके कानों में पिघला हुआ शीशा और लाख भर देना चाहिए, यदि वह मन्त्रों का उच्चारण करे तो उसकी जीभ छिदवा दी जानी चाहिए, यदि वह वेद मंत्रों को याद कर ले तो उसका शरीर चीर दिया जाना चाहिए।"[1] अस्पृश्य लोगों के मन्दिर प्रवेश में व धर्म शास्त्रों के अध्ययन-अध्यापन पर ही रोक नहीं लगायी गई थी, वरन् उन्हें धार्मिक संस्कारों से भी वंचित रखा गया। कोई पुरोहित आदि उनके यहाँ संस्कार नहीं कर सकता।

(ब) आर्थिक निर्योग्यताएँ (Economic Disabilities)

अर्थ का अभाव किसी समूह की प्रगति व सुख में बहुत बड़ी बाधा है। आर्थिक समानता के अभाव में सामाजिक प्रगति की कल्पना स्वप्न मात्र है। आर्थिक दृष्टि से अस्पृश्य लोगों का जीवन बड़ा संकटमय रहा है। इन लोगों की आर्थिक निर्योग्यताओं को निम्न विभाजन के आधार पर समझा जा सकता है।

(*i*) भूमिहीन मजदूर–अनुसूचित जातियों के लोगों के पास भूमि नहीं है, इसलिए

वे स्वयं तो कृषि नहीं कर सकते, भूमिहीन के कारण वे मेहनत मजदूरी ही कर सकते हैं। **के.एम. पणिक्कर** ने 'हिन्दू समाज निर्णय के द्वार पर' नामक पुस्तक में ठीक ही लिखा है, "एक समय इन अस्पृश्य लोगों की दशा गुलामों से भी बदतर थी। गुलाम न तो केवल मालिक के लिए गुलामे होता है, लेकिन इन लोगों से सारा गाँव बेगार लेता था।"

(*ii*) आर्थिक दृष्टि से पेशों का स्तर निम्न—आर्थिक दृष्टि से इन लोगों के पेशे बहुत ही निम्न स्तर के हैं और रहे हैं। इनमें धन कम मिल पाता है। विभिन्न उत्सवों पर इन लोगों को सवर्ण हिन्दुओं से कर्जा लेना पड़ता है। गांधी जी ने लिखा है कि शरीर की सम्पूर्ण गन्दगी को साफ करने वाले व्यक्ति को न्यूनतम पारिश्रमिक दिया जाता है—सबसे कम पैसे और फटे-पुराने वस्त्र।

(*iii*) पेशों को चुनने में स्वतन्त्रता नहीं—इन लोगों को वंश परम्परा से चले आ रहे घृणित पेशों को ही करने का अधिकार था। अन्य व्यवसाय जो आर्थिक दृष्टि से अच्छे हैं इनके लिए नहीं खुले थे। इससे इनकी आर्थिक स्थिति बहुत खराब रही है और आज भी निर्धनता के संकट से नहीं निकल पाये हैं।

(*iv*) श्रम विभाजन में निम्नतम स्थान—अस्पृश्यता की भावना विद्यमान होने के कारण इन लोगों में उपयुक्त योग्यता होने पर भी विभिन्न संस्थाओं में ऊँचा स्थान नहीं मिल पाता है, परिणाम स्वरूप इनकी धार्मिक स्थिति गिरी होती है और श्रम विभाजन में निम्न स्थान बना रहता है।

(स) सामाजिक निर्योग्यताएँ (Social Disabilities)

सामाजिक क्षेत्र में अस्पृश्य जातियों की निर्योग्यताएँ निम्न हैं—

(*i*) समाज में निम्नतम स्थान—अस्पृश्यता की धारणा ने अस्पृश्य लोगों को हिन्दू समाज में इतना निम्नतम स्थान प्रदान किया कि मानो हिन्दू समाज के अंग नहीं वरन् उससे पृथक हैं इन लोगों की छाया मात्र में ही सवर्ण हिन्दू अपवित्र हो जाते हैं। इस प्रकार की अवधारणा 20वीं शताब्दी के प्रारम्भ तक प्रचलित थी।

(*ii*) सार्वजनिक निर्योग्यताएँ—इन लोगों को सार्वजनिक स्थानों का स्वतन्त्रतापूर्वक प्रयोग भी नहीं करने दिया जाता था। अस्पृश्य जाति के लोगों को छूने नहीं वरन् अस्पृश्य जाति के लोगों को देखने से भी सवर्ण हिन्दू के अपवित्र हो जाने का भय रहता है। ये लोग सार्वजनिक सड़कों आदि का प्रयोग नहीं कर सकते थे, कुओं व जलाशयों आदि से पानी नहीं ले सकते थे।

(*iii*) शिक्षा सम्बन्धी निर्योग्यताएँ—स्कूलों व छात्रावासों में अस्पृश्य लोगों के बच्चों को प्रवेश नहीं मिल पाता था। यदि प्रवेश मिलता भी तो वे सवर्णों के साथ बैठ नहीं सकते थे। इस प्रकार इनको शिक्षा की स्वतन्त्रता नहीं थी। यही कारण है कि इन लोगों में आज भी शिक्षित लोगों की कमी है।

(*iv*) **निवास की निर्योग्यताएँ**—इन लोगों के निवास स्थान अलग-अलग बस्तियों में होते हैं जहाँ इन्हें पशुओं की भाँति जीवन व्यतीत करना पड़ता है। सवर्ण हिन्दुओं से निवास की बस्तियों का अलग होना इन लोगों के सामाजिक बहिष्कार की ओर संकेत करता है।

(*v*) **अस्पृश्य लोगों में संस्तरित अस्पृश्यता**—यही बड़ी अनोखी बात है कि अस्पृश्य लोगों में भी आपस में अस्पृश्यता की भावना पायी जाती है। उदाहरणार्थ एक धोबी एक मेहतर को या एक मोची एक धोबी को स्पर्श नहीं करता।

(द) राजनैतिक निर्योग्यताएँ (Political Disabilities)

इन लोगों को देश के शासन में भाग लेने का कोई अधिकार प्राप्त नहीं था और राज्य की ओर से इन्हें जो न्याय प्राप्त होता था वह भी भेदभाव की भावना पर आधारित रहता था। यह कहना उपयुक्त होगा कि किसी जमाने में लोगों को सामान्य नागरिक के अधिकार भी प्रदान नहीं किए जाते थे।

निर्योग्यताओं के परिणाम (Result of Disability)

(1) धार्मिक परिणाम—अस्पृश्यता के अभिशाप से बचने के लिए अनुसूचित जाति के लोगों की एक बड़ी संस्था धर्म परिवर्तन कर चुकी है। धर्म परिवर्तन के द्वारा हिन्दुओं की संख्या में कमी आ रही है। अधिकतर भारतीय मुसलमान व इसाई हिन्दुओं के इसी वर्ग के लोगों के धर्म परिवर्तन के कारण बने हैं, ऐसा अनुमान है कि भारत की जनसंख्या की 5 प्रतिशत जनता धर्म परिवर्तन के कारण मुस्लिम व ईसाई धर्म में प्रवेश कर गयी है।

(2) राजनैतिक परिणाम—अस्पृश्यता के नाम पर ऊँची जातियों द्वारा लादी गयी निर्योग्यताओं का परिणाम यह हुआ कि अनुसूचित जाति के लोग अपने को हिन्दू समाज से पृथक समझने लगे और धीरे-धीरे यह पृथकता की भावना इतनी प्रबल हुई कि अनुसूचित जाति के नेताओं ने अपने को हिन्दू समाज का एक अंग मानने से इन्कार कर दिया और प्रायः अपने लिए हिन्दू शब्द का प्रयोग करना तक छोड़ दिया। इससे भारतीय समाज की राजनैतिक एकता पर गहरा प्रहार हुआ।

(3) आर्थिक परिणाम—अस्पृश्यता से उत्पन्न होने वाली निर्योग्यताओं का आर्थिक दुष्परिणाम भी सम्पूर्ण समाज के लिए हितकारी है। अनुसूचित जाति भी निर्योग्यताओं पर विशेष तौर से आर्थिक निर्योग्यताओं से अस्पृश्य विषमताएँ बढ़ती रहीं, समाज के एक बड़े भाग की आर्थिक प्रगति रुकी, परिणाम स्वरूप पूरे समाज की आर्थिक दशा निम्न स्तर पर रही।

(4) निम्न जीवन स्तर सम्बन्धी परिणाम—अनुसूचित जाति के लोगों की निर्योग्यताओं का परिणाम बहुमुखी व दूरगामी था। इन लोगों को सामाजिक निर्योग्यताओं ने इन्हें सवर्ण हिन्दुओं से दूर गन्दी बस्तियों में रहने के लिए बाध्य किया, जहाँ न तो स्वास्थ्य सम्बन्धी

सुविधाओं का प्रबन्ध रहा और न ठीक प्रकार के रहने-सहने तथा खाने-पीने का प्रबन्ध हो सका।

(5) अज्ञानता सम्बन्धी परिणाम—शिक्षा सम्बन्धी निर्योग्यता के कारण भारत की 18 प्रतिशत जनता अज्ञानी व अन्धविश्वासी बनी रही और अपने उचित अधिकारों के लिए भी प्रयास नहीं किया।

भारत में अस्पृश्यता निवारण के प्रयास
(Efforts for Eradication of Untouchability in India)

अस्पृश्यता जैसी भयंकर एवं अव्यवहारिक समस्या को दूर करने के लिए समय-समय पर प्रयास होते रहे हैं। भारतीय इतिहास से पता चलता है कि महात्मा बुद्ध पहले व्यक्ति थे जिन्होंने अस्पृश्यता व जाति भेद के निवारण जैसे साहसिक कदम उठाए—

रामानन्द, नानक, कबीर, चैतन्य आदि ने भी अस्पृश्य व्यक्तियों को अपनाया। 19वीं शताब्दी में राजा राम मोहनराय का ध्यान इस ओर गया। स्वामी विवेकानन्द ने भी छुआछूत का विरोध किया। परिणामस्वरूप इस दिशा में उल्लेखनीय सफलता प्राप्त न हो सकी। 20वीं शताब्दी में इस दिशा में अधिक सफलता मिली है और मिल रही हैं।

राजनैतिक अधिकार सम्बन्धी सुविधाएँ—वयस्क मताधिकार का अधिकार अनुसूचित जातियों के लिए एक विशेष शास्त्र के रूप में प्राप्त हुआ है। राजनैतिक दृष्टि से ये लोग आज केन्द्रीय व राज्यों के मंत्रिमंडलों में प्रतिनिधित्व करते हैं। विधानसभा, लोकसभा, एवं अन्य निर्वाचित संगठनों में इन लोगों (अस्पृश्य व्यक्तियों) के स्थान सुरक्षित रखे गए हैं। भारतीय संविधान के अनुच्छेद 330 के अनुसार लोकसभा के कुल 251 स्थानों में से 77 स्थान अनुसूचित जातियों के लिए सुरक्षित हैं। भारत के समस्त राज्यों एवं केन्द्र शासित प्रदेशों की विधान सभाओं के कुल 3,563 स्थानों में 503 स्थान अनुसूचित जातियों के लिए सुरक्षित हैं।

इनको मुख्य रूप से निम्न प्रकार समझाया जा सकता है—

अस्पृश्यता निवारण के प्रयास

- शासकीय प्रयास
- अशासकीय प्रयास
  - अनुसूचित जाति के सदस्यों का प्रयास
  - सवर्ण हिन्दुओं के प्रयास
  - ईसाई मिशनरियों के प्रयास

(1) संवैधानिक व्यवस्थाएँ—भारतीय संविधान में अस्पृश्यता को समाप्त कर दिया गया है और इनके प्रचलन को दंडनीय अपराध माना गया है। भारतीय संविधान ने विभिन्न

अनुच्छेद द्वारा व्यक्ति-व्यक्ति के मध्य भेद को समाप्त कर दिया गया है। अनुच्छेद 15 खंड (1) 16, 17, 29, 38 आदि इस तथ्य के परिचायक हैं।

(2) अस्पृश्यता निरोधक अधिनियम, 1955—संवैधानिक व्यवस्थाओं में भी अधिक महत्त्वपूर्ण इस दिशा में अस्पृश्यता निरोधक अधिनियम 1955 का बनना है। यह अधिनियम 1 जून 1955 से सारे भारत में पारित कर दिया गया। इसके अंश निम्न प्रकार हैं—

धारा 3 के खंड (3) के अनुसार प्रत्येक व्यक्ति को किसी भी दुकान, जलपान गृह होटल, या सार्वजनिक स्थलों में प्रवेश करने तथा धर्मशालाओं या मुसाफिर खानों, बर्तनों एवं अन्य वस्तुओं को प्रयोग में लाने की स्वतन्त्रता होगी। धारा 5 के खंड (अ) के अनुसार, प्रत्येक व्यक्ति को किसी भी सार्वजनिक चिकित्सालय, औषधालय, शिक्षा संस्था या छात्रावास में प्रवेश का अधिकार होगा और वहाँ प्रत्येक के साथ समान व्यवहार किया जाएगा।

धारा 5 के खंड (आ) के अनुसार अस्पृश्यता के आधार पर कोई दुकानदार किसी भी व्यक्ति को कोई भी वस्तु बेचने से इन्कार नहीं करेगा।

धारा 7 के अनुसार इस अधिनियम में किसी भी धारा या अपराध न मानने वाले व्यक्ति को दंडित किया जा सकेगा।

(3) शिक्षा सम्बन्धी सुविधाएँ—अनुसूचित जाति के लोगों को आज वही कानूनी अधिकार प्राप्त हैं जैसा कि अन्य जातियों के लोगों को। ये उन्हीं के स्कूल व कालेजों में पढ़ते हैं और इन्हें शिक्षा के क्षेत्र में विशेष सुविधाएँ दी जाती हैं।

(4) सरकारी नौकरियों में प्रतिनिधित्व—इन लोगों को सार्वजनिक महत्त्व की सभी सेवाओं में नियुक्त किया जाता है और इनकी संख्या के अनुपात में स्थान भी सुरक्षित कर दिए गए हैं। नौकरियों में आयु सीमा और योग्यताओं को मानदंड में भी विशेष छूट दी जाती है। भारतीय संविधान के अनुच्छेद 46 के अनुसार अनुसूचित जातियों के लोगों को नौकरियों में विशेष संरक्षण प्रदान किया गया है।

(5) आर्थिक सुविधाएँ—आर्थिक योग्यताओं को दूर करने के लिए केन्द्रीय व राज्य सरकार निम्न कार्यों पर बल देती हैं—

(*i*) भूमि वितरण कार्यक्रम

(*ii*) कृषि उन्नति के लिए आर्थिक कार्यक्रम

(*iii*) छोटे उद्योग-धंधों में विकास के लिए विशेष आर्थिक सहायता।

(*iv*) आवाज योजनाओं का कार्यक्रम उत्तर प्रदेश सरकार अनुसूचित जाति की बस्तियों के सुधार के लिए प्रतिवर्ष सात लाख रुपये खर्च कर रही है।

(*v*) नये उद्योग-धन्धों की स्थापना के लिए ऋण मुक्त धन।

(6) अस्पृश्यता के विरोध में प्रचार—केन्द्रीय सूचना एवं प्रसारण मन्त्रालय ने इस दिशा में महत्त्वपूर्ण कार्य किए हैं और अब भी इस प्रकार के कार्यक्रमों में व्यस्त है।

अस्पृश्यता के उन्मूलन के लिए कुछ सुझाव
(Some Suggessions for Elimination of Untouchability)

अधिनियम बना देने या कोरी भाषणबाजी से ही अस्पृश्यता की समस्या का उन्मूलन नहीं हो सकता। इसके लिए लोगों की मनोवृत्तियों को बदल कर स्वस्थ सामाजिक वातावरण का निर्माण करना होगा। अस्पृश्यता का उन्मूलन एवं हरिजनों की अवस्था में सुधार लाने के लिए निम्न सुझावों का वर्णन किया जा सकता है।

(1) शिक्षा और प्रचार के द्वारा जाति प्रथा के स्वरूप में परिवर्तन किया जाना चाहिए। यह कार्य धीरे-धीरे करना होगा। एकदम सफलता प्राप्त होने में संदेह है।

(2) ग्रामों का विकास नवीन आधारों पर किया जाना चाहिए। ग्रामों में विद्यमान सामाजिक कुरीतियों और अन्धविश्वासों को समाप्त करना होगा। यह काम समाज सुधारकों एवं समाज के उत्तरदायी व्यक्तियों की सहायता से किया जा सकता है।

(3) अपवित्र व्यवसायों को मशीनीकरण द्वारा दूर किया जाना चाहिए, ताकि घृणित व्यवसायों की संख्या कम से कम हो सके।

(4) शारीरिक श्रम के प्रति आदर की भावना को विकसित किया जाना चाहिए।

(5) दलितों में आर्थिक व सामाजिक सुधार के लिए सामान्य और प्रौद्योगिक शिक्षा पर अधिक बल दिया जाना चाहिए ताकि अज्ञानता व अन्धविश्वास का अंग हरिजनों से दूर हो सके और आर्थिक स्थिति में अपेक्षित सुधार लाया जा सके।

(6) स्वास्थ्य और नैतिक स्तर के विकास के लिए हरिजनों की उचित आवास सम्बन्धी योजनाओं को तीव्र गति से लागू किया जाना चाहिए कि इनके मकान बनाते समय इस बात का ध्यान रखा जाना चाहिए कि इनके मकान उच्च जातियों के लोगों के पास बनाए जाते हैं।

(7) दलितों के लिए मनोरंजन की समुचित व्यवस्था की जानी चाहिए ताकि अन्धविश्वास एवं बुरी आदतों को दूर करके इन लोगों में नैतिकता का एक उचित मापदण्ड बनाया जाना चाहिए। अधिकांश हरिजन समुदाय अन्धविश्वास व रूढ़िवादिता के शिकार हैं।

(8) सामाजिक सुरक्षा सम्बन्धी कार्यों पर तीव्रता से बल दिये जाने की आवश्यकता है। इसके द्वारा अधिकांश विपत्ति ग्रस्त अस्पृश्य लोगों को शारीरिक मानसिक सुरक्षा प्रदान की जा सकेगी भारत में आज भी अधिकांश हरिजन जीवन के न्यूनतम जीवन स्तर को कायम रखने में असमर्थ हैं।

(9) सभी सार्वजनिक उत्सवों, त्योहारों, मेला आदि से जब जातियों के लोगों को सम्मिलित करने के लिए प्रोत्साहित किया जाना चाहिए। यह कार्य नगर व ग्राम के नेताओं व सुधारकों की सहायता से सम्भव हो सकेगा।

(10) नगर में जातियों के आधारों पर छात्रावास नहीं रहने चाहिए बल्कि सब जाति के लोगों के एक जैसे छात्रावास में रहने से अस्पृश्यता धीरे-धीरे कम होगी।

मूल्यांकन (Evaluation)

उपरोक्त विवेचन से स्पष्ट है कि सरकारी और गैर सरकारी प्रयत्न दलितों की व्यवस्था में सुधार के लिए हो रहे हैं। इन प्रयासों का फल भी हमारे सामने हैं और आज भी अनुसूचित जाति के लोगों की अनेक अयोग्यताएँ काफी सीमा तक दूर हो गई हैं। यही कारण है कि आज अनुसूचित जाति के लोग भी अनुभव करने लगे हैं कि स्वतन्त्र भारत में वे उपेक्षित नहीं हैं, लेकिन फिर भी इस दिशा के सवर्ण हिन्दुओं का हृदय परिवर्तन करके और हरिजन लोगों की सदियों से सोयी हुई आत्मा को जगा करके ही वांछित सफलता प्राप्त की जा सकेगी। भूतपूर्व समाजवादी नेता **डॉ. लोहिया** के अनुसार "जब एक द्विज लोग अपने और शूद्रों के बीच की खाई को लगातार सचेत होकर नहीं भरते, तब तक उनका देश मुर्दा रहेगा। शूद्रों के भी दोष हैं। जाति की संकीर्णता उनमें और भी हैं। अफसरों की जगह पाने के बाद शूद्र की कोशिश रहती है कि वह बिरादरी के जहर के द्वारा अपनी जगह को कायम रखे। वह अपनी दृष्टि को जल्दी कायम नहीं बना पाता और व्यापक विषयों की बहस में पिछड़ जाता है अगर द्विज हजारों लाखों की सफाई पर हाथ मारता है, तो शूद्र अठन्नी रुपये के मामले में इस तरह फँसता है कि उसकी कलई खुल जाए। अब तो न तो सिर्फ शूद्र को उठाना है और जगह-जगह उनको नेतृत्व के आसन पर बैठाना है। बल्कि बार-बार सहारा देकर सलाह और बहस के द्वारा उनकी आत्मा को जगाना और सुसंस्कृत करना है जिससे वह और हिलमिल कर शूद्र अपने दोषों से मुक्त हो।" अतः हम सबको इस दिशा में ठंडे दिल-दिमाग के साथ मिल-जुलकर अधिकाधिक प्रयत्नशील होना है। देश के पिछड़ेपन को दूर करना है और अन्तिम रूप से अस्पृश्यता की कालिमा को धो डालना है। आशा है कि भविष्य में इस दिशा में और अधिक सफलता मिल सकेगी।

अन्य पिछड़े वर्ग
(Other Backward Classes)

सन् 1950 के भारतीय संविधान के भाग-16 तथा उपबन्धों के कुछ अन्य प्रावधानों में 'पिछड़े वर्ग' अथवा अनुसूचित जाति, अनुसूचित जनजाति के साथ 'अन्य पिछड़े वर्ग' शब्द का प्रयोग किया गया है। पिछड़े वर्ग में अनुसूचित जाति, अनुसूचित जनजाति, भूमिहीन कृषक, श्रमिक, सीमान्त कृषक आदि को सम्मिलित किया गया है, जबकि अन्य पिछड़े वर्ग में सामान्यतः उच्च, मध्यम और निम्न श्रेणी की कुछ जातियों को सम्मिलित किया गया है, जो आर्थिक, शैक्षणिक दृष्टि से काफी पिछड़ी हैं। इसके अतिरिक्त राज्य सरकारों ने सरकारी सेवाओं में कुछ आरक्षण की भी व्यवस्था की है, जैसे—राजस्थान राज्य में अन्य पिछड़े वर्ग के लिए 27 प्रतिशत आरक्षण किया गया है।

पिछड़े वर्ग का अर्थ एवं परिभाषा
(Meaning and Definition of Backward Classes)

पिछड़े वर्ग की सामान्यतः कोई स्पष्ट परिभाषा नहीं है। 'पिछड़े वर्ग' का सर्वप्रथम प्रयोग 1917-18 में किया गया। 1934 में मद्रास में पहली बार 'पिछड़े वर्ग संघ' की स्थापना की गई, जिसमें 100 से अधिक जातियाँ सम्मिलित थीं। सन् 1937 में ट्रावनकोर राज्य ने उन सभी समुदायों के लिए 'पिछड़े समुदाय' शब्द का प्रयोग किया जो आर्थिक और शैक्षणिक दृष्टि से पिछड़े हुए थे। सन् 1950 में पहली बार अखिल भारतीय स्तर पर 'अखिल भारतीय पिछड़ा वर्ग महासंघ' गठित किया गया। इसके बाद कई राज्यों में पिछड़े वर्ग से सम्बन्धित आयोग गठित किए तथा राज्यवार सूची जारी की गई।

डिक्शनरी ऑफ पोलिटिक्स के अनुसार "पिछड़े वर्गों का अभिप्राय समाज के उन वर्गों से है जो सामाजिक, आर्थिक तथा शैक्षणिक निर्योग्यताओं के कारण समाज के अन्य वर्गों की तुलना में निम्न स्तर पर हो।"

प्रो. आन्द्रे बेतेई ने "कृषि कार्य करने वाली जातियों को पिछड़ा वर्ग" कहा है।[5]

भारतीय संविधान में पिछड़े वर्ग के लिए सामाजिक तथा शैक्षणिक पिछड़ेपन को आधार माना गया है, लेकिन अलग-अलग राज्यों में पिछड़ेपन के भिन्न-भिन्न आधार हैं। अतः 'पिछड़ेपन' का निर्धारण करने का हमारे पास अभी तक कोई अखिल भारतीय मानदण्ड नहीं है। पिछड़े वर्ग में उन सभी जातियों तथा समूहों को सम्मिलित किया गया है जो शिक्षा, व्यवसाय, आर्थिक स्तर, राजकीय सेवाओं आदि में उच्च वर्गों से पीछे है।

सारांश में 'पिछड़ा वर्ग' समाज का वह वर्ग है, जो सामाजिक, आर्थिक तथा शैक्षणिक दृष्ट से पिछड़ा हुआ है, जो मुख्यतः कृषि द्वारा जीवनयापन करता है। इसमें प्रायः वे जातियाँ सम्मिलित की गई हैं जो अछूतों से उच्च एवं ब्राह्मणों से निम्न समझी जाती हैं। पिछड़ापन व्यक्ति का नहीं बल्कि समूह का लक्षण है। मण्डल आयोग (1982) ने पिछड़ेपन के तीन आधार निश्चित किए थे—सामाजिक, आर्थिक और शैक्षणिक।

पिछड़े वर्गों के आन्दोलन (Movements of Backward Classes)

पिछड़े वर्गों द्वारा अपनी सामाजिक, आर्थिक, सांस्कृतिक तथा शैक्षणिक स्थिति सुधारने एवं जातीय संस्तरण में अपनी स्थिति उच्च बनाने की दृष्टि से तथा भारतीय राजनीति में लाभ प्राप्त करने के उद्देश्य से देश के विभिन्न भागों में समय-समय पर आन्दोलन किए गए, लेकिन इन आन्दोलनों का प्रमुख केन्द्र दक्षिणी भारत रहा है।

सन् 1873 में माली जाति के ज्योतिराव फूले ने बम्बई में 'सत्य शोधक समाज' की स्थापना की। इस समाज द्वारा संचालित आन्दोलनों में भाग लेने वाली जातियाँ प्रमुखतः तेली, कुनबी, माली, सती थीं। ज्योतिराव फुले ने ब्राह्मणों के विरुद्ध एक सशक्त आन्दोलन चलाया। इसके अतिरिक्त इन्होंने स्त्री मुक्ति एवं शिक्षा, महिला सुधार, अनाथालय, लोगों में शिक्षा प्रसार आदि के लिए भी कार्य किया। ज्योतिराव फूले ने सांस्कृतिक हिन्दूवाल का

विरोध किया। अतः उनके आन्दोलन को सांस्कृतिक क्रान्ति भी कहा जाता है। ज्योतिराव फूले का आन्दोलन ब्राह्मण विरोधी था। अतः ब्राह्मणों ने इस आन्दोलन का विरोध किया। धीरे-धीरे यह आन्दोलन दक्षिण के अन्य राज्यों में भी फैल गया तथा कामा, रेड्डी, बेलाला, जैसी मध्यम श्रेणी की जातियों ने भी संगठित होकर ब्राह्मणों का विरोध किया। इसी आन्दोलन के फलस्वरूप 1949 में अन्नादुराई 'द्रविण मुनेत्र कड़गम' तथा 1970 में एम.जी. रामचन्द्रन ने 'अखिल भारतीय द्रविण मुन्नेत्र कड़गम' की स्थापना की। ये दोनों राजनीतिक दल ब्राह्मण विरोधी थे।

केरल राज्य में इजावृह जाति में 'श्री नारायणधर्मपालन' नामक एक सुधारवादी आन्दोलन चला, जिसमें गैर ब्राह्मण जातियों के उत्थान का प्रयास किया गया। इस आन्दोलन में इजावृह, नारायण एवं अन्य पिछड़े वर्गों को स्कूलों, राजकीय सेवाओं एवं मन्दिरों में प्रवेश तथा सड़कों के उपयोग एवं राजनीतिक प्रतिनिधित्व दिलाने का प्रयत्न किया।

पिछड़े वर्गों के आन्दोलन प्रायः ब्राह्मण विरोधी रहे हैं। इसका प्रमुख कारण प्राचीनकाल से भारतीय जाति व्यवस्था में ब्राह्मणों की स्थिति सर्वोच्च रही है। अंगेजी काल में भी उन्होंने पश्चिमी शिक्षा ग्रहण करके सरकार में उच्च पदों को प्राप्त किया और सामाजिक, आर्थिक एवं राजनीतिक शक्ति तथा विशेषाधिकार भी प्राप्त किए। अपनी स्थिति को उच्च बनाए रखने के लिए उन्होंने अन्य वर्गों को कई सुविधाओं से वंचित करते हुए उन पर कई तरह की निर्योग्यताएँ लाद दीं। इन सभी परिस्थिस्तियों से पिछड़े वर्गों की आकांक्षाएँ एवं कुण्ठाएँ उनके प्रति बढ़ती रहीं, जिनके कारण पिछड़े वर्गों के आन्दोलन ब्राह्मण विरोधी रहे हैं।

पिछड़े वर्गों में अधिकांशतः कृषक जातियाँ आती हैं, जो संख्या में अधिक होने के कारण, ग्रामीण क्षेत्रों में राजनीतिक दृष्टि से सशक्त होने के कारण प्रभु जातियाँ (Dominant Caste) कहलाती है। इन जातियों ने ग्रामीण विकास कार्यक्रमों, पंचायती राज संस्थाओं का अधिकतम लाभ उठाया है जिनसे इनकी आर्थिक स्थिति सुधरी है। इन जातियों ने राजनीतिक चेतना के रूप में अखिल भारतीय तथा अखिल राज्य स्तर पर अनेक संगठन बनाए हैं तथा राजनैतिक लाभ भी उठाया है, जैसे—बिहार में कुर्मी एवं यादव जातियाँ, उत्तर प्रदेश में अहीर, जाट और गुर्जर जातियाँ, राजस्थान में जाट, गुर्जर जातियाँ।

पिछड़े वर्गों की प्रमुख समस्याएँ (Main Problems of Backward Classes)

पिछड़े वर्गों के अन्तर्गत अनेक जातियाँ सम्मिलित हैं, अतः उनकी समस्याएँ भी विभिन्न प्रकार की हैं, लेकिन फिर भी सामान्य रूप से उनकी प्रमुख समस्याएँ निम्नलिखित हैं—

(1) पिछड़े वर्ग के लोग शैक्षणिक दृष्टि से काफी पिछड़े हुए हैं। इसके अतिरिक्त इनका शिक्षा स्तर और प्रतिशत काफी निम्न है।

(2) राजकीय सेवाओं के विभिन्न पदों पर अन्य जातियों की तुलना में इनका प्रतिनिधित्व काफी कम है।

(3) पिछड़े वर्ग के लोगों की आर्थिक स्थिति निम्न होने के कारण ये लोग गरीबी, बेकारी और ऋणग्रस्तता की समस्या से पीड़ित हैं।

(4) जाति व्यवस्था में पिछड़े वर्ग की निम्न स्थिति होने के कारण उच्च जाति के लोग इनसे बेगार होते हैं तथा इनके कई लोग बन्धुआ मजदूर के रूप में भी जीवन व्यतीत कर रहे हैं।

(5) पिछड़े वर्ग के लोग रूढ़िवादी होने के कारण कई सामाजिक समस्याओं से ग्रस्त हैं, जैसे—बाल विवाह, विधवा विवाह आदि।

(6) पिछड़े वर्ग के लोगों की आर्थिक स्थिति निम्न होने के कारण ये आवास तथा कृषि योग्य भूमि का अभाव जैसी समस्याओं से भी ग्रसित हैं।

पिछड़े वर्गों की समस्याओं के समाधान हेतु उपाय (Efforts to Solve the Backward Class Problems)

पिछड़े वर्गों की समस्याओं के निदान हेतु समय-समय पर आन्दोलन किए गए हैं। इनके अतिरिक्त केन्द्र और राज्य पर पिछड़े वर्गों की समस्याओं हेतु निम्न उपाय किए गए हैं—

(1) 29 जनवरी, 1965 में काका कालेलकर आयोग गठित किया गया। जिसमें जातीय आधार पर पिछड़े वर्गों की सूची तैयार करने की बात कही गई, लेकिन केन्द्र सरकार ने जाति को अस्वीकार करते हुए आय व व्यवसाय के आधार पर सूचियाँ तैयार करने की बात कही। केन्द्र सरकार ने स्वयं सूचियाँ तैयार करने के लिए मना कर दिया और राज्य सरकारों से सूचियाँ तैयार करने के लिए कहा गया।

(2) 1977 में पिछड़े वर्गों की पहचान करके तथा पिछड़े वर्गों को सरकारी और गैर-सरकारी सेवा में 27 प्रतिशत आरक्षण देने के लिए मण्डल आयोग नियुक्त किया गया। 30 अप्रैल, 1982 को आयोग ने अपनी रिपोर्ट प्रदान की जिसमें पिछड़े वर्गों की पहचान के लिए सामाजिक, आर्थिक और शैक्षणिक मानदण्ड निश्चित किए। आयोग ने सरकारी और गैर सरकारी सेवाओं में 27 प्रतिशत आरक्षण का भी सुझाव दिया। आयोग ने 3,743 जातियों को पिछड़े वर्ग के अन्तर्गत सम्मिलित किया। आयोग की सिफारिशों को सन् 1989 तक केन्द्र में लागू नहीं किया गया, क्योंकि इसके तीव्र विरोध की सम्भावना थी। लेकिन तत्कालीन प्रधानमंत्री विश्वनाथ प्रताप सिंह ने 7 अगस्त, 1990 को सामाजिक न्याय (Social Justice) की वकालत करते हुए पिछड़े वर्ग के लिए 27 प्रतिशत आरक्षण की संसद में घोषणा की। इस घोषणा के प्रतिरोध में देश में जगह-जगह आन्दोलन, हड़ताल, आत्मदाह हुए तथा शिक्षण संस्थाएँ बन्द की गईं।

अक्टूबर 1990 को मण्डल आयोग की सिफारिशों के क्रियान्वयन पर दिल्ली न्यायालय द्वारा स्थगन आदेश जारी किए गए।

तत्कालीन प्रधानमंत्री पी.वी. नरसिंम्हाराब ने आरक्षण सम्बन्धी प्रावधान में संशोधन करके 25 दिसम्बर, 1991 को आर्थिक रूप से पिछड़े लोगों के लिए भी 10 प्रतिशत आरक्षण की व्यवस्था की घोषणा की। उच्चतम न्यायालय ने आरक्षण की इस व्यवस्था पर 16 नवम्बर, 1992 को अपने विचार देते हुए 10 प्रतिशत आरक्षण को निरस्त किया और कहा कि 50 प्रतिशत से ज्यादा आरक्षण नहीं किया जा सकता है, लेकिन 27 प्रतिशत आरक्षण को वैध मानते हुए कहा गया कि इन जातियों में सम्पन्न व्यक्तियों को आरक्षण का लाभ नहीं दिया जाए। इसके अतिरिक्त न्यायालय ने आदेश जारी किया कि 15 मार्च तक एक 'स्थायी निकाय' की स्थापना की जाए, जो अन्य पिछड़े वर्गों को 'सूचियों में शामिल करने के अनुरोध को स्वीकार करे तथा उनकी जाँच करे।

8 सितम्बर, 1993 से केन्द्र सरकार की नौकरियों में 27 प्रतिशत आरक्षण की व्यवस्था लागू कर दी गई है। राज्य स्तर पर इसमें अलग-अलग व्यवस्थाएँ हैं। उत्तर प्रदेश सरकार ने 22 प्रतिशत आरक्षण की व्यवस्था की है।

(3) पिछड़े वर्गों की सुविधा हेतु भूमि सुधार कानून, न्यूनतम मजदूरी कानून, बन्धुआ मजदूर कानून, बन्धुआ मजदूर निवारण कानून बनाया गया।

इस प्रकार देश में पिछड़े वर्गों की समस्याओं हेतु विभिन्न उपाय कर इनके उत्थान के प्रयास किए जा रहे हैं, लेकिन ये प्रयास अभी भी काफी कम हैं तथा प्रभावी ढंग से लागू नहीं हो रहे, जिसके कारण पिछड़े वर्ग के लोग अभी भी विभिन्न प्रकार की समस्याओं से जूझ रहे हैं।

अभ्यास प्रश्न

1. कमजोर वर्ग का आशय स्पष्ट कीजिए।
2. अस्पृश्यता उत्पत्ति एवं निर्योग्यताओं का वर्णन कीजिए।
3. अस्पृश्यता निवारण के सरकारी और गैर सरकारी प्रयासों का विवरण दीजिए।
4. अन्य पिछड़ा वर्ग क्या अभिप्राय है?
5. पिछड़े वर्गों की समस्याएँ और उनका निराकरण बताइए।

संदर्भ

1. Hingorani AT (Ed) My Philosophy of Life by Mahatma Gandhi, p. 146 (Peart Publications Pvt. Bombay) (1961 Edition)
2. K N Sharma, Institutions, networks, and Social change 1974, p. 107
3. Majumdar, D.N. (1958), Races and Cultures of India, Asia Publishing House, Bombay, p. 326
4. Gautam Dharm Sutra, 12-4
5. Andre Beteille, The Backward Classes in Contemporary India, OUP, Delhi, 1992, p. 3

7

महिला एवं अल्पसंख्यक
(Women and Minorities)

महिला
(Women)

वर्षों से कुछ समाजशास्त्री एवं गैर समाजशास्त्री हमारे समाज में स्त्रियों की समस्याओं के मूल्यांकन एवं उनकी प्रस्थिति में आ रहे परिवर्तनों के अध्ययन में प्रयत्नशील रहे हैं। कुछ लेखकों ने जब स्त्रियों के उत्तराधिकार, सार्वजनिक कार्यों में उनकी भागीदारी एवं विवाह में उनकी कानूनी अधिकारों के सन्दर्भ में लिखा है, कुछ अन्य लेखकों ने पुरुषों द्वारा उनके साथ भेदभाव पूर्ण व्यवस्था तथा विद्यमान रीति-रिवाजों के सन्दर्भ में विवेचन किए हैं। वैधानिक दृष्टि से स्त्रियों की स्थिति को ऊँचा उठाने के लिए चाहे कितने ही कदम उठाए गए हैं। व्यावहारिक दृष्टि से उनके साथ भेदभावपूर्ण रवैया, तथा उनका तिरस्कार, अपमान व प्रताड़ना अभी भी जा रही है। अब भी उनका मत जानने के लिए गंभीरता नहीं दर्शाई जाती है, उन्हें पुरुषों के समान नहीं समझा जाता, तथा उनको उचित सम्मान नहीं दिया जाता है।

स्त्री-पुरुष के सम्बन्धों में, सबल व्यक्तित्त्व वाला व्यक्ति ही प्रभावशाली स्थिति प्राप्त करता है। सामान्य रूप से, पुरुष स्त्री पर आधारित संज्ञा देने का अधिकार समझता है, यद्यपि कुछ मामलों में स्त्री भी पुरुष के ऊपर नियंत्रण रखने की स्थिति में रहती है। भारतीय संस्कृति में प्रारम्भ से ही समूह के रूप में स्त्रियों पर पुरुषों ने प्रभुत्व जमाया है और समाज व परिवार में उनकी स्थिति निम्न रखी है। 1930 और 1940 के दशकों में सामाजिक राजनैतिक नेताओं की समानता के लिए प्रतिबद्धता ने भारतीय महिलाओं के उदार समतावादी मूल्यों के लिए किए जा रहे आन्दोलन को प्रभावित किया। स्त्रियों की दशा में इस परिवर्तन के अध्ययन के लिए हम प्राचीन काल से ही प्रारम्भ करेंगे।

भारतीय समाज के विभिन्न कालों में स्त्रियों की बदलती हुई स्थिति
(Shift in the Status of Women in Different Periods of Indian Society)

1. वैदिक काल (Vedic Period)–वैदिक काल में स्त्रियों की स्थिति पर्याप्त सम्मानित थी। स्त्री की स्थिति पुरुष के तुल्य थी; सामाजिक व धार्मिक कार्यक्रमों में स्त्री पुरुष की भाँति भाग लिया करती थी। परिवार में स्त्री का महत्त्वपूर्ण स्थान था। वेद में विवाह संस्कार के समय यह कहा जाता था कि अर्थात् हे नववधू! तू जिस नवीन घर में जाने लगी है वहाँ की तू सम्राज्ञी है। वह राज तेरा है तेरे श्वसुर, देवर, ननद और सास तुझे सम्राज्ञी समझते हुए तेरे राज्य में आनन्दित रहे। इतना ही नहीं वेद में पत्नी के रूप में स्त्री को रानी कहा गया है। इस काल में स्त्री को ऊँची से ऊँची शिक्षा दी जाती थी। इस सन्दर्भ में पी. एन. प्रभु ने लिखा है, "स्त्री को पुरुष के समान शिक्षा दी जाती थी। वह पुरुष के समान और पुरुषों के साथ दार्शनिक वाद-विवादों में हिस्सा लेती थी, पुरुष के समान ही तय किया करती थी। इससे पता चलता है कि आरम्भिक काल के सामाजिक जीवन में स्त्री और पुरुष को समान महत्त्व की स्थिति रखने वाला समझा जाता था।"

2. उत्तर वैदिक काल (Uttar Vedic Period)–यह काल ईसा के 600 वर्ष पूर्व से लेकर 600 वर्ष बाद तक माना जाता है। महाभारत की रचना इसी काल में हुई। इस काल में महिलाओं को सामाजिक व धार्मिक क्षेत्र में सम्मानित अधिकार प्राप्त थे। स्त्री को अर्द्धांगिनी के रूप में स्वीकार किया जाता था और धर्म, अर्थ, काम व मोक्ष की प्राप्ति के लिए स्त्री को आवश्यक समझा जाता था। इस काल से ही स्त्री की स्थिति नीचे गिरना प्रारम्भ हुई, ऐतरेय ब्राह्मण में पुत्री को समस्त कष्टों का कारण बताया।

3. स्मृति काल (Reminiscent Period)–यह काल तीसरी शताब्दी से 11वीं शताब्दी के पूर्वार्द्ध तक माना जाता है। इस काल में स्त्री जाति के इतिहास ने अपना रुख बदला। इसमें स्त्री को हीन दृष्टि से देखा जाने लगा। **मनुस्मृति** में स्पष्ट लिखा है कि "स्त्री की सदैव कड़ी निगरानी रहनी चाहिए, बाल्यावस्था में पिता के संरक्षण में, वृद्धावस्था, में पुत्रों के संरक्षण में।"[1]

इस काल में हिन्दू स्त्री की स्थिति का चित्रण करते हुए प्रो. हॉकिंस ने ठीक ही लिखा है "एक स्त्री का पति, सब गुणों से दूर होने पर भी पूज्य देवता के रूप में मान्य होता है, वही एक मात्र केन्द्र बिन्दु है जिसके चिन्तन में एक स्त्री अपने को बाँधे रहती है। वही उसके जीवन का ताना-बाना है, सब कुछ है।"

4. मध्य काल (Medieval Period)–वैदिक तथा स्मृति काल की अपेक्षा मध्यकाल में स्त्रियों की स्थिति अत्यन्त अमानवीय हो गई। इस काल अमानवीय या खराब स्थिति का प्रमुख कारण मुगल राज्य की स्थापना थी। विचारकों का कथन है कि यद्यपि मध्यकाल में

पूर्वार्द्ध में स्त्री की स्थिति काफी गिर चुकी थी फिर भी अभी ढहते हुए खण्डहरों के मध्य कहीं-कहीं सुन्दर महल खड़े दिखाई दे जाते थे। पर्दा प्रथा, बाल विवाह आदि अनेक कुप्रथाओं का स्त्रियों में सामान्य तौर पर प्रचलन हो गया। बचपन से ही कन्याओं के ऊपर गृहस्थी का भार लादा जाने लगा और कन्या के विवाह की आयु व्यवहारिक तौर पर 8-9 वर्ष हो गई। बाल विवाह के स्वाभाविक परिणाम स्वरूप समाज में बाल विधवाओं का पुनर्विवाह पूर्णरूप से समाप्त हो गया और सती प्रथा व जौहर प्रथा इस काल में चरम सीमा पर पहुँच गई। स्त्रियों की सब प्रकार की स्वाधीनता छीन ली गई और उन्हें जन्म से मृत्यु तक पुरुष के अधीन कर दिया गया।

5. आधुनिक भारत में स्त्रियों की स्थिति (Modern Period)—19वीं शताब्दी के प्रारम्भ में स्त्री की गिरती हुई स्थिति ने फिर पलटा खाया। स्त्री ने अपने अधिकारों को समझा, शिक्षा के क्षेत्र में, राजनैतिक क्षेत्र में तथा आन्दोलनों में भाग लेना शुरू कर दिया। इस शताब्दी में भारतीय स्त्री पर ब्रिटिश स्त्री की स्थिति की स्पष्ट झलक दिखाई देती है। यद्यपि यह परिवर्तन धीरे-धीरे हो रहा था परन्तु स्त्री अपने अधिकारों के बारे में सजग होती जा रही थी। 20वीं शताब्दी ने तो स्त्री की स्थिति में क्रान्तिकारी परिवर्तन ला दिए हैं। सभी क्षेत्रों में पुरुषों के साथ कन्धे से कन्धा मिला कर चल रही है। राजनैतिक, सामाजिक, आर्थिक व शैक्षणिक क्षेत्र में वह पुरुषों से होड़ लगा रही है, उनके बनाए हुए कानूनों व नियमों के प्रति खुले विरोध का वातावरण उत्पन्न कर रही है।

यह सब कुछ जो होता रहा है या हो रहा है समय के प्रवाह के साथ हो रहा है क्योंकि समय के साथ-साथ हमारे रहने-सहने के ढंग, विचार, मत, संस्थाओं, समितियों, परम्पराओं मान्यताओं आदि में परिवर्तन होता रहता है। सच तो यह है कि परिवर्तन समाज का नियम है परिवर्तन से ही समाज में सुधारवादी या असुधारवादी व्यवस्था को बल मिलता है।

इस सबके कहने का अभिप्राय यही है कि आज भारतीय स्त्रियाँ पुरुषों की दासी मात्र नहीं रह गयी है, उनका कार्य क्षेत्र घर चार दीवारी तक सीमित नहीं रह गया वरन् उन्हें पुरुषों की भाँति जीवन के सभी क्षेत्रों में समान अधिकार व सुविधाएँ उपलब्ध हैं।

महिलाओं की सांख्यिकीय स्थिति
(Statistical Status of Women)

2011 की जनगणना के अनुसार देश की कुल जनसंख्या 102.70 करोड़ में 49.57 करोड़ जनसंख्या महिलाओं की है। स्त्री-पुरुष का अनुपात विभिन्न वर्षों में निम्न सारणी द्वारा प्रदर्शित किया गया है।

स्त्री-पुरुष अनुपात

क्र.सं.	जनगणना वर्ष	स्त्री-पुरुष अनुपात (1000 पुरुषों पर महिलाएँ)
1.	1901	972
2.	1911	964
3.	1921	955
4.	1931	950
5.	1941	945
6.	1951	946
7.	1961	941
8.	1971	930
9.	1981	934
10.	1991	927
11.	2001	933
12.	2011	943

स्त्रियों की साक्षरता दर को प्रकट की हुई सारणी

क्र.सं.	वर्ष	व्यक्ति	स्त्रियाँ
1.	1951	18.33	8.86
2.	1961	28.30	75.35
3.	1971	34.45	21.94
4.	1981	43.57	29.76
5.	1991	52.21	39.29
6.	2001	64.48	53.67
7.	2011	74.06	65.46

उपर्युक्त दोनों सारणियों से स्पष्ट होता है कि स्वतन्त्रता प्राप्ति के पश्चात् महिलाओं की साक्षरता दर में वृद्धि तो हुई है लेकिन स्थिति संतोषजनक नहीं है। जबकि जन घनत्व में उतार-चढ़ाव के बावजूद जहाँ 1901 में स्त्री-पुरुष का अनुपात 972 था, किन्तु 2011 में यह घटकर 942 हो गया।

जहाँ तक कामकाजी महिलाओं का प्रश्न है 1991 की जनगणना कमिश्नर की रिपोर्ट के अनुसार शहरों व गाँवों दोनों में ही घर की चारदीवारी से बाहर आकर काम करने वाली महिलाओं की संख्या में उल्लेखनीय वृद्धि हुई है। 1971 की जनगणना के आँकड़ों के अनुसार देश की कुल कार्य शक्ति में 13.0 प्रतिशत महिला श्रमिक थीं। यह प्रतिशत 1981 में 25.89 प्रतिशत और 1991 में 28.57 हो गया (The Hindustan Times, April, 1993) लगभग 80 प्रतिशत महिलाएँ कृषि कार्यों में लगी हैं। केवल 12.0 प्रतिशत स्त्रियाँ ही केन्द्रीय व राज्य प्रशासनिक सेवाओं में और सार्वजनिक प्रतिष्ठानों में लगी हैं। कुल महिला जनसंख्या तथा अवैतनिक श्रमिकों, जो कि 1981 में 20.76 मिलियन से बढ़कर 1991 से 28.27 मिलियन हो गई। 2011 में यह आँकड़ा 25.51% हो गया है।

1979 में फैक्ट्रियों में रोजगार प्राप्त स्त्रियों की संख्या 5.14 लाख थी, खानों में 0.8 लाख तथा वागानों में 4.18 लाख थी।

महिलाओं की समस्याएँ (Problems of Women)

महिलाओं की प्रमुख समस्याओं को निम्नलिखित रूप में प्रस्तुत किया गया है–

(1) **पारिवारिक समस्याएँ (Family Related Problems)**–महिलाओं की पारिवारिक समस्याओं को निम्नलिखित रूप में प्रस्तुत किया जा सकता है–

***(i)* पारिवारिक सामंजस्य की समस्या**–चूंकि पत्नी दूसरे परिवार से आती है अतः उसे अपनी ससुराल में सामंजस्य स्थापित करना पड़ता है। नवव्याहता के लिए पारिवारिक सामंजस्य एक प्रमुख समस्या के रूप में सामने आती है।

***(ii)* घरेलू हिंसा/दुर्व्यवहार**–स्त्रियों के प्रति हिंसा उस शक्ति बल का द्योतक है जो चाहे गुप्त रूप से या प्रकट रूप से स्त्री से कुछ प्राप्त करने के लिए प्रयुक्त हो, जिसे वह अपनी इच्छा से न देना चाहे और जो उसे शारीरिक आघात या भावात्मक आघात या दोनों पहुँचाता हो।

***(iii)* पारिवारिक कार्यों में सदस्यों का असहयोग**–यह देखा जाता है कि घरेलू कार्यों की पूरी जिम्मेदारी एक ही महिला पर होती है। पुरुष सदस्य अथवा वरिष्ठ महिला सदस्य घर का छोटे से छोटा काम करना अपनी शान के खिलाफ समझते हैं।

***(iv)* महिलाओं को पारिवारिक मामलों से दूर रखने की समस्या**–महिलाओं को पारिवारिक समस्याओं व पारिवारिक निर्णयों से दूर रखा जाता है मानो कि वह परिवार के सदस्य ही न हो।

(2) **महिलाओं की सांस्कृतिक समस्या (Cultural Problems of Women)**–प्रत्येक महिला पितृसत्तात्मक समाज में भिन्न सांस्कृतिक पृष्ठभूमियों से ससुराल में प्रवष्टि करती है, अतः सांस्कृतिक मूल्यों के बोध में असमानता होना स्वाभाविक है। ऐसे में महिलाओं को निम्नलिखित समस्याओं का सामना करना पड़ता है।

(*i*) ससुराल की संस्कृति को न समझ पाने की समस्या।

(*ii*) सांस्कृतिक असामंजस्य का उत्पन्न होना।

(*iii*) ससुराल की संस्कृति को समझने में सदस्यों का सहयोग न मिलना।

(3) **महिलाओं की वैवाहिक समस्याओं को प्रदर्शित करने वाली सारणी (Marriage Related Problems of Women)**–मध्य काल से स्त्रियों पर विवाह सम्बन्धी अनेक निर्योग्यताओं व निषेधाधिकार लागू किए गए। इनका कारण चाहे कुछ भी रहा हो वर्तमान भारतीय समाज में यह मात्र कुरीतियाँ बनकर रह गयीं। बाल विवाह, बहुपत्नी विवाह, विधवा विवाह निषेध, सती प्रथा इत्यादि को कानून बनाकर खत्म जरूर कर दिया गया, किन्तु अन्य समस्याएँ जस की तस बनी हैं। प्रमुख वैवाहिक समस्याएँ निम्नलिखित हैं–

(*i*) दहेज सम्बन्धी समस्या–वर्तमान दहेज प्रथा का स्वरूप महिलाओं की हीन स्थिति का परिचायक हो गया है। दहेज की विकराल समस्या के चलते कन्याभ्रूण हत्या, बाल विवाह, बेमेल विवाह इत्यादि सामाजिक कुरीतियाँ जन्म लेती हैं जो आगे चलकर सामाजिक एवं पारिवारिक विघटन का कारण बनती हैं। अप्रत्यक्ष रूप से दहेज, भ्रष्टाचार, ऋणग्रस्तता, अनैतिकता, अपराध मनोव्याधियाँ इत्यादि के लिए भी जिम्मेदार है क्योंकि व्यक्ति दहेज की रकम जुटाने के लिए रिश्वत का आदान-प्रदान करता है। कर्जे लेता है और शादी-विवाह के खर्चे में कमी न रह जाए इसी उधेड़-बुन में फँसकर मानसिक एवं अनेक बीमारियों को निमंत्रण दे देता है।

(*ii*) पति के साथ मत विभिन्नता–महिलाओं के साथ एक प्रमुख समस्या है कि अधिकांश मामलों में पति के साथ मत वैभिन्नता होते हुए भी उसकी बात माननी पड़ती है अथवा उसके एक तरफा निर्णय को स्वीकार करना पड़ता है।

(*iii*) विवाह विच्छेद–आधुनिक औद्योगिक समाजों में महिलाएँ पुरुष से किसी बात से कम नहीं है। चाहे वह शिक्षा हो अथवा कैरियर। वह अपना निर्णय लेने में स्वतन्त्र होती जा रही हैं। महिलाओं की इस आर्थिक स्वतन्त्रता ने पुरुषों के वर्चस्व को चुनौती दी है। वर्तमान युग में भी पुरुष परंपरावादी सोच के कारण इस चुनौती को सहन नहीं कर पाता, इसका परिणाम विवाह विच्छेद के रूप में सामने आता है। पति-पत्नी में अहम के टकराव के कारण विवाह विच्छेद की समस्या उत्पन्न होती है।

(4) महिलाओं की आर्थिक समस्याएँ (Economic Problems of Women)–पारिवारिक सम्पत्ति के मामले में महिलाओं को पुरुषों की भाँति अधिकार व सुविधाएँ प्राप्त हो रही हैं। इस बारे में सबसे पहला अधिनियम 18.74 में विवाहित स्त्रियों की सम्पत्ति सम्बन्धी अधिनियम पारित हुआ इसके बाद दूसरा महत्त्वपूर्ण अधिनियम 1929 में हिन्दू कानून का उत्तराधिकार (संशोधन) अधिनियम पारित हुआ। यह संशोधन मिताक्षरा नियम माननेवालों के लिए था। 1937 में हिन्दू स्त्री का सम्पत्ति पर अधिकार अधिनियम पारित

हुआ। इस अधिनियम के अनुसार दायभाग प्रणाली के अन्तर्गत विधवा स्त्री को लड़ने के बराबर सम्पत्ति में अधिकार देने की व्यवस्था की गई। महिलाओं के आर्थिक या सम्पत्ति के क्षेत्र में अधिकार सम्बन्धी अधिनियम के रूप में हिन्दू उत्तराधिकार अधिनियम, 1956 महत्त्वपूर्ण है। इसमें स्त्री-पुरुष के उत्तराधिकार के भेद दूर करके हिन्दू स्त्री को सम्पत्ति के समान स्वामित्व प्रदान किया गया। लड़के व लड़कियों दोनों को सह अधिकारी माना गया है।

किन्तु उपरोक्त सुधारों के बावजूद महिलाओं को निम्नलिखित आर्थिक समस्याओं का सामना करना पड़ता है–

(*i*) उत्तराधिकार सम्बन्धी समस्या–महिलाओं को अभी भी दोयम दर्जे का माना जाता है। पुरुषों के समान उन्हें उत्तराधिकार देने में अभी भी समाज हिचकिचाता है तर्क यह दिया जाता है कि पैतृक सम्पत्ति में पुत्रियों को दहेज के रूप में हिस्सा मिल जाता है।

(*ii*) निजी सम्पत्ति का अभाव–निजी सम्पत्ति का अभाव महिलाओं की प्रमुख समस्या है। सम्पत्ति से सम्बन्धित सारे अधिकार, पुरुषों के हाथों केन्द्रित रहता है।

(*iii*) घरेलू कार्यों का सही मूल्यांकन–घरेलू महिलाओं के कार्यों का आर्थिक रूप से मूल्यांकन न होना भी एक बड़ी समस्या है, वह जो सुबह 5 से रात 12 बजे तक बिना आराम किए हुए कार्य करती है उसे गैर कामकाजी मानकर उसके कार्यों को उपेक्षा की दृष्टि से देखा जाता है।

(*iv*) स्वेच्छा से धन व्यय करने की स्वतन्त्रता नहीं–महिलाएँ चाहे वह कामकाजी हों अथवा घरेलू किसी भी तरीके के व्यय करने का पूर्ण अधिकार उनके पास नहीं है। वे पुरुष सदस्यों से पूछकर ही किसी भी वस्तु को क्रय कर सकती हैं।

(*v*) परिवार में आर्थिक मामलों में हस्तक्षेप नहीं करने दिया जाता–महिलाओं को आर्थिक मामलों में हस्तक्षेप करने की इजाजत परिवार द्वारा नहीं दी जाती, उनको सिर्फ चूल्हे-चौके से मतलब रखना है, आर्थिक मामलों में पुरुषों का एकाधिकार होता है।

(5) **महिलाओं की शारीरिक स्वास्थ्य सम्बन्धी समस्याएँ (Physical Health Related Problems of Women)**–महिलाओं की शारीरिक एवं स्वास्थ्य सम्बन्धी समस्याएँ समाज में माथे पर एक बदनुमा दाग है। इतनी बड़ी विडम्बना है कि जो महिला सन्तानोत्पत्ति करती है एवं उनका पालन-पोषण करती है, वही कुपोषण का शिकार है। महिलाओं की शारीरिक एवं स्वास्थ्य सम्बन्धी समस्याएँ निम्नलिखित हैं–

(*i*) कुपोषण की समस्या–परम्परागत रूप से महिलाओं से अपेक्षा की जाती है कि वे परिवार के सभी सदस्यों के खाने के पश्चात् अपना भोजन करें, इसका परिणाम यह हुआ कि महिलाओं को अस्वास्थ्यकर एवं अल्पपोषित भोजन मिलने लगे। गर्भावस्था के समय में भी महिलाओं को पर्याप्त पोषक तत्त्व न मिलने के कारण ही उनके स्वास्थ्य पर बुरा प्रभाव पड़ता है।

***(ii)* अत्यधिक श्रम**–महिलाओं को चाहे वह कामकाजी हो या घरेलू दोनों ही पक्षों में उसे अत्यधिक श्रम करना पड़ता है शारीरिक आराम के अभाव के कारण महिलाएँ जल्दी ही बीमारियों से ग्रसित हो जाती हैं।

(6) महिलाओं की शैक्षिक समस्याएँ (Educational Problems of Women)–महिलाओं की प्रमुख शैक्षिक समस्याएँ निम्नलिखित हैं–

***(i)* विवाहोपरान्त शैक्षिक विकास में रुकावट**–अक्सर ऐसा देखा जाता है कि विवाह के पश्चात् रूढ़िवादी सोच के चलते नवव्याहता की पढ़ाई बीच में ही रोक दी जाती है।

***(ii)* शिक्षा विवाहोन्मुखी (घरेलू कार्योन्मुखी)**–लड़कियों की शिक्षा तकनीकी अथवा व्यवसायिक शिक्षा से हटकर विवाहोन्मुखी अथवा घरेलू कार्योन्मुखी होती है। ऐसी शिक्षा प्रदान की जाती है जो कि उन्हें ससुराल में जाने के बाद उनके काम आए। इस क्रम में अनेक प्रतिभाशाली लड़कियों की प्रतिभाओं का दमन किया जाता है।

***(iii)* उच्च शिक्षा प्राप्त करने में हतोत्साहन**–लड़कियों को हाई स्कूल तथा इण्टरमीडिएट तक की शिक्षा दिलाने के बाद उनके लिए वर खोजना शुरू कर देते हैं। आज की ग्रामीण क्षेत्रों में लड़कियों को स्नातक अथवा परास्नातक शिक्षा इसलिए भी नहीं दी जाती क्योंकि तथाकथित समाज के पुरोधाओं द्वारा स्नातक अथवा परास्नातक में पढ़ने वाली लड़की को 'ओवर ऐज' घोषित कर दिया जाता है।

***(iv)* शिक्षा के उपयोग न कर पाने की समस्या**–उच्च शिक्षा प्राप्त की लड़कियाँ विवाह के पश्चात् अपनी शिक्षा का उपयोग समुचित तरीके से नहीं कर पातीं क्योंकि उनको अपने पति के परिवार के साथ सामंजस्य करना होता है। इसके अतिरिक्त विभिन्न पारिवारिक भूमिकाओं का अपनी क्षमताओं के साथ न्याय नहीं कर पाती।

(7) महिलाओं की मनोरंजनात्मक समस्या (Recreational Problems of Women)–जैसा कि पूर्व में उल्लेख किया जा चुका है अत्यधिक कार्य की समस्या घरेलू और कामकाजी महिला दोनों में विद्यमान है, अतः अत्यधिक श्रम के कारण महिलाओं को मनोरंजन के लिए समय नहीं मिला यदि उनको मनोरंजन के लिए समय भी मिल पाता है तो वह परिवार के अन्य सदस्यों की इच्छा के अनुरूप अपना मनोरंजन करने के लिए बाध्य होती है अथवा अस्वस्थ मनोरंजन से ही काम चलाना पड़ता है।

सारांश (Conclusion)

उपर्युक्त वर्णित समस्याओं के अतिरिक्त अन्य समस्याएँ यथा सामाजिक कुरीतियाँ, वेश्यावृत्ति एवं राजनैतिक समस्या प्रमुख है। स्वतन्त्रता उपरान्त महिलाएँ विधायक सांसद, मंत्री, मुख्य मंत्री प्रधानमंत्री व राष्ट्रपति पद पर आसीन भी है। स्पष्ट है कि महिलाओं की राजनैतिक चेतना बढ़ी है किन्तु अब भी वह पुरुषों की अपेक्षा प्रत्येक क्षेत्र में पिछड़ेपन की शिकार है। शिक्षा के क्षेत्र में बालकों की अपेक्षा बालिकाओं की शिक्षा को उपेक्षा की दृष्टि

से देखा जाता है। औसतन प्राथमिक कक्षाओं में 100 बालिकाओं में से 30 बालिकाएँ ही 5वीं कक्षा तक पहुँच पाती हैं। मध्य में ही अध्ययन छोड़ देने के कारण अभिभावों द्वारा बालिकाओं की शिक्षा पर विशेष रुचि न लेना तथा कृषि मजदूर सीमान्त कृषकों तथा अन्य मजदूरी की लालसा से बालिकाओं को शिशुओं की देखभाल के लिए ही घर पर छोड़ देना एक प्रधान कारण है। वास्तव में हमारे देश में पाठ्यक्रम भी बालिकाओं के गृहस्थ जीवन के अनुकूल नहीं है। इसके अतिरिक्त ग्रामीण क्षेत्रों में बालिका विद्यालयों की भी कमी है। किसी हद तक शिक्षक-शिक्षिकाओं का प्राथमिक स्तर पर बालिकाओं की शिक्षा पर स्तरीय शिक्षण का अभाव भी है।

भारतीय महिलाओं/बालिकाओं की अल्प आयु में विवाह की परम्परा उनके समग्र विकास में सबसे बड़ा अवरोध उम्र 13 वर्ष जो 1977 में बढ़कर 17 वर्ष और 1991 के उत्तरार्द्ध में बढ़कर 19 हो गई है। बालिकाओं में अल्पायु में विवाह की वैधानिक प्रतिबद्धता के उपरान्त भी राजस्थान में आरना तीज पर हजारों बच्चियों की शादी कर दी जाती है। यही कारण है कि कम उम्र में ही एक बच्ची बच्चे पैदा करने लगती है और यह प्रक्रिया लम्बे समय तक (औसतन 40 बर्ष आयु तक) चलती रहती है। परिणामस्वरूप एक भारतीय नारी की औसतन 3 से 4 बच्चे आज भी पैदा हो रहे हैं जो स्वाभाविक रूप से जनसंख्या विस्फोट के लिए ही जिम्मेदार हैं। कदाचित विचार कीजिए 45 करोड़ महिलाओं को औसतन यदि 34 बच्चे पैदा होंगे तो इस देश की तमाम प्राकृतिक संसाधन कब तक टिक सकेंगे। यद्यपि परिवार नियोजन कार्यक्रम महिलाओं के इस उत्पादकता को कम करने में यथेष्ट प्रयास कर रही है किन्तु साक्षरता का अभाव निम्न आयु में विवाह की रूढ़िवादिता, गरीबी और अन्य सामाजिक कुरीतियों के कारण आधुनिक 'कन्ट्रासप्टिव मैथड' उतना अधिक प्रभावशाली और कारगर साबित नहीं हो सकता है। 1988-99 के मध्य औसतन 36 प्रतिशत महिलाओं ने ही आधुनिक परिवार नियोजन प्रविधि को अपनाया है। एक अनुमान के अनुसार भारतीय महिलाओं के पुनरुत्पादन काल का 80 प्रतिशत समय केवल जन्म देने और उन्हें पोषित करने में ही व्यतीत होता है। अतः कम आयु में बालिकाओं का विवाह आज भी बहुत बड़ी समस्या बन चुका है। प्रशिक्षित स्वास्थ्य कार्यकर्ताओं के अभाव में ग्रामीण क्षेत्रों तथा गरीब महिलाओं का जीवन प्रसवकाल में सदैव ही जोखिम भरा रहता है। 1983-93 के मध्य उपलब्ध आँकड़ों के अनुसार केवल एक तिहाई भारतीय महिलाओं को प्रसवकाल में प्रशिक्षित स्वास्थ कर्मियों की सेवाएँ प्राप्त होती हैं। कभी-कभी परम्परागत विधि से कराए गए प्रसव से अधिकांश मृत्यु भी हो जाती है। 1990-92 के मध्य तक सर्वेक्षण से पता चलता है कि प्रति लाख प्रसवों में 460 महिलाओं की इसी कारण मृत्यु हो जाती है। भारत में विगत दो दशकों में सार्वजनिक स्वास्थ्य सेवाओं की वृद्धि हुई है किन्तु ये स्वास्थ्य सेवाएँ भारतीय नारी की 57 वर्ष की औसत की मृत्यु दर 72 वर्ष से अधिक पायी जाती है।

विगत दशकों में भारत में लिंगानुपात में असंतुलन लगातार बढ़ रहा है। यह 1951 में 943 का घटकर 1971 में 930 और 1991 में 927, 2001 में 933 हो गया। यूनीसेफ की रिपोर्ट के अनुसार संसार में भारत एक मात्र ऐसा देश है जहाँ लिंगानुपात लगातार घट रहा है, जो चिन्ता का विषय है। एक अध्ययन के अनुसार भारत में प्रति वर्ष 150 लाख बच्चियाँ पैदा होती हैं। इनमें से एक चौथाई कन्याएँ अपना 15वाँ जन्मदिन क्रूर सामाजिक दुष्प्रवृत्तियों के कारण नहीं मना पाती और मरने वाली 7 कन्याओं में से एक बालिका की मृत्यु बलात्कार जैसी जघन्य अपराध वृत्ति के परिणाम स्वरूप होती है।

योजना अयोग द्वारा प्रस्तुत तमाम प्रावधानों के उपरान्त भी भारत में महिलाओं के रोजगार की स्थिति अत्यंत शोचनीय है। 1991 की जनगणनानुसार भारत में 16 प्रतिशत महिलाएँ मुख्य कामगार और 6 प्रतिशत सीमानत कार्यकर्ता के रूप में रोजगारोन्मुख हैं इस 22 प्रतिशत कुल कामकाजी महिलाओं में 79 प्रतिशत महिलाएँ कृषि या इससे सम्बन्धित क्रिया-कलापों में संलग्न हैं। रोजगार मंत्रालय के अनुसार, लगभग 4 प्रतिशत महिलाएँ संगठित क्षेत्र में कार्य कर रही हैं। यद्यपि महिला श्रमिकों का योगदान भारतीय आर्थिक विकास में अत्यन्त महत्त्वपूर्ण है, किन्तु उनको सदैव ही दोयम दर्जा में रखते हुए कम श्रम मूल्य ही प्रदान किया जाता है।

दहेज प्रथा जैसी सामाजिक कुरीति से युवतियों द्वारा की गई अन्य हत्या उनको जलाए जाने के समाचार प्रतिदिन के समाचार-पत्रों में पढ़ते हैं। एक अनुमान के अनुसार हमारे देश में प्रतिदिन 17 नव विवाहिताएँ अपनी जीवन लीला समाप्त कर लेती हैं। सती प्रथा जैसी सामाजिक कुरीति से अभी हम जैसे-तैसे उभर पाए हैं कि इस सामाजिक कुरीति से महिलाओं के वर्चस्व को समाप्त करने में अपनी कोई ताकत नहीं छोड़ रखी है। यद्यपि 73वें और 74 वें संविधान संशोधन के साथ नारी को कहीं ज्यादा अधिकार, शिक्षण, रोजगार एवं राजनीति के क्षेत्रों में अनेक अवसर प्रदान किए गए हैं। किन्तु सामाजिक चिन्तन की रूढ़िवादिता से अभी भी उनके हाथ बँधे हुए हैं। महिला खटती रहती है। वह जो धोबी, मेहतरानी, रसोइयाँ, आया, इत्यादि की भूमिकाएँ बिना किसी शिकायत के निभाती है उस महिला को गैर-कामकाजी की संज्ञा दी जाती है। इससे बढ़कर महिलाओं के साथ क्या बिडम्बना हो सकती है।

स्वतन्त्रता प्राप्ति के पश्चात महिलाओं की स्थिति

(Status of Women Post-Independence)

स्वतन्त्रता प्राप्ति के पश्चात स्त्रियों की प्रस्थिति में परिवर्तन और गति आई क्योंकि कुछ नये कानून लागू किए गए (विशेष विवाह अधिनियम 1054, हिन्दू विवाह अधिनियम 1955, हिन्दू उत्तराधिकार अधिनियम, 1956 और दहेज, विरोधी अधिनियम, 1961)। स्त्रियों के रोजगार से सम्बन्ध कानून या फैक्ट्री अधिनियम, 1948 में प्रावधान, कर्मचारी

राज्य बीमा अधिनियम 1948, और प्रसूति सुविधा अधिनियम, शिक्षा का प्रभाव, शिक्षित अभिजात वर्ग की स्त्रियों द्वारा नेतृत्व प्रदान किया जाना, रोजगार के बढ़ते अवसर, जातिप्रथा की कठोरताओं में परिवर्तन आदि। महिलापरक कार्यक्रमों में तालमेल की आवश्यकता और कमजोर वर्ग के प्रति राष्ट्रीय नीति की आवश्यकता महसूस की जाने लगी है। विभिन्न क्षेत्रों में स्त्रियों के अधिकार की रक्षा के लिए उपाय बताने के लिए राज्य एवं केन्द्र सरकार द्वारा अनेक आयोग नियुक्त किए गए हैं। जनवरी 1992 में महिलाओं के लिए राष्ट्रीय आयोग की स्त्रियों से सम्बन्धित मामलों को देखने के लिए, स्त्रियों के प्रस्थिति के विषय में जाँच के लिए विभिन्न कानूनों का परीक्षण करने के लिए, उनकी कमियों को इंगित करने, स्त्रियों के विरुद्ध हिंसा एवं भेदभाव किए जाने के कारणों का मूल्यांकन करने के लिए और सम्भव उपाय बताने के लिए निर्देशित किया गया था। संक्षेप में स्वतन्त्रता के उपरान्त सभी विकास दर में सामाजिक व कानून दोनों ही मामलों में सकारात्मक परिवर्तन हुए।

आज भारत में स्त्रियों की जो स्थिति देखने को मिल रही है, वह महिला आन्दोलनों और सरकारी प्रयासों का सम्मिलित प्रतिफल है। आज स्त्री की स्थिति पर्याप्त सम्मानित है और उसे जीवन के सभी क्षेत्रों में कानूनी दृष्टि से पुरुष की भाँति समानता प्राप्त हो चुकी है। कानून की दृष्टि से पूर्ण समानता मिलने के बावजूद आज भी अधिकांश भारतीय महिलाएँ सामाजिक प्रतिबन्धों व निर्योग्यताओं में जकड़ी हुई हैं। सच तो यह है कि कानून बना देने से ही समस्या का हल नहीं होता, समस्या का हल तो नये मूल्यों व व्यवस्थाओं को व्यवहार में लाने से होता है। कहने का अभिप्राय यह है कि अपने तो नये मूल्यों व व्यवस्थाओं को व्यवहार में लाने से होता है। कहने का अभिप्राय यह है कि अपने देश भारत में स्त्रियों की स्थिति के सम्बन्ध में सिद्धान्त कुछ और है और वास्तविकता कुछ और। संभवतया इसी तथ्य को दृष्टिगत रखते हुए कतिपय विचारकों ने कहा है, "मध्यकाल की दशा अधिकांश महिलाओं में अब भी बनी हुई है।" यह तो निश्चित रूप से नहीं कहा जा सकता है कि भारत में स्त्रियों का जितना शोषण हुआ उतना संसार में कहीं नहीं हुआ, परन्तु यह अवश्य माना जाएगा कि भारत का खूब शोषण हुआ और शोषण का यह क्रम पम्परागत रूप में कम या अधिक मात्रा में आज तक चलता चला आ रहा है। आज भी कन्या के जन्म पर बहुत से हिन्दू लोग शोक मनाते हैं। सामान्यतया प्रत्येक परिवार में कन्या के उत्पन्न होने पर उतनी प्रसन्नता नहीं होती जितनी कि पुत्र के उत्पन्न होने पर व्यक्त की जाती है। भोजन, वस्त्र, शिक्षा आदि मामलों में लड़कियों को लड़कों के समान महत्त्व प्रदान नहीं किया जाता। इस सन्दर्भ में बिहार विद्या परिषद की सदस्यता तथा अन्तराष्ट्रीय समाजवादी युवक संगठन की एक मात्र सदस्यता श्रीमती कमला सिन्हा ने ठीक ही कहा है, सीता सावित्री का आदर्श आज भी है। हमारे यहाँ आज भी हमारे परिवारों में ऐसा माना जाता है कि लड़कियाँ किसी की अमानत होती हैं, हम सिर्फ उसे पाल-पोस कर उचित शिक्षा-दीक्षा देकर एक उम्र विशेष तक पहुँचा देने के अधिकारी हैं। बदले में लड़की से कोई अपेक्षा नहीं रखते।"

विभिन्न कालों में स्त्री की बदलती हुई स्थिति को निम्न ग्राफ के माध्यम से प्रदर्शित किया गया है।

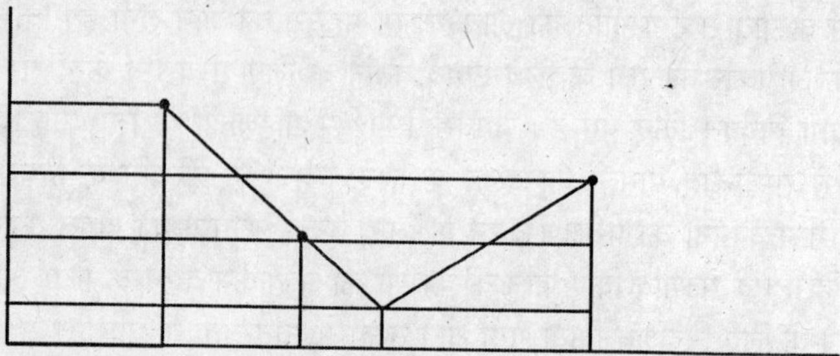

इस ग्राफ से यही स्पष्ट होता है कि भारत में स्त्री की स्थिति में मध्यकाल से पर्याप्त सुधार हुआ है, लेकिन आज भी स्त्री की स्थिति वैदिक काल के स्तर तक नहीं पहुँच पायी है। इसलिए स्त्रियों को समाज में उनका उचित स्थान दिलाने के लिए सभी को प्रयास करना होगा। समाज के एक बड़े वर्ग (स्त्री जाति) को पीछे धकेल कर सामाजिक प्रगति को प्राप्त करना संभव नहीं है। इसीलिए मानवीय व व्यवहारिक दोनों ही दृष्टिकोणों से स्त्री की स्थिति को ऊँचा उठाना ही होगा। इसके लिए शासकों, प्रशासकों, समाज सुधारकों, नेताओं आदि सभी को मिलजुल कर काम करना होगा। सामाजिक अन्धविश्वासों और रूढ़िवादिता को दूर फेंकना होगा, नवीन आस्थाओं व विश्वासों को जन्म देना होगा और धीरे-धीरे सदैव से उपेक्षित स्त्री जाति को व्यवहारिक तौर पर समान अधिकार व सुविधाओं को उपलब्ध कराना होगा। यह तो भविष्य ही बतलाएगा कि भारत में स्त्री का भविष्य क्या होगा, लेकिन इतना निश्चित है कि भारत में स्त्री का भविष्य आज से कहीं बेहतर होगा।

महिलाओं की समस्याओं के समाधान हेतु किए गए प्रयत्न
(Efforts to Solve Problems of Women)

महिलाओं की सामाजिक स्थिति को परिवर्तित करने वाले कारक निम्नलिखित हैं–

हिन्दू स्त्रियों की समस्या के समाधान हेतु प्रयत्न
(Efforts to Solve Problems of Hindu Women)

1. संवैधानिक व्यवस्था (Constitutional Provision)

समय-समय पर हिन्दू स्त्रियों की स्थिति सुधार हेतु अधिनियम पारित किए गए, जो निम्न प्रकार हैं–

(*i*) हिन्दू विवाहित स्त्रियों के पृथक निवास निर्वाह व्यय अधिनियम 1949–भारत सरकार ने 23 अप्रैल, 1949 को इस कानून को पारित किया। इस कानून के द्वारा भारतीय

नारी की स्थिति में अत्यधिक सुधार हुआ। इस अधिनियम के पूर्व भारतीय हिन्दू स्त्री को पतिव्रत धर्म के नाम पर अनेक अत्याचार सहने पड़ते थे। अपमानित जीवन व्यतीत करना पड़ता था। पति को बहुपत्नी विवाह की छूट थी जिससे उसे मौत के दुर्व्यवहार का कष्ट सहना पड़ता था। परन्तु इस कानून के अन्तर्गत स्त्री अपने पति से अलग रहकर निम्न अवस्थाओं में अपने गुजारे के लिए माँग कर सकती है।

(*ii*) हिन्दू विवाह अधिनियम 1955–इस कानून द्वारा हिन्दू पुरुष स्त्रियों के वैवाहिक तथा दाम्पत्य अधिकारों में (Marital Conjugal Right) पूरी समानता लायी गई है। स्त्री और पुरुष के अधिकारों की विषमता को समाप्त कर दिया गया है। पति तब तक बहुविवाह नहीं कर सकता जब तक पहली पत्नी की मृत्यु न हो गई हो। इस कानून की सबसे महत्त्वपूर्ण व्यवस्था दूसरा विवाह (Bigamy) अथवा बहुविवाह (Polygamy) को समाप्त कर एक विवाह (Monogamy) के एक नियम की व्यवस्था है। दूसरी व्यवस्था तलाक के अधिकारों की है। तलाक के लिए कुछ अवस्थाओं का निर्धारण कर दिया गया है।

(*iii*) हिन्दू उत्तराधिकार अधिनियम 1959–इस कानून द्वारा पुत्र-पुत्री के अधिकारों को समान माना गया है, और उसके बीच की विषमता को समाप्त कर दिया गया है। सम्पत्ति के अधिकारों में अब सभी समान हैं। इसके पूर्व असमानता दो प्रकार की थी। पहले स्थान से पैतृक सम्पत्ति के उत्तराधिकारी केवल पुरुष ही होते थे, स्त्री नहीं। पुत्रियों को अपने पिता की सम्पत्ति से वंचित रखा जाता था, परन्तु अब पुत्री हो अथवा पुत्र सभी का पैतृक सम्पत्ति में समान अधिकार है। दूसरे स्थान पर विधवाओं का अपनी सम्पत्ति पर सीमित अधिकार होता था। वह अपनी सम्पत्ति को अपनी इच्छा के अनुसार न तो बेच सकती थी और न गिरवी रख सकती थी, और न दान में ही दे सकती थीं। परन्तु उसे इस अधिनियम के द्वारा अपनी सम्पत्ति का पूर्ण अधिकार मिल गया है।

(*iv*) हिन्दू दत्तक पुत्र ग्रहण तथा निर्वाह व्यय अधिनियम 1959–गोद लेने की प्रथा प्राचीन है। हिन्दुओं का विश्वास है कि बिना पुत्र के सद्‌गति प्राप्त नहीं हो सकती। पुत्रहीन मृतक को पिण्डदान नहीं प्राप्त हो सकता है। अतः पुत्रहीन व्यक्ति किसी सम्बन्धी के पुत्र को अपना दत्तक पुत्र बना लेते हैं। इस प्रथा में पहले अनेक बुराइयाँ थीं, पति अपनी पत्नी की इच्छा के बिना ही गोद ले लिया करते थे परन्तु अब कानूनी दृष्टि से पत्नी की सहमति अनिवार्य है।

(*v*) हिन्दू अल्पवयस्कता एवं अभिभावकता अधिनियम 1959–इस अधिनियम के द्वारा नाबालिग बच्चों को सुरक्षा प्रदान की गई है। इसके पूर्व अल्पवयस्क बच्चों की स्थिति बड़ी सोचनीय थी। माता-पिता के बीच अलगाव होने पर पिता बच्चों को अपने साथ रखता था। इस प्रकार माता का बच्चे पर कोई अधिकार नहीं रह जाता था। जो एक घोर अन्याय

था। इस स्थिति को सुधारने के लिए सन् 1956 ई. में इस अधिनियम को पारित किया गया।

मुस्लिम स्त्रियों की समस्या के समाधान हेतु प्रयत्न (Efforts to Solve Problems of Muslim Women)

मुस्लिम समाज परम्परावादी है तथा धार्मिक कट्टरता में विश्वास करता है। मुस्लिम के जीवन के सभी क्षेत्रों का संचालन कुरान के नियमों के आधार पर होता है। यही कारण है कि नवीन परिवर्तनों के बावजूद भी मुस्लिम स्त्रियों की सामाजिक स्थिति को ऊँचा उठाने एवं समस्याओं के समाधान हेतु दो अधिनियम पारित हुए।

(*i*) मुस्लिम शरीयत अधिनियम 1931, (*ii*) मुस्लिम विवाह विच्छेद अधिनियम, 1939। शरीयत अधिनियम मुस्लिम स्त्री को पति के नपुंसक होने और उसके द्वारा पत्नी पर झूठा व्यभिचार का दोषारोपण करने तथा इला व जिहर के आधार पर तलाक की छूट देता है। मुस्लिम विवाह विच्छेद अधिनियम मुस्लिम स्त्री को निम्नांकित आधारों पर तलाक देने की छूट देता है, जैसे पति-पत्नी का भरण-पोषण करने में अयोग्य हो। सात साल से अधिक की सजा पाया हो, नपुंसक, यौन रोगी, कुष्ठ रोगी, पागल, क्रूरता पूर्ण व्यवहार करने वाला हो, पत्नी के धार्मिक कार्यों को बाधित करता हो, एकाधिक पत्नियाँ होने पर किसी पत्नी को ज्यादा अथवा किसी पत्नी को कम वरीयता दे।

2. सामाजिक सुधार आन्दोलन (Social Upliftment Movement)

समाज में स्त्रियों की इस जागृति के कारण निम्न हैं–

(*i*) पाश्चात्य सभ्यता का प्रभाव–शिक्षा तथा अन्य साधनों से भारतीय स्त्रियों पर पाश्चात्य सभ्यता के व्यक्तिवाद, उदारवाद, बुद्धिवाद तथा धर्म निरपेक्षता का भारी प्रभाव पड़ा है जिससे उनकी धर्म भीरूता समाप्त हुई और उन्होंने एक व्यक्ति के रूप में बुद्धि पूर्वक अपने भूत, वर्तमान और भविष्य के बारे में सोचा। उनमें समाज की रूढ़ियों, रीति-रिवाजों और परम्पराओं के विरुद्ध विद्रोह उत्पन्न हुआ।

(*ii*) समाज सुधार–स्त्रियों की इस जागृति में ईश्वरचन्द्र विद्या सागर, हरविलास शारदा, स्वामी दयानन्द, राममोहन राय, केश व चन्द्र सेन, एनी बेसेन्ट आदि समाज सुधारकों के प्रयत्न का बड़ा हाथ है। समाज सुधारकों के प्रयत्नों के बाल विवाह, विधवा-विवाह निषेध, सती प्रथा आदि का उन्मूलन हो सका और समाज में स्त्रियों के अधिकारों के प्रति पर्याप्त जागृति फैली।

(*iii*) राजनैतिक आन्दोलन–भारत के राजनैतिक आन्दोलन में महिलाओं का कम महत्त्वपूर्ण स्थान नहीं है। राजनैतिक आन्दोलनों में स्त्रियों ने भी पुरुषों के साथ कन्धे से कन्धा मिलाकर काम किया। इससे उनका दृष्टिकोण बदला और सम्मान बढ़ा। स्वतन्त्रता

प्राप्ति के पश्चात् तो इस दिशा में विशेष ध्यान दिया गया। भारतीय सरकार ने अनेक अधिनियम पारित किए और इन अधिनियमों के फलस्वरूप अब स्त्री को जीवन के सभी क्षेत्रों में पुरुष के समान सुविधाएँ व अधिकार उपलब्ध हैं।

(*iv*) **शिक्षा**–आधुनिक शिक्षा का स्त्रियों की प्रगति में सबसे बड़ा हाथ है। इसमें वे कला, विज्ञान इत्यादि सभी क्षेत्रों में योग्यता प्राप्त करके आगे बढ़ी हैं। उनमें समानता और स्वतन्त्रता के आदर्श फैले हैं। **के.एम कपाड़िया** लिखते हैं–"स्त्रियों की उच्च शिक्षा ने विवाह और परिवारों के आदर्शों तथा रिवाजों को गम्भीर रूप से प्रभावित किया है।"

स्पष्ट है कि स्त्रियों द्वारा जीवन के सिद्धान्तों का पुनः परीक्षण एक स्वाभाविक व न टाली जा सकने वाली प्रक्रिया है। यह ठीक ही है क्योंकि प्रत्येक क्रिया में प्रतिक्रिया निहित रहती है। मध्यकाल में स्त्रियों का जो शोषण हुआ उसी की प्रतिक्रिया स्वरूप नवीन परिस्थितियों में स्त्रियों में अपने अधिकारों व सुविधाओं के प्रति जागृति उत्पन्न हुई। इतना ही नहीं स्त्रियों ने अपने अधिकारों व सुविधाओं के लिए आन्दोलन किया और पुरुष समाज द्वारा बनाए गए जीवन के एक तरफा सिद्धान्तों को कुरेदना शुरू कर दिया और छानबीन या परीक्षण के बाद प्रचलित सिद्धान्तों को थोथा पाया। सच तो यह है कि इस प्रतिक्रिया के फलस्वरूप महिलाओं द्वारा बनाए गए जीवन के सिद्धान्तों का पुनः परीक्षण समाज के लिए एक बड़ी चुनौती बन गया। यह चुनौती काल्पनिक नहीं रही वरन् वास्तविक साबित हुई। इस चुनौती ने वास्तविक आधार पर स्त्री को नया जीवन प्रदान किया और उसे धीरे-धीरे पुरुष के समान अधिकारों व सुविधाओं से युक्त किया। कुछ भी हो, आज भारत में स्त्रियों की जो स्थिति है वह अनेक क्रियाओं व प्रतिक्रियाओं का ही परिणाम है।

3. महिलाओं की उन्नति के लिए सरकार द्वारा किए गए प्रयत्न
(Efforts by the Government for Progressed Women)

सन् 2001 की जनगणनानुसार भारत में महिलाओं की संख्या 49.87 करोड़ है जो देश की कुल आबादी (एक अरब दो करोड़ 70 लाख) का 48.2 प्रतिशत है। महिलाओं के सामाजिक आर्थिक उत्थान तथा अधिकारिता के लिए विभाग द्वारा महिलाओं में संबंधित निम्नलिखित कार्यक्रमों पर कार्यान्वयन किया जा रहा है।

(*i*) **रोजगार तथा प्रशिक्षण के लिए सहायता देने का कार्यक्रम**–महिलाओं को रोजगार और प्रशिक्षण के लिए सहायता देने का कार्यक्रम (स्टेप) 1989-87 में केन्द्रीय क्षेत्र की योजनाओं के रूप में शुरू किया गया। इसका उद्देश्य परंपरागत क्षेत्रों में महिलाओं के कौशल में सुधार तथा परियोजना के आधार पर रोजगार उपलब्ध कराकर महिलाओं की स्थिति में महत्त्वपूर्ण सुधार लाना है।

(*ii*) **स्वावलंबन योजना**–स्वावलंबन कार्यक्रम जिसे पहले महिला आर्थिक कार्यक्रम के नाम से जाना जाता था, 1982-83 में समूचे प्रदेश में शुरू किया गया। इस कार्यक्रम का

उद्देश्य महिलाओं को परंपरागत और गैर परंपरागत व्यवसायों का प्रशिक्षण और कौशल उपलब्ध कराकर उन्हें टिकाऊ आधार पर रोजगार या स्वरोजगार प्राप्त करने में मदद करना है।

(*iii*) **स्वयंसिद्ध योजना**–स्वयंसिद्ध महिलाओं के विकास और सशक्तीकरण की समन्वित योजना है। यह महिलाओं का स्व-सहायता समूहों में संगठित करने पर आधारित है और इसमें सेवाओं के समन्वय तथा अल्प ऋण उपलब्ध कराने और बहुत छोटे उपक्रमों को बढ़ावा देने पर जोर दिया जाता है।

(*iv*) **स्व-शक्ति योजना**–ग्रामीण महिलाओं के विकास की स्वशक्ति नामक केन्द्र प्रायोजित यह परियोजना विश्व बैंक और अन्तर्राष्ट्रीय कृषि विकास कोष के सहयोग में संचालित की जाती है।

(*v*) **महिला शिक्षा के लिए कंडेस्ड पाठ्यक्रम योजना**–इस कार्यक्रम पर अमल केन्द्रीय समाज कल्याण बोर्ड द्वारा किया जाता है। इसका उद्देश्य शिक्षा तथा उचित हुनर उपलब्ध कराकर महिलाओं को सामाजिक तथा आर्थिक अधिकारिता उपलब्ध करना है। यह कार्यक्रम मुख्य रूप से ऐसे व्यक्तियों के लिए तैयार किया गया है जो स्कूली शिक्षा बीच में ही छोड़ देते हैं या अनुत्तीर्ण हो जाते हैं। यह योजना 15 वर्ष तथा इससे अधिक उम्र की महिलाओं के लिए है।

(*vi*) **स्वाधार योजना**–कठिन परिस्थितियों में पड़ने वाली महिलाओं के लाभ के लिए विभाग ने वर्ष 2001-02 में केन्द्रीय क्षेत्र में एक नई योजना स्वाधार शुरू की है। यह योजना निम्नलिखित महिलाओं के लिए हैं–घर विहीन विधवाएँ, जिनके परिवार वालों ने उन्हें वृन्दावन, काशी आदि धार्मिक स्थानों पर बेसहारा छोड़ दिया है, जेल से रिहा की गई महिला कैदी, जिसे परिवार का सहारा नहीं है, प्राकृतिक आपदा की शिकार ऐसी महिलाएँ जो बेघर हैं और उनके पास कोई सामाजिक तथा आर्थिक सहारा नहीं है। वेश्यालयों या अन्य स्थानों से भागी महिलाएँ/लड़कियाँ जिनके परिवार वालों ने उन्हें वापस लेने से मना कर दिया है आतंकवाद की शिकार महिलाएँ, जिन्हें परिवार का सहारा नहीं है तथा जिनके पास जीने के लिए आर्थिक जरिया नहीं हैं।

(*vii*) **महिला सशक्तिकरण की राष्ट्रीय नीति**–सरकार द्वारा 20 मार्च, 2001 को लागू की गई महिला सशक्तीकरण की राष्ट्रीय नीति का उद्देश्य महिलाओं की प्रगति, विकास और सशक्तीकरण सुनिश्चित करना और महिलाओं के साथ हर तरह का भेदभाव समाप्त कर यह सुनिश्चित करना है कि वे जीवन के हर क्षेत्र और गतिविधि में खुलकर भागीदारी करें।

(*viii*) **महिलाओं और बच्चों का अवैध व्यापार रोकने की पहल**–यही कारण है कि विभाग ने इसे एक बड़ी चुनौती माना है। उसने इससे निपटने के लिए अनैतिक व्यापार

अधिनियम, 1989 बनाया है। महिला एवं बाल विकास विभाग ने महिलाओं तथा बच्चों के अवैध व्यापार और उत्पीड़न से निपटने के लिए 1998 में राष्ट्रीय कारवाई योजना बनाई है। इसका उद्देश्य दुराचार की शिकार महिलाओं तथा बच्चों को फिर से समाज की मुख्य धारा से जोड़ना है।

(*ix*) अनैतिक व्यापार (निवारण) अधिनियम में संशोधन योजना–विभाग ने अनैतिक व्यापार अधिनियम 1959 में संशोधन का प्रस्ताव् किया है जिसका उद्देश्य है इसका कार्य क्षेत्र बढ़ाना, अवैध व्यापार के रोकने के लिए इसे अधिक प्रभावी तरीके की लागू करना और इस धंधे में लगे लोगों के लिए ज्यादा कड़ी सजा का प्रावधान करना। यह अधिनियम इस समस्या से निपटने का प्रमुख कानून है।

(*x*) राष्ट्रीय महिला आयोग योजना–यह सांविधिक संस्था राष्ट्रीय महिला आयोग अधिनियम 1990 के तहत गठित की गई है। यह संविधान तथा अन्य कानूनों के अन्तर्गत महिलाओं की सुरक्षा से संबद्ध प्रावधानों की समीक्षा करती है। यह महिलाओं की शिकायतों को दूर करने के लिए याचिकाएँ स्वीकार करती है और महिलाओं की प्रगति के लिए अनुसंधान कार्य करती है। आयोग के सदस्य जेलों और रिमांड होम आदि के मुआयना करते हैं। यह आयोग महिलाओं से संबंधित विषयों/मुद्दों के बारे में सम्मेलन, सभाएँ आदि आयोजित करके जागरुकता बढ़ाने में सक्रिय रूप से योगदान करता है। यह पारिवारिक महिला अदालतें भी लगाता है। जिनमें महिलाओं से संबंधित अनेक विवादों को हल किया जाता है।

राष्ट्रीय महिला कोष–समितियाँ पंजीकरण अधिनियम, 1960 के तहत 30 मार्च 1993 को गणित इस संस्था का लक्ष्य गरीब महिलाओं को उनके सामाजिक, आर्थिक उत्थान के लिए ऋण सुविधा उपलब्ध कराना है। यह ऋण गैर सरकारी संगठनों, महिला विकास निगमों महिला सरकार समितियों, स्वसहायता समूहों तथा उपयुक्त राज्य सरकार एजेंसियों के माध्यम से दिया जाता है। राष्ट्रीय महिला कोष इन संगठनों को 8 प्रतिशत की दर से ऋण देता है।

इस्लाम में स्त्रियों की प्रस्थिति

(Situation of Women in Islam)

इस्लाम धर्म के अनुसार विवाह के लिए लड़की की स्वीकृति आवश्यक है। लड़की को विवाह-विच्छेद के वैधानिक अधिकार भी मिल गए हैं। सन् 1939 से पहले मुख्य रूप से पुरुषों को ही तलाक का अधिकार था।

आर्थिक दृष्टिकोण से परिवार की सम्पत्ति में मुसलमान स्त्रियों को काफी महत्त्वपूर्ण अधिकार मिले हुए हैं। उनके सम्पत्ति के अधिकार पुरुषों के समानपूर्ण हैं। वे अपनी सम्पत्ति

का पूर्णरूप से उपभोग कर सकती है। सामान्य रूप से उन्हें अपने समान स्तर वाले पुरुष से आधा उत्तराधिकार मिलता है। उत्तराधिकार की कमी दो बातों से पूरी हो जाती हैं– (*i*) एक पत्नी अपने पति से मेहर लेने का अधिकार रखती है (*ii*) उसे पति से भरण-पोषण पाने का अधिकार है। माँ, पत्नी और लड़की को हमेशा उत्तराधिकारियों के होने या न होने पर निर्भर करता है। पत्नी का हिस्सा 1/4 और 1/8 के बीच में होता है। यह हिस्सा बच्चों के होने या न होने पर निर्भर करता है। लड़की को 1/2 हिस्सा मिल जाता है। यदि एक लड़की का कोई भाई भी जिन्दा है तो अन्य हिस्सेदारों के हिस्से से बचे भाग के साथ 1/2 के अनुपात में हिस्सा मिलता है। विवाह के एक बाद एक स्त्री के अपनी व्यक्तिगत सम्पत्ति के अधिकार समाप्त नहीं होते। माता-पिता से एक लड़की को जो दहेज मिलता है, उस पर उसका पूर्ण अधिकार होता है। उसकी अपनी कमाई भी स्वतन्त्र रूप से उसके हाथ में रहती है। वह अपनी सम्पत्ति का 1/3 हिस्सा बेच सकती है और सारी सम्पत्ति दान में दे सकती है। इसके लिए पति की सहमति आवश्यक नहीं है।

उपर्युक्त विवेचन से स्पष्ट है कि इस्लाम धर्म में स्त्रियों को हिन्दू स्त्रियों के मुकाबले में संतोषजनक अधिकार मिले हुए हैं, पर वास्तविकता यह है अधिकतर मुसलमान स्त्रियाँ इन कानूनी अधिकारों का उपयोग नहीं कर पाती। हिन्दुओं की सामाजिक परिस्थिति के प्रभाव के कारण मुस्लिम स्त्रियों की प्रस्थिति भी अत्यन्त नीची हो गई है। पुरुषों ने स्त्रियों के सारे अधिकारों को छीन लिया है। वे अपनी पत्नियों की सम्पत्ति पर प्रभुता जमाए हुए हैं और उसका स्वेच्छापूर्वक उपभोग करते हैं। स्त्रियाँ अपने अधिकारों को माँगने का साहस नहीं कर पातीं।

जब भारत में स्त्रियों की प्रस्थिति के उत्थान के लिए आन्दोलन प्रारम्भ हुए तो अन्य समुदायों की भाँति मुसलमान स्त्रियाँ आगे बढ़ पाईं। हिन्दुओं में आर्य समाज और ब्रह्म समाज जैसे धार्मिक आन्दोलन हुए तथा हिन्दुओं ने मुस्लिम की अपेक्षा पाश्चात्य शिक्षा को अधिक संख्या में ग्रहण किया और हिन्दुओं में स्त्रियों पर धार्मिक दृष्टि से मुस्लिम के समान कठोर नियंत्रण भी नहीं थे। फलतः हिन्दू स्त्रियों का उत्थान काफी सरल रहा। वर मूल्य प्रथा की वजह से हिन्दुओं में लड़की के विवाह की आयु स्वतः अधिक होती चली गई। इसके अलावा मध्य श्रेणी के पेशों और व्यवसायों में हिन्दुओं की संख्या अधिक रही। मध्यम श्रेणी व्यक्तियों में नये सामाजिक मूल्यों का काफी प्रसार हुआ। चूंकि मुसल में इस प्रकार के परिवर्तन नहीं हुए इसलिए मुस्लिमों में स्त्रियों की पर्दा प्रथा की दृढ़ता और अशिक्षा बनी रही है। अब भी मुसलमान स्त्रियों में शिक्षा का प्रचार बहुत कम है और बहुत कम मुसलमान स्त्रियाँ स्वतन्त्र पेशों और व्यवसायों में काम कर रही हैं। जब तक मुस्लिम स्त्रियों में शिक्षा का प्रचार न होगा तब तक उनका उत्थान सम्भव नहीं है। कानूनी दृष्टिकोण से पहले हिन्दु स्त्रियों ने मुसलमान स्त्रियों की अपेक्षा बहुत कम अधिकारों का उपभोग किया, पर अब वास्तविकता यह है कि हिन्दू स्त्रियों का उत्थान मुसलमान स्त्रियों से कहीं अधिक हो गया है।

सिक्खों में स्त्रियों की स्थिति (Situation of Women in Sikhs)

सिक्खों के धर्म ग्रन्थों के अनुसार स्त्रियों को पुरुषों के समान अधिकार प्राप्त हैं। हिन्दुओं की तरह पत्नी पति का आधा अंग है। उसे परिवार में समानतापूर्ण स्थान प्राप्त है। व्यावहारिक रूप में हिन्दुओं की अपेक्षा सिक्खों की स्त्रियों को अधिक स्वतन्त्रता है। पर्दा प्रथा कठोर नहीं है। स्त्रियाँ बाजार हाट जाती हैं। धार्मिक कार्यों में पुरुषों के समान भाग लेती हैं। कानून की दृष्टि से वे हिन्दू स्त्रियों के समकक्ष हैं।

अन्त में हम कहना चाहेंगे कि सिक्ख, हिन्दू समाज की तुलना में ज्यादा संगठित और व्यवहारिक सिद्धान्तों पर आधारित है। यद्यपि सिक्ख समाज हिन्दू समाज का अंग ही है, किन्तु यह हिन्दू समाज की अनेक रूढ़ियों, कुप्रथाओं और मिथ्या धारणाओं से मुक्त है।

जैनियों में स्त्रियों की स्थिति (Situation of Women in Jains)

जैनियों के धर्म ग्रन्थ में स्त्रियों की अच्छी दृष्टि से नहीं देखते हैं। वे नारी निर्णय को बाधा मानते हैं, उसकी तुलना स्वर्ण जड़ित कटार से करते हैं। व्यवहार भाष्य में कहा गया है कि जिस नगर में स्त्रियाँ शक्तिशालिनी होती हैं, वह निश्चित रूप से संकट ग्रस्त हो जाता है। उत्तराध्ययन के अनुसार स्त्रियाँ अस्थिर चित्त की होती हैं। वे पुरुषों को प्रलोभित करके उनके साथ दासों का व्यवहार करती हैं। उनकी अस्थिर बुद्धि के कारण उन्हें कुछ धर्म ग्रन्थों में पढ़ने का निषेध है। कल्पसूत्र में शतवर्षीय स्त्री की तुलना में नये दीक्षित भिक्षु को वन्दनीय माना गया है। यह भी कहा गया कि स्त्री स्वयं मोक्ष नहीं प्राप्त कर सकती है। मोक्ष के लिए उसे पुरुष को जन्म देना होगा। महावीर स्वामी ने स्त्री को 22 बाधाओं में से एक बाधा माना है और भिक्षुओं के लिए पूर्णतया त्याज्य कहा है।

जैन-धर्म में पुरुषों की अपेक्षा स्त्रियों को हीन स्थान दिया गया है। कहा जाता है कि जैनियों के प्रमुख तीर्थकार ऋषभदेव ने पुरुषों को 72 कलाएँ सिखाई थीं और स्त्रियों को 74। अधिकांशतः स्त्रियों को घर गृहस्थी तक सीमित रहने का आदेश दिया गया है।

कहीं-कहीं जैन स्त्रियों की अच्छी स्थिति के भी प्रमाण मिलते हैं। अनेक स्त्रियों धर्म प्रचारक, धर्मोपदेशक और शिक्षक भी हुईं। उन्होंने अपने तप, त्याग और ज्ञान से समाज में उच्च स्थान प्राप्त किया, किन्तु अन्त में यह भी कहा जाता है कि जैन और बौद्ध धर्म का पतन मुख्य रूप से स्त्रियों के भिक्षु संघों में प्रवेश होने के कारण हुआ। अतः बाद में स्त्रियों की स्वतन्त्रता सीमित कर दी गई।

जैन स्त्रियों के सामाजिक और कानूनी अधिकारों के सम्बन्ध में विशेष रूप से 'भद्रबाहु संहिता' में मिलता है, लेकिन यह संहिता हिन्दुओं के याज्ञवलक्य विज्ञानेश्वर के मतों से मिलती-जुलती है। तात्पर्य यह है कि जैन धर्म शास्त्रों ने स्त्रियों की स्थिति हिन्दू धर्म

ग्रन्थों से विशेष भिन्न नहीं रखी है। कुछ बातें ऐसी अवश्य हैं, जहाँ जैन स्त्री हिन्दू स्त्री से अधिक सुरक्षित है।

हिन्दुओं के 'मिताक्षरा' नियम के अनुसार किसी व्यक्ति के मरने पर उसका लड़का उसकी सम्पत्ति का उत्तराधिकारी होता है, किन्तु जैन कानून के अनुसार पुत्र की अपेक्षा विधवा को प्रधानता दी गई है। 'भद्रबाहु संहिता' में स्पष्ट कहा गया है कि पुत्र हो या न हो विधवा को अपने पति की तरह समस्त अधिकार प्राप्त हैं। यदि किसी विधवा के वयस्क पुत्र हैं, तो विधवा के पति की सम्पत्ति में समान भाग प्राप्त होगा और उसे स्वतन्त्रता होगी कि वह अपने भाग को किसी भी प्रकार से खर्च करें। इस प्रकार हम देखते हैं कि हिन्दू स्त्रियों की तुलना जैन स्त्रियों की स्थिति केवल उत्तराधिकार दृष्टि से कुछ अच्छी है।

वर्तमान समय में हिन्दू और जैनियों की स्त्रियों की स्थिति समान है। यद्यपि उनमें आधुनिक विचारों, शिक्षा, सभ्यता का प्रसार हो रहा है, किन्तु उनमें अभी पूर्ण चेतना नहीं आई है। अधिकांश स्त्रियाँ घर गृहस्थी तक ही सीमित हैं। इसका मुख्य कारण यह है कि जैनियों में अधिकांश लोग व्यापारी हैं। भारत का अधिकांश व्यापारी वर्ग कम शिक्षित और रूढ़िवादी है। उसमें नये के प्रति आकर्षण नहीं है। अल्पसंख्यक होने के कारण उनमें प्राचीन संस्कृति के नष्ट होने का भय है। फलतः वे पुरानी मान्यताओं से आबद्ध हैं। फिर भी परिवर्तन की प्रक्रिया मन्द गति से अपना कार्य कर रही है।

बौद्धों में स्त्रियों की स्थिति (Situation of Women in Buddhism)

बुद्ध स्त्रियों को अपने धर्म में कोई स्थान नहीं देना चाहते थे, किन्तु शिष्यों के अनुरोध पर उन्होंने स्त्रियों को भिक्षुणी बनने की अनुमति दे दी थी। बाद में जो भ्रष्टाचार बढ़ा उसे देखकर उन्होंने अपने शिष्य आनन्द से कहा था, "आनन्द! मैंने जो धर्म चलाया था, वह पाँच हजार वर्ष तक टिकने वाला था, लेकिन अब वह केवल पाँच सौ वर्ष चलेगा, क्योंकि हमने स्त्रियों को संघ में प्रविष्ट होने की आज्ञा दे दी है।" बुद्ध के बाद स्त्रियों को बुद्ध धर्म में पर्याप्त स्थान व्यभिचार का साधन बना दिया और स्त्रियों की स्थिति बहुत हीन कर दी। प्राचीन बौद्ध साहित्य में विदुषी भिक्षुणियों को आचार्य पक्ष पर प्रतिष्ठित किया गया है। उनकी बड़ी प्रशंसा की गई है किन्तु उन्हें गृहस्थ धर्म, परिवार धर्म और मातृत्व धर्म से वंचित होकर यह स्थान मिला फिर तो नारी-नारी कहा रही।

आजकल बुद्ध धर्म हिन्दू धर्म का अंग बन गया है। भारत में जो लोग बौद्ध धर्मावलम्बी हैं। वे बहुत पुराने नहीं हैं। अतः उनके सामाजिक आचार-विचार, संस्कार, हिन्दुओं के हैं। वे लोग बहुसंख्यक हिन्दुओं के बीच में ही रहते भी हैं। फलतः इनके समाज में जो स्त्रियाँ हैं। उनकी स्थिति भी हिन्दू स्त्रियों की-सी है।।

अल्पसंख्यक
(Minorities)

भारतीय समाज की एक अन्यतम विशेषता सांस्कृतिक विविधता है, क्योंकि यहाँ विभिन्न धर्मों, सम्प्रदायों, जातियों, प्रजातियों और भाषाओं से सम्बन्धित लोग पाये जाते हैं। भारत में हिन्दू और हिन्दी की प्रधानता है, शेष को अल्पसंख्यक माना जाता है। 1991 की जनगणनानुसार भारत की कुल जनसंख्या में हिन्दू 82.41 प्रतिशत, मुसलमान 11.67 प्रतिशत, ईसाई 2.32 प्रतिशत, सिख 1.99 प्रतिशत, बौद्ध 0.77 प्रतिशत, जैन 0.41 प्रतिशत और अन्य 0.4 प्रतिशत थे। सामान्यतः 'अल्पसंख्यक' का आशय उस समूह से हैं, जो धर्म, जाति और भाषा की दृष्टि से बहुसंख्यक समुदाय से भिन्न और संख्या में कम हों। भारतीय संविधान में यद्यपि 'अल्पसंख्यक' शब्द को प्रयुक्त तो किया गया है, किन्तु उसकी कोई स्पष्ट परिभाषा नहीं दी गयी है। स्पष्ट है कि अल्पसंख्यकों को प्रान्त और देश के सन्दर्भ में भाषाई अल्पसंख्यक और जनजातीय अल्पसंख्यक लगभग सभी देशों में धर्म व भाषा के आधार पर ही अल्पसंख्यक समूहों को मान्यता दी जाती है, ताकि वे अपने धर्मों, संस्कृति और भाषा को जीवित रख सकें। उनका प्रचार-प्रसार कर सकें, जिससे बहुसंख्यक के साथ उनका विलय न हो पाए तथा वे अपनी विशिष्टता को सुरक्षित रख सकें।

1. मुस्लिम अल्पसंख्यक (Muslim Minorities)

वर्तमान में यह अल्पसंख्यकों का सबसे बड़ा समुदाय है, जिसकी संख्या 1661 में 11.67 प्रतिशत थी। भारत में एक लम्बे समय तक मुसलमानों का शासन रहा, अतः उनके संरक्षण की कोई समस्या न थी। हिन्दुओं और मुसलमानों के प्रति 'फूट डालो और राज करो' की नीति को अपनाकर 1857 के बाद से अंग्रेजों ने निर्विघ्न शासन करना शुरू किया। 1906 में स्थापित मुस्लिम लीग और इसके नेतृत्व के कारण अगस्त, 1947 में देश का विभाजन कर पाकिस्तान और भारत का निर्माण किया गया। पाकिस्तान के निर्माण के बाद भी एक बड़ी संख्या में मुसलमान भारत में ही रह गए। प्रजातंत्र की स्थापना और बहुमत के आधार पर जनप्रतिनिधियों के चुनने से अल्पसंख्यक मुसलमान को यह आशंका हुई कि बहुसंख्यक हिन्दू उनके हितों की अनदेखी करेंगे, जिससे वे खतरे में पड़ जाएँगे। यह भय निरर्थक था; क्योंकि कानून द्वारा देश के सभी लोगों को समानता, स्वतन्त्रता और न्याय प्राप्त करने के अधिकार दिए गए हैं। मुसलमान भी भारत के सामाजिक, आर्थिक, सांस्कृतिक, राजनीतिक, सैनिक, प्रशासनिक और न्यायिक जीवन में सक्रिय भाग ले रहे हैं। देश के अत्यन्त उच्च और महत्त्वपूर्ण पदों पर मौलाना आजाद, डॉ. जाकिर हुसैन, फखरुद्दीन अली अहमद, रफी अहमद किदवई, अली अहमद, हिदायतुल्ला, अली यावरजंग तथा ए.पी.जे. अब्दुल कलाम प्रतिष्ठित रहे हैं, फिर भी मुसलमानों को अनेक शिकायतें और समस्याएँ रही हैं। यथा–

1. विधान मण्डलों और प्रशासनिक सेवाओं को लेकर मुसलमानों में यह असन्तोष पाया जाता रहा है कि इसमें उनको उचित प्रतिनिधित्व नहीं मिला है। संसद की 545 सीटों पर उनका प्रतिनिधित्व कम से कम 62 तो होना ही चाहिए।
2. मेरठ, अहमदाबाद, रांची, जबलपुर, भिवानी, इन्दौर, मुरादाबाद, अलीगढ़, मुम्बई आदि अनेक स्थानों पर हुए धार्मिक दंगों के कारण मुसलमान में बहुसंख्यक सम्प्रदाय के विरुद्ध असुरक्षा और विद्वेष की भावना विकसित हुयी है।
3. समय-समय पर मुसलमानों ने उत्तर प्रदेश, मध्य प्रदेश एवं बिहार में उर्दू भाषा को राजभाषा का दरजा दिए जाने की मांग की है।
4. सन् 1995 में भारत सरकार ने एक अध्यादेश के द्वारा अलीगढ़ मुस्लिम विश्वविद्यालय के संगठन और कार्य-प्रणाली में सुधार लाना चाहा, तो मुसलमानों ने इसका विरोध किया, क्योंकि वे इसके अल्पसंख्यक स्वरूप को बनाए रखना चाहते हैं।
5. संविधान में स्पष्ट कहा गया है कि देश के सभी नागरिकों के लिए एक ही 'सिविल कोड' होगा, किन्तु मुसलमानों के अनुसार इसे मुस्लिम शरीयत का विरोध बताया जाता है।
6. मुसलमानों की एक अन्य समस्या यह भी है कि उचित समन्वय न होने के कारण उनमें आदर्श शून्यता/विसंगति की स्थिति उत्पन्न हो गयी है।

2. ईसाई अल्पसंख्यक (Christian Minorities)

मुसलमानों के बाद सबसे बड़ा अल्पसंख्यक ईसाई समुदाय है जिसका प्रतिशत 1991 की जनगणनानुसार 2.32 प्रतिशत था। देश के अधिकांश ईसाई यहाँ के मूल निवासी हैं, जो ब्रिटिश शासन और ईसाई मिशनरियों के कारण ईसाई बन गए थे। केरल, दक्षिणी एवं पूर्वी भारत में इनकी संख्या सबसे अधिक है। ईसाईयों का अपना कोई राजनीतिक दल नहीं है, उन्होंने राजनीति की अपेक्षा स्वयं को धार्मिक, शैक्षणिक और सामाजिक कार्यों में लिप्त रखा है। अंग्रेजों के भारत से चले जाने के समय उन्होंने अपने संरक्षण और सुरक्षा को लेकर यूरोप में बसने की इच्छा प्रकट की थी। अब ईसाइयों की निष्ठा एवं राष्ट्रीय वफादारी को लेकर शंका की जाने लगी है, क्योंकि उन्होंने लालच और बल के आधार पर हिन्दुओं को ईसाई बनाया है। ईसाइयों के सर्वोच्च धर्म नेता (पोप) ने भी ऐसी ही बातें रखी हैं। माना जाता है कि अनेक दशकों से हिन्दुओं को ईसाई बनाने के लिए करोड़ों रुपया विदेशों से आता है। मणिपुर, असम, नागालैण्ड और मेघालय आदि राज्यों में ईसाइयों की संख्या उत्तरोत्तर बढ़ी है। ईसाइयों के प्रति शंका का कारण यह भी है कि ईसाई धर्म स्वीकार करने वाली जनजातियों ने पृथकतावादी और विघटनकारी आन्दोलनों को जन्म दिया। हिन्दुओं तथा अन्य लोगों के हृदय में धर्म परिवर्तन की शंका तथा भय को पैदा किया। स्पष्ट है कि ईसाइयों ने भारतीय समाज में राष्ट्र निर्माण और एकीकरण की समस्या उत्पन्न की है।

3. सिख अल्पसंख्यक (Sikh Minorities)

सन् 1991 की जनगणनानुसार देश में सिखों की संख्या 1.63 करोड़, 1.96 प्रतिशत थी। स्वतन्त्रयोपरान्त सिखों ने अकाली दल के आन्दोलनों के अन्तर्गत 'पंजाबी सूबे' की मांग की तथा यह भी कहा कि सिखों की भाषा व संस्कृति के आधार पर उनके लिए एक पृथक राज्य का निर्माण होना चाहिए। सन् 1997 में पंजाब को बाँटकर हरियाणा और पंजाब राज्यों का निर्माण हुआ, जिससे नवगठित पंजाब में सिखों की जनसंख्या 61 प्रतिशत हो गयी। सिखों को केन्द्रीय मंत्रिमण्डल, संसद, विधानसभा, सेना, पुलिस प्रशासन में पर्याप्त प्रतिनिधित्व देने पर भी उन्होंने एक पृथक राज्य 'खालिस्तान' की मांग है तथा आतंकवाद के माध्यम से सरकार और बहुसंख्यक वर्ग को भयभीत करने का प्रयास भी किया है। आनन्दपुर साहिब में आयोजित सम्मेलन में पृथक राज्य की मांग को देश-विदेश में रहने वाले अनेक सिखों का समर्थन भी मिलता रहा है। आतंकवादी गतिविधियों को नियंत्रित करने के लिए केन्द्र सरकार को अमृतसर के 'स्वर्ण मंदिर' पर दो बार सैनिक कार्यवाही तक करनी पड़ी, जिसका बदला श्रीमती इन्दिरा गाँधी को मारकर लिया गया। जुलाई, 1985 में केन्द्र सरकार तथा अकाली दल के बीच पंजाब की इस समस्या को हल करने के लिए और सिख समाज के घावों को भरने और टूट गए सम्बन्धों को फिर से जोड़ने के लिए एक समझौता किया गया, लेकिन वह भी इस समस्या का पूर्ण समाधान करने में सफल नहीं हो सका है।

अल्पसंख्यकों की समस्याओं का समाधान
(Resolution of Problems of Minorities)

भारत सरकार द्वारा धार्मिक और भाषायी अल्पसंख्यकों की शिकायतों/समस्याओं को हल करने के उद्देश्यवश अनेक प्रयास किए गए हैं। संविधान में अल्पसंख्यकों के हितों के संरक्षण और रक्षा के लिए अनेक प्रावधान किए गए हैं। सवैधानिक प्रावधानों को लागू करने, उनका पुनरावलोकन करने हेतु सरकार द्वारा अनेक आयोगों और विशिष्ट अधिकारियों की भी नियुक्ति की गई है। 15 जनवरी, 1978 को केन्द्र सरकार के देश भर में धार्मिक और भाषायी अल्पसंख्यकों के लिए एक 'अल्पसंख्यक आयोग' की नियुक्ति की है, जिसका एक अध्यक्ष और सदस्यों का चुनाव अल्पसंख्यक समुदाय से ही किया जाता है। यह आयोग अन्य कार्यों के साथ-साथ संविधान में किए गए संरक्षण प्रावधानों का मूल्यांकन करने, उन्हें प्रभावपूर्ण ढंग से लागू करने, शिकायतों की सुनवाई करने, शोध और सर्वेक्षण करने और अल्पसंख्यकों के कल्याणार्थ समय-समय पर सूचना देने का कार्य भी करता है। केन्द्र सरकार ने सन् 1983 में पृथक रूप से 'अल्पसंख्यक प्रकोष्ठ' भी स्थापित किया गया है। भाषायी अल्पसंख्यकों को दिए प्रावधानों के विषय में जाँच-पड़ताल करता है, उनसे सम्बन्धित शिकायतें सुनकर उन्हें दूर करने का प्रयत्न करता है। किन्तु इतने प्रयासों के बाद भी भारत के अल्पसंख्यकों की अनेक शिकायतें हैं, जिसका समाधान यही है कि धर्म को राजनीति से अलग ही रखा जाए।

अभ्यास प्रश्न

1. भारतीय समाज में स्त्रियों की बदलती स्थिति का वर्णन कीजिए।
2. महिलाओं की समस्याओं पर प्रकाश डालिए।
3. महिलाओं के सशक्तिकरण हेतु संवैधानिक प्रावधानों और सुधार आंदोलनों का उल्लेख कीजिए।
4. अल्पसंख्यक को परिभाषित कीजिए।

संदर्भ

1. The Laws of Manu, edited by Max Mullar, p. 195

8

भारतीय जनसंख्या की रूपरेखा
(Indian Population Profile)

भारत बहुजातीय, बहुधर्मी, बहुभाषी देश है। कश्मीर से लेकर कन्या कुमारी तक भारत में विभिन्नताएँ बिखरी पड़ी हैं। इन विभिन्नताओं का अध्ययन करने के लिए हमें जनसांख्यिकी के अध्ययन की आवश्यकता पड़ती है। समाज की सभी महत्त्वपूर्ण प्रक्रियाएँ तभी समझी जा सकती हैं जब वहाँ की जनसंख्या सम्बन्धित संरचना को समझ लिया जाए। किसी जनसंख्या संबंधित रचना को समझने के लिए भारत सरकार द्वारा प्रत्येक दस वर्षों में जनगणना करायी जाती है। भारत की जनगणना की शुरुआत एल्टन मेयो द्वारा 1872 में सर्वप्रथम करायी गयी, तत्पश्चात् 1881 से यह प्रक्रिया बदस्तूर जारी है। भारत की जनसंख्या का अध्ययन करने से पूर्व यह जानना आवश्यक है कि जनसांख्यिकी वस्तुतः है क्या?

'जनसांख्यकी' शब्द लैटिन शब्द 'डेमोस' से लिया गया है, जिसका अर्थ होता है– लोग। इस तरह जनसांख्यिकी जनसंख्या का विज्ञान है। एक ओर, जनसांख्यिकी आकार, संरचना, लक्षणों, मानव आबादी में परिवर्तन और क्षेत्रीय वितरण से सम्बन्धित मात्रात्मक अध्ययन है। दूसरी ओर यह जनसंख्या विकास के अर्न्तनिहित कारणों अथवा निर्धारक तत्त्वों से भी सम्बन्धित है। यह जनसंख्या घटक और परिस्थितियाँ साथ ही उनमें जैवकीय सामाजिक, आर्थिक और राजनीतिक विन्यास के सन्दर्भ में आए परिवर्तनों की व्याख्या करने का प्रयास करता है। सामाजिक जनसांख्यिकी, जनसंख्या घटक को मुख्यतः सामाजिक स्तर पर देखता है। जनसांख्यिकी अथवा जनांकिकी शब्द का सर्वप्रथम प्रयोग गुईलार्ड ने किया किन्तु विधिवत रूप से जनसांख्यिकी के अध्ययन का शुभारम्भ 1892 में जान ग्रान्ट के द्वारा हुआ। जनांकिकी के पिता मालथस ने अपने सिद्धान्त (सन् 1798 ई.) द्वारा यह प्रमाणित किया कि जितनी तेजी से जनसंख्या बढ़ती है उसी अनुपात में उत्पादन नहीं बढ़ता इसलिए जनसंख्या की वृद्धि प्रत्यक्ष और प्रतिरोधात्मक उपायों द्वारा नियंत्रित होती रहती है। यदि

जनसंख्या न रोकी गई तो प्रकृति उसको स्वयं रोकेगी और तब दुख और विपत्तियों का सामना करना पड़ेगा। मार्क्स ने माल्थस के सिद्धान्त को स्वीकार करते हुए बताया कि मनुष्य की जैविकीय शक्तियों के कारण जनसंख्या वृद्धि की समस्या कोई समस्या नहीं है। बल्कि पूंजीवादी उत्पादन पद्धति के कारण प्रतीत होती है। पूँजीवादी व्यवस्था में अतिरिक्त उत्पादन लाभ के रूप में कुछ लोगों के हाथ में एकत्रित हो जाता है। और बहुत ही बड़ी जनसंख्या साधन विहीन हो जाती है। केनन ने अनुकूलतम जनसंख्या का सिद्धान्त प्रस्तावित किया। बदलते उत्पादन तकनीकों के अनुसार जनसंख्या का संक्रमण सिद्धान्त। (टामसन और नेटस्टीन) द्वारा प्रस्तुत किया गया। इस सिद्धान्त के अनुसार विकासशील देशों में न्यून उत्पादन, कृषि पर अधिक निर्भरता, उत्पादन की पुरानी तकनीक, स्वास्थ्य के साधनों के अभाव के कारण जन्म और मुत्यु दरें ऊँची होती हैं। जन्म पर 40 प्रति हजार और मृत्यु दर 35 प्रति हजार होती है। जैसे-जैसे आर्थिक विकास होता जाता है। मृत्युदर में कमी आने लगी है परन्तु जब दर फिर भी ऊँची ही रहती है। जनसंख्या में वृद्धि 20-30 प्रति हजार प्रति वर्ष की दर से हुआ करती है, तो इसको 'जनसंख्या विस्फोट' काल कहते हैं।

भारतीय जनसंख्या की संरचना और विकास

(Structure and Development of Indian Population)

भारत विश्व में चीन के पश्चात् दूसरा आबादी वाला देश है। मौर्यकाल से लेकर ब्रिटिश शासन तक भारत की जनसंख्या लगभग 12 करोड़ पर स्थिर ही। इसका कारण मुख्यतः प्राकृतिक आपदा में युद्ध व चिकित्सा सुविधाओं का अभाव रहा किन्तु स्वतन्त्रता प्राप्ति के पश्चात् भारत की जनसंख्या में बेतहासा वृद्धि हुयी है। 1901 में जहाँ भारत की जनसंख्या 23.83 करोड़ थी वहीं 2011 में 121.01 करोड़ हो गयी। इससे हमारे देश में उपलब्ध भरपूर मानव संसाधन, उनकी आबादी, संस्कृति और आर्थिक स्वरूप के बारे में महत्त्वपूर्ण आँकड़ों का पता चलता है। एक मार्च 2011 की भारत की जनसंख्या एक अरब 21 करोड़ थी। भारत के पास 32.8 लाख वर्ग किमी. भू भाग है जो विश्व के कुल भूभाग का मात्र 2.4 प्रतिशत है। फिर भी विश्व की 16.7 प्रतिशत आबादी करीब 23 करोड़ 84 लाख थी। जो बढ़कर 21वीं शताब्दी में 1 अरब 2 करोड़ 80 लाख तक पहुँच गई। इसमें 1911-21 की अवधि को छोड़कर प्रत्येक दशक में आबादी दर्ज की गई। वर्ष 1901 से जनसंख्या में हुई वृद्धि के आँकड़े सारणी 1.1 में दर्शाए गए हैं।

सारणी 1.1 (जनसंख्या 1901-2011)

जनसंख्या वर्ष	जनसंख्या परिशुद्ध	दशकीय वृद्धि	दशकीय वृद्धि में परिवर्तन परिशुद्ध प्रतिशत	औसत घातीय (%)	वार्षिक वृद्धिदर
1	2	3	4	5	6
1901	23,83,96,327	–	–	–	–
1911	25,20,93,390	1,36,97,063	5.75	–	0.57
1921	25,13,21,213	−7.72,177	−0.31	−6.05	−0.03
1931	27,90,77,238	2,76,56,025	11.00	11.31	1.04
1941	31,86,60,580	3,96,83,342	14.22	3.22	1.33
1951	39,10,88,090	3,96,83,342	13.31	−0.91	1.25
1961	43,92,34,771	7,81,46,681	21.64	8.33	1.96
1971	54,81,56,652	10,89,29,881	24.80	−3.16	2.22
1991	84,64,21,039	19,30,91,942	23.87	−0.79	2.14
2001	1,02,87,37,456	18,23,16,397	21.54	−2.33	1.95
2011	1,21,01,93,422	18,14,55,966	17.64	−3.90	1.90

टिप्पणियाँ

1. भारत की 1941-51 और 1951-61 की जनगणना में दशकीय वृद्धि और दशकीय वृद्धि प्रतिशत की गणना करते समय 1951 के लिए त्यूवेन सांग जिले की जनसंख्या (7.025) और 1961 के लिए नागालैंड के ल्यूवेन सांग जिला में पहली बार 1951 की जनगणना कराई गई थी तथा वह तुलनीय नहीं है।

2. असम में गड़बड़ी की वजह से 1981 में वहाँ जनगणना नहीं की गई। अतः 1981 के लिए असम की जनसंख्या के आँकड़ों को आकलन अंतर गणना के आधार पर किया गया है।

3. जम्मू और कश्मीर में गड़बड़ी की वजह से 1981 में वहाँ जनगणना नहीं की गई। अतः 1991 के लिए जम्मू और कश्मीर की जनसंख्या का आकलन अंतर गणना के आधार पर किया गया है।

4. 2001 की जनसंख्या के आँकड़े, इनमें मणिपुर के 34 जिलों के महिला और पुरुष के अनुमानित आँकड़े शामिल हैं क्योंकि इन तीन 34 जिलों में जनगणना 2001 प्रशासनिक एवं तकनीकी कारणों की वजह से रद्द कर दी गई थी।

यदि हम राज्य जनसंख्या की बात करें तो वर्ष 1991-2011 की जनगणना अवधि दौरा केरल में सबसे कम 9.42 और नागालैंड में सबसे अधिक 64.41 प्रतिशत जनसंख्या

वृद्धि दर्ज की गई। दिल्ली में अत्यधिक 46.31 प्रतिशत चंडीगढ़ में 40.337 और सिक्किम में 32.98 प्रतिशत जनसंख्या वृद्धि की गई। इसके मुकाबले केरल, और आन्ध्र प्रदेश में 1991-2001 के दौरान जनसंख्या वृद्धि काफी कम रही। हरियाणा, उत्तर प्रदेश, बिहार, सिक्किम, नागालैंड, मणिपुर, गुजरात, दमन और दीव तथा नगर हवेली आदि को छोड़कर शेष सभी राज्यों और केन्द्रशासित प्रदेशों में वर्ष 1991-2001 के जनगणना दशक के दौरान पिछले जनगणना दशक की तुलना में जनसंख्या वृद्धि दर कम दर्ज की गई। जिन राज्यों और केन्द्रशासित प्रदेशों में जनसंख्या के प्रतिशत में वृद्धि दर्ज की गई, यह भारत की कुल आबादी का लगभग 32 प्रतिशत है।

सारणी-1.2

राज्य और केन्द्रशासित प्रदेश (जनसंख्या के क्रम से)

	2011 में राज्य/ केन्द्रशासित प्रदेश	जनसंख्या	क्षेत्र (वर्ग किमी. में)	जनसंख्या घनत्व (वर्ग किमी. में)
1.	उत्तर प्रदेश	199,812,341	240,928	828
2.	महाराष्ट्र	112,372,972	307,713	365
3.	बिहार	103,804,637	94,163	1,102
4.	पं. बगाल	91,347,736	88,752	1,029
5.	मध्य प्रदेश	72,597,565	308,245	236
6.	तमिलनाडु	72,138,958	130,058	555
7.	राजस्थान	68,621,012	342,239	201
8.	कर्नाटक	61,130,704	191,791	319
9.	गुजरात	60,383,628	196,024	308
10.	आंध्र प्रदेश	49,386,799	162,968	303
11.	उड़ीसा	41,947,358	155,707	269
12.	तेलंगाना	35,286,757	114,840	307
13.	केरल	33,387,677	38,863	859
14.	झारखंड	32,966,238	79,714	414
15.	असम	31,169,272	78,438	397
16.	पंजाब	27,704,236	50,362	550
17.	छत्तीसगढ़	25,540,196	135,191	189
18.	हरियाणा	25,353,081	44,212	573
19.	जम्मू और कश्मीर	12,548,926	222,236	57
20.	उत्तराखंड	10.116,752	53,483	189

21.	हिमाचल प्रदेश	6,864,602	55,673	123
22.	त्रिपुरा	3,671,032	10,486	350
23.	मेघालय	2,964,007	22,429	132
24.	मणिपुर	2,721,756	22,327	122
25.	नागालैंड	1,980,602	16,579	119
26.	गोवा	1,457,723	3,702	394
27.	अरुणाचल प्रदेश	1,382,611		
28.	मिजोरम	1,091.014	21,081	52
31.	सिक्किम	607,688	7,096	86

भारत में जन्मदर (Birth Rate in India)

जन्मदर की गणना कैलेन्डर वर्ष के मध्य एक क्षेत्र विशेष में हुए विविध जन्म को उस वर्ष के मध्य वर्ष की जनसंख्या के मध्य विभाजित करके निकाला जाता है। 20वीं शताब्दी के प्रथम दशक में भारत के लिए संभावित जन्मदर 49.0 प्रति हजार थी। 1950-61 दशक में जो आजादी के बाद का दशक है, जन्मदर में 4 बिन्दुओं की गिरावट आयी और यह लगभग प्रति हजार जनसंख्या 45 थी 1961 में, इस तरह यद्यपि बहुत तेजी से नहीं फिर भी लगातार गिरावट होती रही। 1991 में जहाँ जन्मदर 29.3 थी। वहीं 2001 में यह घटकर 26.1 हो गयीं। भारत में दशकीय जन्मदर को निम्नलिखित सारणी में दर्शाया गया है।

दशक	जन्मदर (प्रति हजार)
1921-30	46.4
1931-30	45.2
1941-50	39.9
1951-60	41.7
1961-70	41.1
1971-80	36.0
1981-91	29.3
1991-2001	26.1
2011	19.30

भारतीय स्त्रियों के उच्च प्रजनन क्षमताओं को कई तथ्य प्रभावित करते हैं। इसमें कुछ प्रमुख निम्नलिखित हैं–

(1) कम उम्र में विवाह–कुछ दशक पूर्व भारत में प्रथा के अनुसार हिन्दू लड़कियों की शादी वयस्क होने से पूर्व ही कर दी जाती थी। कानून के अनुसार अट्ठारह वर्ष से कम

उम्र की लड़कियों की शादी नहीं हो सकती, उनकी शादी इससे पूर्व ही कर दी जाती है। भारत में परंपरागत रूप में स्त्रियाँ कम उम्र से ही बच्चों को जन्म देने लग जाती हैं और जब तक जैवकीय रूप से इसके अयोग्य नहीं हो जाती हैं, ऐसा करती रहती है।

(2) विवाह की अनिवार्यता–दूसरा तथ्य जो उच्च जनन क्षमता को आधार प्रदान करता है, वह है वैज्ञानिक संस्था की सार्वभौमिकता हिन्दुओं में, एक पुरुष से यह आशा की जाती है कि वह अपने जीवन के विभिन्न पड़ावों (आश्रम) के अपने कर्तव्यों को पूरा करे। विवाह ऐसा ही एक कर्तव्य माना जाता है। हिन्दू औरतों के लिए विवाह आवश्यक समझा जाता है क्योंकि वे मात्र इसी संस्कार की अधिकारी हैं। यद्यपि हिन्दु पुरुष के जीवन में कई संस्कार होते हैं।

(3) पुत्र की महत्ता–लड़कों के लिए, पक्षपातपूर्ण भारतीय संस्कृति से गहराई से जुड़ा है। पारिवारिक क्रम की निरंतरता बनाए रखने के लिए और माता-पिता की बुढ़ापे में देख-रेख करने के लिए लड़कों की आवश्यकता महसूस हो जाती है। हिन्दुओं में, लड़के की चाहत सिर्फ इसलिए नहीं होती है कि वह पारिवारिक क्रम को जारी रखे और बुढ़ापे में सुरक्षा प्रदान करे बल्कि इसलिए भी होती है कि वह औपचारिकता के साथ चिता को अग्नि दे और अपने पिता की आत्मा के लिए मोक्ष का मार्ग प्रशस्त करे। भारतीय समाज में लड़के की चाहत इतनी प्रबल है कि एक पति-पत्नी कई लड़कियों के होने के बावजूद कम-से-कम एक लड़के की उम्मीद में संतानोत्पत्ति जारी रखते हैं।

(4) भाग्यवादी प्रकृति–भाग्यवादी प्रकृति भारतीय समाज में अन्तर्निहित है। और वह बचपन से कही जाती है। ऐसी प्रवृत्ति संतानोत्पत्ति के संबंध में स्व निर्णय के लिए अधिकार को लागू करने के खिलाफ है। बच्चों को ईश्वर का उपहार समझा जाता है और उनकी संख्या निर्धारित करना मनुष्य का काम है। नवजात और बालमृत्यु की ऊँची दर भी वृहत् परिवार के कारक हैं। एक पति-पत्नी इस उम्मीद से बहुत सारे बच्चे पैदा कर लेते हैं कि इनमें से कुछ तो जवान होने तक जिन्दा बच ही जाएँगे। औरतों की निम्न स्थिति भी उच्च जनन क्षमता की जिम्मेदार है। औरतें बिना कोई प्रश्न किए अत्यधिक संतानोत्पत्ति आत्म प्रदर्शन के किसी विकल्प के अभाव में करती चली जाती हैं।

(5) परिवार नियोजन का अभाव–गर्भ नियंत्रण विधि को विस्तार से अपनाने की कमी के कारण, भारतीय स्त्रियों की जनन क्षमता उच्च बनी हुई है।

(6) धर्म–बौद्ध धर्म को छोड़कर दुनिया का हर धर्म अपने अनुयायियों को जन्म देने और वृद्धि करने के लिए प्रोत्साहित करता है। अतः यह एक दम से आश्चर्यजनक नहीं है कि इसका भ्रामक धारणा और धर्मों तथा सामाजिक संस्थाओं द्वारा प्रबलता से समर्पित उच्च जनन क्षमता की प्रवृत्ति ने पारम्परिक भारत में परिवार के आधार के स्तर को अपने हिसाब से तय किया।

भारत में मृत्युदर (Death Rate in India)

मृत्युदर एक वर्ष के दरम्यान पंजीकृत मृत्यु तथा उस वर्ष के मध्य समूची जनसंख्या के साथ में 1000 से गुणा कर निकाला जाता है। 1921 तक भारत में स्थूल मृत्युदर पर्याप्त उच्च थी (40 और 50 के बीच प्रति हजार जनसंख्या थी), जो 1911-21 के दशक में सर्वाधिक हो गई, जिसका मुख्य कारण था 1918 में इन्फलूएँजा महामारी से 1 करोड़ 50 लाख से अधिक लोगों की मृत्यु। 1911-21 से 1971-81 तक 60 वर्षों के दरम्यान वार्षिक औसत मृत्युदर 46.6 प्रतिशत प्रतिहजार जनसंख्या में गिरकर 14.9 प्रति हजार जनसंख्या हो गई अर्थात् 69 प्रतिशत से भी ज्यादा गिरावट आयी। 1981 में यह 10.8 व्यक्ति प्रति हजार प्रतिवर्ष 1991 में यह 9.8 व्यक्ति प्रति हजार प्रति वर्ष थी जो वर्तमान में 8.7 है। सबसे अधिक मृत्युदर चार वर्ष तक की आयु के बच्चों में पायी जाती है। आयु की दृष्टि से उदास मृत्युदर को अच्छी मानते हैं जो बचपन से युवावस्था में कम तथा वृद्धावस्था में अधिक हो सबसे अधिक मृत्यु दर बिहार और असम में है, जबकि सबसे कम मृत्युदर केरल में निम्न लिखित तालिका द्वारा भारत की मृत्यु दर को दर्शाया गया है।

भारत में मृत्युदर को दर्शाती सारिणी

दशक	मृत्युदर (प्रति हजार)
1921-30	36.3
1931-40	31.2
1941-50	27.4
1951-60	22.8
19.71-80	4.8
1981-91	10.8
2001	8.7
2011	7.1

मृत्युदर में कमी के कारक

भारत में मृत्युदर में आयी गिरावट का कारण लोक स्वास्थ्य की दोषकाल एवं जागरुकता और बीमारी की रोकथाम के उपाय हैं। संक्रामक और बचपन की बीमारियों तथा टी.वी., पोलिया, टाईफाइड, कॉलरा (हैजा) की रोकथाम के लिए पेन्सलिन और बेक्सीन आदि शामिल हैं। खतरनाक बीमारियों जैसे प्लेग और चेचक का पूर्ण रूप से सफाया कर दिया गया है। स्वास्थ्य और चिकित्सा सेवा का देश के विभिन्न भागों में विस्तार और चिकित्सा विज्ञान की प्रगति ने भारत में मृत्यु की दर कम करने में व्यापक योगदान दिया है।

अकालों का असर भी रोकथाम और राहत के कार्यों के द्वारा काफी कम किया गया है। मृत्यु की दर को और कम करने के लिए अभी और बहुत कुछ करना बाकी है।

भारत में जनसंख्या वृद्धि के प्रमुख कारण
(Major Reasons for Population Growth in India)

सत्रहवीं शताब्दी के आरम्भ में भारत की जनसंख्या का अनुमान मोरलैण्ड के अनुसार केवल 10 करोड़ होने का था। 1950 में 13 करोड़ हो गयी शिराज के अनुसार जनसंख्या की वृद्धि की दर 2 प्रतिशत दशाब्द थी। 1847 और 1850 के बीच भारत की अनुमानित जनसंख्या लगभग 15 करोड़ थी। लेकिन यह अनुमान विश्वसनीय नहीं माने जाते हैं। 1872 में पहली बार प्रति दशाब्दी में जनगणना होती रही है। 2001 में कुल जनसंख्या 102.7 करोड़ है जो 1921 की तुलना में लगभग 3.5 गुना अधिक हो गयी। जनसंख्या वृद्धि के पीछे एक नहीं वरन् कई कारक जिम्मेदार है कुछ प्रमुख कारणों का उल्लेख निम्नलिखित किया गया है–

(1) अधिक जन्मदर कम मृत्युदर–1921 के पश्चात् मृत्युदर में तेजी से गिरावट आती रही है, जबकि जन्मदर में 1961 के पश्चात् ही स्पष्टतः कमी हुई। 1881-91 की अवधि में प्रति 1,000 व्यक्तियों के पीछे जन्मदर 49.2 तथा मृत्युदर 41.2 थी। मलेरिया (जिसके कारण पहले प्रतिवर्ष, लगभग 20 लाख व्यक्ति काल-कवलित हो जाते थे। हैजा, इन्फ्लुएंजा, आदि महामारियों पर पूर्ण नियंत्रण, पीने योग्य जल की किस्म सुधार, स्वास्थ्य सेवाओं में सुधार, नयी औषधियों का विकास तथा एण्टीबायोटिक दवाइयों का बढ़ता हुआ उपयोग, स्वच्छता में वृद्धि खाद्यान्नों के विवरण में सुधार तथा अकालों पर रोकथाम के कारण मृत्युदर में तेजी से गिरावट आना तथा जन्मदर में कोई विशेष परिवर्तन न होना जनसंख्या की वृद्धि के मुख्य कारण रहे हैं। इसी बीच सम्पूर्ण देश में आन्तरिक कलह एवं रजवाड़ों के मध्य होने वाले युद्ध की स्थिति समाप्त होने व तनाव मुक्त रहने से भी प्रजनन दर ऊँची बनी रही। इसी प्रकार भारत की मृत्युदर 1991 में 6.8 प्रकित हजार वर्ष थी जो 2001 में 8.7 हो गयी।

(2) विवाह की अनिवार्यता–भारत में विवाह सार्वभौमिक है, अर्थात् सभी व्यक्ति चाहे वे अपाहिज रोगी अथवा दरिद्र हों, तो भी विवाह करते हैं। इसके साथ ही सन्तान उत्पन्न करना एक धार्मिक कर्तव्य माना जाता है। निःसन्तान व्यक्तियों को प्रायः अनादर की दृष्टि से देखा जाता है।

(3) गर्म जलवायु–भारत में जन्मदर ऊँची होने का मुख्य कारण जलवायु का गरम होना है। यहाँ लड़के और लड़कियाँ शीघ्र वयस्क हो जाते हैं, अतः छोटी अवस्था में ही सन्तानोत्पति होने लगती है। भारतीय स्त्री अपने प्रजनन काल (15 से 45 वर्ष की आयु तक) 6.7 बच्चों की माँ बनती है जबकि जापानी स्त्री 4.5 अमरीका की 3 और 2.6 बच्चों

की माँ बनती हैं। दूसरे शब्दों में, भारतीय स्त्रियों की प्रजनन क्षमता अधिक है। अतः परिवार वृद्धि तीव्र गति से होती है। हिन्दू स्त्रियों की अपेक्षा मुस्लिम स्त्रियों के अधिक बच्चे होते हैं। यह क्रमशः 7 और 8 (कानपुर में), और 4-6 (मध्य प्रदेश) में हैं।

(4) अशिक्षा—देशवासियों में शिक्षा की कमी रही है। आज भी अशिक्षित, दरिद्र एवं निम्न व पिछड़े वर्ग के अधिकांश व्यक्तियों का विश्वास है कि ''सन्तान प्रभु की देन है इसमें हमारा कोई दायित्व नहीं फलतः बच्चों की संख्या बढ़ती जाती हैं।

(5) निर्धनता—देश की आर्थिक अवनत दशा तथा दरिद्रता ने भी जनसंख्या की वृद्धि को अब तक प्रोत्साहन दिया है। एडमस्मिथ के अनुसार "दीनता और निर्धनता सन्तानोत्पत्ति के लिए सबसे अनुकूल दशा होती है। यह कथन भारत के लिए अब तक पूर्ण रूप से लागू हो रहा है।"

(6) मनोरंजन के साधनों का अभाव—देश में अभी तक सस्ते और स्वास्थ्यवर्धक मनोरंजन के साधनों का अभाव पाया जाता रहा है। अतः इससे भी सन्तानोत्पत्ति की भावना को ही अधिक बल मिलता है।

(7) बाल विवाह—भारत में बाल विवाह की प्रथा के अनुसार हिन्दू लड़कियों की शादी वयस्क होने से पूर्व ही कर दी जाती थी। इस कानून के अनुसार अठ्ठारह वर्ष से कम उम्र की लड़कियों की शादी नहीं हो सकती, आज भी इसके बावजूद उनकी शादी इससे पूर्व ही कर दी जाती है। भारत में परंपरागत रूप से स्त्रियाँ कम उम्र में ही बच्चों को जन्म देने लग जाती हैं और जब तक जैवकीय रूप से इसके अयोग्य नहीं हो जाती हैं, ऐसा करती रहती हैं।

(8) पुत्र को अधिक महत्त्व—लड़के के लिए पक्षपातपूर्ण चाहत भारतीय संस्कृति में गहराई से जुड़ा है। पारिवारिक क्रम की निरंतरता बनाए रखने के लिए और माता-पिता की बुढ़ापे में देख-रेख करने के लिए लड़कों की आवश्यकता महसूस की जाती है। हिन्दुओं में लड़के की चाहत सिर्फ इसलिए नहीं होती है कि वह पारंपरिक क्रम को जारी रखे और बुढ़ापे में सुरक्षा प्रदान करे बल्कि इसलिए भी होती है कि वह औपचारिकता के साथ चिता को अग्नि दे और अपने पिता की आत्मा के लिए मोक्ष का मार्ग प्रशस्त करे। भारतीय समाज में लड़के की चाहत इतनी प्रबल है कि एक पति-पत्नी कई लड़कियाँ होने के बावजूद कम-से-कम एक लड़के की उम्मीद में सन्तानोत्पत्ति जारी रखते हैं।

(9) संयुक्त परिवार प्रथा—संयुक्त परिवार भी अधिक बच्चों के उत्पादन के लिए जिम्मेदार है। बहुधा बच्चों की संख्या सीमित रखने का कोई आर्थिक अभिप्रेरणा नहीं होती है क्योंकि जन्म देने वाले माता-पिता के जिम्मे अपने बच्चों की आवश्यकताओं को पूरा करने की तब तक जवाब देही नहीं होती है, जब तक वृहत्तर परिवार में जन्मे सभी बच्चों के देख रेख की संयुक्त भागीदारी होती है।

(10) परिवार नियोजन के साधनों का अभाव—गर्भ नियंत्रण विधि को विस्तार से अपनाने की कमी के कारण भारतीय स्त्रियों की जनन क्षमता उच्च बनी हुई है।

आयु संरचना (Age Structure)

वर्तमान भारत में लगभग 52 प्रतिशत आबादी युवाओं (15 से 35 वर्ष आयु के समूह) की है जबकि 15 वर्ष से कम उम्र के बच्चों का प्रतिशत लगभग 22 प्रतिशत है। शेष आबादी में प्रौढ़ और वृद्ध शामिल है। भारत की आयु संरचना को सातवीं पंचवर्षीय योजना में निम्नलिखित तालिका द्वारा प्रस्तुत किया गया।

आयु समूह	1980	1985	1990	2000	2011
0-4	14.18	13.91	12.85	10.67	11.2
3-14	25.54	24.34	23.15	20.96	22.5
15-59	54.07	55.59	56.50	60.79	61.2
60 से अधिक	6.21	6.24	6.50	5.58	5.1
योग	100.00	100.00	100.00	100.00	100.00

उपर्युक्त तालिका से यह पता चलता है कि 1980 में जहाँ 15 से 59 वर्ग आयु समूह के लोगों का प्रतिशत 54.07 था वही यह 2000 में बढ़कर 60.79 हो गया। अतः स्पष्ट है कि कार्य शील जनसंख्या का अनुपात देश की कुल जनसंख्या में बढ़ा है।

प्रत्याशित आयु (Life Expectancy)

प्रत्याशित आयु को दूरे शब्दों में औसत आयु, कहा जा सकता है। मृत्यु दर एवं जन्मदर पर निर्भर होती है। ज्यों-ज्यों मृत्युदर कम होती जाती है, त्यों-त्यों प्रत्याशित आयु में बढ़ोत्तरी होती जाती है। 1911 के पश्चात् भारत की औसत आयु में लगातार वृद्धि होती रही। 1976-80 में जन्म के समय महिलाओं की औसत आयु 52 वर्ष और पुरुषों की 52.5 वर्ष होने का अनुमान था। 1991 में भारत के लोगों की औसत आयु 55.4 वर्ष थी, जो वर्तमान में 65 वर्ष है।

जनसंख्या घनत्व (Population Density)

जनसंख्या की सघनता का एक महत्त्वपूर्ण पक्ष आबादी का घनत्व है। 2011 में देश में आबादी का घनत्व 382 प्रतिवर्ग किमी. था। सन् 1991 से 2001 के बीच राज्यों और केन्द्रशासित प्रदेशों में जनसंख्या के घनत्व में वृद्धि हुई है। प्रमुख राज्यों में पश्चिम बंगाल अभी भी सबसे सघन आबादी वाला राज्य है। आबादी के घनत्व की स्थिति निम्नलिखित सारणी में दी गयी है—

भारत में जनसंख्या का घनत्व (Population Density in India)

क्र. सं.	जनसंख्या वर्ष	जनसंख्या घनत्व
1	1921	81
1.	1931	90
2.	1941	103
3.	1951	117
4.	1961	142
5.	1971	173
6.	1981	216
7.	1991	267
8.	2001	324
9.	2011	382

स्त्री-पुरुष अनुपात (Male-Female Ratio)

किसी जनसंख्या के लिंग अनुपात को या प्रति 1000 स्त्रियों में पुरुषों की संख्या अथवा प्रति 1000 पुरुषों में स्त्रियों की संख्या से दर्शाया जाता है। भारतीय जनगणना में प्रति 1000 पुरुषों में स्त्रियों की संख्या को स्पष्ट करने का प्रश्रय दिया है (यद्यपि लिंग अनुपात की परिभाषा जो पूरी दुनिया में प्रचलित है, वह है प्रति 1000 स्त्रियों में पुरुषों की संख्या।)। इससे एक निश्चित समय पर समाज में स्त्री-पुरुषों के बीच संख्यात्मक समानता का आकलन किया जाता है। देश में स्त्री-पुरुष अनुपात हमेशा स्त्रियों के प्रतिकूल रहा है। बीसवीं शताब्दी के आरम्भ में यह अनुपात 972 था और उसके बाद 1941 तक इसमें निरन्तर कमी का रुख रहा। 1951 और 1981 की जनगणना में मामूली सुधार अंकित किया गया है। किन्तु 1991 की जनगणना ने 5 अंकों की गिरावट 1981 में 954 से 1961 से 929 अंकित किया गया। 2011 में यह अनुपात 940 है।

स्त्री-पुरुष अनुपात 1901-2011

जनगणना वर्ष	स्त्री-पुरुष अनुपात (1000 पुरुषों पर महिलाएँ)
1901	972
1911	964
1921	955

1931	950
1951	946
1961	941
1971	930
1981	934
1991	927
2001	933
2011	940

साक्षरता (Literacy)

जनगणना 2001 में उस व्यक्ति को 'साक्षर' माना गया है जिसकी उम्र सात वर्ष या उससे अधिक है तथा जो किसी भी भाषा में समझकर उसे लिख-पढ़ सकता है। ऐसे व्यक्ति को साक्षर नहीं माना गया है, जो केवल पढ़ सकता है परन्तु लिख नहीं सकता। वर्ष 1991 से पूर्व हुई जनगणना में 5 वर्ष से कम आयु के बच्चों की गणना नहीं की जाती। 2011 की जनगणना के परिणामों से पता चलता है कि देश में साक्षरता में वृद्धि हुई है। देश में साक्षरता दर 74.04 प्रतिशत है। पुरुषों की साक्षरता दर 82.4 प्रतिशत तथा महिलाओं की साक्षरता दर 65.46 प्रतिशत है। साक्षरता में हो रहे सुधार को निम्नलिखित सारणी में दिखाया गया है–

साक्षरता सूची-2011

स्थान राज्य	साक्षर जनसंख्या	पुरुष	स्त्री	साक्षर % जनसंख्या	पुरुष %	स्त्री %
1. जम्मू एण्ड कश्मीर	72,45,053	43,70,604	28,74,449	68.74	78.26	18.01
2. हिमाचल प्रदेश	51,04,506	27,91,542	23,12,964	83.78	90.83	76.60
3. पंजाब	1,89,88,611	1,06,26,788	83,61,823	76.68	81.48	71.34
4. चण्डीगढ़	8,09,653	4,68,166	3,41,487	86.43	90.54	81.38
5. उत्तराखंड	69,97,433	39,30,174	30,67,259	79.63	88.33	70.70
6. हरियाणा	1,69,04,324	99,91,838	69,12,486	76.64	85.38	66.77
7. दिल्ली	1,27,63,352	72,10,050	55,53,302	86.34	91.03	80.93
8. राजस्थान	3,89,70,500	2,41,84,782	1,47,85,718	67.06	80.51	52.66
9. उत्तर प्रदेश	11,84,23,508	7,04,79,196	4,79,44,609	69.72	79.24	59.26
10. बिहार	5,43,90,254	3,27,11,975	2,16,78,279	63.82	73.39	53.33
11. सिक्किम	4,49,294	2,53,364	1,95,930	82.20	87.29	76.43

12. अरुणाचल प्रदेश	7,89,943	4,54,532	3,35,411	66.95	73.69	59.57
13. नागालैण्ड	13,57,579	7,31,796	6,25,783	80.11	83.29	76.69
14. मणिपुर	18,91,196	10,26,733	8,64,463	79.85	86.49	73.17
15. मीजोरम	8,47,592	4,38,949	4,08,643	91.58	93.72	89.40
16. त्रिपुरा	28,31,742	15,15,973	13,15,769	87.75	92.18	83.15
17. मेघालय	18,17,761	9,34,091	8,83,670	75.48	77.17	73.78
18. असम	1,95,07,017	1,07,56,937	87,50,080	73.18	78.81	67.27
19. पश्चिम बंगाल	6,26,14,556	3,45,08,159	2,81,06,397	77.08	82.67	71.16
20. झारखंड	1,87,53,660	1,11,68,649	75,85,011	67.63	78.45	56.21
21. उड़ीसा	2,71,12,376	1,53,26,036	1,17,86,340	73.45	82.40	64.36
22. छत्तीसगढ़	1,55,98,314	89,62,121	66,36,193	71.04	81.45	60.59
23. मध्य प्रदेश	4,38,27,193	2,58,48,137	1,79,79,056	70.63	80.53	60.02
24. गुजरात	4,19,48,677	2,39,95,500	1,79,53,177	79.31	87.23	70.73
25. दमन एण्ड दीव	1,88,974	1,24,911	64,063	87.07	91.48	79.59
26. दादरा, नगर हवेली	2,28,028	1,44,916	83,112	77.65	86.46	65.93
27. महाराष्ट्र	8,25,12,225	4,62,94,041	3,62,18,184	82.91	89.82	75.48
28. आन्ध्र प्रदेश	5,14,38,510	2,87,59,782	2,26,78,728	67.66	75.56	59.74
29. कर्नाटक	4,10,29,323	2,28,08,468	1,82,20,855	75.60	82.85	68.13
30. गोवा	11,52,117	6,20,026	5,32,091	87.40	92.81	81.84
31. लक्षद्वीप	52.914	28.249	24.665	92.28	96.11	88.25
32. केरल	2,82,34,227	1,37,55,888	1,44,78,339	93.91	96.02	91.98
33. तमिलनाडु	5,24,13,116	2,83,14,595	2,40,98,521	80.33	86.81	73.86
34. पांडिचेरी	9.66.600	5,02,575	4,64,025	86.55	92.12	81.22
35. अंडमान एण्ड निकोबार द्वीपसमूह	2,93,695	1,64,219	1,29,476	86.27	90.11	81.84
36. भारत	77,84,54,120	44,42,50,358	74,041	82.14	65.46	

साक्षरता की दृष्टि से केरल सबसे ऊपर है जहाँ साक्षरता दर 90.86 प्रतिशत है। उसके बाद मिजोरम में 88.80 प्रतिशत और लक्षद्वीप 86.66 प्रतिशत से दूसरे और तीसरे स्थान पर है। बिहार में साक्षरता दर सबसे कम 47 प्रतिशत है। केरल में पुरुष और स्त्रियों की अलग-अलग साक्षरता भी सबसे अधिक है। इसमें 94.24 प्रतिशत पुरुष और 87.72 प्रतिशत महिलाएँ साक्षर हैं। इसके विपरीत सबसे कम साक्षरता दर राज्य बिहार में 59.68

प्रतिशत पुरुष और 33.12 प्रतिशत महिलाएँ साक्षर हैं। देश के विभिन्न राज्यों और केन्द्रशासित प्रदेशों में पुरुषों और स्त्रियों की साक्षरता दर सारणी निम्नलिखित रूप से दिखायी गयी है।

साक्षरता दर 1951-2001

वर्ष	व्यक्ति	पुरुष	स्त्रियाँ
1951	18.33	27.16	8.86
1961	28.30	40.40	15.35
1971	34.45	45.96	21.97
1981	42.57	56.38	29.29
1991	52.21	64.14	39.29
2001	64.84	75.26	53.67
2011	74.04	82.14	65.44

ग्रामीण एवं नगरीय जनसंख्या (Rural and Urban Population)

भारत में अधिकांशतः जनसंख्या गाँवों में निवास करती है इसलिए भारत को गाँवों का देश कहा जाता है। अतः स्पष्ट है कि भारत में प्राथमिक परम्परावादिता परिवर्तन विरोध इत्यादि बहुतायत मात्रा में पाया जाता है। 2001 की जनगणना के अनुसार भारत में 72.24 जनसंख्या गाँवों में निवास करती है एवं नगरों में निवास करने वाली जनसंख्या 27 प्रतिशत है। ग्रामीण एवं नगरीय जनसंख्याओं के विवरण निम्नलिखित सारणी में दर्शाए गए हैं–

ग्रामीण तथा नगरीय जनसंख्या

जनगणना वर्ष	जनसंख्या (दस लाख में)		कुल जनसंख्या की प्रतिशत	
	ग्रामीण	शहरी	ग्रामीण	शहरी
1901	213	26	89.2	10.8
1911	226	26	89.7	10.3
1921	223	28	88.8	11.2
1931	246	33	88	12
1941	275	44	86.1	13.9
1961	360	79	82	18
1971	439	109	80	19.9
1981	524	159	76.7	23.3

1991	629	218	74.3	25.7
2001	743	286	72.2	27.8
2011	833	377	68.84	31.16

धर्म (Religion)

भारत एक बहुधार्मिक देश है। विश्व में जितने भी धर्म पाए जाते हैं लगभग सभी का अस्तित्त्व भारत वर्ष में विद्यमान है। भारत में मूलतः हिन्दू, मुस्लिम, सिक्ख, ईसाई, बौद्ध, जैन एवं पारसी धर्म पाए जाते हैं। निम्नलिखित तालिका से भारत में धर्म के वितरण को निम्नलिखित सारणी में दर्शाया गया है–

धर्म	1971 (प्रतिशत)	1981 (प्रतिशत)	1991 (प्रतिशत)	2011 (प्रतिशत)
हिन्दू	82.12	82.63	82.41	79.8
मुस्लिम	11.20	11.36	11.67	14.2
ईसाई	2.59	2.43	2.32	2.3
सिक्ख	1.89	1.96	1.99	1.2
बौद्ध	0.71	0.71	0.77	0.67
जैन	0.40	0.45	0.41	0.40

तालिका से स्पष्ट होता है कि हिन्दू धर्म को मानने वालों की संख्या 1971 में 82.12 प्रतिशत थी जबकि 1991 में यह बढ़कर 82.41 प्रतिशत हो गयी, किन्तु 2011 में 798 हो जाती है। जनसंख्या की संरचना के क्रम में जिसका स्थान घटे क्रम में आता है वह जैन धर्म है। 1981 में इसके अनुयायी 0.48 प्रतिशत थे, जबकि 2011 में यह घट कर 0.41 प्रतिशत ही रह गया। जैन धर्म के अलावा ईसाई धर्म के अनुयायियों की संख्या कम हुयी है। किन्तु 2011 में 798 हो जाती है।

भाषा (Language)

भारत में जार्ज ग्रियर्सन ने 179 भाषाएँ तथा 544 बोलियों का पता लगाया है। भारतीय संविधान में 22 भाषाओं को संविधान की 9वीं सूची में रखा गया है। ये निम्नलिखित हैं–हिन्दी, मराठी, तमिल, तेलुगू, उड़िया, बंगाली, असामी, मलयालम, कोंकड़ी, नेपाली, गुजराती, राजस्थानी, उर्दू, पंजाबी, सिन्धी, संस्कृत, बोडो, मैथिली, भोजपुरी, मणिपुरी, कन्नड़, कश्मीरी। इन भाषाओं को दो कोटियों में रखा जा सकता है। इन्डोआर्यन, द्राविड़ियन। भाषा जहाँ संचार का एक सशक्त माध्यम है वहीं इसके आधार पर क्षेत्रीयता की भावना भी पनपी है।

भारत में जनसंख्या वृद्धि के उत्तरदायी कारण
(Factors Responsible for Rise in Population in India)

देश की जनसंख्या समस्या कई रूपों में समाज को प्रभावित करती है।

(1) **बेरोजगारी**–जनसंख्या वृद्धि ने देश में बेरोजगारों की फौज खड़ी कर दी है। यदि 1 लाख नौकरियों का अर्जन एक वर्ष में किया जाए तो भी प्रतिवर्ष बढ़ते जनाधिक्य को काम देने में ये असमर्थ ही साबित होंगे।

(2) **निर्धनता**–जनसंख्या वृद्धि के साथ-साथ समाज में उपभोक्ताओं की संख्या बेतहाशा बढ़ी है। चूंकि भूमि मात्रा में होती है, अतः परिवार में बटवारे के पश्चात् थोड़ी-थोड़ी भूमि प्रत्येक व्यक्ति के हिस्से में आती है। जिससे कम उत्पादन होता है। फलतः गरीबी बढ़ती है। इसका असर राष्ट्रीय आय एवं विकास दर पर भी पड़ता है। प्रो. कोलिन क्लार्क के अनुसार जनसंख्या वृद्धि को देश के आर्थिक विकास के लिए हानिकारक मानते हैं क्योंकि बचत का अधिकांश भाग जनसंख्या के भरण-पोषण पर खर्च होने से शुद्ध राष्ट्रीय आय एवं प्रति व्यक्ति आय बहुत कम रह जाती है।

(3) **महिलाओं पर बुरा प्रभाव**–औरतें अपने उत्पादक जीवन के सर्वोत्तम वर्षों में सन्तानोत्पत्ति और उनके लालन-पालन से बँध जाती है। यह कुंठा को जन्म दे सकता है। अत्यधिक सन्तानोत्पत्ति उसके स्वयं के और उसके बच्चों के स्वास्थ्य पर प्रतिकूल प्रभाव डालता है। बहुत से बच्चों की देखभाल करना ऐसी औरतों के क्षीण शारीरिक और मानसिक शक्ति पर अतिरिक्त रूप से तनाव डालता है।

(4) **सामाजिक समस्याएँ**–बड़े परिवार के भरण-पोषण की जिम्मेदारी परिवार के कमाऊ व्यक्ति पर अतिरिक्त भार डालता है। न्यूनतम जीवन-यापन के लिए निरंतर संघर्ष करने से थकने लगता है। दैनिक जीवन की समस्याओं से बचने के लिए वह शराब और व्यसनों का सहारा ले सकता है, जो परिवार के आर्थिक और भावनात्मक स्थिति को और भी बरबाद कर डालता है। बच्चे जो बहुधा अनचाहे, बिना प्यार के और तिरस्कृत होते हैं, अपनी मर्जी से अपना जीवन शुरू करने के लिए छोड़ दिए जाते हैं।

(5) **अपराध**–अधिक जनसंख्या से सभी लोगों के भरण-पोषण की व्यवस्था नहीं हो पाती, अतः लोग भरण-पोषण के लिए अनैतिक कार्यों का सहारा लेने से भी नहीं चूकते। बड़े परिवार के बच्चों को बहुत कम उम्र से काम करना पड़ता है, ताकि वह अपने परिवार के आर्थिक श्रोतों को बढ़ाने में मदद कर सकें ये बच्चे कभी-कभी नियंत्रण के अभाव में अपराधी प्रवृत्ति के शिकार हो जाते हैं।

(6) **अशिक्षा**–कम उम्र में कार्य करने से बच्चे स्कूल जाने और अशिक्षा ग्रहण करने से वंचित रह जाते हैं। लड़की सबसे ज्यादा नुकसान उठाती है। वह बहुधा स्कूल ही नहीं भेजी जाती ताकि घर के कामों में माँ की मदद करे और जब उसकी माँ काम पर हो तो अपने से छोटे बच्चों की देखभाल को कहा जाता है। छोटी उम्र में विवाह उन्हें सन्तानोत्पत्ति की ओर ढकेलता है। इस तरह यह दूषित चक्र चालू रहता है।

(7) **पारिवारिक विघटन**–अत्यधिक जनन क्षमता पारिवारिक असंतोष का जन्म होता है, जिससे पारिवारिक विघटन को प्रोत्साहन मिलता है। एक ही घर में पारिवारिक सदस्यों के बढ़ने के कारण उनके हितों का परस्पर टकराव होता है जिससे परिवार बिखर जाते हैं।

(8) **महंगाई**–जनसंख्या वृद्धि के कारण उपभोक्ता वस्तुओं की मांग में भी बढ़ोत्तरी होती है। जिसके फलस्वरूप उनके दाम और भी ऊँचे हो जाते हैं जिससे महँगाई बढ़ती है।

(9) **खाद्य संकट**–बढ़ती आबादी के कारण प्रत्येक व्यक्ति के लिए अन्न मुहइया कराना संभव नहीं हो पाता खाद्य उत्पादन समस्त जनसंख्या के पोषण के लिए पर्याप्त नहीं होता। जनसंख्या वृद्धि खाद्यान्न पूर्ति की समस्या पैदा करती है, जिसको पूरा करने के लिए करोड़ों रुपयों के खाद्यान्न का आयात किया जाता है। जिससे आवश्यक पूंजीगत माल का आयात कम करना पड़ता है। यदि पूंजीगत माल का आयात हो जाता तो हजारों लोगों को रोजगार मिल सकता था।

(10) **जन उपयोगी सेवाओं पर दबाव में वृद्धि**–जनसंख्या वृद्धि जन उपयोगी सेवाओं पर दबाव बढ़ा देती है। जैसे अस्पताओं में भीड़ रहती है। रेलों में स्थान नहीं मिल पाता है, विद्युत की कमी बनी रहती है, सुरक्षा सेवाओं पर व्यय बढ़ जाता है, आदि।

(11) **आय, बचत व विनियोग में कमी**–बढ़ती हुई जनसंख्या के साथ-साथ यदि उत्पादन नहीं बढ़ता है, तो आय की कमी रहती है।

(12) **श्रम शक्ति में वृद्धि**–जनसंख्या की समस्या श्रमशक्ति में वृद्धि करती है। जिससे बेरोजगारों की संख्या बढ़ती है। आज कल भारत में 6 करोड़ से अधिक व्यक्ति बेरोजगारी या अर्द्ध बेरोजगार से ग्रस्त है।

(13) **कृषि एवं उद्योग में बाधा**–जनसंख्या की समस्या कृषि व उद्योगों में समुचित एवं निरन्तर विकास में बाधा उपस्थित करती है। परिवार में सदस्य बढ़ने से भूमि का उपविभाजन व अपखण्डन होने लगता है, जिससे खेत छोटे व अनार्थिक हो जाते हैं। अतः आवश्यकता इस बात की है कि जनसंख्या की समस्याओं को उठने ही न दिया जाए। उनका तुरन्त समाधान किया जाए।

जनसंख्या वृद्धि रोकने के उपाय
(Stretegy to Stop Rise in Population)

जनसंख्या वृद्धि को रोकने के उपाय निम्न हैं–

(1) **विवाह की आयु में वृद्धि करना**–लड़के और लड़कियों के विवाह की न्यूनतम उम्र बढ़ती जाए। जितनी देर से विवाह किया जाता है। वैवाहिक जीवन में उतने ही कम बच्चे उत्पन्न होते हैं। अधिक उम्र में विवाह होने से लड़कियों को शिक्षा प्राप्त करने और अन्य सांस्कृतिक कार्यों में भाग लेने की ओर रुचि बढ़ेगी, इससे अपरोक्ष रूप में सन्तानोत्पत्ति को प्रोत्साहन नहीं मिलेगा।

(2) **नारी, शिक्षा, नारी स्वतन्त्रता एवं स्वास्थ्य दशा में सुधार आवश्यक**–यद्यपि 2001 में शिक्षा का प्रतिशत रहा किन्तु नारी शिक्षा का प्रतिशत काफी कम रहा। अधिकांश ग्रामीण व अल्पविकसित क्षेत्रों में नारी आज भी बच्चा पैदा करने वाली मशीन है। वह चाहते हुए भी इससे धार्मिक-सामाजिक अशिक्षा एवं पुरुषों की क्रूरता जैसे कारणों से इस चक्र में नहीं निकल पाती है। अतः शिक्षित एवं स्वतन्त्र नारी के कार्यक्रम ही ग्रामीण क्षेत्रों में क्रियान्वित होकर जनसंख्या बाढ़ को रोक सकते हैं। घर एवं ग्रामीण वातावरण में जनसंख्या स्वास्थ्य एवं पारिवारिक स्वास्थ्य एवं स्वच्छता के स्तर में इससे अपने आप सुधार हो जाएगा। कई सामाजिक कुरीतियाँ व अन्धविश्वास अपने आप नष्ट हो जाएँगे। सभी बच्चे स्वतः ही पाठशाला में प्रवेश के इच्छुक रहेंगे।

(3) **उत्पादन में वृद्धि**–यह करने से मनुष्य की भौतिक रुचि बढ़ जाती है और उसका रहन-सहन का स्तर ऊँचा हो जाता है और भविष्य के लिए योजनाएँ बनाने लगता है। अस्तु कृषि और औद्योगिक उत्पादन में वृद्धि करना आवश्यक है। कृषि की पुर्नव्यवस्था निम्न प्रकार से की जा सकती है–

(*i*) काम में आने वाली भूमि की गहरी जुताई करना। यह कार्य उन्नत बीज और कृषि के आधुनिकतम साधनों का प्रयोग करके किया जा सकता है।

(*ii*) कृषि क्षेत्र का विस्तार बढ़ाने के लिए नयी और पड़ती भूमि का उपयोग किया जाए तथा सिंचाई के साधनों का विस्तार किया जाए।

(*iii*) जिन भागों में अभी तक औद्योगिक उन्नति नहीं है, उनका औद्योगीकरण किया जाए।

(*iv*) (अ) औद्योगिक विकास देश में जनसंख्या की वृद्धि को रोकना है (ब) पैसा कमाने हेतु व दिन भर व्यस्त रहने अथवा सामाजिक कार्यों में लिप्त रहने से प्रजनन शक्ति का प्रयोग पूरे प्रकार से नहीं हो पाता, फलतः सन्तानोत्पत्ति भी कम होने लगती है (स) नगर व औद्योगिक क्षेत्रों के यौन सम्बन्ध के अतिरिक्त

भी मानसिक सन्तुष्टि के कई अन्य साधन उपलब्ध हो जाते हैं। अतः यौन मिलन की अवधि कम होती है। इससे सन्तानोत्पत्ति कम होती है।

(4) **सन्तति सुधारशास्त्र**–सामाजिक अर्थव्यवस्था, पारिवारिक सुख और राष्ट्रीय नियोजन के हित में परिवार नियोजन और सन्तान की सीमा तो आवश्यक है ही, किन्तु इसके साथ ही साथ सन्तति, सुधार कार्यक्रम में भयंकर प्रकृति के छूत या संक्रामक रोगों (मिरगी, उन्माद, शरीर के अयोग्य, मस्तिष्क के खोखलेपन एवं नैतिक पतन तथा परम्परागत बीमारियों के बीज समाहित करने वाले रोगों से ग्रस्त व्यक्तियों के विवाह और सन्तानोत्पत्ति परिपूर्ण प्रतिबन्ध भी होना चाहिए। क्रूर अपराधियों एवं अवांछित व्यक्तियों के सम्बन्ध में यही रास्ता अपनाना चाहिए कि कानून द्वारा उत्पन्न बन्ध्य बना दिया।

(5) **स्वास्थ्य सेवाओं में सुधार**–देशवासियों की आर्थिक क्षमता को बनाए रखने के लिए है। यद्यपि आधुनिक विज्ञान ने कई रोगों (मलेरिया जूड़ी, कुण्ठ, हैजा, प्लेग, आदि) का अस्तित्त्व ही मिटा दिया है किन्तु फिर भी उष्णकटिबन्धीय क्षेत्रों में हुकवर्म, गिनीबर्म, मलेरिया, क्षय, पेचिस आदि बीमारियाँ उस दुखान्त नाटक की दुष्ट अभिनेत्रियाँ हैं जिन पर कभी पर्दा नहीं गिरता।'' ये बीमारियाँ जितने व्यक्तियों को मारती नहीं उसके दुगने-तिगुने व्यक्तियों को अपना शिकार बनाकर शक्तिहीन कर देती हैं। अतः इन्हें दूर करना आवश्यक है।

(6) **सामाजिक सुरक्षा का विकास**–देश के सभी आर्थिक क्रियाओं में लगे व्यक्तियों के लिए सामाजिक सुरक्षा का होना भी आवश्यक है क्योंकि इसके बिना वे भविष्य में विकास नहीं कर सकते। बुढ़ापे बेरोजगारी अथवा दुर्घटना आदि से सुरक्षा होने पर ही साधारण व्यक्ति बड़े परिवार की इच्छा रखता है, जिससे उसके बाद परिवार की देख-रेख उचित ढंग से हो सके। वास्तव में "बच्चे दरिद्र लोगों की सम्पत्ति हैं और एक प्रकार का बीमा भी" अतः इस प्रवृत्ति को रोकने के लिए सामाजिक सुरक्षा का होना आवश्यक है। इस सम्बन्ध में भूमि का पुनः वितरण, वृद्धावस्था पेंशन, विशेष दुर्घटना बीमा, पारिवारिक बीमा व पेंशन जैसे कार्यक्रम स्वागत योग्य हैं। साथ ही सहकारी कृषि तथा जाति में समानता आदि लाने का कार्यक्रम सफल सिद्ध होगा। इसी प्रकार प्रो. हट्टन के अनुसार सार्वजनिक स्वास्थ्य सुधार जीवन स्तर में सुधार, शिक्षा का प्रसार, स्त्रियों का घरेलू कामकाज के अतिरिक्त अन्य उपयोगी कार्यक्षेत्रों में पदार्पण आदि सुधार, जनसंख्या की अनियमित और तीव्र बुद्धि को रोकने के लिए वांछनीय है। पश्चिमी देशों में ऐसा ही हुआ है और यदि हम भी विश्वास करें तो अनुचित न होगा कि इस प्रकार के कारणों का प्रभाव पड़ने में भी वैसा ही होगा। अतः जनाधिक्य का सबसे आशाजनक हल यह है कि हर दिशा में अधिक विकास का प्रयत्न किया जाए।

(7) **परिवार नियोजन**–उपरोक्त सुझावों का कार्यान्वित करने में समय लग सकता है। अतः इस बीच में जनसंख्या की वृद्धि को रोकने के लिए अल्पकालीन उपाय काम में

लाने चाहिए क्योंकि विज्ञान और तान्त्रिक सहायक द्वारा भारतीयों के स्वास्थ्य में सुधार होने के फलस्वरूप मृत्यु दर में कमी हो गयी, किन्तु यदि जन्मदर को न रोका गया तो जनसंख्या में वृद्धि और तीव्रता से होगी। अतएव मृत्युदर में कमी करने के साथ जन्मदर में कमी करना आवश्यक होगा। इस हेतु परिवार नियोजन के कार्यक्रमों को ग्रामीण स्तर पर प्रचलित कर सफल बनाना होगा।

अभ्यास प्रश्न

1. भारतीय जनसंख्या की रूपरेखा दीजिए।
2. भारत में जनसंख्या वृद्धि के कारणों का वर्णन कीजिए।

9

भारत की अन्तःस्थापित सांस्कृतिक विविधताएँ (Indian Cultural Diversities)

भारतीय समाज में प्रजातीय, जातीय, जनजातीय, धार्मिक, भाषायी, जलवायु, भौगोलिक परिस्थितियों, खान-पान, रहन-सहन के तरीकों और वेशभूषा आदि की दृष्टि से अनेक भिन्नताएँ दृष्टिगोचर होती हैं। भिन्नताएँ हमें भारतीय समाज में मौलिक आधारों तथा उनमें होने वाले परिवर्तनों को समझने में काफी सहायता देती हैं और भारतीय समाज में अनेकता भी उत्पन्न करती हैं। भारतीय समाज में विविधता के अनेक आयामों के दर्शन होते हैं। यहाँ समय-समय पर अनेक बाहरी आक्रान्तियों का आगमन होता रहा है। विजयी विदेशियों ने यहाँ पर शासन भी किया। कुछ स्थायी रूप से यहीं बस गए। इसीलिए भारत में अनेक संस्कृतियों का सह अस्तित्त्व पाया जाता है। कदाचित् इसी कारण भारत अनेक संस्कृतियों का 'द्रवण-पात्र' और संगम स्थल बनने में सफल रहा। स्पष्ट है कि सांस्कृतिक बहुलता इस देश की नियति बन गयी है।

भारत में विभिन्न धर्मों, भाषाओं, रीति-रिवाजों, प्रथाओं, परम्पराओं, विचारों, विश्वासों संस्कारों, खान-पान, रहन-सहन, वेश-भूषा आदि के रूप में पर्याप्त बहुलता एवं विविधता के दर्शन होते हैं। विभिन्न प्रकार की सांस्कृतिक बहुलतावाद के दर्शन विभिन्न रूपों में हो सकते हैं, यथा—भारत में एक ओर अत्यधिक निर्धन और निम्न जाति के लोग रहते हैं, तो दूसरी ओर अत्यन्त धनी, उच्च जाति और वर्ग के लोग भी हैं। विभिन्न धर्मों, प्रजातियों, जातियों, भाषाओं एवं क्षेत्रों से सम्बन्धित समूह सम्पूर्ण भारत में फैले हैं। धर्म, भाषा, क्षेत्र, प्रथा, परम्परा के आधार पर भारत में अल्पसंख्यक समूह भी देखे जाते हैं। बहुसंख्यक समूह भी विभिन्न सम्प्रदायों, जातियों, गोत्रों व भाषायी समूहों में विभाजित हैं। यद्यपि इन समूहों में अपने लोगों को अच्छी शिक्षा, रोजगार और जीवन स्तर उपलब्ध कराने की महात्त्वाकांक्षा है, तथापि सभी लोगों को समान अवसर नहीं मिल सके हैं। यह असमानता स्वयं भारतीय समाज की ही देन है, जिसके कारण समय-समय पर समाज में तनाव एवं संघर्ष उत्पन्न होते

रहते हैं तथा पारस्परिक अविश्वास और मानसिक कुण्ठाओं में भी वृद्धि होती है। इन्हीं कारणों वश भारत की आन्तरिक एकता, भारतीयों की भावना को गहरी ठेस लग रही है। समाज में इस स्थिति का जन्म सामाजिक संरचना के स्वरूप तथा वास्तविकता के बीच भेद के कारण ही हुआ है।

भारत में वेश-भूषा, रहन-सहन, खान-पान, प्रथाओं, कला आदि की दृष्टि से पर्याप्त भिन्नताएँ दिखाई देती हैं। प्रत्येक क्षेत्र के निवासियों की अपनी-अपनी विशिष्ट प्रथाएँ और एक ही क्षेत्र के विभिन्न धार्मिक समूह ही प्रथाओं में बहुत कुछ अन्तर देखा जा सकता। उत्तर और दक्षिण के लोगों, हिन्दू और मुस्लिम, ग्रामीण व नगरीय तथा परम्परावादी एवं आधुनिक माने-जाने वाले लोगों की वेश-भूषा में रात और दिन का अन्तर पाया जाता है। खान-पान की दृष्टि से भी देश के विभिन्न भागों में भूमि और आकाश का अन्तर देखा जाता है। पंजाब में गेहूँ, बंगाल और उड़ीसा में चावल एवं मछली तथा राजस्थान में ज्वार, बाजरा एवं मक्का मुख्य भोजन है। गुजरात में धोती-कुर्ता और पगड़ी का अधिक प्रचलन है। विभिन्न क्षेत्रों में रहने वाली महिलाओं के पहनावे में भी अन्तर पाया जाता है।

भारत में कुछ जातियाँ और धार्मिक समूह माँसाहारी हैं, तो कुछ शाकाहारी, कुछ दोनों ही हैं। वर्तमान भारतीय समाज में एक ही जाति और धर्म के लोगों में खान-पान से सम्बन्धित अनेक अन्तर देखे जा रहे हैं। यहाँ तक कि अब तो बहुत से लोग खान-पान सम्बन्धी किसी प्रतिबन्ध/निषेध में विश्वास नहीं करते तथा भोजन की पौष्टिकता और स्वच्छता पर ही विशेष ध्यान देते हैं। भारत के विभिन्न भागों में भिन्न-भिन्न प्रकार के खाद्य पदार्थो के उत्पन्न होने के कारण भिन्न-भिन्न क्षेत्रों में खान-पान के अलग-अलग तरीकों के भी दर्शन होते हैं।

विभिन्न क्षेत्रों में कला, संगीत और नृत्य की दृष्टि से भी पर्याप्त भिन्नता पायी जाती है। इस सम्बन्ध में किसी क्षेत्र में कोई शैली प्रचलित है, तो किसी अन्य क्षेत्र में दूसरी शैली। भारत में मंदिरों, मस्जिद, गिरजाघरों, स्तूपों, शिखरों आदि में कला की भिन्नता आसानी से ज्ञात हो जाती है। यही बात संगीत और नृत्य के सम्बन्ध में है। गुजरात में गरबा, दक्षिण में भरतनाट्यम् पंजाब में भाँगड़ा एवं लोहड़ी, राजस्थान में घूमर, महाराष्ट्र में तमाशा जैसे नृत्यों की प्रधानता देखी जाती है। भारत के विभिन्न प्रान्तों/रायों के त्योहारों एवं उत्सवों में भी भिन्नता पायी जाती है। यह भिन्नता हम स्थानीय देवी-देवताओं के सम्बन्ध में देख सकते हैं। देश का विभिन्न भागों में लोगों के विश्वासों, विवाह सम्बन्धी निषेधों तथा नैतिकता की धारणाओं में भी पर्याप्त अन्तर दृष्टिगोचर होते हैं। भारतीय समाज में एक विवाह, बहुपति विवाह और बहुपत्नी विवाह प्रथा को मानने वाले लोग भी हैं। यहाँ पितृसत्तात्मक और मातृसत्तात्मक दोनों प्रकार की ही व्यवस्था आज भी पायी जाती है। स्पष्ट है कि सांस्कृतिक दृष्टि से भारत भिन्नताओं से युक्त देश है।

उत्तर भारत की सांस्कृतिक विशेषताएँ
(Cultural Characteristics of Northern India)

पंज़ाब, सिन्ध, दिल्ली, कश्मीर, हरियाणा, हिमांचल प्रदेश, उत्तरी मध्य प्रदेश का एक भाग, बिहार, बंगाल, असम, नेपाल, राजस्थान, उत्तरांचल, उत्तरी महाराष्ट्र और गुजरात आदि को उत्तरी भारत में रखा जाता है। उत्तरी क्षेत्र के निवासी इण्डो-आर्यन भाषा परिवार की भाषाएँ बोलते हैं, जिनमें हिन्दी, हरियाणी, पंजाबी, राजस्थानी, कश्मीरी, गुजराती और मराठी आदि प्रमुख भाषाएँ हैं।

उत्तरी भारत के ब्राह्मणों में कुलीन विवाह प्रचलित है, जबकि क्षत्रियों में अनुलोम विवाह। दिल्ली और पंजाब में स्थानिक बहिर्विवाह को 'शासन का नियम' कहा जाता है। एक शासन के ब्राह्मण परिवारों में विभिन्न गोत्रों के होने के कारण भी आपस में विवाह करना निषिद्ध है। शासन एक प्रकार का वह राजकीय अधिकार पात्र है, जिसके द्वारा प्राचीन और मध्यकालीन नरेशों के द्वारा ब्राह्मणों को भूमि प्रदान की जाती थी। एक शासन के अनुसार गाँव में बसने वाले सभी लोग बहिर्विवाह की प्रथा का पालन करते हैं। बंगाल में स्थानीय बहिर्विवाह का प्रचलन नहीं है और न ही माता का गोत्र डाला जाता है। पंजाब में उन परिवारों में परस्पर विवाह करने का निषेध है, जिनके गाँवों की सीमाएँ मिलती हों। इसको वे सीमा-सीमना भाई-चारे का नियम मानते हैं। इसी प्रकार एक गाँव के जिस परिवार में एक लड़की का विवाह कर दिया जाता है, उसी परिवार, गाँव तथा पीढ़ी में दूसरी लड़की का विवाह नहीं किया जाता है। इस नियम का पालन कम से कम दो पीढ़ियों तक अवश्य ही किया जाता है। यहाँ विनिमय विवाह या लड़का-लड़की के आदान-प्रदान को अनुचित माना जाता है।

राजस्थानी राजपूत विभिन्न विवाहों कुल में विभक्त हैं। गंगा के मैदान के पूर्वी राजपूत पश्चिमी दिशा में वर की खोज करते हैं। इस क्षेत्र में एक कहावत भी प्रचलित है, जिनके अनुसार पूर्व की बेटी और पश्चिम का बेटा होना चाहिए। इस क्षेत्र में वैवाहिक सन्दर्भ में न्यौता प्रथा पायी जाती है। जिसके अन्तर्गत नाते-रिश्तेदार, बन्धु-बान्धव और ईष्ट-मित्रगण विवाह हेतु धन भेंट करते हैं, ताकि विवाह सरलतापूर्वक सम्पन्न हो जाए। स्पष्ट है कि रुपया पैसा भेंट में देना ही न्यौता प्रथा है।

यद्यपि भारत के उत्तरी क्षेत्र में बाल विवाह की प्रथा प्रचलित तो है, परन्तु बहू की छोटी आयु होने के कारण उसको उसकी ससुराल उस समय तक नहीं भेजा जाता, जब तक कि वह परिपक्व एवं युवा नहीं हो जाती। लड़की के युवा होते ही, उसे भेंट/उपहार/दहेज देकर उसके पति को आमन्त्रित करके उसको ससुराल में विदा कर दिया जाता है। इस प्रथा को उत्तरी भारत में 'गौना प्रथा' कहा जाता है।

उत्तरी भारत में ब्राह्मण, क्षत्रिय, वैश्य और कायस्थ जातियों के अतिरिक्त अन्य जातियों में 'देवर विवाह' की प्रथा प्रचलित है। उनमें 'साली विवाह' का प्रचलन भी पाया जाता है। उत्तरी भारत के कुछ क्षेत्रों में बहुपति प्रथा, कन्या मूल की प्रथा और दहेज प्रथा आदि भी प्रचलित है। सम्पूर्ण उत्तर भारत में कतिपय अपवादों के अतिरिक्त पितृसत्तात्मक, पितृवंशीय और पितृस्थानीय परिवार व्यवस्था प्रचलित है। कहीं पर परिवार का सबसे बड़ा पुत्र उत्तराधिकारी पुत्र ही होते हैं, पुत्रियाँ नहीं। यदि किसी परिवार में पुत्र नहीं उत्पन्न होता, तो पिता के किसी भाई, अथवा नाते-रिश्तेदार के पुत्र सन्तान को 'गोद लेने' की प्रथा प्रचलित है। उत्तरी क्षेत्रों में अधिकांशतः एकांकी/नामिक परिवारों का प्रचलन है, जिसमें पति-पत्नी और उनके अविवाहित बच्चे सम्मिलित होते हैं। यहाँ पर तीन या अधिक पीढ़ी के सदस्यों या एक ही पीढ़ी के समस्त भाईयों तथा उनकी सन्तानों से मिलकर बनने वाले 'संयुक्त परिवार' भी विद्यमान हैं। इस क्षेत्र में ब्राह्मण, क्षत्रिय, वैश्य, शूद्र और अस्पृश्य जातियाँ तथा जनजातियाँ भी पाई जाती हैं, जिनका उल्लेख जातीय विविधता के अर्न्तगत किया गया है।

दक्षिण भारत की सांस्कृतिक विशेषताएँ
(Cultural Characteristics of Southern India)

भारत के दक्षिण क्षेत्र में उड़ीसा, आन्ध प्रदेश, तमिलनाडु, कर्नाटक, दक्षिणी महाराष्ट्र, दक्षिण मध्य प्रदेश और केरल आदि राज्य सम्मिलित हैं जिनमें द्रविड़ भाषा परिवार की मराठी, कोंकणी, उड़िया, तेलुगू, तमिल मलयालम आदि भाषाएँ प्रचलित हैं। यद्यपि दक्षिणी क्षेत्र में अधिकांशतः पितृवंशीय और पितृस्थानीय परिवार पाए जाते हैं, किन्तु इनके साथ-साथ कहीं पर मातृवंशीय एवं मातृस्थानीय परिवार भी पाए जाते हैं। इस क्षेत्र में अपवाद को छोड़कर बहुपत्नी विवाह का प्रचलन नहीं है। कुछ स्थानों में बहुपति विवाह प्रथा, तो कुछ में दोनों ही प्रचलित हैं। इस क्षेत्र में पितृवंशीय परिवार वालों के नियम क्षेत्र के समान ही है। यहाँ पर एकाकी परिवारों को 'तावजी' और संयुक्त परिवारों को 'थारवाड' के नाम से जाना जाता है।

दक्षिणी भारत में ब्राह्मण और अब्राह्मण जातियों में परस्पर विवाह भी किए जाते हैं। इस क्षेत्र में प्रत्येक गाँव की जातियाँ बहिर्विवाही कुलों में विभक्त है। एक कुल का व्यक्ति अपने कुल के अतिरिक्त किसी भी अन्य कुल में विवाह सम्बन्ध स्थापित करने के लिए स्वतन्त्र होता है। तमिलनाडु के 'हलिंग ब्राह्मणों' में तो विवाह के वृत्त पाए जाते हैं, जिनमें परस्पर विवाह करने वाले कुल रहते हैं। तमिल भाषा में इन कुलों को 'चुत्रु' अथवा 'चुत्रम' कहा जाता है। आन्ध्र प्रदेश और कर्नाटक राज्य में दो सगी बहनों के बच्चों का भी विवाह किया जा सकता है।

दक्षिण भारत में अनेक प्रकार के 'अधिमान्य विवाहों' का भी प्रचलन है–

1. इस क्षेत्र में कहीं-कहीं पर पुरुष अपनी बड़ी बहन के पुत्री के साथ विवाह करने को सर्वोपरि वरीयता देता है, जिसे 'मामा-भाँजी विवाह' कहते हैं। दक्षिण भारतीय ब्राह्मणों

में मामा-भाँजी विवाह मुख्य रूप से प्रचलित है। ब्राह्मणों को छोड़कर अन्य जातियों के पुरुष अपनी छोटी बहन की पुत्री के साथ विवाह करना अनुचित समझते हैं।

2. इस क्षेत्र में 'ममेरे-फुफेरे भाई-बहन' का विवाह भी प्रचलित है। यहाँ पुरुष का विवाह अपनी बुआ की बेटी के साथ भी कर सकता है। विवाह की इस प्रथा से यह तथ्य भी स्पष्ट होता है कि जो परिवार अपनी पुत्री देता है, वह उस परिवार की पुत्री प्राप्त करने का प्रतिपादन भी चाहता है, जो अगली पीढ़ी में होता है। दक्षिणी भारत के महाराष्ट्र राज्य में इस प्रथा का प्रचलन प्रमुखतः पाया जाता है।

वैवाहिक निषेध (Matrimonial Prohibition)

दक्षिण भारत में विवाह सम्बन्धी प्रमुख निषेध प्रमुखतः निम्नलिखित हैं–

1. एक पुरुष अपनी बड़ी बहिन की पुत्री के साथ विवाह कर सकता है, किन्तु अपनी छोटी बहिन की पुत्री के साथ नहीं।
2. इस क्षेत्र में विधवा पुनर्विवाह कतिपय अपवादों को छोड़कर पूर्णतः निषेध है, छोटी साली के साथ नहीं।
3. उत्तरी भारत में कोई भी पुरुष अपनी मौसी की पुत्री से विवाह नहीं कर सकता है।
4. इस क्षेत्र में अपनी बड़ी साली के साथ विवाह करने का निषेध है, छोटी साली के साथ नहीं।

उत्तरी भारत के सामने दक्षिणी भारत के परिवारों में जन्मगत तथा विवाहगत परिवारों में स्पष्ट भेद नहीं किया जा सकता है। उदाहरणार्थ–चूंकि दक्षिणी भारत में ममेरे, फुफेरे भाई-बहिनों के विवाह का प्रचलन है, अतः 'बुआ' से अभिप्राय बुआ और सास दोनों ही से है और उन्हें एक ही शब्द से सम्बोधित किया जाता है। यही वह कारण है कि विवाह सम्बन्धी एवं रक्त सम्बन्धी विभेद/अन्तर करना एक कठिन कार्य हो जाता है। स्पष्ट है कि दक्षिणी भारत में आज भी द्रविड़ संस्कृति का प्रतिनिधित्व हो रहा है।

भाषायी विविधता (Language Diversites)

मानव समाज की एक प्रमुख विशेषता उसकी भाषा भी है, क्योकि उसके सामाजिक सांस्कृतिक जीवन को भाषा ने ही सम्भव बनाया है। भाषा के बिना मानव समाज कदाचित् सभ्यता के उस शिखर पर पहुँचने में असफल ही रहता, जहाँ वह आज विराजमान है। स्पष्ट है कि मानव समाज में भाषा का अत्यन्त महत्त्वपूर्ण स्थान है। मनुष्य की राजनीतिक, आर्थिक, धार्मिक और सांस्कृतिक सभी संस्थाएँ और व्यवहार भाषा के ही कारण सम्भव और विकसित हो सके हैं। भाषा ही मानव-संस्कृति की वाहक है। भाषा के द्वारा ही संस्कृति का हस्तान्तरण एक पीढ़ी से दूसरी पीढ़ी को हो पाता है। भाषा के माध्यम से ही मनुष्य अपने भावों, संवेगों व अनुभव तथा ज्ञान को एक पीढ़ी और एक समाज से दूसरे समाज तक पहुँचाता आया है। भाषा के द्वारा ही मनुष्य ज्ञान को संकलित करता आ रहा है। भाषा ही व्यक्तियों में परस्पर अन्तःक्रिया और सम्बन्ध स्थापित करने का एक सशक्त माध्यम है।

भाषा के माध्यम से ही बालक का समाजीकरण किया जाता है, ताकि वह समाज में रहने योग्य प्राणी बन सके। भाषा ही प्रत्येक मनुष्य को समाज, उसकी प्रस्थिति और भूमिका का बोध कराती है। मानवीय चिन्तन की अभिव्यक्ति भाषा के द्वारा ही सम्भव है। भाषा उन सभी व्यक्तियों को एकता के बन्धन में बाँधती है। जो एक ही भाषा को प्रयुक्त करते हैं। यद्यपि भाषा मानव समाज के लिए अत्यन्त उपयोगी है, तथापि कई बार यह भाषायी विवाद को जन्म देकर समाज में तनाव, संघर्ष उत्पन्न करती है, जिससे सामाजिक विघटन की उत्पत्ति होती है।

भारत एक बहुभाषी राष्ट्र है, अतः भाषायी दृष्टि से यहाँ अनेक भिन्नताओं के दर्शन होते हैं। भाषायी सर्वेक्षणों के अनुसार भारत में 179 भाषाएँ तथा 544 बोलियाँ प्रचलित हैं। प्रत्येक भौगोलिक क्षेत्र अथवा उपक्षेत्र की अपनी-अपनी एक भाषा या बोली है। भारत की भाषाओं और बोलियों के अध्ययन में जॉर्ज ग्रियर्सन का नाम विशेष रूप से उल्लेखनीय है। भारतीय ग्रामीण क्षेत्रों में भाषायी विविधता और बहुलता को लेकर यह कहावत प्रचलित हैं–"पाँच कोस में बदले पानी, दस कोस में बानी।" अर्थात् प्रत्येक दस कोस (25 मील) के उपरान्त भाषा में बदलाव आ जाता है। भाषा के साथ-साथ सांस्कृतिक विशेषताओं में भी अन्तर दृष्टिगोचर होता है। विभिन्न भाषायी क्षेत्रों ने भारतवासियों के सामाजिक जीवन पर गहरा प्रभाव अंकित किया है। एक भाषा का प्रयोग करने वाले लोगों ने अपने सम्बन्ध केवल अपने भाषायी क्षेत्र तक ही सीमित रखे हुए हैं। यद्यपि हमें भाषायी क्षेत्र का भी अध्ययन करना होगा। भाषा के साथ संस्कृति और धर्म भी आबद्ध हैं। विभिन्न धर्मों को मानने वाले अपनी-अपनी पृथक-पृथक भाषा को मान्यता देते हैं। हिन्दू हिन्दी व संस्कृत भाषा को, मुस्लिस अरबी, फारसी व उर्दू भाषा को सिख, गुरुमुखी भाषा को, बौद्ध पाली एवं प्राकृत भाषा को तथा ईसाई अंग्रेजी भाषा को मान्यता देते हैं।

भारत में हिन्दी, पंजाबी, कश्मीरी, सिन्धी, तमिल, कन्नड़, मलयालम, उर्दू, मराठी, गुजराती, उड़िया, बंगाली, असमिया अत्यन्त समृद्ध और प्रमुख भाषाएँ हैं। भारत की सभी भाषाओं को तीन भाषा परिवारों में रखा गया है–

1. इण्डो आर्यन भाषा परिवार–इसके अन्तर्गत हिन्दी, संस्कृत, बंगला, उर्दू, राजस्थानी, हरियाणवी, आदि भाषाएँ सम्मिलित हैं।

2. द्रविड़ भाषा परिवार–इसके अन्तर्गत तमिल, तेलुगू, कन्नड़, मलयाली और गोंडी आदि भाषाएँ सम्मिलित हैं।

3. आस्ट्रिक भाषा परिवार–इसके अन्तर्गत बिरहोर, कोकू, हो, खरिया, भूमिज, संथाली, मुण्डारी, जुआँग, खासी, कोरवा आदि भाषाएँ सम्मिलित हैं।

उपरोक्त भाषाओं के अतिरिक्त भारत में चीनी-तिब्बती परिवार की भाषा भी पायी जाती है, तथा लेपचा, नेवाड़ी, मणिपुरी और नागा भाषा आदि।

स्वतन्त्रोपरान्त बनाए गए भारतीय संविधान में अग्रलिखित 18 भाषाओं को मान्यता प्रदान की गयी है–हिन्दी, संस्कृत, सिन्धी, पंजाबी, कोंकणी, बंगाली, उड़िया, गुजराती, मराठी, उर्दू, असमिया, कन्नड़, तेलगू, तमिल, नेपाली, मणिपुरी, मलयालम। इनमें से प्रत्येक भाषा की अपनी एक लिपि भी है। जिनमें हिन्दी का सर्वप्रथम स्थान है। इन भाषाओं के अतिरिक्त भोजपुरी, मारवाड़ी, पहाड़ी, मालवी, कन्नौजी भी अन्य महत्त्वपूर्ण भाषाएँ हैं। इनमें से कुछ भाषाओं को बोलने वाले लोगों की संख्या लगभग 5 लाख और कुछ की संख्या लगभग एक लाख तक भी है। भारत में हिन्दी सर्वप्रमुख भाषा है, जिसकी लिपि देवनागरी है। हिन्दी बोलने वाली की कुल संख्या 20.33 करोड़ अर्थात् कुल जनसंख्या का लगभग 30 प्रतिशत भाग है। उत्तर प्रदेश, राजस्थान, मध्य प्रदेश, बिहार, हरियाणा, दिल्ली में हिन्दी भाषा का प्रमुखतः प्रचलन है। हिन्दी भाषा उत्तरी भारत के पश्चिमी क्षेत्र में खड़ी बोली, कन्नौजी, बुन्देलखण्डी, ब्रजभाषा, हिन्दुस्तानी भाषा आदि के रूप में और पूर्वी क्षेत्रों में अवधी, बघेली और छत्तीसगढ़ी बोली के रूप में दृष्टिगोचर होती है। संविधान में 243 (1) अनुच्छेद में हिन्दी को 'राजभाषा' की मान्यता दी गयी। अब यह सभी राज्यों की संचार और सम्पर्क भाषा बनाने की क्षमता से युक्त है। इस पर भी हिन्दी भाषा को उसका वाँछित स्थान नहीं मिल सकता है। उर्दू भाषा अरबी, फारसी व हिन्दी तीनों के मिश्रण से निर्मित है, जो मुस्लिम और ब्रिटिश काल में पनपती रही। देश में बंगला भाषा का प्रयोग 5.59 करोड़ (8.17 प्रतिशत) लोग करते हैं। इस भाषा में क्षेत्रीयता ग्रामीण एवं नगरीय आधार पर भिन्नता पायी जाती है। असमिया भाषा का प्रयोग लगभग 1.12 करोड़ (1.63 प्रतिशत) लोग करते हैं। असमी व बंगला भाषा एक-दूसरे से बहुत कुछ मिलती-जुलती है। उड़िया भाषा का प्रयोग करने वालों की संख्या लगभग 2.48 करोड़ (3.62 प्रतिशत) है। इस भाषा में असमिया, बंगला एवं मगधी भाषा के अपभ्रंश शब्द पाए जाते हैं। पंजाबी भाषा का प्रयोग पंजाब, हरियाणा, और उत्तरी राजस्थान में होता है। जिसका प्रयोग करने वालों की संख्या लगभग 2. 06 करोड़ (3 प्रतिशत) ही है, क्योंकि भारत-विभाजन के कारण सिन्ध पाकिस्तान में चला गया था। देश में मराठी भाषा बोलने वालों की संख्या 5.28 करोड़ (7.71 प्रतिशत) है। इसकी दो प्रमुख बोलियाँ हैं–हलबी और कोंकणी। मराठी साहित्य पर अनेक भाषाओं का प्रभाव दृष्टिगोचर होता है। गुजरात आकर काठियावाड़ में बोली जाने वाली गुजराती भाषा का प्रयोग लगभग 3.23 करोड़ (4.72 प्रतिशत) लोग करते हैं। गुजराती भाषा पर हिन्दी व राजस्थानी भाषा का प्रभाव दिखाई देता है। बिहारी भाषा का प्रयोग मुख्यतः बिहार राज्य में होता है, जिसकी भोजपुरी, मगही और मैथिली तीन प्रमुख बोलियाँ हैं। हिमाली भाषा कश्मीर से भूटान तक बोली जाती है, जिसके तीन प्रमुख भाग हैं–पूर्वी, पश्चिमी एवं मध्य हिमाली।

तेलगू भाषा द्रविड़ भाषा परिवार से सम्बन्धित हैं, जिसका प्रचलन दक्षिण हैदराबाद, उत्तरी तमिलनाडु, मैसूर एवं आन्ध्र प्रदेश के कुछ क्षेत्रों में पाया जाता है। तेलगू भाषी लोगों की संख्या लगभग 5.60 करोड़ (18.7 प्रतिशत) है। इसमें संस्कृत के शब्दों की बहुलता पायी जाती है। कन्नड़ भाषा को समृद्ध बनाने में जैन, लिंगायत तथा ब्राह्मणों का विशेष योगदान

रहा है। आज इसका प्रयोग करने वालों की संख्या लगभग 2.71 करोड़ (3.96 प्रतिशत) है। कन्नड़ भाषा का प्रचलन पश्चिमी तमिलनाडु, पूर्वी कुर्ग, हैदराबाद और मैसूर में दिखाई देता है। देश में तमिल भाषी दक्षिण भारत के कुछ राज्यों में है। यह भाषा 'द्रविड़ संस्कृति' की प्रतीक मानी जाती है। दक्षिण की ही मलयालम भाषा बोलने वालों की संख्या लगभग 2.94 करोड़ (4 प्रतिशत) है। इस पर संस्कृत भाषा का गहरा प्रभाव है। इस भाषा का प्रचलन मुख्यतः केरल राज्य में है।

भाषावाद की समस्या–भारतीय समाज में विद्यमान भाषायी विविधता के कारण अनेक विषम समस्याएँ उत्पन्न हुई हैं। इसे पृथकतावाद के लिए उत्तरदायी माना जा रहा है, क्योंकि कुछ सर्वेक्षणों से ज्ञात हुआ है कि भाषायी पृथकतावादी से लोग उद्वेगात्मक दृष्टि से अत्यधिक प्रभावित हैं। देश में भाषा के प्रश्न पर एक क्षेत्र व दूसरे क्षेत्र में काफी तनाव पाया जाता है। स्पष्ट है कि एक विभाजक तत्त्व के रूप में भाषा ने राष्ट्र निर्माण और राष्ट्रीय एकता को अत्यधिक क्षति पहुँचाई है। इस समस्या को हल करने के लिए अत्यावश्यक है कि हिन्दी भाषा का अहिन्दी भाषा राज्यों में समुचित ढंग से प्रचार-प्रसार हो, शिक्षा का माध्यम प्रान्तीय भाषा को बनाया जाए, सभी भाषाओं को समुचित रूप से विकसित होने का अवसर प्रदान किया जाए तथा अल्पसंख्यकों की भाषा को राजकीय संरक्षण प्रदान किया जाए। इस समस्या के समाधानार्थ सरकार और राजनेताओं को समझ-बूझ का परिचय देना होगा, अपने संकीर्ण और तुच्छ स्वार्थो को छोड़कर राष्ट्रीय हितों का पोषण करना होगा जिससे भाषावाद की समस्या का शान्तिपूर्ण समाधान करने में सफलता मिले।

भारत में विविधता एवं एकता
(Unity and Diversity in India)

1. भौगोलिक विविधता एवं एकता
(Unity in Geographical Diversity)

भौगोलिक दृष्टिकोण से भारत भूमि में अनेक प्रकार की विषमताएँ पायी जाती हैं। भारत ऊष्ण और समशीतोष्ण कटिबन्धों की जलवायु वाला भौगोलिक प्रदेश है। असम राज्य में स्थित चेरापूंजी के निकट मॉसिनराम नामक एक गाँव में वर्ष में लगभग 1200 सेन्टीमीटर वर्षा होती है, जबकि राजस्थान के थार नामक मरुस्थल में 5 इंच से कम वर्षा होती है। भारत में अत्यन्त उपजाऊ और बहुत कम उपजाऊ दोनों ही तरह के प्रदेश पाये जाते हैं। देश के उत्तर में हिमालय पर्वत, उसके पश्चात् मैदानी भाग है, जबकि दक्षिण भारत में एक पठारी एवं प्रायद्वीप प्रदेश है।

ऐसी विविधताओं तथा विषमताओं के होते हुए भी सम्पूर्ण देश भौगोलिक दृष्टि से एक इकाई का निर्माण करता है। भारत की प्राकृतिक सीमाओं ने उसे अन्य देशों से अलग किया है तथा यहाँ के लोगों में एक क्षेत्र में निवास करने की भावना को विकसित किया है।

उत्तर में बद्रीनाथ, दक्षिण में रामेश्वरम्, पूर्व में जगन्नाथ पुरी और पश्चिम में द्वारिकाधाम भारत में अत्यन्त पवित्र धार्मिक स्थल है। जो सभी देशवासियों को एकता के सूत्र में पिरोते हैं और उनमें जन्मभूमि के प्रति अगाध निष्ठा और प्रेम भाव जाग्रत करते हैं। "जननी जन्म भूमिश्च स्वर्गादपि गरीयसि" जैसी धारणाओं ने देशवासियों के हृदय में त्याग और उत्सर्ग की भावना उत्पन्न की है। भारत माता और हिन्दुस्तान जैसे शब्दों में उच्चारण से ही अधिकांश भारतीयों के शरीर में स्पन्दन होने लगता है।

2. धार्मिक विविधता एवं एकता
(Unity in Religious Diversity)

भारत भूमि विभिन्न धर्मों की जन्मभूमि है। हिन्दू, जैन, बौद्ध और सिख अर्थो की उत्पत्ति और विकास भारत में हुआ, जबकि इस्लाम, पारसी और ईसाई धर्म विदेशों से आए। इन सभी धर्मों में अनेक मत-मतान्तर और सम्प्रदाय पाए जाते हैं। इतना ही नहीं उनके नियमों तथा मान्यताओं में भी अनेक विभिन्नताओं के दर्शन होते हैं। विभिन्न धर्मों एवं सम्प्रदायों का इतनी अधिकता होने पर भी सभी धार्मिक सम्प्रदाय एक-दूसरे के पूरक रहे हैं। उन्होंने धार्मिक संघर्षों की अपेक्षा एक-दूसरे के धर्मों की विशेषताओं को समझने एवं उन्हें अपने में आत्मसात् करने का प्रयास किया है। सिद्धान्ततः न सही, किन्तु व्यावहारिक रूप से देश की प्रमुख नदियाँ और धार्मिक स्थल सभी धर्मावलम्बियों के लिए समान रूप से महत्त्वपूर्ण हैं।

हिमालय से लेकर कन्याकुमारी तक और अटक से लेकर कटक तक विस्तृत धार्मिक स्थल एक एकता को और भी अधिक सुदृढ़ करते हैं। राम व कृष्ण की गाथाएँ हिन्दी व संस्कृत में जितनी लोकप्रिय हैं, तमिल, तैलार, कन्नड़ और मलयालम में भी उन्हें उतने ही उत्साह से सुना व पढ़ा जाता है। होली, दीपावली, दशहरा, क्रिसमस और ईद किसी धर्म विशेष के ही त्यौहार नहीं है, क्योंकि हिन्दू, मुस्लिम, सिख, ईसाई सभी इनमें भाग लेते हैं। धर्मिक कर्मकाण्ड भी सभी धर्मों में पाए जाते हैं। सभी की आन्तरिक भावनाएँ एक-दूसरे के लगभग समान हैं। सभी लोग गीता और उपनिषदों को ज्ञान का स्रोत मानते हैं। सभी धर्मो के अनुयायी संकट और दंगों फसादों के समय एक-दूसरे को शरण व मदद देते हैं। एक ही व्यवसाय में विभिन्न धर्मानुयाइयों के साथ-साथ काम करने से सामाजिक एकता/एकीकरण को बल मिलता है।

भारतीय गाँव बहुजातीय और बहुधार्मिक हैं। उत्तर प्रदेश में हिन्दू काश्तकार और मुस्लिम भू-स्वामी और मुस्लिम काश्तकार तथा हिन्दू भू-स्वामी पाए जाते हैं। देश के कुछ गाँवों एवं मुस्लिम जमींदारों के काश्तकार और नौकर हिन्दू रहे हैं, तो हिन्दू जमींदारों के नौकर एवं काश्तकार मुस्लिम रहे हैं। जब किसी समुदाय के लोग आर्थिक क्षेत्र में कुशलता/सफलता प्राप्त करते हैं, तो दूसरे धर्मों के लोग उसके उपभोक्ता/ग्राहक बन जाते हैं। आज सम्पूर्ण देश में विभिन्न समुदायों के लोगों के फैलाव और उनके द्वारा ग्रहण करे

गए आर्थिक कार्यों के कारण भी सामाजिक एकता बलवती होने लगी है। यद्यपि कई बार धर्मों का प्रयोग संकीर्ण सामाजिक व रानीतिक उद्देश्यों की पूर्ति हेतु भी किया गया है, साम्प्रदायिक दंगे फसाद भी कराए जाते रहे हैं, किन्तु विशाल काल भारतीय समाज इस आघात को भी जहर के प्याले की भाँति पीता गया।

भारत में पाए जाने वाले सभी धर्मों के मूल सिद्धान्तों में समानता है। सभी धर्म, ईश्वर नैतिकता, दया, सत्य, ईमानदारी, अहिंसा और आध्यात्मवाद आदि में विश्वास रखते हैं। धार्मिक समन्वय और सहिष्णुता की भावना ने ही भारतीयों में एकता का भाव उत्पन्न किया है। स्पष्ट है कि इसाई धर्म को मानने वाले लोगों की संख्या भी करोड़ में है, किन्तु भारत प्रारम्भ से लेकर आज भी एक धर्म निरपेक्ष राष्ट्र रहा है, जहाँ प्रत्येक व्यक्ति को अपने-अपने धर्म की उपासना करने की पूर्ण स्वतन्त्रता है। भारत में कई मुसलमान, हिन्दुओं के साधु-सन्यासी, देवी-देवताओं आदि की अभ्यर्थना करते हैं, तो अनेक हिन्दू भी मुसलमान पीर-फकीर व दरगाहों आदि की करते हैं। कबीर, दादू, नानक, गांधी आदि ने इस क्षेत्र में प्रशंसनीय योगदान दिया है।

3. सामाजिक-सांस्कृतिक विविधता एवं एकता
(Unity in Socio-Cultural Diversity)

भारतीय समाज के विभिन्न क्षेत्रों में रहने वाले परिवारों में विवाह, रीति-रिवाज, वस्त्र शैली/वेशभूषा, खान-पान आदि में पर्याप्त भिन्नताओं के दर्शन होते हैं। इस पर भी प्राचीन काल से ही भारत की सामाजिक संरचना और संस्कृति एवं एकता देखी जाती है। संयुक्त परिवार प्रणाली, जाति प्रणाली, वर्णाश्रम प्रणाली, कर्म एवं धर्म, आदि सम्पूर्ण भारतीय समाज में शुरू से ही पाए जाते रहे हैं। इन सभी के संरूपण एवं मतैक्य के फलस्वरूप ही भारतीय समाज में सन्तुलन और स्थिरता मजबूती से बनी रही। भारतीय संस्कृति में कोई विशेष व्यवधान नहीं उत्पन्न हुआ। कतिपय संशोधनों के अतिरिक्त मूल रूप से प्राचीन सांस्कृतिक एवं कल्पित संशोधनों अतिरिक्त मूल रूप में प्राचीन सांस्कृतिक एवं सामाजिक मूल्य और मानक आज भी यथावत पाए जाते हैं।

भाषा, रहन-सहन, खान-पान, आदि में भेद होने के बाद भी विभिन्न सामाजिक धार्मिक उत्सवों एवं पर्वों का प्रचलन सामान्यतः सारे भारत में देखा जाता रहा है। होली, दीपावली, दशहरा, रक्षाबन्धन, रामनवमी जैसे त्योहार अधिकांश राज्यों में मनाए जाते हैं। राम, कृष्ण, दुर्गा, सीता, लक्ष्मी, हनुमान, सरस्वती आदि का अधिकांश लोग पूजन करते हैं। स्वर्ग-नरक, जीवन-चक्र, पुनर्जन्म, आध्यात्मवाद आदि से सम्बन्धित विचारों में अधिकांश भारतीय आज भी विश्वास रखते है। सदियों पुरानी प्रथा, परम्पराएँ, रूढ़ियाँ, रीति-रिवाजों का आज भी प्रचलन है। शिक्षितों व अशिक्षितों, ग्रामीण एवं शहरी लोगों, जनता और प्रशासकों में सामाजिक दृष्टि में सृजनात्मक सम्बन्ध आज भी कायम है। प्रजातन्त्र के विकास के भ्रातृत्व, स्वतन्त्रता और समानता की भावना के विकास में महत्त्वपूर्ण भूमिका

निभायी है। सांस्कृतिक सहिष्णुता के कारण यहाँ के विभिन्न संस्कृतियों के सम्पर्क के बाद भी भारतीय संस्कृति का मूल स्वरूप यथावत् अक्षुण्ण बन रहा है। वर्तमान समय में भी अनेक धर्म प्रजाति, जाति, क्षेत्र और भाषा समूहों की उपस्थित के बाद भी भारतवासियों में एकता भाव दृष्टिगोचर होता है।

भारतीय समाज की प्रथाएँ एवं परम्पराएँ किसी धर्म और सम्प्रदाय से नहीं, बल्कि सम्पूर्ण देश से सम्बन्धित हैं। भारत में सामाजिक संस्तरण की व्यवस्था, सम्बन्धों एवं अनौपचारिकता व शिष्टाचार के तरीकों में कुछ भी मौलिक विभेद नहीं है। जाति प्रथा हिन्दुओं के अतिरिक्त मुसलमानों और ईसाइयों को भी उसी रूप में प्रभावित करती है। सभी धार्मिक समूहों की वैवाहिक प्रथाओं को प्रदर्शित करते हैं। विवाह की विधि में भले ही थोड़ा बहुत अन्तर पाया जाता हो, किन्तु उसके द्वारा भारत में दाम्पत्य जीवन के सम्बन्धों का जो स्थायी रूप विकसित हुआ है। वह भारतीय समाज की अपनी पृथक और अनूठी विशेषता है।

वेशभूषा और खान-पान के आधार पर भारत में किसी भी समूह के व्यवहारों को अपनी विशेषता मानकर ग्रहण किया है। समाज में वेश-भूषा एवं खान-पान में जो विभिन्नता दृष्टिगोचर होती है, वह उसी तरह की है, जैसे एक परिवार के सदस्य अपनी-अपनी रुचि के अनुसार वस्त्र पहनते हैं, भोजन करते हैं और समय-समय पर उनमें परिवर्तन भी करते रहते हैं। प्रत्येक धर्म के लोग कभी धोती-कुर्ता, कभी पैन्ट-कमीज, कभी कुर्ता-पायजामा पहनते हैं। स्पष्ट है कि यह केवल रुचि एवं परिवर्तन का विषय है, न कि सांस्कृतिक विविधता का। सम्पूर्ण भारत में खान-पान के क्षेत्र में भी मिश्रण हुआ है। एक धर्म ने दूसरे के खान-पान को मान्यता दी है, तो एक प्रदेश के खान-पान को दूसरे प्रदेशों में अपनाया है। एक ही धर्म के मानने वाले लोग शाकाहारी भी हैं और मांसाहारी भी। स्पष्ट है कि सभी धर्मों, सभी जातियों और सभी भाषा-भाषी समूहों के मध्य संस्कृति के समान तत्त्व विकसित हो रहे हैं।

प्रो. हुमायूँ कबीर ने लिखा है, "भारतीय संस्कृति की कथा एकता और समाधानों का समन्वय है तथा प्राचीन परम्पराओं एवं नवीन मानव के पूर्ण संयोग की उन्नति की कहानी है। यह प्राचीन युग में रही है और जब तक यह संसार रहेगा, तब तक सदैव बनी रहेगी। अन्य दूसरी संस्कृतियाँ नष्ट हो गईं, किन्तु भारतीय संस्कृति और इसकी एकता अजर-अमर है।"

4. भाषायी विविधता एवं एकता
(Unity in Linguistic Diversity)

भाषा के आधार पर भी भारतीय समाज और संस्कृति अनेकरूपता के दर्शन किए जाते हैं। यहाँ भाषाओं की बहुलता तो है, किन्तु रोचक बात तो यह है कि सभी भाषाएँ एक साँचे में ही ढली हुई हैं। भारत की अधिकांश भाषाओं की वर्णमाला एक ही है। सभी भाषाओं पर संस्कृत भाषा का स्पष्ट प्रभाव दिखाई देता है, जिससे भारत की सभी भाषाएँ विभिन्न अर्थों में बहुत कुछ समान बन गयी है। ईसा के लगभग 400 वर्ष पूर्व तक भारत

में संस्कृत लेखन एवं व्यवहार की भाषा बनी रही। इसके बाद संस्कृत के स्थान पर प्राकृत भाषा प्रतिष्ठित हुयी, जो कि संस्कृत का ही एक सरल रूप थी। इसी अवधि में संस्कृत के ही आधार पर पाली भाषा विकसित हुयी, जिसमें अधिकांश जैन व बौद्ध साहित्य का सृजन किया गया। हिन्दू, बंगाल, मराठी, गुजराती, उड़िया, असमिया, पंजाबी, बंगला आदि भी संस्कृत भाषा के ही सरल रूपान्तरण हैं, जिनका विकास स्थानीय आवश्यकताओं के अनुरूप होता रहा। इन सभी भाषाओं में इतनी अधिक समानता है कि इन्हें, पृथक-पृथक भाषा न कहकर मात्र संस्कृत भाषा का ही एक सरल समन्वय है। भारत में यद्यपि पौने छह सौ भाषाएँ बोली जाती हैं, किन्तु यहाँ का सम्पूर्ण साहित्य, समस्त सामाजिक मूल्य और संस्कृति से प्रभावित है। इस दृष्टिकोण से भारत एक देश न होकर, एक संस्कृति है। स्पष्ट है कि समस्त देश में वृहत् समाज को एक सूत्र में पिरोने का कार्य पहले संस्कृत, प्राकृत और पाली भाषा ने, बाद में अंग्रेजी और आज हिन्दी भाषा के द्वारा पूर्ण हो रहा है। भाषायी एकता की इस निरन्तरता को कदापि खण्डित नहीं किया जा सकता है। संस्कृत भाषा ने सम्पूर्ण देश में हिन्दू शास्त्रों के वाहक का कार्य किया है। आज त्रिभाषा-फार्मूला के अन्तर्गत शिक्षण-संस्थाओं में छात्रों को अंग्रेजी और कई अन्य प्रान्तीय भाषाएँ सिखायी जाती हैं। इसके कारण देश के विभिन्न भाषा-भाषी लोगों के बीच एकता के भाव विकसित हो रहे हैं। भारत के संविधान में हिन्दी को राष्ट्रभाषा के रूप में स्वीकार किया गया है। भारत के राज्यों की वर्तमान संरचना भाषाई आधार पर की जाती है। भाषा सामूहिकता का आधार होने के अतिरिक्त एक सांस्कृतिक तथ्य भी है, अतः कई बार भाषा को लोग भावना से जोड़ लेते हैं और भाषाई कटुता, इस देश में राष्ट्रीय एकता के लिए एक गंभीर खतरा भी बन जाती है।

5. राजनीतिक विविधता एवं एकता
(Unity in Political Diversity)

राजनीतिक दृष्टि से भी भारत की राजनीतिक विभिन्नता में एकता के दर्शन होते हैं। राजनीतिक दृष्टि से भारत सदैव एक रहा है। प्राचीन ग्रन्थों में अनेक राजाओं/सम्राटों/महाराजाओं की गाथाएँ मिलती हैं, जिन्होंने उत्तर में दिल्ली से, दक्षिण में कन्याकुमारी और पूर्व में असम से सिन्धु तक अपने एकछत्र साम्राज्य स्थापित किए थे। मध्यकालीन कई सुल्तानों और बादशाओं (अलाउद्दीन खिलजी, अकबर तथा औरंगजेब) ने सम्पूर्ण भारत पर राज्य करने में सफलता प्राप्त की। आधुनिक युग में अंग्रेजों ने भी यही किया और आज भी राजनीतिक आधार पर सम्पूर्ण भारत एक ही है। राजनीतिक एकता व राष्ट्रीय भावना के आधार पर ही 1857 का स्वतन्त्रता संग्राम लड़ा गया तथा बाद में कांग्रेस के नेतृत्व में राष्ट्रीय आन्दोलन की लड़ाई भी लड़ी गयी।

स्वतन्त्रोपरान्त राजनीतिक एकता की परख पाकिस्तान और चीन के साथ हुए युद्धों में भी हुयी, जबकि सभी भारतीयों ने दिल खोलकर अपनी एकता का प्रदर्शन किया। आज केन्द्र में बहुदलीय सरकार स्थापित है, किन्तु राष्ट्रहित को लेकर कोई हिचकिचाहट नहीं देखी

जाती है। आजकल यह भी स्वीकार किया जाने लगा है कि भारत में एक पार्टी की वर्चस्व प्रणाली के उपरान्त अब बहुपार्टी मेलजोल का युग आ गया है।

डॉ. श्रीनिवास के अनुसार पंचवर्षीय योजनाएँ तथा समतावादी आदर्श, सम्पूर्ण देश के लिए एक सरकार तथा एक नागरिक एवं एक फौजदारी कानून संहिता भारत की राजनीतिक एकता तथा बहु सामुदायिक समाज होने के लिए पर्याप्त प्रमाण माने जा सकते हैं। भारत में सम्पूर्ण देशवासियों के लिए एक ही संविधान ने भारतवासियों को एक सूत्र में पिरोया है। संविधान में सम्पूर्ण देश हेतु 'विधि के शासन तथा एक ही सत्ता के अधीन है। अब वंशानुगत विशेषाधिकार समाप्त कर दिए गए हैं। धर्म, भाषा, क्षेत्र, समुदाय, जाति अब विशेष सुविधाओं तथा विशेषाधिकारों का आधार नहीं रहा है। उच्च जातियों/वर्गों एवं निम्न तथा दुर्बल वर्गों के बीच भेद समाप्त करने की दृष्टि से अनुसूचित जातियों-जनजातियों और पिछड़े वर्गों के लिए संविधान में विशेष प्रावधान किए गए हैं। इस प्रकार अब कोई भी जाति समुदाय एवं वर्ग सामाजिक अयोग्यता से ग्रस्त नहीं है। भारत में उपनिवेशीय प्रक्रियाओं का स्थान विकासात्मक प्रक्रियाओं और समतावादी-विचारों ने ग्रहण कर लिया है।

6. प्रजातीय विविधता एवं एकता
(Unity in Racial Diversity)

विद्वानों ने प्रजातीय दृष्टि से भारत को विभिन्न प्रजातियों का 'द्रवणपात्र' और 'प्रजातियों का अजाबघर' की संज्ञा दी है। भारत में संसार की तीनों प्रमुख प्रजातियों–श्वेत प्रजाति, पीत प्रजाति व काली प्रजाति और उनकी अनेक उपशाखाएँ निवास करती हैं। उत्तर भारत में आर्य प्रजाति और दक्षिण भारत में द्रविड़ प्रजाति की बाहुल्यता है। किन्तु प्रजातीय भिन्नता होने पर भी भारत में अमेरिका और अफ्रीका की भाँति प्रजातीय संघर्ष और दंगे-फसाद नहीं हुए हैं, बल्कि उनमें पारस्परिक सद्भाव एवं सहयोग ही रहा है। भारत में विभिन्न प्रजातियों का मिश्रण भी हुआ है। स्पष्ट है कि भारत में प्रजातिवाद की समस्या नहीं पायी जाती है। भारतीय समाज प्रारम्भ से ही मानता रहा है कि प्रजातिवाद एक अवैज्ञानिक अवधारणा है। भारत की भौगोलिक विशेषताओं एवं आजीविका के प्रचुर साधन विभिन्न प्रजातीय समूहों के लिए प्रारम्भ से ही आकर्षण का केन्द्र बने रहे।

7. जातीय विविधता एवं एकता
(Unity in Caste Diversity)

भारतीय जाति व्यवस्था के अन्तर्गत यहाँ विभिन्न जातियों की एक छोटी-मोटी सेना पायी जाती है। भारत की जाति व्यवस्था एक खण्डात्मक संरचना है, जिसमें विभिन्न उप जातियाँ सम्मिलित हैं तथा प्रत्येक खण्ड की अपनी-अपनी विशेषताएँ, प्रथाएँ तथा रीति-रिवाज हैं। भारतीय समाज को एक जातिगत समाज भी कहा जाता है। जाति व्यवस्था के दर्शन मात्र हिन्दुओं में ही नहीं, वरन् भारत में मुस्लिम और ईसाई समाज में भी होते हैं। अनेक झंझावतों के बाद भी जाति व्यवस्था आज भी अपने जड़ों को दृढ़ रखने में सफल हैं।

अनेक विभिन्नताओं के पाए जाने पर भी सभी जातियों में कई समानताओं के दर्शन होते हैं। देश में विभिन्न जातियों के मध्य पायी जाने वाली पारस्परिक निर्भरता ने जातियों को एकता के सूत्र में बाँधे रखा है। समय-समय पर भारत में अनेक बाह्य आक्रमणकारियों का आगमन होता रहा, किन्तु उनमें से अधिकांश भारत की जाति-व्यवस्था में घुल-मिलकर उसी के अंग बन गए। भारत में जजमानी प्रथा ने भी विभिन्न जातियों को एक-दूसरे से बाँधे रखा। आज भी जाति व्यवस्था वैयक्तिक जीवन सामुदायिक जीवन और सम्पूर्ण समाज के लिए प्रकार्यात्मक दृष्टि से महत्त्वपूर्ण संस्था मानी जाती है। जाति व्यवस्था में उस समय भी देश की एकता को बनाए रखा, जिस समय सारा यूरोप बर्बरता के दलदल में डूब गया था। स्पष्ट है कि भारतीय जाति-व्यवस्था ने प्रारम्भ से लेकर वर्तमान समय तक भारत में एकता बनाए रखने में भरपूर सहयोग प्रदान किया है। जाति-व्यवस्था में वर्तमान समय में आयी विकृति का कारण केवल वर्तमान राजनीतिक ही है। अन्यथा अन्य क्षेत्रों में यह अब भी अपने परम्परागत प्रकार्यात्मक महत्त्व को बनाए रखने में सफल रही है।

8. मानसिक विविधता एवं एकता (Unity in Mental Diversity)

भारत-भूमि विभिन्न वर्गों/सम्प्रदायों, जातियों/प्रजातियों और भाषाओं की संगम स्थली है। भारत-भूमि में विभिन्न संस्कृतियों का जो अद्‌भुत मिलन हुआ है, उसके दर्शन अन्यत्र कहीं भी नहीं होते हैं। प्रत्येक धर्म, भाषा और संस्कृति की अपनी-अपनी कुछ विशेषताएँ होती हैं, जो उससे सम्बन्धित लोगों को मानसिक रूप से अनिवार्यतः प्रभावित करती हैं। प्रत्येक व्यक्ति की विचारधारा पर उसके धर्म और संस्कृति का स्पष्ट प्रभाव दृष्टिगोचर होता है। अतः यह स्वाभाविक है कि विभिन्न धर्मों एवं संस्कृतियों वाले भारत में मानसिक दृष्टि से विविधताएँ पायी जाती हैं।

किन्तु इस विविधता में भी हम एकता के दर्शन कर सकते हैं। मानसिक एकता की प्रक्रिया में एक 'राष्ट्रीय मन' की स्थिति पायी जाती है तथा क्षेत्रीय हितों के स्थान पर राष्ट्रीय हितों को प्राथमिकता और महत्त्व प्रदान किया जाता है। भारत में ऐसी मानसिक एकता के दर्शन पाकिस्तान और चीन के साथ हुए युद्धों के समय हुए थे, जबकि सम्पूर्ण भारत के लोग अपने छोटे-छोटे मतभेदों को विस्मृत करके एक विराट पुरुष के रूप में उठ खड़े हुए थे। अभी कुछ वर्षों पूर्व भारत द्वारा द्वितीय आणविक विस्फोट और कारगिल संघर्ष के दौरान भी भारतीयों की मानसिक एकता को सम्पूर्ण संसार ने देखा था।

9. कलाओं की विविधता एवं एकता (Unity in Diversity of Arts)

भारतीय जनगणना में कला की एकता भी कम उल्लेखनीय विषय नहीं है। मूर्तिकला, स्थापत्य कला, चित्रकला, संगीत, सिनेमा आदि विभिन्न क्षेत्रों में एक अखिल भारतीय समानता के दर्शन होते हैं। उक्त सभी क्षेत्रों में भारत की विभिन्न कलाओं का एक

अभूतपर्व मिलन हुआ है। देश के विभिन्न भागों में बने मन्दिर, मस्जिद, गिरजाघर, चर्च, गुरुद्वारे और अन्य भवनों/इमारतों में इस मिलन का आभास होता है। भारत में राग दरबारी, धुप्रद, मियां की तोड़ी मल्हार ख्याल, ठुमरी, गल, भंजन और यहाँ तक कि पाश्चात्य धुनों का सम्पूर्ण देश में विस्तार पाया जाता है। दक्षिण में बनने वाली फिल्मों को हिन्दी में डब करके सम्पूर्ण हिन्दी भाषी क्षेत्रों में एक साथ प्रदर्शित किया जाता है। हिन्दी में बनी फिल्मों में राष्ट्रवासियों को एकता के सूत्र में पिरोने का महत्त्वपूर्ण कार्य किया है। भरतनाट्यम, कथकली, मणिपुरी, कत्थक आदि विभिन्न नृत्य देश के सभी लोगों से प्रचलित हैं। स्पष्ट है कि कला के क्षेत्र में इतनी विविधताओं के होते हुए भी अखण्ड एकता है।

10. ऐतिहासिक एकता एवं विविधता (Unity in Historical Diversity)

भारत-भूमि प्रारम्भ से ही धन-धान्य एवं ऐश्वर्य से पूर्ण रही है, अतः अत्यन्त प्राचीन काल से ही ये विदेशियों के लिए सोने की चिड़िया के रूप में आकर्षण का केन्द्र बिन्दु रही है। भारत के प्राकृतिक वैभव, धन सम्पदा और प्रसिद्धि के कारण विदेशियों में भारत आने का मोह उत्पन्न हुआ। इसके फलस्वरूप भारत में ग्रीक, सीथियन, शक, हूण, कुषाण, अरबी, तुर्की, पुर्तगाली, फ्रांसीसी, डच, अंग्रेज आदि विदेशी जातियों का भारत में आगमन होता रहा। इनमें से कुछ भारत को लूट कर चले गए और कुछ धर्मों और प्रजातियों के लोग यहीं बस गए। उनके इतिहास में भिन्नता का पाया जाना अस्वाभाविक नहीं है, लेकिन जब वे भारत में स्थायी रूप से बस गए, तो उन्होंने यहाँ पर एक समन्वित संस्कृति का निर्माण भी किया। स्पष्ट है कि भारतीय इतिहास के निर्माण में विभिन्न धर्मों और संस्कृतियों तथा प्रजातियों की एकता का योगदान रहा है।

यह सत्य है कि भारत प्रजातियों का एक अजायबघर है, किन्तु बाहर से आयी आर्य, शक, सीथियन, हूण, तुर्क, पठान, मंगोल आदि प्रजातियाँ हिन्दू समाज में इतनी घुल-मिल गयी हैं कि उनका पृथक अस्तित्त्व आज नहीं रह गया है। हिन्दू धर्म छोड़कर जो लोग मुसलमान या ईसाई बन गए थे, उनका हृदय-परिवर्तन ही हुआ है। यही कारण है कि हिन्दुओं, मुसलमान व ईसाईयों के अनेक रीति-रिवाज, उत्सव, मेले, भाषा, पहनावा आदि में समानता है। विरोधी धार्मिक सम्प्रदायों के पवित्र साधु-सन्तों, पीर-फकीरों के परस्पर घनिष्ठ सम्पर्क और भिन्नता के अनेक उदाहरण भारत के इतिहास में देखे जाते हैं। स्वतन्त्रोपरान्त भारतवासियों की एकता और भी अधिक बढ़ गयी हैं, क्योंकि वर्तमान भारत धर्मनिरपेक्षता, समानता, स्वतन्त्रता, भाईचारा का पोषक है। इसीलिए अब पारस्परिक धार्मिक, जातीय और साम्प्रदायिक भेदभाव तेजी से समाप्त होने लगा है।

निष्कर्ष (Conclusion)

विविधता और एकता सम्बन्धी उपरोक्त विवेचन से स्पष्ट होता है कि यद्यपि बाह्य दृष्टि से भारतीय समाज, संस्कृति और जनजीवन में अनेक विभिन्नताओं एवं विविधताओं

के दर्शन होते हैं, किन्तु आन्तरिक दृष्टि से भारत मौलिक एवं अखण्ड रूप से एक है। भारत की संस्कृति, धर्म, भाषा, अभिचार और राष्ट्रीयता एक है। इस एकता को नष्ट नहीं किया जा सकता है। सहस्रों वर्ष की अग्नि परीक्षा, विदेशी आक्रमणों और अन्य झंझावतों ने इस सत्य को प्रमाणित भी कर दिया है। भारत को सिद्धान्त और व्यवहार दोनों ही दृष्टियों से एक बहु-सामुदायिक समाज माना जाता है, इसलिए भारतीय समाज के विविधता में एकता और एकता में विविधतारूपी समाज भी कहा जा सकता है। प्राचीन, मध्यकालीन और आधुनिक काल में भी भारत ने अनेक विभिन्नताओं और विविधताओं के होने पर भी अपनी एकता को संजोए रखा। इतना ही नहीं भारत के प्रत्येक ऐतिहासिक और सांस्कृतिक तथ्यों में भी एकता दृष्टिगोचर होती है। स्वतन्त्रता के बाद हमारे संविधान में भी भारतवासियों को समान अधिकार प्रदान किए गए हैं। किसी भी व्यक्ति को धर्म, जाति और लिंग के आधार पर विशेष अधिकार नहीं प्राप्त है। आज सभी धर्मों, सभी प्रदेशों (राज्यों), सभी भाषाभाषियों और सभी जातियों के लोगों का समाज, संस्कृति और रानीति में समान योगदान हैं। सभी लोग इस समाजवादी राष्ट्र की धर्म निरपेक्ष संस्कृति में समान रूप से सहभागी हैं। यह वह एकता है, जो कि अनेकरूपता के बाद भी भारतीय संस्कृति को संसार में एक विशेष स्थान पर आसीन रखे हुए हैं। आज जातीय, धार्मिक और भाषायी विविधताएँ सामान्य तथा राष्ट्रीय उद्देश्यों की प्राप्ति में बाधक नहीं रही है।

भारतीय समाज एक विशाल समाज है, जो विभिन्न समुदायों, समूहों, संस्थाओं, संस्कृतियों, धर्म, रीति-रिवाजों, प्रथाओं, परम्पराओं, आदर्शों, मूल्यों, जनरीतियोयं, आदि में विभाजित है। किन्तु यही विभिन्नताएँ भारतीय समाज की मौलिकता बनकर उसे एक सूत्र में पिरोने का कार्य कर रही हैं।

अभ्यास प्रश्न

1. भारत में अंतःस्थापित सांस्कृतिक विविधताओं का वर्णन कीजिए।
2. दक्षिण भारत और उत्तर भारत की सांस्कृतिक विशेषताओं में अंतर स्पष्ट कीजिए।
3. भाषावाद से क्या तात्पर्य है?

10

भारत में जाति

(Caste in India)

ब्राहमणोमुखमासीद् बाहू राजन्यः कृतः।
ऊरु तदस्य यद् वैश्यः पद्भ्यां शूद्रो अजायत ॥

ऋग्वेद (दशम मण्डल)[1]

ऋग्वेद के दशम मण्डल में एक पुरुष सूक्त आता है जिसमें यह कहा गया है कि ब्रह्मा ने चार प्रकार के व्यक्तियों को उत्पन्न किया जो क्रमशः ज्ञान, रक्षा, व्यापार व श्रम के प्रतिनिधि थे अर्थात् समाज में श्रम विभाजन का एक सरल रूप प्राचीन मनुष्यों द्वारा प्रस्तुत किया जो व्यक्तिगत गुण एवं क्षमता पर आधारित था। शनैः-शनैः अन्य कारकों के चलते गुण पर आधारित व्यवस्था जन्म पर आधारित हो गयी और जाति व्यवस्था का वर्तमान स्वरूप सामने आया। यहाँ यह बात ध्यान देने योग्य है कि जाति प्रथा का यह विशेष स्वरूप भारत वर्ष में ही पाया जाता है। जबकि सामान्य रूप से यह पूरे विश्व में पायी जाती है। भारतीय समाज में संस्तरण व्यवस्था पूरी तरह जातिगत है। जाति, व्यक्ति को जन्म से मृत्यु तक विविध रूपों में प्रभावित करती है। **मजूमदार** इस बात को केन्द्र में रखते हुए लिखते हैं कि "जाति व्यवस्था भारत में अनुपम है सामान्यतः भारत जातियों एवं सम्प्रदायों की परम्परात्मक स्थली माना जाता है। ऐसा कहा जाता है कि यहाँ की हवा में भी जाति घुली हुई है और यहाँ तक कि मुसलमान तथा ईसाई भी इससे अछूते नहीं बचे हैं।" **श्रीमती कार्वे** भारतीय संस्कृति के अध्ययन के लिए जाति प्रथा के अध्ययन को अनिवार्य मानती हैं।

जाति सामाजिक स्तरीकरण का अभूतपूर्व पक्ष है। यह पक्ष ऐसा है जिससे किसी भी सदस्य को प्रयास नहीं करना पड़ता। जिस परिवार तथा जाति में उसका जन्म हो जाता है, वही उसकी जाति होती है, उस जाति में पाए जाने वाले समस्त सांस्कृतिक व्यवहार उसकी अपनी पूँजी बन जाते हैं और उस पूँजी के आधार पर अपना सामाजिक, आर्थिक तथा सांस्कृतिक जीवन व्यतीत करता है।

डेविस की धारणा है कि जाति व्यवस्था किसी-न-किसी रूप में समस्त विश्व में पाई जाती है, भले ही वहाँ उसे जाति अथवा कास्ट न कहा जाता हो। **डेविस** के शब्दों में "जाति व्यवस्था संसार के सभी स्थानों पर विद्यमान है और यह सभी धर्मों के लगभग सभी व्यक्तियों को प्रभावित करती है।"

यहाँ तक देखा गया है कि मुसलमान अपने धर्म में मनुष्यों में पूर्ण समानता का दावा प्रस्तुत करते हैं परन्तु उनमें 1911 की जनगणना के समय 94 जातियाँ पाई गयीं जो उनके सामाजिक स्तरीकरण की देन थीं।

भारत में हट्टन ने 1993 एवं डॉ. धुरिये ने 2000 जातियाँ बताई गई हैं। इनमें वे सभी तत्त्व विद्यमान हैं जो जाति की संरचना के लिए उत्तरदायी हैं। जाति के संरचनात्मक दृष्टिकोण को बंगाल ने इस प्रकार व्यक्त किया है। **बर्सेल** के शब्दों में "जाति स्थिति व्यवस्था से कहीं अधिक है। वह प्रत्येक व्यक्ति के जीवन को गहराई से प्रभावित करती है। सामाजिक व्यवस्था में इसके दूरगामी परिणाम होते हैं। भारत की संस्कृति पर इसका निर्णायक प्रभाव पड़ता है। जाति व्यवस्था की विशेषता है, इसका तार्किक पक्ष और इसकी प्रथाएँ। जाति प्रथा एक धार्मिक संस्था है।"

जाति का अर्थ एवं परिभाषा (Meaning and Definition of Caste)

जाति शब्द अंग्रेजी भाषा Caste का हिन्दी अनुवाद है। स्वयं अंग्रेजी के शब्द (Caste) की उत्पत्ति पुर्तगाली शब्द (Casta) से हुई है, जिसका अर्थ रक्त की शुद्धता से लिया जाता है। 1695 में Caste शब्द का प्रयोग सर्वप्रथम ग्रेसिया और टाडी ने किया। फ्राँस के समाजशास्त्री अब्बेडुब्वाय ने इसका प्रयोग प्रजाति के सन्दर्भ में किया। भारतीय सन्दर्भ में जाति के लिए उपर्युक्त अर्थ लागू नहीं होते। भारतीय विद्या शास्त्रियों के अनुसार जाति का सम्बन्ध जन धातु से है जिसका अर्थ है 'उत्पन्न होना', 'उत्पन्न करना' जन्म से समान गुण धर्म वाली वस्तुओं को एक जाति कहा जाता है।

जाति की परिभाषा निम्नलिखित विद्वानों द्वारा अलग-अलग दी गयी हैं–

कूले के अनुसार, "जब एक वर्ग पूर्णतः आनुवंशिकता पर आधारित होता है तो हम उसे जाति कहते हैं।"[2]

मजूमदार एवं मदान के अनुसार "जाति एक बन्द वर्ग हैं।"[3]

फेयर चाइल्ड के अनुसार "जाति भारत में पाई जाने वाली समरूप, अन्तर्विवाही विशिष्ट अनुष्ठानों से युक्त (विशेषतया धार्मिक शुद्धता से सम्बन्धित) तथा सामाजिक नियंत्रण करने वाली संस्था है।"[4]

हट्टन के अनुसार "जाति एक ऐसी व्यवस्था है जिसके अन्तर्गत एक समाज अनेक आत्म केन्द्रित एवं एक-दूसरे से पूर्णतः पृथक इकाइयों (जातियों) में विभाजित रहता है। इन इकाइयों के बीच पारस्परिक सम्बन्ध ऊँची-नीच के आधार पर सांस्कृतिक रूप से निर्धारित होते हैं।"[5]

केतकर के अनुसार, "जाति एक ऐसा सामाजिक समूह है जिसकी दो विशेषताएँ हैं–

(1) जाति की सदस्यता केवल उन्हीं व्यक्तियों तक सीमित होती है, जो उस जाति में पैदा हुए हों।

(2) जाति के सदस्यों को कठोर सामाजिक नियम के तहत समूह के बाहर विवाह करने पर रोक होती है।"[6]

इ.ए. गेट के अनुसार "जाति एक अर्न्तर्विवाही समूह अथवा उन समूहों का संकलन है। जिसका एक सामान्य नाम होता है। जिसकी सदस्यता आनुवांशिक होती है, जो सामाजिक सहवास के क्षेत्र में अपने सदस्यों पर कुछ प्रतिमान लगाता है। इसके सदस्य या तो एक सामान्य परम्परागत व्यवसाय करते हैं अथवा किसी सामान्य आधार पर अपनी उत्पत्ति का दावा करते हैं। समान सामाजिक प्रतिष्ठा, समान उत्सव, समान संरक्षक देवता, जाति के प्रमुख हिस्से होते हैं और इस प्रकार एक समरूप समुदाय के रूप में मान्य होते हैं।"[7]

उपर्युक्त परिभाषाओं से स्पष्ट है कि जाति एक अर्न्तविवाही सामाजिक समूह है जिसकी सदस्यता जन्म पर आधारित होती है जो अपने सदस्यों पर खान-पान, सहवास, रहन-सहन इत्यादि पर प्रतिबन्ध लगाती है।

जाति प्रथा की विशेषताएँ (Characteristics of Caste System)

किंग्सले डेविस ने जाति व्यवस्था के निम्नलिखित लक्षण बताए हैं–

(1) वंशानुगत सदस्यता।

(2) जाति का जीवन भर के लिए निश्चित होना।

(3) वर्तमान जन्म के सत्कर्म से जाति का अप्रभावित रहना।

(4) जाति के अन्दर ही विवाह होना।

(5) स्पर्श, मिलन, सहभोजन और दूसरी जाति के व्यक्ति द्वारा पकाया गया अन्न खाने पर प्रतिबन्ध।

(6) जातीय नाम, समाज द्वारा व्यक्ति को जाति साथ नत्थी करने की प्रवृत्ति, अपनी जाति के रीति-रिवाजों के पालन और अपनी जाति का शासन मानने के फलस्वरूप जाति भावना का दृढ़ होना।

(7) प्रायः जाति का एक परम्परागत व्यवसाय से सम्बद्ध होना।

(8) जाति के 'समान पूर्वज' और 'समान उद्गम' में विश्वास।

(9) किसी विशेष धार्मिक पन्थ का अनुयायी होना।

(10) जातियों की (एक-दूसरे की तुलना में) प्रतिष्ठा का सुनिश्चित होना और इस निश्चित प्रतिष्ठा की यत्नपूर्वक रक्षा किया जाना।

एन. के. दत्ता ने जाति की प्रमुख विशेषताओं का उल्लेख निम्नलिखित रूप में किया है–

(1) जातिय अर्न्तविवाह (2) दूसरी जातियों के साथ खान-पान पर प्रतिबन्ध (3) जातियों के पेशे निश्चित (4) जाति में ऊँच-नीच का संस्करण तथा ब्राह्मणों की सर्वोच्च स्थिति (5) सम्पूर्ण जाति व्यवस्था ब्राह्मणों की श्रेष्ठता पर आधारित।

विस्तृत रूप से जाति की विशेषताएँ निम्नलिखित हैं–

(1) समाज का खण्डनात्मक विभाजन–जाति व्यवस्था ने भारतीय समाज का विभाजन खण्डों में किया है। प्रत्येक खंड को निश्चित सामाजिक स्थिति प्रदान की है। प्रत्येक सामाजिक खण्ड के लिए प्रकार्य तथा अकार्य निर्धारित किए हैं।

(2) स्तरीकरण–खण्डों में विभाजित भारतीय समाज में जातियों के स्तरीकरण का विशेष महत्त्व इस स्तरीकरण में ब्राह्मण, क्षत्रीय, वैश्य तथा शूद्रों की सामाजिक स्थिति ऊँची नीची है। उनमें क्रमशः उच्चोच्क्रम पाया जाता है। इनमें अनुलोम तथा प्रतिलोम विवाहों द्वारा सामाजिक स्थिति में थोड़ा-सा परिवर्तन आ जाता है।

(3) भोजन तथा सामाजिक सहवास पर प्रतिबन्ध–जातिप्रथा में अपनी ही जाति के सदस्यों द्वारा बनाया गया भोजन ग्राह्य समझा जाता है, और विवाह सम्बन्ध भी अपनी ही जाति में सम्पन्न किए जाते हैं। शूद्रों तथा शूद्र जातियों को अछूत समझा जाता है, और उनके हाथ का बना हुआ भोजन भी ग्राह्य नहीं है। भोजन तथा सहवास के प्रतिबन्धों से जातिगत गतिशीलता पर प्रतिबिन्धत लगता है।

(4) सामाजिक तथा धार्मिक नियोग्यताए–जाति व्यवस्था में कुछ जातियों को अनेक प्रकार की सामाजिक तथा धार्मिक योग्यता प्रदान की गई हैं, जबकि कुछ को मन्दिरों में प्रवेश वर्जित है। उनको अन्यों के साथ समान सामाजिक व्यवहार में सम्मिलित नहीं किया जा सकता है। यहाँ तक कुएँ से पानी लाना, स्कूलों में अन्य बालकों के साथ बैठना, सार्वजनिक स्थानों में जाने पर प्रतिबन्ध आदि कुछ जातियों के लिए वर्जित है।

(5) पेशों पर प्रतिबन्ध–जाति व्यवस्था के अन्तर्गत जाति समूहों को निर्धारित व्यवसाय करने पड़ते हैं। ब्राह्मणों का कार्य पुरोहिताई, क्षत्रियों को सुरक्षात्मक, वैश्यों को व्यापार तथा उत्पादन और शूद्रों को सेवा कार्य करने होते हैं। शूद्रों में भी अस्पृश्य गन्दे तथा घृणित कार्यों को करते हैं। **घुरिये** के अनुसार "प्रत्येक जाति का पेशा परम्परागत होता है परन्तु यह किसी भी अर्थ में आवश्यक नहीं कि इसी के द्वारा सब या अधिकतर जातियाँ आज भी अपनी जीविका का निर्वाह करती रहें।"

(6) वैवाहिक प्रतिबन्ध–जाति व्यवस्था में प्रत्येक व्यक्ति को अपनी जाति के भीतर ही विवाह करना पड़ता है। भारतीय जाति व्यवस्था में एक ही जाति के भीतर विवाह करना पड़ता है। भारतीय जाति व्यवस्था में एक ही जाति में अनेक उपजातियों की रचना भी हुई है। प्रत्येक उपजाति, अपनी ही उपजाति में विवाह करती है। वैवाहिक क्षेत्र सीमित हो गया। **वेस्टर मार्क** कहते हैं "अन्तर्विवाह ही जाति व्यवस्था के स्तर तत्त्व हैं–यह प्रणाली

कुछ जातियों में ऐसे सीमित हो गई कि केतकर का कहना है–कुछ हिन्दू जातियाँ ऐसी भी हैं जो समूह परिवारों के बाहर विवाह नहीं करते हैं।"

(7) आदर प्रतिमान–जाति व्यवस्था में सामाजिक स्थिति के अनुसार प्रत्येक जाति एक-दूसरे के प्रति सम्मान अभिव्यक्ति के प्रतिमानों का पालन करती है। प्राचीन स्मृतियों में ये नियम इस प्रकार निर्धारित किए गए हैं–

(*i*) ब्राह्मण बालक, अन्य जातियों के बुजुर्गों की तरह पूज्य हैं।

(*ii*) ब्राह्मण पर कोई प्रहार न करे।

(*iii*) ब्राह्मण बालक सबके अतिथि हो सकते हैं, परन्तु अन्य जातियाँ ब्राह्मण की नहीं हो सकती।

प्रो. जी. एस घुरिये की धारणा है कि "जाति जहाँ संरचनात्मक तथ्यों से पूर्ण है, वहाँ उसके प्रकार्य उसे सांस्कृतिक स्वरूप प्रदान करते हैं।" डॉ. घुरिये के शब्दों में–"इसका अर्थ है कि इस जाति व समाज में सामुदायिक भावना की भावना सीमित रही है और नागरिकों की नैतिक आस्था सम्पूर्ण समुदाय की अपेक्षा पहले अपनी जाति के प्रति रही है।"

घुरिये के दृष्टिकोण में ये तथ्य पाए जाते हैं–

(*i*) समाज का अलग-अलग खण्डों में विभाजन

(*ii*) पद सोपान क्रम

(*iii*) एक साथ भोजन करने और परस्पर मिलने-जुलने पर प्रतिबन्ध

(*iv*) भिन्न-भिन्न जातियों की सामाजिक निर्योग्यताएँ तथा विशेषाधिकार

(*v*) व्यवसाय चुनने में स्वतन्त्रता का अभाव

(*vi*) विवाह सम्बन्धी प्रतिबन्ध

(*vii*) जन्मजात सदस्यता

जाति के लक्षणों पर चर्चा करने के पश्चात् हम जाति तथा वर्ण में अन्तर समझने का प्रयास करेंगे।

जाति तथा वर्ण में अन्तर (Defference between Caste and Varna)

जाति (Caste)	वर्ण (Varna)
1. जाति जन्म पर आधारित है।	1. वर्ण गुण तथा कर्म पर आधारित है।
2. जाति अत्यन्त कठोर तथा अन्तर्विवाही समूह हैं।	2. जाति की अपेक्षा वर्ण एक लचीली व्यवस्था है।
3. जाति को बदला नहीं जा सकता।	3. वर्ण को बदला जा सकता है।
4. जाति अपेक्षाकृत नवीन व्यवस्था है।	4. वर्ण प्राचीन व्यवस्था है।
5. जाति अत्यधिक संख्या में पायी जाती हैं।	5. वर्णों की संख्या कम है।

जाति प्रथा की उत्पत्ति के सिद्धान्त
(Theories of Origin of Caste System)

भारत में जाति प्रथा की उत्पत्ति किस प्रकार हुई, इसके विषय में अनेक मत प्रचलित हैं। ये सिद्धान्त इस प्रकार हैं–

(1) परम्परागत सिद्धान्त (Classical Theory)

इस सिद्धान्त का आधार हिन्दुओं के अनेक धर्म ग्रन्थ हैं। पुरुषसूक्त के इस मन्त्र को परम्परागत सिद्धान्त का आधार माना गया है–

ब्राम्हण मुखमासीद बाहु राजन्य कृतः।
उरू तदस्य यद् वैश्यः पदभ्या शूद्रो अजायत ॥

परमपुरुष के मुख से ब्राह्मण, एवं बाजु से क्षत्रिय, उदर से वैश्य तथा पद से शूद्र उत्पन्न हुए। मनुस्मृति से भी इस संरचना को स्वीकार किया गया है–चातुवर्ण्य यथा गुण कर्म विभागतः वैज्ञानिकता पर इसलिए विश्वास नहीं करते क्योंकि वर्ण व्यवस्था पहले थी, जाति व्यवस्था मध्य युग की देन हैं। बृहदारण्यक उपनिषद में वर्णों की उत्पत्ति को एक रूपक द्वारा प्रस्तुत किया गया है।

परम्परागत सिद्धान्त के दोष इस प्रकार हैं–

(*i*) यह वर्ण व्यवस्था की उत्पत्ति बताता है, जाति की नहीं।
(*ii*) जाति की उत्पत्ति ब्रह्म के विविध अंगों से बताने का ऐतिहासिक प्रमाण नहीं है।
(*iii*) कर्म तथा जन्म किसी जाति की उत्पत्ति का आधार माना जाए, यह विवादास्पद है।
(*iv*) मनुस्मृति की प्रतिलोम तथा अनुलोम विवाहों की धारणा भी भ्रामक है।
(*v*) यह सिद्धान्त जाति की प्राचीनता पर तो प्रकाश डालता है उसकी उत्पत्ति पर नहीं।

अब्बे डुबायस मानते हैं कि जाति प्रथा की उत्पत्ति के लिए ब्राह्मण की चतुर युक्ति सिद्धान्त जिम्मेदार है।

(2) प्रजातीय सिद्धान्त (Racial Theory)

हरबर्ट रिजले ने प्रान्तीय सम्पर्क से उत्पन्न वर्ण तथा वर्णों में भेद की भावना को जाति प्रथा के लिए उत्तरदायी ठहराया है। रिजले का मत है कि आर्यों से पूर्व भारत में जाति प्रथा नहीं थी। आर्यों की वह शाखा जो गिलगित तथा शिवालय मार्गों से भारत आई और उसका यहाँ के मूल निवासियों से युद्ध हुआ। हारे हुए मूल निवासियों तथा उनकी स्त्रियों के सम्पर्क से जाति प्रथा का प्रचलन हुआ। आर्यों में रक्त शुद्धता के आधार पर सामाजिक स्तरीकरण विद्यमान था। द्रविड़ों के सम्पर्क के कारण उन्होंने द्रविड़ों को निम्न मानना आरम्भ कर दिया। रिजले की धारणा है कि प्रजातीय संघर्ष, अनुलोम विवाह की नीति, प्रजातीय मिश्रण, वर्ण शंकर समूहों का निर्माण तथा वर्णभेद के मिश्रण से जाति का जन्म हुआ।

मजूमदार ने रिजले के मत से सहमत होकर कहा "विभिन्न सामाजिक समूहों का निर्माण हो गया। ये सभी समूह अन्तर्विवाही बन गए जिससे वे दूसरे प्रान्तीय समूहों के प्रभाव से बचकर अपनी प्रजातीय विशुद्धता और सांस्कृतिक एकता की रक्षा कर सके।"

मजूमदार ने स्पष्ट कहा है कि "संस्कृति का संघर्ष तथा प्रजातियों के सम्पर्क ने ही भारत को सामाजिक समूहों से विभक्त किया है।" इस सिद्धान्त की समालोचना के प्रमुख बिन्दु इस प्रकार हैं–

(*i*) यह कहना कि प्रजातीय सम्पर्क से जाति प्रथा उत्पन्न हुई, अप्रामाणिक है।

(*ii*) यह कहना भी पर्याप्त नहीं है कि आर्यों में सामाजिक स्तरीकरण पहले से विद्यमान था। वर्ण निर्माण के कारण स्पष्ट नहीं है।

(*iii*) यदि प्रजाति को जाति व्यवस्था का आधार माना जाए तो विदेश से आने वाले मुसलमान अंग्रेज तथा अन्य प्रजातियों में जाति व्यवस्था क्यों नहीं पाई गई?

(*iv*) विभिन्न प्रजातियों में खान-पान प्रतिबन्ध तथा भिन्न व्यवसायों के कारणों का भी पता नहीं चलता।

(3) व्यावसायिक सिद्धान्त (Occupational Theory)

डॉ. नमर्देश्वर प्रसाद के अनुसार "सम्पूर्ण वाद-विवाद इस तथ्य की ओर ले जाता है कि जातियों में अधिक या न्यून मात्रा में व्यवसायिक समूह थे तथा जिस समूह का जितना निम्न व्यवसाय था उसकी उतनी ही सामाजिक स्थिति थी।"

यह मत डॉ. प्रसाद ने नेसफील्ड के विचारों का समर्थन करते हुए व्यक्त किया है। इस मत के समर्थकों में नेसफील्ड दाहलमन और ब्लेन्ट हैं। नेसफील्ड का कथन है "भारत में जाति व्यवस्था की उत्पत्ति में पेशा और केवल पेशा ही एक मात्र उत्तरदायी कारक रहा है" दाहलमन ने व्यवसाय पर आधारित तीन वर्ग बताए–(*i*) पुरोहित (*ii*) शासक (*iii*) तथा पूंजीवाद पर आश्रित रहने वाले व्यक्ति इनमें व्यवसायिक संघों का निर्माण हुआ, जो जाति रूप में विकसित हुए।

ब्लन्ट ने जाति की उत्पत्ति को व्यावसायिक आधार पर माना और उसे रिजले के प्रजातीय सिद्धान्त से जोड़ा।

इस मत की आलोचना इस प्रकार है–

(*i*) व्यवसाय जाति का निर्धारण नहीं करता। एक ही जाति में अनेक व्यवसाय तथा एक ही व्यवसाय अनेक जातियों में पाया जाता है।

(*ii*) उत्तर भारत के किसानों को दक्षिण भारत के किसानों से श्रेष्ठ जाति का समझा जाता है।

(*iii*) इस सिद्धान्त से शूद्र तथा निम्न जातियों की उत्पत्ति पर प्रकाश नहीं पड़ता।

(*iv*) प्रौद्योगिक आधार पर भी उच्च तथा निम्न जातियों के संस्तरण में भी भिन्नता का आधार व्यवसाय नहीं है।

(4) भौगोलिक सिद्धान्त (Geographical Theory)

गिलबर्ट ने अनुसार विभिन्न भौगोलिक क्षेत्रों में रहने वाले लोग विभिन्न जातियों की रचना करते हैं। तमिल साहित्य के आधार पर गिलबर्ट ने यह निष्कर्ष निकाला कि विभिन्न भौगोलिक क्षेत्रों में निवास करने के कारण उसकी जातियाँ भिन्न हैं।

(5) टोटम का सिद्धान्त (Totem Theory)

राइस ने 'हिन्दू कास्टम्स' नामक पुस्तक में जाति की उत्पत्ति टोटम से बताया है। टोटम वह चिन्ह है जिसके कारण किसी समूह के सदस्य पारस्परिक रूप से जुड़ते हैं। एक टोटम के मानने वाले अपने ही वर्ग में खान-पान तथा अन्य सामाजिक कार्य करते हैं। जाति प्रथा के निर्माण में भारत की आदिम जातियों ने बहुत योग दिया है। **एन.के. दत्त** के अनुसार–"आर्यों के विजय प्राप्त करने के उपरान्त भी मौलिक निवासियों द्वारा समाज के वन्य जातीय तथा सांस्कृतिक विभाग हटाए नहीं जा सके बल्कि वे और अधिक जाति विभाजन दक्षिण के द्रविड़ों में जाति के नियम अपेक्षाकृत अधिक कठोर हैं। ये न केवल ब्राह्मणों अब्राह्मणों के बीच अपितु अब्राह्मणों के विभिन्न विभागों के बीच तथा स्पृश्यों तथा अस्पृश्यों के बीच भी है।"

(6) धार्मिक सिद्धान्त (Religious Theory)

होकार्ट और सेनार्ट ने कर्मकाण्ड तथा सम्बन्धित क्रियाओं के आधार पर जाति की उत्पत्ति विषयक धार्मिक सिद्धान्त का प्रतिपादन किया है। मन्त्रोच्चारण के लिए, पुरोहित, निमन्त्रण देने हेतु नाई, फूल हेतु माली, सामान्य सेवा हेतु कहार आदि जातियों की उत्पत्ति हुई **होकार्ट** के अनुसार–"आरम्भ से ही चारों वर्णों का विभाजन इन धार्मिक क्रियाओं को पूरा करने के उद्देश्य से हुआ। चारों वर्णों के जिन चार रंगों अर्थात् सफेद, लाल, पीला और काला का जो उल्लेख मिलता है, वह भी विभिन्न वर्णों द्वारा सम्पन्न की जाने वाली धार्मिक क्रियाओं की पवित्रता की ओर संकेत करता है।"

इस मत की आलोचना के प्रमुख बिन्दु इस प्रकार हैं–

(*i*) माना तथा टैबू संसार की सभी जनजातियों में पाए जाते हैं, जबकि जाति केवल भारत में पाई जाती है।

(*ii*) आदिवासी संस्कृति सम्पूर्ण भारत का प्रतिनिधित्व नहीं करती।

(*iii*) आर्यों के आने से पूर्व भारत में माना तथा टैबू प्रचलित थे। यह तर्क मान्य नहीं है।

(*iv*) सामान्य निषेध निम्न से उच्च जातियों की ओर होता है। यह विचार भ्रमपूर्ण है।

(7) बहुकारक सिद्धान्त (Multi Factor Theory)

इवेटसन जाति के उद्विकास सिद्धान्त में विश्वास करता है। इसकी धारणा है कि जाति का विकास अनेक स्तरों पर हुआ है। व्यावसायिक संघ तथा अन्तर्विवाह सम्बन्धों के कारण सामाजिक स्तरीकरण उत्पन्न हुआ। जाति व्यवस्था की उत्पत्ति के सम्बन्ध में जितने मत प्रचलित हैं। उनके आधार पर कहा जा सकता है कि जाति कि उत्पत्ति विषयक धारणा किसी एक मत के आधार पर विश्लेषित नहीं की जा सकती। जाति प्रथा के विकास के चार स्तर थे–

(*i*) आर्य तथा द्रविड़ों का संघर्ष, आर्य तथा दास का भेद
(*ii*) सामाजिक तथा धार्मिक एकाधिकार
(*iii*) वर्ण संकर संतति की स्थिति
(*iv*) पवित्रता बनाए रखने के लिए पृथकतावादी नीति

इन आधार पर **सैलिंगमैन** ने कहा है "जाति व्यवस्था की स्थिरता का एकमात्र कारण ब्राह्मणों के मस्तिष्क में अपने हितों को पूरा करने के लिए श्रेणी विभाजन की वह नीति थी, जिसका स्पष्ट रूप उस सम्पूर्ण साहित्य, जीवन दर्शन तथा धर्मिक आदर्शों में देखने को मिलता है, जिसका निर्माण स्वयं ब्राह्मणों द्वारा ही हुआ था। इस पर सभी कारकों का प्रभाव पड़ा।"

जाति व्यवस्था के प्रकार्य (Functions of Caste System)

जाति व्यवस्था सामाजिक स्तरीकरण की महत्त्वपूर्ण प्रथा है। वर्ण व्यवस्था से विकसित जाति प्रथा सामाजिक स्तरीकरण में अनेक महत्त्वपूर्ण कार्यों को सम्पन्न करती है। **किंग्सले डेविस** के अनुसार "जाति व्यवस्था संसार के सभी स्थानों पर विद्यमान है और यह सभी धर्मों के सभी व्यक्तियों को प्रभावित करती है। 1911 की जनगणना में मुसलमानों में 94 जातियाँ पाई जाती हैं। यूरोप तथा अमेरिका में भी इस तरह के बन्द समूह पाए जाते हैं, जो जाति व्यवस्था के बहुत निकट हैं।

हट्टन ने जाति के द्वारा किए गए कार्यों को तीन भागों में विभक्त किया–

(*i*) व्यक्तिगत जीवन से सम्बन्धित कार्य
(*ii*) ज़ातीय समुदाय के लिए कार्य
(*iii*) समाज और सम्पूर्ण राष्ट्र के लिए कार्य।

जाति व्यवस्था के प्रकार्यों का उल्लेख निम्नलिखित रूप से किया जा सकता है–

(1) सामाजिक स्तरीकरण का निर्धारण–जाति का निर्धारण जन्म से होता है। माता-पिता जिस जाति के होतें हैं, बालक की जाति भी वही होती है। समाज में प्रत्येक जाति की सामाजिक स्थिति निर्धारित होती है। इस पर निर्धनता, सफलता, असफलता तथा अन्य किसी कारक का कोई भी प्रभाव नहीं पड़ता।

(2) सामाजिक सुरक्षा–जे.एच.हट्टन ने जाति व्यवस्था को मनुष्य की सामाजिक सुरक्षा का आधार बताया है। जाति व्यवस्था में व्यक्ति की स्थिति पर्याप्त रूप से सुदृढ़ होती है और इस पर सामाजिक नियंत्रण बना रहता है।

(3) मनोरंजन–हट्टन ने जाति व्यवस्था को व्यक्ति का ऐसा संघ बताया है, जो समय-समय पर उसके मनोरंजन के साधन प्रस्तुत करता है। जाति के सदस्य सामान्य अवसरों, विवाह, जन्म, सामाजिक उत्सव आदि पर एक-दूसरे से मिलते हैं और जाति द्वारा निर्धारित व्यवहारों को सम्पन्न करते हैं। लोकगीत लोककथाएँ तथा सामाजिक संस्कारों द्वारा जाति में मनोरंजन किया जाता है।

(4) व्यावसायिक प्रशिक्षण–प्रायः प्रत्येक जाति का वंशगत व्यवसाय होता है इस व्यवसाय को व्यक्ति जाति में ही सीख जाता है। उसे कहीं प्रशिक्षण प्राप्त करने की आवश्यकता अनुभव नहीं होती। व्यक्ति समाज की अवांछित प्रतियोगिता तथा प्रतिस्पर्धा से बच जाता है।

(5) मानसिक सुरक्षा–जाति व्यवस्था के कारण व्यक्ति अनेक प्रकार से मानसिक रूप से सुरक्षित रहता है। जाति सम्मत व्यवहार करने पर वह संवेगात्मक रूप से दृढ़ रहता है। मजूमदार तथा मदान के अनुसार–"जाति व्यवस्था सामाजिक सुरक्षा का वह आधार है जहाँ व्यक्ति को रोजगार, आवास, संरक्षण और विवाह की सुरक्षा प्राप्त होती है जो व्यक्ति के परिवर्तनशील स्वभाव से सम्भव नहीं हो पाती।"

(6) पारस्परिक सहयोग–कोई भी जाति स्वयं पूरक नहीं होती। उसे एक-दूसरे को सामाजिक, सांस्कृतिक, आर्थिक क्षेत्र में सहयोग देना ही पड़ता है। ग्रामों में कृषि केन्द्रित व्यवस्था होने के कारण कृषि तथा कृषक समाज की आवश्यकताओं को विभिन्न जातियों की पूर्ति करनी पड़ती है, बदले में फसल पर कृषक समाज उनकी क्षतिपूर्ति अनाज देकर करता है।

(7) सांस्कृतिक अनुकूलन–सामाजिक संस्कृति के पश्चात् प्रत्येक जाति में अपने ही सांस्कृतिक तत्त्व पाए जाते हैं। वे तत्त्व एक पीढ़ी में अपने आप हस्तांतरित होते रहते हैं। जातिगत आधार तथा व्यवहारों को ग्रहण करना व्यक्ति अपनी ही जाति में सीखता है।

(8) सामुदायिक मनोरंजन–प्रत्येक जाति अपने सदस्यों को सामुदायिक आधार पर मनोरंजन के साधन प्रस्तुत करती है। जाति पंचायतें जाति सभाएँ समय-समय पर मनोरंजन कार्यक्रमों का आयोजन करती हैं।

(9) रक्त की शुद्धता–जाति की विशेषता है अन्तर्विवाह, अन्तर्विवाहों से रक्त शुद्धता को बल मिलता है। प्रजातीय तत्त्व एक ही जाति से बने रहते हैं। इसके वंशानुगत, क्षेत्र उत्पन्न नहीं होते।

(10) संघर्षों से रक्षा–जाति के कारण व्यक्ति अपने को एकता के सूत्र में बाँध पाता है। इसलिए व्यक्ति अपने आप को अधिक सुरक्षित अनुभव करता है। हट्टन के

अनुसार भारतीय जाति प्रथा का एक महत्त्वपूर्ण कार्य यह है कि विभिन्न प्रतिद्वन्द्वी समूहों को एकीकृत समुदाय से जोड़ती है 'जाति स्वयं में एक व्यावसायिक संघ है जिसके कारण व्यक्ति स्वयं सुरक्षित अनुभव करता है।

(11) सामाजिक नियंत्रण–सामाजिक नियंत्रण जाति प्रथा की सबसे महत्त्वपूर्ण भूमिका है। सामाजिक नियंत्रण के अन्तर्गत जाति के अपने आदर्शों के विपरीत यदि कोई सदस्य कार्य करता है तो उसके विरुद्ध कार्यवाही की जाती है। जाति विरुद्ध होने पर उसका सामाजिक बहिष्कार किया जाता है। यह सामाजिक नियंत्रण का एक साधन है।

(12) सामाजिक संगठन–जाति स्वयं में संगठित एक समूह है। भारत में सामाजिक संरचना जातियों द्वारा हुई है। जाति व्यवस्था द्वारा सामाजिक दायित्व की भावना का विकास होता है। जाति व्यवस्था इस आस्था पर विश्वास करती है कि व्यक्ति अपने पूर्व जन्मों के कर्मों के अनुसार ही जाति का सदस्य बनता है और सामाजिक स्थिति प्राप्त करता है। इसलिए जाति ने सामाजिक आर्थिक संघर्षों से छुटकारा दिलाकर आन्तरिक रूप में संगठित समाज की रचना की।

(13) श्रम विभाजन तथा विशेषीकरण–प्रत्येक जाति का अपना व्यवसाय है। जिसमें उस जाति के सदस्य निपुण होते हैं यदि कार्य की संरचना अनेक इकाईयों में विभक्त है तो परिवार तथा जाति के सदस्य उस कार्य की विभिन्न इकाइयों के निर्माण द्वारा श्रम का विभाजन कर लेते हैं। **हट्टन** के अनुसार "जाति व्यवस्था के इस कार्य ने हिन्दू समाज को एक ऐसी सावयवी व्यवस्था का रूप दिया, जिससे कि सभी व्यक्ति महत्त्वपूर्ण कार्यों को करते रहने के बाद भी अपने पृथक अस्तित्त्व की कल्पना नहीं कर सकते।"

(14) सांस्कृतिक हस्तान्तरण–जाति, समाज की संस्कृति को एक पीढ़ी से दूसरी तथा दूसरी से तीसरी पीढ़ी में हस्तान्तरित करती है। धार्मिक, सांस्कृतिक, आध्यात्मिक विश्वास तथा व्यवसाय कौशल एक जाति के सदस्य अगली पीढ़ी में हस्तान्तरित करते रहते हैं।

(15) राजनीतिक स्थायित्व–जाति व्यवस्था ने भारत में राजनैतिक स्थायित्व प्रदान किया है। भारत में अंग्रेजों के पर्याप्त प्रभाव के बावजूद जातिप्रथा के कारण राजनीति के केन्द्रों में परिवर्तन नहीं आया है। राजनीतिक सन्तुलन में जातिगत प्रभुता ने सदा ही महत्त्वपूर्ण भूमिका का निर्वाह किया है।

(16) धार्मिक स्थायित्व–भारत में अनेक शासक आए और गए। उन्होंने धर्म परिवर्तन के द्वारा भारतीय सामाजिक संरचना को छिन्न-भिन्न कर दिया। जाति प्रथा के कारण ही भारतीय धार्मिक अस्मिता बची रही है और आज की भारत में आध्यात्मिक वातावरण जाति प्रथा के कारण ही जिन्दा है। समय-समय पर अनेक सम्प्रदाय विकसित हुए और जाति प्रथा के कारण ये समुदाय विशाल हिन्दू समाज में आत्मसात हो गए।

(17) आन्तरिक एकता–जाति प्रथा के देश, काल तथा परिस्थिति के थपेड़ों को सहा है। इसमें अनेक परिवर्तन भी हुए हैं किन्तु बाहरी आक्रमणों, विदेशी धर्म के संघात के बावजूद भी जाति प्रथा ने ही हिन्दू समाज की एकता को बनाए रखना जाति प्रथा ने आन्तरिक एकता के लिए जो कार्य किए, उनसे स्पष्ट है कि वर्तमान हिन्दू समाज का ढाँचा उसी व्यवस्था की देन है।

हट्टन ने भारतीय जाति प्रथा का विश्लेषण करते हुए सही कहा–"जाति एक ऐसी व्यवस्था है जिसका आधार दैविक शक्ति से भी अधिक दृढ़ है।"

जाति प्रथा के अकार्य (Defunctions of Caste System)

जाति प्रथा ने समाज तथा मानव शास्त्रियों को अध्ययन के नये आयाम प्रस्तुत किए हैं। वर्तमान समय में सामाजिक, औद्योगिक तथा सांस्कृतिक परिवर्तन के कारण जाति प्रथा की उपादयेता पर प्रश्न चिन्ह लगाया जाने लगा है, जाति प्रथा के कार्यों में निम्न दोष पाए जाने लगे हैं–

(1) वर्तमान समय में अनुपयोगी–जाति प्रथा, भूतकाल में चाहे जितनी उपयोगी रही हो, वर्तमान काल में यह सर्वथा अनुपयोगी है। जाति प्रथा की सार्वभौमिकता ने अनेक समस्याओं को उत्पन्न किया। के.एम. पणिक्कर के शब्दों में–"यदि वर्णों की उपजातियों में विभाजन न होता तब हिन्दू समाज छिन्न-भिन्न न होने पाता और न ही उसका विनाशकारी रूप सामने होता। जाति प्रथा आज इतनी अनुपयोग हो गई है इसका आभास के.एम. कापड़िया के इस कथन से हो जाता है कि उपनिषदों के उच्च कोटि का तत्त्व दर्शन और गीता कर्मज्ञान इस व्यवस्था के अत्याचारों के कारण कोरा कागज बन गया। एक ओर तो भारत समस्त विश्व को एकता का उपदेश देता है, दूसरी ओर उसने ऐसी सामाजिक व्यवस्था अपनी छाती से चिपकाए रखी है जिसने उसकी सन्तानों को निर्ममतापूर्वक अलग-अलग गुटों में विभाजित कर रखा है। उनको अनंत शताब्दियों के लिए एक-दूसरे से अलग कर दिया है।"

(2) सामाजिक विघटन–जातिप्रथा की संकीर्णता ने उसकी उपादेयता नष्ट कर दी है। जातिप्रथा, जो किसी समय भारतीय समाज की संरचना का मूल मानी जाती थी। अब सामाजिक विघटन का प्रमुख कारण बन गई है। यह विघटन विभिन्न रूपों में व्यक्त हुआ–

(*i*) उच्च जातियों द्वारा निम्न जातियों का शोषण (*ii*) निम्न जातियों में धर्मान्तरण (*iii*) छुआछूत में वृद्धि (*iv*) अस्पृश्य जातियों की दयनीय स्थिति (*v*) स्त्रियों की हीन-स्थिति (*vi*) कुलीन विवाह के कारण बाल-विवाह, दहेज प्रथा, बेमेल विवाह, विधवा नियंत्रण (*vii*) कुरीतियाँ, रूढ़ियाँ, पाखण्ड, कर्मकाण्ड से विघटित संस्कृति का उदय।

(3) आर्थिक पिछड़ापन–जाति प्रथा ने व्यावसायिक विशेषीकरण भले ही किया हो, ऊँची जातियों के हाथों में उत्पादन के साधनों के होने के कारण कारीगर जातियाँ

पिछड़ती गईं। परिणाम यह हुआ कि भारत सरकार ने पिछड़े वर्ग के अन्तर्गत ऐसी आर्थिक रूप से पिछड़ी जातियों के विकास की योजना करनी पड़ी।

आर्थिक पिछड़ापन इस प्रकार देखने को मिलता है–

(*i*) आर्थिक कुशलता में पतन (*ii*) स्थानीय गतिशीलता में कठिनाई (*iii*) एक बड़े अनुत्पादक तथा शोषक वर्ग का निर्माण (*iv*) संघर्षपूर्ण समूहों का निर्माण (*v*) प्रौद्योगिक पिछड़ापन।

(4) संकीर्ण राजनीति–यद्यपि भारत की जाति प्रथा बहुजन हिताय रही है किन्तु वर्तमान जनतान्त्रिक राष्ट्रीय समाज में जाति की राजनीति के कारण बिहार आज विनाश के कगार पर खड़ा है। जातिगत स्वार्थों के कारण प्रभु एवं अल्पसंख्यक जातियाँ एक-दूसरे के खून की प्यासी बन गई हैं। चुनावों में जातियों की प्रतिष्ठा उनके वोट बैंक के कारण हो रही हैं। गाँवों में जातिवाद का बोलबाला होने से सामाजिक मूल्यों का पतन हो गया है।

भारतीय समाजशास्त्रियों के सम्मुख जाति प्रथा एक समस्या, एक घटना के रूप में अवतरित हुई। इसके विघटित स्वरूप को रोकना आवश्यक है।

जाति एवं वर्ग के मध्य अन्तर
(Differences between Caste and Class)

जाति प्रथा जन्म के आधार पर सामाजिक स्तरीकरण और खण्ड विभाजन की वह गतिशील व्यवस्था है, जो खाने-पीने, विवाह, आदि के सम्बन्ध में अनेक या कुछ प्रतिबन्धों को अपने सदस्यों पर लागू करती है और भी स्पष्ट शब्दों में जाति जन्मगत भेद के आधार पर एक व्यवस्था का नाम है उसका आधार व्यवसाय, धन, शिक्षा न होकर केवल जन्म ही होता है।

सामाजिक वर्ग समाज का वह भाग है जिनके सदस्यों की कुछ ऐसी विशिष्ट और सामान्य सामाजिक स्थितियाँ तथा कार्य होते हैं जिनके आधार पर उनमें जागरुकता पनप जाती है कि वे समाज के अन्य समूह से भिन्न हैं। **मैकाइवर** एवं **पेज** ने वर्ग को परिभाषित करते हुए लिखा है कि "सामाजिक वर्ग समुदाय का कोई भाग है, जो सामाजिक स्थिति के आधार पर शेष भाग से पृथक दृष्टिगोचर होता है"–

जाति (Caste)	वर्ग (Class)
(1) जाति का निर्धारण जन्म के आधार पर होता है।	(1) वर्ग का निर्धारण सामाजिक स्थिति के आधार पर होता है।
(2) जाति एक बन्द वर्ग है।	(2) वर्ग एक मुक्त व्यवस्था है।

(3) जाति में व्यक्तिगत विशेषताओं को कोई महत्त्व नहीं किया जाता है।	(3) वर्ग में व्यक्ति विशेषताओं का महत्त्व दिया जाता है।
(4) जाति में सदस्य को व्यवसाय परम्परा मिलती है। व्यवसाय के चुनाव एवं परिवर्तन के सम्बन्ध में सदस्य को स्वतन्त्रता नहीं होती है।	(4) वर्ग में व्यावसायिक कार्य के सम्बन्ध में कोई कठोरता नहीं है, व्यक्ति अपनी योग्यता के आधार पर कोई भी व्यवसाय अपना सकता है।
(5) जाति प्रथा एक स्थिर संगठन है।	(5) वर्ग व्यवस्था जाति व्यवस्था की अपेक्षा कम स्थिर है।
(6) जाति व्यवस्था में व्यक्ति को अवसर के उपयोग की अनुमति नहीं दी जाती है।	(6) वर्ग व्यवस्था में व्यक्ति के ऊपर अवसरों के उपयोग के सम्बन्ध में कोई प्रतिबन्ध नहीं है। वह अवसरों का उपयोग स्वेच्छा से कर सकता है।
(7) जाति व्यवस्था में व्यक्ति के कार्यों को कठोरतापूर्वक निश्चित किया जाता है।	(7) व्यक्ति के कार्यों के निश्चितकरण के सम्बन्ध में कोई भी कठोर नियम नहीं है।
(8) व्यक्तिगत को जातिगत सदस्यता प्राप्त होती है। इनमें वह किसी भी प्रकार का नहीं कर सकता है।	(8) व्यक्ति की वर्ग की सदस्यता अर्जित होती है। अतः व्यक्ति के वर्ग की परिवर्तन सदस्यता में परिवर्तन हो सकता है।
(9) जाति व्यवस्था में विवाह खान-पान आदि के सम्बन्ध में कठोर नियम होते हैं।	(9) विवाह एवं खान-पान पर कोई प्रतिबन्ध नहीं होता है।
(10) जाति व्यवस्था में प्रजातन्त्र व राष्ट्रवाद के प्रतिकूल हैं।	(10) वर्ग व्यवस्था प्रजातन्त्र व राष्ट्रवाद में बाधक नहीं है।
(11) जाति व्यवस्था में सामाजिक दूरी सदैव एक-सी नहीं रहती है।	(11) सामाजिक दूरी कम रहती है।
(12) जाति में किसी प्रकार की प्राकृतिक चेतना की आवश्यकता नहीं होती है।	(12) वर्ग के सदस्यों में वर्ग चेतना होती हैं।

उपरोक्त विवेचन से स्पष्ट है कि जाति और वर्ग में विशेष अन्तर नहीं है वर्तमान समय में जाति के अन्दर तीव्र गति से परिवर्तन हो रहा है जिससे उसकी मुख्य विशेषताएँ प्रायः लुप्त-सी होती जा रही हैं और जातीय नियम व बन्धन शिथिल पड़ते जा रहे हैं। इसके परिणाम स्वरूप ही जाति वर्ग के अत्यधिक निकट आती जा रही है।

जाति व्यवस्था में परिवर्तन के कारक
(Factors for Changes in Caste System)

मौर्यकाल के पश्चात् जाति व्यवस्था पूर्णतः अस्तित्त्व में आयी। तब से यह व्यवस्था तमाम उतार-चढ़ाव के बावजूद कमोवेश अपना मूल चरित्र बनाए रखे हुए है। औद्योगीकरण के पश्चात् जब अंग्रेजों ने भारतीय समाज के सभी जातियों को एक डण्डे से हाँकना शुरू किया तो उच्च जातियों के विशेषाधिकार में कुछ नरमी आयी हालाँकि यह नर्मी मात्र अंग्रेज बहादुर के प्रति थी न कि अपने दलित भाई-बन्धुओं के प्रति। ब्रिटिश काल में शिक्षा का माध्यम पाश्चात्य दृष्टिकोण बना। पाश्चात्य शिक्षा के चलते भारतीय समाज के नेतृत्व दो पक्षों में बँट गए। प्रथमतः वे जो पाश्चात्य शिक्षा का विरोध करते थे एवं द्वितीय पाश्चात्य शिक्षा के समर्थक थे। जाति व्यवस्था को इन दोनों धड़ों द्वारा नुकसान पहुँचाया गया। यातायात के साधनों का विकास, नव जागरण इत्यादि के द्वारा भी जाति व्यवस्था को परिवर्तित करने का प्रयास किया गया। जाति प्रथा में परिवर्तन लाने वाले कुछ कारणों का हम यहाँ पर वर्णन करेंगे।

(1) नवजागरण–वैसे तो नवजागरण का तात्पर्य लोग अंग्रेजों का भारत आने व पाश्चात्य शिक्षा एवं औद्योगीकरण के परिणामस्वरूप, सामाजिक सुधार से लगाते हैं किन्तु हमारी राय से रूढ़ियों एवं कुप्रथाओं के खिलाफ परिवर्तन के क्रम में तीन नवजागरण हुए हैं। प्रथम 600 पूर्व, द्वितीय भक्तिकाल का नवजागरण, एवं तृतीय राजा राममोहन द्वारा प्रेरित पुनर्जागरण। इन नवजागरणों के चलते जाति व्यवस्था की कठोरता एवं दमनकारी प्रवृत्ति में कमी आई।

(2) पाश्चात्य शिक्षा–अंग्रेजों से पूर्व भारतीय शिक्षा महज उच्च जातियों की बपौती बनकर रह गयी थी। पाश्चात्य शिक्षा ने निम्न जातियों को शिक्षित करने का महत्त्वपूर्ण प्रयास किया एवं लोगों में तार्किक दृष्टिकोण का विकास किया फलतः जाति व्यवस्था निर्बल हुई एवं रूढ़िवादिता में कमी आई।

(3) औद्योगीकरण तथा नगरीकरण–औद्योगीकरण के परिणामस्वरूप बड़े-बड़े कारखाने स्थापित किए गए जिसमें दैनिक जीवन की आवश्यक वस्तुओं का उत्पादन बड़े पैमाने पर किया जाता था, अतः जातियों के परम्परागत व्यवसायों पर प्रतिकूल प्रभाव पड़ा। एक ही कारखाने में चारों वर्णों से सम्बन्धित जातियाँ काम करने लगीं। अतः उनमें छुआछूत की भावना में कमी आई जो एक ही बैनर के तले भेदभाव भुलाकर इकट्ठे हो गए। औद्योगीकरण ने श्रमिकों को एक जगह इकट्ठा करके रोजगार प्रदान किया जिससे नगरीकरण प्रक्रिया को अत्यधिक बढ़ावा मिला। औद्योगीकरण तथा नगरीकरण के कारण जातियों के मध्य भेदभाव दूर हुए। परस्पर सदभावना विकसित हुई।

(4) यातायात व संचार के साधनों में विकास—यातायात, संचार के साधनों के फलस्वरूप गतिशीलता बढ़ी व बिभिन्न जातियों प्रान्तों एवं धर्मों के लोग एक-दूसरे के सम्पर्क में आए। अतः पारस्परिक सम्पर्क में बढ़ोतरी से समानता के भाव में वृद्धि हुयी और जातिगत संकीर्णता में कमी आई।

(5) स्वाधीनता आन्दोलन—स्वाधीनता आन्दोलन के दौरान सभी जातियों प्रान्तों और धर्मों के लोगों ने कन्धे-से-कन्धा मिलाकर संघर्ष किया। स्वाधीनता आन्दोलन ने जाति व्यवस्था पर कुठाराघात करने में महत्त्वपूर्ण भूमिका निभाई।

(6) लोकतन्त्र व्यवस्था—स्वतन्त्रता के उपरान्त भारत एक लोकतान्त्रिक देश के रूप में अस्तित्त्व में आया जिसमें विधि के समक्ष सभी को समानता प्रदान की गयी। संविधान में यह व्यवस्था की गयी कि किसी भी व्यक्ति से जाति, धर्म, लिंग, वर्ण के अनुसार भेदभाव न किया जाए। अतः प्रजातन्त्र द्वारा भी जाति व्यवस्था को निर्बल किया जा सकता है।

(7) परिवार के कार्यों का राज्य को हस्तांतरण—राज्य द्वारा पारिवारिक कार्यों में अत्यधिक हस्तक्षेप किया जाता है। इसके चलते परिवार के मुखिया की भूमिका सीमित हो गयी, अतः नवीन पीढ़ी के प्रगतिशील विचारों का वह विरोध नहीं कर पाते और इस प्रकार रूढ़िवादी विचारों को प्रश्रय नहीं मिल पाता।

(8) नारी उत्थान—बच्चे की प्राथमिक पाठशाला उसकी माँ होती है। अतः माँ के शिक्षित होने का प्रभाव सबसे ज्यादा बच्चे पर पढ़ता हैं। परम्परागत समाज में नारी सिर्फ बच्चा पैदा करने की मशीन थी किन्तु स्त्री शिक्षा के प्रसार व स्त्री सुधार आन्दोलनों ने उपर्युक्त अवधारणा पर कुठाराघात किया। स्त्री के शिक्षित होने से एक नवीन प्रगतिशील समाज अस्तित्त्व में आया जिसमें जातिप्रथा व्यक्ति के विकास में रोड़े नहीं अटका सकते।

(9) अर्थ का बढ़ता महत्त्व—वर्तमान समय में अर्जित प्रस्थिति की महत्ता बढ़ी है एवं प्रदत्त प्रस्थिति का प्रभाव घटा है। वर्तमान अर्थयुग में व्यक्ति का सम्मान उसके व्यक्तिगत गुणों एवं सम्पत्ति इत्यादि से किया जाता है न कि उसके कुल, जाति अपना वंश परम्परा से।

(10) नवीन कानूनों का प्रभाव—1954 में बने विशेष विवाह अधिनियम, 1955 में बने हिन्दू विवाह अधिनियम, 1955 में बने अस्पृश्यता अपराध अधिनियम इत्यादि के द्वारा व्यक्तिगत स्वतन्त्रता को बढ़ावा दिया गया। अन्तर्जातीय विवाह को प्रोत्साहन दिया गया। छुआछूत को गैर-कानूनी घोषित किया गया तथा समाज की सार्वजनिक सम्पत्ति को सभी जातियों के लिए खोल दिया गया। इन सबके फलस्वरूप जाति प्रथा की कठोरता में आश्चर्यजनक कमी आई।

जाति व्यवस्था में वर्तमान परिवर्तन (Present Changes in Caste System)

ऊपर वर्णित कारकों के फलस्वरूप जाति व्यवस्था में जाति के संरचना तथा कार्यों में बहुत से परिवर्तन आए। कुछ प्रमुख परिवर्तनों का उल्लेख निम्नलिखित किया गया है–

(1) परम्परागत स्तरीकरण व्यवस्था में परिवर्तन–संस्तरणात्मक विभाजन जाति व्यवस्था की एक अनिवार्य विशेषता रही है, जिसके आधार पर समाज में ऊँच-नीच का निर्धारण होता था; किन्तु वर्तमान समय में जबकि अर्जित स्थितियों का महत्त्व बढ़ गया है और व्यक्ति का मूल्यांकन उसकी योग्यता तथा धर्म, सम्पत्ति के आधार पर किया जाने लगा है। अतः सामाजिक स्तरीकरण के मानकों में भी परिवर्तन आए हैं, ये परिवर्तन दो प्रकार के माध्यमों द्वारा घटित हुए हैं–

(*i*) संस्कृतिकरण द्वारा–इस प्रकार की प्रक्रिया द्वारा निम्न जाति के लोग उच्च जाति की खान-पान, वेशभूषा व संस्कारों को अपना लेते हैं और सामाजिक स्तरीकरण व्यवस्था में शीघ्र स्थान पर आने का दावा करते हैं जैसा कि श्रीनिवास उल्लेख करते हैं कि उनके दावे को दो या तीन पीढ़ियों द्वारा, समाज द्वारा स्वीकृत कर लिया जाता है।

(*ii*) संविधान द्वारा प्रदत्त अवसरों द्वारा–संविधान द्वारा प्राप्त अवसरों का प्रयोग करके तथा कथित निम्न जातियाँ दलित, अस्पृश्य आज राष्ट्र की मुख्य धारणा में दृढ़ता से शामिल हो गए हैं एवं अपने स्तर को लगातार ऊपर उठाने का प्रयास कर रहे हैं।

(2) उच्च वर्णों की प्रभुता में कमी–वर्तमान जातिप्रथा के अन्तर्गत उच्च वर्णों विशेषतः ब्राह्मणों की धार्मिक, सामाजिक तथा आर्थिक क्षेत्र में वैसी पकड़ नहीं रही, जैसी पूर्व में थी। वर्तमान समय में एक ब्राह्मण जाति के व्यक्ति को दलित वर्ग के अधिकारी के अधीन कार्य करते देखा जा सकता है।

(3) जाति व्यवसाय में भिन्न धंधा अपनाने के अवसर एवं प्रवृत्ति–पाश्चात्य समाज के भारतीय समाज पर पड़ने वाले इन प्रभावों ने ऊँच-नीच की भावना और छुआछूत के विचार को तेजी से निर्बल करने के साथ-साथ जाति व्यवस्था के अन्य तत्त्वों–जैसे स्व-जातीय व्यवसाय अपनाने की प्रथा को भी जबर्दस्त धक्का पहुँचाया। समाज के प्रतिष्ठित व्यवसायों में अब पुरोहित और सैनिक के अतिरिक्त अनेक अन्य व्यवसाय भी सम्मिलित हो गए। सरकारी अफसर, वकील, डॉक्टर, इन्जीनियर, औद्योगिक प्रबंध विशेषज्ञ आदि केवल उच्च जातीय वर्गों से ही बने यह सम्भव नहीं रह गया। यद्यपि अपनी अच्छी सामाजिक स्थिति के कारण उच्च जाति में जन्मे हुए व्यक्तियों की संख्या ऐसे प्रतिष्ठित व्यवसायों में अधिक रही परन्तु बुद्धि की कुशाग्रता, कठोर परिश्रम, सरकारी कृपा और अच्छे भाग्य से थोड़े बहुत नीची जाति वाले लोग भी प्रतिष्ठित व्यवसायों में प्रवेश पाने लगे। आज कई जगह द्विवेदी जूता भण्डार अथवा तिवारी पान भण्डार के बोर्ड देखने को मिल जाएँगे, जबकि जूता बनाना अथवा पान लगाना जाति विशेष का व्यवसाय था।

(4) जाति पंचायतों के अधिकार तथा कार्यक्षेत्र में कटौती–जाति के सदस्यों का नियंत्रण उनमें आधार की शुद्धता अपने कौशल के अवधारण नियमों की रक्षा और जातीय समूहों द्वारा अपने विभिन्न जाति भाइयों की सहायता के कार्य जिन्हें अब तक जाति की पंचायतें करती आ रही थीं, धीरे-धीरे इनके हाथ से छीनने लगे। विवाह, परिवार और पेशे से सम्बन्ध आचार पर व्यवस्था देने का अधिकार अब जाति पंचायत का ही नहीं रह गया। यौन सदाचार बनाए रखने की जिम्मेदारी शासन में अपना ली फलतः महिला उत्पीड़न के मुकदमे अब अदालत में निभाए जा सकते थे। जीवन के इस क्षेत्र में सरकारी अदालतों और जातिपंचायत के दोहरे अधिकार क्षेत्र में असंगति भी उत्पन्न हुई, पर राजकीय शक्ति से सम्पन्न होने के कारण अदालत का फैसला ही मान्य रहता था। कभी-कभी अदालत द्वारा निर्दोष ठहराए गए अभियुक्तों को जातीय पंचायतों ने अपने यहाँ दोषी ठहराकर दण्ड देने का प्रयास किया पर उनकी इस क्रिया को राज्य के विरुद्ध कार्य मानकर उन्हें इससे विरत किया गया और यदि वे ऐसी सजा दे चुके थे, तो स्वयं उनको ही इसके लिए दंडित किया गया।

(5) अन्तर्विवाह सम्बन्धी निषेधों में परिवर्तन–जाति के बाहर विवाह को अब पहले की अपेक्षा समाज में कम बुरा मानने लगे हैं। जो व्यक्ति जाति के बाहर विवाह करते हैं, उनका पहले की भाँति तिरस्कार एवं बहिष्कार अब नहीं हो पाता। यद्यपि प्रायः उनकी रक्षा उनकी ऊँची सामाजिक स्थिति के कारण होती हैं। आधुनिक समाज के उदार दृष्टिकोण भी उन्हें समाज में स्वीकृति होने में कम सहायक नहीं होते।

(6) जन्म की महत्ता में कमी–जैसा कि पूर्व में उल्लेख किया जा चुका है। व्यक्तिगत गुणों एवं योग्यता के बल पर व्यक्ति सामाजिक, संरचना के शीर्ष पद को प्राप्त कर सकता है। अतः जन्म के महत्त्व में कमी आना स्वाभाविक है।

(7) भोजन सम्बन्धी प्रतिबन्धों में बदलाव–परम्परागत जाति प्रथा में खान-पान से सम्बन्धित अनेक कठोर नियम पाए जाते थे, किन्तु वर्तमान समय में विकास की गति इतनी तीव्र है कि लोगों को यह बात दकियानूसी लगती है कि अमुक व्यक्ति का भोजन कौन बनाए। वर्तमान समय में होटलों, रेस्तराओं, शादी विवाहों में भोजन बनाने वालों की जाति नहीं पूछी जाती। इसी तरह उच्च व निम्न जातियों के लोग एक साथ बैठकर भोजन करते हैं हालाँकि परम्परागत गाँवों में अभी भी इस निषेध का कमोवेश पालन किया जाता है।

(8) जातिगत सम्बन्धों में परिवर्तन–वर्तमान समय में जातिगत सम्बन्धों का आधार धार्मिक नहीं रहा अपितु राजनीतिक हो गया है। राजनीतिक आधार पर, वोट बैंक के आधार पर जातिगत सम्बन्ध निर्मित होने लगे हैं। इस सन्दर्भ में विशेष बात यह देखने को मिलती है कि परम्परागत जजमानी प्रथा जो कि वर्ग के बीच सम्बन्धों का निर्धारण करती थी, सम्प्रदाय है।

जाति एवं वर्ग
(Caste and Class)

"भूमि ने जाति एवं मशीनों ने वर्गों को जन्म दिया"–**माइकल यंग**

भारतीय समाज की संरचना के दो आधार सदा रहे हैं–कर्म तथा जन्म। वर्ग कर्म पर आधारित है और जाति जन्म पर। जाति की भारतीय समाज में अपनी स्थिति होती है। परन्तु जब जातियाँ अपने पैतृक तथा जातिगत व्यवसायों को छोड़कर अन्य व्यवसायों को अपनाती हैं तथा उनके अनुसार व्यवहार करती हैं तो उनकी जाति भले ही न बदले, उनका वर्ग बदल जाता है। चमड़े का काम करने वाले यदि हलवाई का काम करने लगता है, तो उसका व्यावसायिक वर्ग बदल जाता है। कहने का अभिप्राय है "व्यक्ति अपनी कुशलता तथा क्षमता के कारण अपने वर्ग में परिवर्तन करता है। दुकानदार का बेटा, डॉक्टर या इन्जीनियर बनकर अच्छी नौकरी करता है। शिक्षक का बेटा, डॉक्टर या इंजीनियर बनकर अच्छी नौकरी कर लेता है। शिक्षक का बेटा प्रशासनिक सेवा में चुन लिया जाता है, तब सारे जाति भेद समाप्त हो जाते हैं देखा गया है। प्रशासनिक वर्ग, अपना विवाह जाति भेद को समाप्त कर वर्ग में करता है।"

प्रतिबन्धित/बन्द सामाजिक स्तरीकरण : जाति
(Caste : Restricted/Closed Social Stratification)

जाति को बन्द/प्रतिबन्धित स्तरीकरण का वह स्वरूप माना गया है, जिसमें व्यक्ति को अपने समूह की सदस्यता बदलने की स्वीकृति नहीं होती। भारतीय समाज की जाति प्रथा इसका प्रमुख उदाहरण है। ऐसे स्तरीकरण का अर्थ उस व्यवस्था से है, जिसकी प्रकृति पूर्णतः बन्द होती है। **मजूमदार** एवं **मदान** के अनुसार; "जाति एक बन्द वर्ग है।" इसी प्रकार कूले का कथन है कि "जब एक वर्ग पूर्णतया आनुवंशिकता पर आधारित हो, तो हम उसे जाति कहते हैं।" इस व्यवस्था में व्यक्ति को जन्म के आधार पर एक बार जो स्थिति प्राप्त होती है, उसमें जीवन पर्यन्त कोई भी परिवर्तन नहीं हो पाता। इसीलिए इसे 'प्रतिबन्धित स्तरीकरण' कहा जाता है। जाति की सदस्यता जन्मजात होती है तथा इसमें उच्चता और निम्नता का क्रम पाया जाता है। यह एक अन्तर्विवाही समूह है, जिसका एक वंशानुगत व्यवसाय होता है। जाति के सदस्य खान-पान सामाजिक सहवास के नियमों का पालन करते हैं। इसकी सदस्यता सम्पूर्ण जीवन के लिए निश्चित होती है।

सामाजिक वर्ग का अर्थ एवं परिभाषा (Meaning and Definition of Social Class)

सामाजिक वर्ग सामाजिक स्तरीकरण को आधार प्रदान करता है। मूलतः वर्ग एक आर्थिक तथा वैधानिक धारणा है।

मैकाइवर एवं पेज के अनुसार "एक सामाजिक वर्ग समुदाय का कोई भाग है जो सामाजिक स्थिति के आधार पर शेष भाग से पृथक दिखाई देता है।"[8]

आगबर्न एवं निमकॉफ के अनुसार "एक सामाजिक वर्ग, किसी समाज में आवश्यक रूप से समान सामाजिक स्थिति रखने वाले लोगों का संकलन है।"[9]

मौरिस जिन्सवर्ग के अनुसार "वर्ग व्यक्तियों का समूह है जो सामान्य वंश, समान व्यवसाय धन और शिक्षा के आधार पर एक जैसी जीवन पद्धति, एक जैसे विचारों, भावनाओं, मनोवृत्तियों और व्यवहार के स्वरूपों के अनुसार जीवन व्यतीत करते हैं जो इनमें से किसी एक या समस्त आधारों पर एक-दूसरे के साथ समानता के आधार पर मिलते-जुलते हैं थोड़े बहुत अन्तर के साथ अपने को एक ही समूह या वर्ग चेतना से सम्बन्धित मानते हैं।

जिंसबर्ट के अनुसार "एक सामाजिक वर्ग व्यक्तियों का समूह अथवा एक विशेष श्रेणी है। जिसकी समाज में एक विशेष स्थिति होती है। यह विशेष स्थिति ही अन्य समूहों से अनेक सम्बन्ध को निर्धारित करती है।"[10]

भारत में वर्ग चेतना का आधार अनेक विद्वानों ने अपने-अपने ढंग से खोजने का प्रयास किया है। वर्ग, सामाजिक होते हैं क्योंकि समाज की मूल इकाई, व्यक्ति इनका निर्माण करता है। इनमें वर्ग चेतना अथवा अपने जैसों के प्रति सामूहिक चेतना पाई जाती है।

(1) मार्क्स की वर्ग अवधारणा तथा भारत–मार्क्स ने वर्ग का निर्माण भौतिक विभाजन के कारण बताया है। उसने धन को वर्ग का आधार माना है और पूँजीपति तथा मजदूर वर्ग में समाज को बाँटा है। इन दोनों के मध्य उसने माध्यम वर्ग की कल्पना को जो इन दोनों वर्गों के मध्य सेतु का निर्माण करता है। देखने में आता है कि भारत में औद्यौगीकरण से पूर्व भी समाज में धन तथा सम्पत्ति वर्ग के निर्माण का आधार रही है। एक ही जाति के धनी तथा निर्धन के व्यवहार, खान-पान तथा विवाह सम्बन्धों में अन्तर आ जाता है। धनी व्यक्ति, अपनी जाति के निर्धनों की उपेक्षा कर अन्य जातियों के समान स्तरीय वर्गों में घुसपैठ करता है। मार्क्स की आर्थिक वर्गों की धारणा का दर्शन औद्योगिक तथा कृषि समाजों में भी होता है। औद्योगिक समाजों में मालिक तथा मजदूरों, कृषि समाज में जमींदार तथा मजदूरों, छोटे तथा बड़े किसानों में वर्ग भेद पाया जाता है। छोटा किसान अपने चातुर्य तथा कौशल से अधिक जमीन की व्यवस्था कर लेता है तो वह बड़े किसानों में वर्ग में आ जाता है। सम्पन्नता उसे वर्ग मान्यता प्रदान करती है।

कार्ल मार्क्स ने वर्ग संघर्ष के जिस सिद्धान्त का प्रतिपादन किया, उसके दर्शन उद्योगों में संगठित श्रम संगठनों द्वारा किए जा रहे नित नये प्रदर्शनों, हड़तालों के आन्दोलनों में होते हैं। मालिकों की ओर से घोषित तालाबन्दी इस वर्ग गतिशीलता तथा सक्रियता का अवरोधक परिणाम है।

भारत में वर्ग संस्तरण में विशेषत्ताएँ पाई गई हैं–

(*i*) राजनीतिक संघर्ष तथा वर्ग संघर्ष प्रायः एक-दूसरे के पूरक हो गए हैं।

(*ii*) पूँजीपति गलत नीतियों, स्वार्थों के कारण जन आन्दोलनों को बढ़ावा देते हैं और इसका परिणाम संघर्ष होता है।

(*iii*) जैसे-जैसे भारत में पूँजीवादी व्यवस्था का विकास हो रहा है, धन समाज के कुछ परिवारों तथा वर्गों में सिमट रहा है। इससे सामाजिक क्रान्ति के लक्षण उत्पन्न हो रहे हैं। देर सिर्फ इस बात की है कि सही नेतृत्व मिल जाए।

(2) वेब्लेन के विचार–बेब्लेन ने आर्थिक उपयोग के सिद्धान्त के आधार पर विलासी वर्ग का विकास नवश्रेष्ठजनों के रूप में हो रहा है। यह वर्ग शानोशौकत तथा प्रदर्शन में विश्वास रखता है। इसके विपरीत श्रमिक वर्ग किसी तरह अपने जीवन के अस्तित्त्व को बनाए रखना चाहता है। विलासी वर्ग का सम्पूर्ण व्यवहार आर्थिक विचारों से निर्देशित तथा नियंत्रित होता है। इनमें प्रदर्शन की प्रवृत्ति होती है। ये आकर्षक उपयोग में विश्वास करते हैं। यह निजी सम्पत्ति तथा उत्पादक साधनों का स्वामी बन जाता है और वर्ग विशेष के रूप में पहचान बनाता है।

भारत के कुलीन वर्ग ही विलासी वर्ग की देन हैं। कुलीनता किसी समय जाति वर्ग से सम्बन्धित थी। अब कुलीन वह है जिसके पास पैसा है और वह उपभोग खुलकर करता है। बेब्लेन ठीक ही कहता है–जाति जो पहले दरिद्र तथा सेवक थी, मनुष्य के उपभोग की वस्तुओं की उत्पादक थी, उसके द्वारा उत्पादित वस्तुओं की शानदार खरीदकर बन गई है। नारी की स्थिति समाज में बदलने के पीछे आर्थिक उपभोग की भावना प्रबल है।

(3) मैक्सबेवर के विचार–सामाजिक वर्ग और स्तरीकरण का निर्धारण करने में मैक्सवेबर ने शक्ति को आधार माना है। शक्ति से तात्पर्य, ऐसे कार्यों या अवसरों से है जो विरोध के बावजूद व्यक्ति सम्पन्न करता है। व्यक्ति के शक्ति के अवसर जितने अधिक प्राप्त होते हैं, सामाजिक सम्मान में वृद्धि होती जाती है। बेवर के शब्दों में "वह प्रणाली जिसके द्वारा समुदाय में भाग लेने वाले विशेष समूहों में सामाजिक सम्मान का वितरण होता है, सामाजिक व्यवस्था कहलाता है।"

भारत में वर्ग विशेषताएँ (Features of Class in India)

भारत, संरचनात्मक रूप से विचित्र देश है। यहीं की सामाजिक संरचना एक ओर जन्मना समूह अर्थात् जातियों से बँधी है तो दूसरी ओर अर्थ समूह के विकास से अलग संरचना का निर्माण हो रहा है। यह संरचना स्वयं के वर्ग होते हुए भी आवृत्त समाज का रूप धारण कर रहीं है। इस दृष्टि से भारत में वर्ग के दोहरे मानदण्ड विकसित हो रहे हैं–जाति तथा वर्ग। जाति प्रथा व बर्गों व व्यक्ति की स्थिति तथा भूमिका दोनों को प्रभावित किया है और पृथक वर्ग का निर्माण किया है। भारत में मुक्त वर्ग व्यवस्था में विशेषताएँ प्रकट हो रही हैं।

(1) स्थिति का उतार-चढ़ाव–भारत में वर्गीय स्थिति में निरन्तर उतार-चढ़ाव पाया जा रहा है। आज का धनी व्यक्ति कल का निर्धन हो सकता है। लाटरी आने पर करोड़पति बनने का सामाजिक वर्ग एक दम बदल जाता है। साथ ही इस उतार-चढ़ाव में जिनकी संस्था में वृद्धि होती है, उनका वर्ग अन्य बन जाता है, जैसे–कारखानों में काम कर रहे श्रमिक, मैकेनिक तथा इन्जीनियर।

(2) ऊँच-नीच की भावना–भारत में वर्ग संरचना के कारण ऊँच-नीच का भेदभाव बढ़ रहा है। अधिक धनी, कम धनी, में अपने को सम्पन्न तथा सम्मानजनक समझ रहा है। प्रशासक वर्ग में भी अधीनस्थों का वर्ग अलग बन गया है। नौकरी शाही में भी टंकड़क वर्ग (क्लर्क वर्ग) तथा ब्यूरोक्रेट वर्ग बन गए हैं।

(3) सामाजिक दूरी–वर्गों में ऊँच-नीच के कारण सामाजिक दूरी भी बन रही है। मालिक मजदूरों के पास उठ-बैठ नहीं सकता, क्लर्क-क्लर्क के साथ अपनापन अनुभव करता है। वर्ग विभिन्नता से सामाजिक दूरी बढ़ रही है।

(4) उपवर्ग–विकास की अवस्था में होने के कारण भारत में वर्ग में भी उपवर्ग बन गए हैं। प्रशासन में शासक अधिकारी, उपअधिकारी, अधीनस्थ आदि ऐसे वर्ग बन गए हैं, जो व्यवस्था की शृंखला का निर्माण करते हैं।

(5) गतिशीलता–विश्व के अन्य देशों की भाँति भारत में भी सामाजिक गतिशीलता पाई जा रही है। मुक्त व्यवस्था के कारण यहाँ निम्न वर्ग उच्च वर्ग में स्थान बना रहा है और उच्च वर्ग अपनी स्थिति खोकर निम्नवर्ग में जा रहा है। सामाजिक परिस्थितियाँ भी इसके लिए उत्तरदायी होती हैं।

(6) वर्ग परिस्थिति–शिक्षा, आवास प्रतिष्ठा आदि साधनों का कारण वर्ग परिस्थिति विशेष का निर्माण करते हैं। उदाहरणार्थ–एक क्लर्क को अधिकारी जैसा आवास भत्ता तथा अन्य सुविधाएँ केवल व्यवस्थात्मक परिस्थिति के कारण नहीं मिलती।

(7) जीवन अवसर–वर्ग की विशेषता है जीवन में समान अवसर प्राप्त होना तथा उन्हें प्राप्त करने के प्रयास करना। उनके समक्ष वर्तमान की परिस्थिति तथा भविष्य का चित्र दोनों ही होते हैं।

भारत में मुक्त सामाजिक संस्तरण जातिगत प्रभाव के बावजूद विकास की अवस्था में हैं।

वर्गों के निर्माण के आधार (Basis of Class Creation)

वर्गों के निर्माण में कई आधार काम करते हैं। **लिप्सेट** के अनुसार "वर्ग संरचना में दो दृष्टिकोण महत्त्वपूर्ण हैं (1) व्यय शक्ति (2) विकास की सम्भावना।

एक मत आर्थिक शक्ति के आधार पर सम्पन्नता की अभिव्यक्ति के लिए अधिक से अधिक खर्च करता है दूसरा मत विकास के समान अवसरों को लोकतन्त्र के सिद्धान्तों में खोजता है। समाजशास्त्रियों के अनुसार वर्ग के निर्माण के आधार निम्नलिखित हैं–

(1) शक्ति–आज औद्योगीकरण के विकास के कारण समाज में शक्ति, वर्ग संरचना का आधार बन गई है शक्ति की अधिकता व न्यूनता ही वर्ग की संरचना करती है। शक्ति, व्यक्ति की स्थिति को सामाजिक आर्थिक तथा राजनैतिक क्षेत्र में निर्धारित करती है। शक्ति कुछ श्रेष्ठ जनों अथवा विभिन्न समूहों में विभाजित हो सकती है। जब शक्ति श्रेष्ठ जनों के हाथों में होती है तो इसका उपयोग राजनेता सैनिक, अधिकारी तथा धनी लोग करते हैं। काम्टे ने भौतिक, बौद्धिक तथा नैतिक शक्ति को वर्ग का आधार माना है। इन शक्तियों से निर्देशित व्यक्ति वर्ग में अपने स्थिति को सुदृढ़ बनाता है।

गट्समैन के शब्दों में "आज ब्रिटेन में एक शासक वर्ग उपस्थित हैं, यदि हम इसे एक ऐसा समूह समझते हैं जो शक्ति की पदों में आसीन है जो अपने पुत्रों को वैसे ही पदों पर पहुँचने के लिए सहायता दे सकते हैं।" ब्रिटेन में तो वर्ग की संरचना हो रही है। राजनीतिक नेता, जो शासन में हैं, येन-केन प्रकारेण अपनी सन्तान को उच्च पदों पर पहुँचाते हैं। इस प्रकार उनका वर्ग अलग बन जाता है।

(2) सम्पत्ति–आधुनिक औद्योगीकरण समाजों में आर्थिक सम्पन्नता भी वर्ग निर्माण में सहायक हो रही है जिसके पास जितनी अधिक सम्पत्ति पाई जाती है, वह उतना ही उच्च वर्ग का माना जाता है। भारत में धन के द्वारा राजनैतिक शक्ति भी प्राप्त होती है। आय की समानता ने वर्ग का निर्माण किया। अमेरिका में भी आय की असमानता बढ़ रही है और उसी रफ्तार में वहाँ वर्गों का निर्माण हो रहा है।

(3) व्यवसाय–व्यवसाय, व्यक्ति के वर्ग तथा समाज में उसकी स्थिति को निर्धारित करते हैं अधिक आय वाला नीचा व्यवसाय, समाज में वर्ग परिवर्तित नहीं कर पाता। कम आय वाला ऊँचा व्यवसाय व्यक्ति के वर्ग को बदल देता है, उसके सामाजिक स्तरीकरण का निर्धारण करता है। नार्थ तथा हैट ने एक अध्ययन करके व्यवसायों की प्रतिष्ठा का सर्वेक्षण किया चिकित्सा के व्यवसाय को सर्वाधिक प्रतिष्ठा एवं जूते मरम्मत के काम को न्यूनतम प्रतिष्ठा इस सर्वेक्षण के द्वारा ज्ञात हुई। अन्य कम प्रतिष्ठा व्यवसायों में क्लर्क, व्यापारी, कुशल श्रमिक तथा अकुशल श्रमिक आए।

(4) प्रजाति–दूसरी दुनिया के समाज में से प्रजाति भी वर्ग निर्मित करने में विशेष योग देती रही है। गोरे लोग उच्च वर्ग के तथा नीग्रो काले निम्न वर्ग के समझे जाते हैं। आज भी दक्षिणी अफ्रीका का वर्ग संघर्ष रंगभेद की नीति पर आधारित है। काला रंग होने के कारण ऐसे व्यक्तियों के शिक्षा, व्यवसाय तथा अन्य प्रगति के समान अवसर नहीं दिए जाते।

(5) जाति–भारत में जाति भी ऐसा वर्ग है जिसका आधार जन्म है। ब्राह्मण, क्षेत्रीय, वैश्य तथा शूद्र वर्णों के आधार पर विकसित लगभग 2000 जातियाँ स्वयं ऐसा वर्ग बन गई हैं, जिनमें वर्ग के सभी लक्षण विद्यमान हैं। जातियों में, जनजाति के सदस्यों के प्रति अपनत्व की भावना पाई जाती है।

(6) प्रतिष्ठा–आज कल सामाजिक तथा राजनीतिक चेतना के विकास के कारण प्रतिष्ठा को वर्ग का आधार माना जाता है। प्रतिष्ठा ही व्यक्ति को समाज में उसकी स्थिति प्रदान करती है। **वार्नर** ने यांकी नगर का अध्ययन करके यह निष्कर्ष निकाला कि व्यक्ति की प्रतिष्ठा व अन्य व्यक्ति के उसके प्रति व्यवहार से आंकी जाती है। आय, शिक्षा, आवास, व्यवसाय, क्लवों की सदस्यता, साथियों के सामाजिक वर्गों के आधार पर वर्ग संरचना का निर्धारण होता है।

(7) शिक्षा–शिक्षा व्यक्ति के वैयक्तिक, सामाजिक तथा आर्थिक विकास के अवसर प्रदान करती है। व्यक्ति जितना अधिक शिक्षित होता है। वह उसी के अनुसार सामाजिक प्रतिष्ठा प्राप्त करता है, ब्लोन्डेल ने वर्ग के आधार के रूप में शिक्षा का महत्त्व प्रकट करते हुए कहा है–

"सामाजिक संरचना जितना कोई ऊपर बढ़ता है, व्यवसाय की अपेक्षा शिक्षा समूहों की सीमाओं और व्यक्तियों के बीच अनौपचारिक सम्बन्धों को परिभाषित करने में अधिक सहायता करती है।"

भारत में वर्ग विभाग के आधार (Basis of Class Division in India)

भारत में वर्ग विभाजन के निम्नलिखित आधार हैं–

(1) परिवार और नातेदारी–भारतीय समाज की इकाई व्यक्ति नहीं अपितु परिवार होता है। व्यक्ति की वर्ग स्थिति उसके अपने व्यक्तिगत उपलब्धियों से कम वरन् परिवार कुल, वंश, खानदान, नातेदारी इत्यादि के आधार पर होती है। उदाहरणार्थ नेहरू परिवार से सम्बन्धित किसी भी व्यक्ति की वर्ग स्थिति अपने आप उच्च होती है अपेक्षाकृत किसी सामान्य परिवार के व्यक्ति की वर्ग स्थिति। इसी प्रकार भूतपूर्व राजाओं, जमींदारों, उच्च वर्ग से सम्बन्धित व्यक्तियों के पुत्रों एवं पुत्रियों की वर्ग स्थिति भी समाज में ऊँची होती है।

(2) धन तथा सम्पत्ति–कार्ल मार्क्स की धारणा है, कि सम्पत्ति तथा धन ही सामाजिक स्तरीकरण का आधार है। धन-सम्पत्ति के कारण ही धनी तथा निर्धन वर्गों का निर्माण होता है। आन्द्रेबेताई के अनुसार–"आधुनिक युग में अधिकांश लोग सामाजिक असमानता का अर्थ समाज का वर्गों में विभाजन तथा सम्पत्ति धन आय, तथा अन्य आर्थिक और भौतिक कारणों से समझते हैं। इस सन्दर्भ में यह खास बात होती है कि सम्पत्ति का अर्जन किस विधि से किया गया है। यदि व्यक्ति परिश्रम के द्वारा सम्पत्ति इकट्ठा करता है, तो समाज में उसकी स्थिति अत्यधिक उच्च होगी उन लोगों की अपेक्षा जो चोरी तस्करी काला बाजारी, दलाली अथवा अन्य अवैध तरीकों से धन कमाते हैं।"

(3) व्यवसाय–व्यवसाय भी भारतीय समाज में वर्ग स्थिति को निर्धारण करने वाले कारकों में से एक है। व्यवसाय की सफलता-असफलता के साथ-साथ व्यवसाय की प्रकृति भी सामाजिक वर्ग संस्तरण को निर्धारित करने में महत्त्वपूर्ण भूमिका निभाती है। चमड़े का

व्यवसाय करने वाला सामाजिक संस्तरण में निम्न स्थान प्राप्त करता है। जबकि बर्तन बनाने वाला उससे उच्च स्थान प्राप्त करता है अथवा सोने का व्यवसायी, लकड़ी का व्यवसायी उच्च वर्ग में आता है।

(4) शिक्षा–भारतीय समाज में शिक्षा भी वर्गीय स्थिति को निर्धारण करने में महत्त्वपूर्ण भूमिका निभाती है। उच्च शिक्षित व्यक्ति को अल्प शिक्षित व्यक्ति से अथवा शिक्षित व्यक्ति को अशिक्षित व्यक्ति के ऊपर के वर्ग में स्थान प्राप्त होता है। वर्तमान वैज्ञानिक युग में शिक्षा की प्रकृति भी वर्गीय स्थिति का निर्धारण करती है। एक सामान्य स्नातक की अपेक्षा किसी विशिष्ट विषय में विशेषज्ञ व्यक्ति को समाज में महत्त्वपूर्ण स्थान प्राप्त होता है।

(5) निवास की स्थिति व अवधि–व्यक्ति के निवास स्थान, पड़ोसी व विकास की अवधि भी समाज में उसकी वर्ग स्थिति को तय कर सकता है। गन्दी बस्ती में रहने वाला व्यक्ति कालोनियों में रहने वालों से निम्न होता है अथवा एक ही जगह लगातार पीढ़ियों से रहने वालों की वर्ग स्थिति, घुमक्कड़ी करने वाले लोगों से उच्च होती है।

(6) धार्मिक ज्ञान–परम्परागत समाजों में धार्मिक ज्ञान के आधार पर व्यक्ति की वर्ग स्थिति उच्च अथवा निम्न होती है। धार्मिक कर्मकाण्डों को कराने वाले पुरोहितों, मौलियों अथवा पादरियों की स्थिति सदा से ऊँची रही है। परम्परागत भारतीय समाज में जोगी, महन्तों, ऋषियों मुनियों को आदर से देखा जाता रहा है।

भारतीय गाँवों में वर्ग व्यवस्था (Class System in Indian Villages)

भारतीय गाँव में वर्ग व्यवस्था मुख्यतः दो आधार पर पायी जाती है। प्रथमतः जाति एवं परिवार के आधार पर एवं द्वितीयतः सम्पत्ति के आधार पर। डेनियल थार्नर ने तीन प्रकार के वर्गों मालिक, जमींदार एवं साहूकार का उल्लेख करते हैं। तो गाडगिल भूस्वामी, साहूकारों एवं कृषि करने वालों में वर्गीकृत करते हैं। आर. के. मुखर्जी ने गाँवों के नौ व्यवसायिक समूहों को तीन वर्गों भूमिपति एवं निरीक्षक किसान, आत्मनिर्भर कृषक तथा कृषि मजदूर में विभक्त किया है।

शक्ति संरचना के आधार पर पी.सी. जोशी ने 'लैण्ड रिफार्म इन इण्डिया' में भारतीय गाँवों, हित समूहों के आधार पर वर्ग संरचना पर वर्ग संरचना का उल्लेख किया, जो निम्नलिखित चार प्रकार के हैं–

(1) बड़े भूस्वामी–भूमि सम्बन्धी हितों की संरचना में सबसे ऊँची-चोटी पर वह पहले के भूमिधर स्थित हैं, जिन्होंने एक बड़े भू-क्षेत्र पर अपना स्वायित्व बनाए रखा। इन्होंने छोटे-छोटे भूमिहारों से जमीनें खाली करा लीं और सारी जमीन अपनी व्यक्तिगत जोत में कर ली।

(2) समृद्धशाली कृषक–जोतदारों में जिनके पास बड़े-बड़े चक थे तथा जिनके पास अच्छे वित्तीय साधन भी विद्यमान थे। उन्होंने मुआवजा देकर काफी जमीन अपने

अधिकार में कर ली। भूमि सुधार अधिनियमों का सबसे अधिक लाभ इनको हुआ। गाँव की शक्ति संरचना में बड़े भूस्वामियों के बाद इनका स्थान आता है।

(3) छोटे जोतेदार–इनकी संख्या बहुत अधिक है और भूमि सुधारों के बाद भी इनकी आर्थिक स्थिति में कोई विशेष परिवर्तन नहीं आया। पहले की अपेक्षा केवल इतना परिवर्तन हुआ कि अब वह भूस्वामियों के स्थान पर राज्य के प्रति उत्तरदायी हो गए। यद्यपि उस भूमि को वह अब भी जोतते हैं जिसको पहले जोतते थे लेकिन उन्हें इस भूमि को बेचने या हस्तान्तरित करने का अधिकार नहीं है। इन्हें सहकारी ऋण समितियों से भी किसी प्रकार की सुविधा प्राप्त नहीं है। अतः स्वाभाविक रूप से यह पहले के जमींदारों पर आश्रित हैं।

(4) कृषक मजदूर इत्यादि–इस शक्ति संरचना में सबसे निम्न स्थिति उन लोगों की है। जो केवल खेतों पर काम करते हैं या जिनका फसलों की उपज में कुछ हिस्सा बँधा हुआ है। जिन क्षेत्रों में जनसंख्या का दबाव अधिक है। वहाँ पर वह अपने पारिवारिक फार्मों को जोतकर किसी प्रकार अपनी गुजर बसर करते हैं। दूसरे क्षेत्रों में जहाँ बड़े भू-स्वामियों ने बड़े पैमाने पर खेती प्रारम्भ कर दी वहाँ सबसे पहले उन्हें ही जमीनों से बेदखल कर दिया गया तथा बाद में इन्हें ही उन खेतों पर यह मनमानी शर्तों पर मजदूरों के रूप में काम दे दिया गया।

अभ्यास प्रश्न

1. जाति का अर्थ एवं परिभाषा बताइए।
2. जाति की उत्पत्ति के सिद्धांतों की विवेचना कीजिए।
3. जाति से सम्बन्धित विशेषाधिकारों एवं निर्योग्यताओं की चर्चा कीजिए।
4. जाति प्रथा में आए परिवर्तनों पर एक टिप्पणी लिखिए।
5. जाति और वर्ग में अंतर स्पष्ट कीजिए।
6. जाति पंचायत क्या है?

संदर्भ

1. Riguveda Sanhita, Mandal IO, Sukta 90, Richa 12
2. C S cooley, Social Organization, p. 11
3. Majumdar and Mandan, An Introduction to anthropology, p. 221
4. H P Fairchild, Dictionary of Sociology, p. 33
5. J H Hutton, Caste in India : Its Nature, Function and Origins
6. Ketkar, History of Caste in India, p. 15
7. E A Gait, Encyclopedia of Religion and Ethics, p. 232
8. R M Maclver and C H Page, Society : An Introductory Analysis, p. 348
9. Ogburn and Nimkoff, A Handbook of Sociology, p. 151
10. P Gisbert, Fundamentals of Sociology, p. 398

11

भारत में नातेदारी (Kinship in India)

नातेदारी अंग्रेजी भाषा के किनशिप का हिन्दी अनुवाद है हिन्दी में नातेदारी शब्द के अनेक प्रकार्य देखने को मिलते हैं। उदाहरणार्थ संगोत्रता, बन्धुत्व, स्वजन इत्यादि। यौन सम्बन्धों को वैध बनाने हेतु विवाह संस्था का जन्म हुआ। विवाह अनुस्थापन परिवार और प्रजनन के बीच की कड़ी का काम करता है। दो एकांकी परिवार में व्यक्तिगत सदस्यता का यह सत्य ही नातेदारी प्रथा को जन्म देता है, दूसरे शब्दों में नातेदारी से तात्पर्य व्यक्तियों के उन समूहों से है जो या तो समरक्तता के कारण या विवाह सम्बन्धों के कारण आपस में जुड़े हैं। जो समरक्तता से बने हैं उन्हें सहोदरज कहते हैं तथा जो विवाह से बनते हैं, उन्हें रिश्तेदारी कहते हैं। प्रायः जन्म तथा लालन-पालन से जुड़े नातों को एक प्राकृतिक प्रक्रिया मान लिया जाता है। वस्तुतः नातेदारी सम्बन्ध जैवीय सम्बन्धों की सांस्कृतिक उपज है। प्रारम्भिक समाजों में नातेदारी ही समाज एवं राज्य का मूलभूत तत्त्व है।

नातेदारी की परिभाषा (Definition of Kinship)

थियोडर्सन के अनुसार–नातेदारी सम्बन्ध वह सम्बन्ध है जो या तो समरक्त मूलक या दम्पत्ति स्वजन पर आधारित हो, व्यक्तियों के अधिकार व कर्तव्यों का निर्धारण करते हैं। अतः नातेदारी व्यवस्था का अर्थ है "प्रस्थितियों और भूमिकाओं और सम्बन्धों की एक ऐसी संचरित व्यवस्था जिसमें नातेदार जटिल शृंखलावद्ध होती है। प्राथमिक, द्वैतीयक, तृतीयक, व दूरस्थ बन्धनों द्वारा परस्पर बँधे रहते हैं।"[1]

चार्ल्स विनिक के अनुसार–"नातेदारी व्यवस्था में समाज द्वारा मान्यता प्राप्त वे सम्बन्ध आ सकते हैं। जो काल्पनिक और वास्तविक वंशावली सम्बन्धों पर आधारित हों।"

रेडक्लिफ के अनुसार–"नातेदारी सामाजिक उद्‌देश्यों के लिए स्वीकृत वंश सम्बन्ध हैं जो कि सामाजिक सम्बन्धों के परम्परात्मक सम्बन्धों का आधार है।"

रिवर्स के अनुसार–"नातेदारी वह सम्बन्ध है जिसे वंशावलियों के माध्यम से निर्धारित तथा वर्णित किया जा सकता है।"

लूसी मेयर के अनुसार–"नातेदारी में सामाजिक सम्बन्धों को जैविक शब्दों में व्यक्त किया जाता है।"

फॉक्स के अनुसार–"संगोत्रता मात्र स्वजन अर्थात वास्तविक, अथवा अनुमानित समरक्तता वाले व्यक्तियों के बीच सम्बन्ध है।"[2]

अतः स्पष्ट है कि सन्तानोत्पादन की इच्छा और विवाह सम्बन्ध नातेदारी सम्बन्धों का सूत्रपात करते हैं। इस प्रकार नातेदारी को हम रक्त सम्बन्ध या शादी के आधार पर निवृत सामाजिक सम्बन्धों के रूप में पारिभाषिक कर सकते हैं। नातेदारी समूह एक ऐसा समूह है जिसके सदस्य रक्त अथवा विवाह के बन्धन के आधार पर परस्पर जुड़े होते हैं। यह नातेदारी को प्रस्थितियों व भूमिकाओं की प्रथागत व्यवस्था के रूप में परिभाषित किया जा सकता है जो विवाह द्वारा अथवा एक ही पूर्वज की संततियाँ होने के कारण परस्पर सम्बद्ध लोगों के व्यवहार को नियमित, नियंत्रित और निर्धारित करती हैं।"

नातेदारी में वंशक्रम के नियम (Rules of Lineage in Kinship)

नातेदारी में उत्तराधिकार के मूलतः तीन नियम हैं–पितृ वंशीय, मातृ वंशीय, उभयवंशीय।

पितृवंशीय अन्वय के नियम के अनुसार प्रत्येक व्यक्ति स्वाभाविक रूप से अपने पिता के समरक्त नातेदारी समूह का सदस्य बन जाता है परन्तु वह माँ के समरक्त नातेदारी समूह का सदस्य नहीं होता।

मातृवंशीय अन्वय में व्यक्ति अपनी माँ के समरक्त नातेदारी समूह का सदस्य बन जाता है, परन्तु पिता के वंश के कुछ रक्त सम्बन्धियों का उत्तराधिकारी होता है सभी का वह नहीं और इसी प्रकार अपनी माँ के रक्त सम्बन्धियों का भी उत्तराधिकार प्राप्त करता है।

नातेदारी के भेद (Types of Kinship)

नातेदारी मुख्यतः दो प्रकार की होती है। जन्म के आधार पर और विवाह के आधार पर जन्म के आधार पर निर्मित सम्बन्धों को समरक्त नातेदारी के अन्तर्गत रखा जाता है जबकि विवाह के द्वारा निर्मित सम्बन्ध विवाह मूलक नातेदारी के अन्तर्गत आते हैं।

1. समरक्त सम्बन्ध–ऐसी नातेदारी जो जन्म के आधार पर निर्मित होती है। जन्ममूलक नातेदारी कहलाती है इस प्रकार की नातेदारी के सदस्यों में समरक्त सम्बन्ध पाए जाते हैं। उदाहरणार्थ माता-पिता तथा बच्चों का सम्बन्ध किन्तु समरक्त सम्बन्ध हमेशा जन्म पर ही आधारित हो अथवा सदस्यों के बीच प्राणिशास्त्रीय सम्बन्ध हो या आवश्यक नहीं उनके बीच काल्पनिक सम्बन्ध हो सकते हैं। किसी-किसी समाजों में ये काल्पनिक रक्त सम्बन्ध वास्तविक रक्त सम्बन्धों से ज्यादा महत्त्वपूर्ण सम्बन्ध माने जाते हैं। अतः रक्त सम्बन्धों में जैवकीय तथ्य इतने महत्त्वपूर्ण नहीं होते जितना कि सामाजिक मान्यता का

तथ्य। गोद लेने की प्रथा इसका एक उदाहरण है। गोद लेने वाले सदस्य के प्रति व्यवहार जैवकीय सम्बन्धों के अनुसार होता है। अर्थात् गोद लिए हुए पुत्र को काल्पनिक नहीं अपितु वास्तविक पुत्र माना जाता है। अतः स्पष्ट है कि जैविक तथ्य से ज्यादा महत्त्वपूर्ण सामाजिक तथ्य है। दक्षिण भारत की टोडा जनजाति बहुपतिविवाही है अर्थात एक स्त्री के कई पति होते हैं, अतः उस स्त्री से उत्पन्न संतान का पिता कौन है प्रायः इसके लिए एक समारोह का आयोज़न किया जाता है जिससे एक विशेष योग्यता परीक्षण के आधार पर होने वाली संतान का पिता घोषित किया जाता था। ऐसा ही तथ्य मलेशिया से कुछ भागों में बच्चा किस परिवार का माना जाएगा, इसका निर्णय प्रसव की क्रिया से नहीं, वरन् कुछ सामाजिक कृत्यों पर निर्भर है, वहाँ एक द्वीप में तो प्रसूता का जो व्यक्ति उसके कार्यों का मूल्य देता है, उसकी सन्तान का पिता कहलाता है और उस व्यक्ति की पत्नी उस बच्चे की माँ बन जाती है।

2. विवाह सम्बन्ध–जैसा कि पहले उल्लेख किया जा चुका है कि यौन सम्बन्ध स्थापित करने की इच्छा विवाह को जन्म देती है। अतः विवाह सम्बन्ध नातेदारी सम्बन्धों का स्वरूप है जो प्रजनन पर आधारित नातेदारी सम्बन्धों में विवाह सम्बन्ध ही है। जो विषम लिंगियों के बीच समाज की स्वीकृति के परिणाम स्वरूप स्थापित होता है। केवल पति-पत्नी ही विवाह सम्बन्धी नहीं हैं वरन् उन दोनों के परिवारों के अनेक सम्बन्धी भी परस्पर विवाह सम्बन्धी होते हैं; जैसे सास, ससुर, ननद, भौजाई, जीजा, साली, साला, सम्बन्धी, साढू, फूफा, भाभी, बहु आदि। इन सम्बन्धों को दो व्यक्तियों के सन्दर्भ में ही प्रकट किया जाता हैं–जैसे सास-बहू, ससुर-दामाद, पति-पत्नी, जीजा-साली, देवर-भाभी, ननद-भौजाई, साला-बहनोई, मामा-भान्जा, भतीजा-फूफा आदि। इन सभी सम्बन्धियों के बीच सम्बन्ध का आधार रक्त न होकर विवाह है।

नातेदारी की श्रेणियाँ (Categories of Kinship)

सम्बन्धों में नजदीकी और दूरी के आधार पर नातेदारी को तीन श्रेणियों में मरडाक द्वारा विभक्त किया गया है।

1. प्राथमिक नातेदारी–इस प्रकार के नातेदारी में आमने-सामने के सम्बन्ध आते हैं। अर्थात् वे नातेदार जिनसे किसी व्यक्ति का सीधा सम्बन्ध होता है या जिनके सम्बन्ध को प्रदर्शित करने के लिए बीच में कोई और संबंध नहीं। मरडाक ने आठ प्रकार के प्राथमिक नातेदार बताए हैं जिनमें रक्त सम्बन्धी तथा एक विवाह सम्बन्धी होता है। पिता-पुत्र, पिता-पुत्री, माता-पुत्र, माता-पुत्री, भाई-भाई, भाई-बहिन, बहिन-बहिन वे सभी रक्त सम्बन्धी हैं। पति-पत्नी का प्राथमिक सम्बन्ध विवाह पर आधारित है।

2. द्वितीयक नातेदारी–द्वितीयक नातेदारी के अन्तर्गत वे व्यक्ति आते हैं जो प्राथमिक नातेदार के प्राथमिक सम्बन्धी हैं। उदाहरणार्थ चाचा-भतीजा। किसी भी व्यक्ति के

लिए उसका चाचा उसका द्वितीयक नातेदार होगा क्योंकि चाचा उसके पिता का अर्थात प्राथमिक नातेदारी का भाई है। भाई अर्थात प्राथमिक नातेदार पिता चाचा और भतीजे के मध्य कड़ी का काम करता है। मरडाक ने 33 प्रकार के द्वितीय नातेदारी का उल्लेख किया है जिनमें चाचा-भतीजा मामा-भांजा, नाना-नानी और विवाह द्वारा निर्मित नातेदारियां तथा सास-ससुर, साला-साली इत्यादि आते हैं।

3. तृतीयक नातेदारी–तृतीय नातेदार किसी भी व्यक्ति के द्वितीयक नातेदार के प्राथमिक सम्बन्धी, और प्राथमिक नातेदार के द्वितीयक सम्बन्धी होते हैं। उदाहरणार्थ दादा के पिता (परदादा) साले की पत्नी (सरहज) चूंकि किसी व्यक्ति की पत्नी उसकी प्राथमिक रिश्तेदार है। अतः साला उसका द्वितीयक रिश्तेदार है, साले की पत्नी द्वितीयक नातेदार की प्राथमिक सम्बन्धी है इसलिए उसे व्यक्ति के लिए तृतीयक नातेदार है। मरडाक ने इस प्रकार की 151 तृतीयक नातेदारियों का उल्लेख किया है।

नातेदारी संज्ञाएँ (Kinship Terms)

नातेदारी संज्ञाएँ विशिष्ट प्रकार के सम्पूर्ण नियमों व व्यवहारों की व्यवस्था को समझने के लिए प्रयुक्त की जाती है। नातेदारी सम्बोधन अथवा सम्बन्धों संज्ञाओं से व्यक्तियों के बीच सम्बन्धों का स्पष्टीकरण होता है मजूमदार एवं मदान के शब्दों में "सम्बन्ध सूचक शब्द ऐसी संज्ञाएँ होती हैं, जिनका प्रयोग विभिन्न प्रकार के सम्बन्धों के लिए किया जाता है।"

मार्गन पहले ऐसे मानवशास्त्री थे जिन्होंने नातेदारी शब्दावलियों का विस्तृत अध्ययन किया। उन्होंने नातेदारी तत्त्व को समझने के लिए शब्दावलियों के अध्ययन को राजमार्ग बताया। मार्गन नातेदारी शब्दों को प्रमुख रूप से दो भागों में बाँटते हैं।

1. वर्गात्मक सम्बन्ध सूचक संज्ञाएँ।
2. वर्णनात्मक विशिष्ट अथवा व्यक्ति सम्बन्ध सूचक संज्ञाएँ

1. वर्गात्मक सम्बन्ध सूचक संज्ञाएँ–इसके अन्तर्गत कई सम्बन्धों, कई व्यक्तियों, के लिए एक ही सम्बन्ध सूचक शब्द का प्रयोग किया जाता है। दूसरे शब्दों में एक ही शब्द का प्रयोग विभिन्न सम्बन्धियों के एक वर्ग के लिए किया जाता है। उदाहरणार्थ (Cousin) शब्द का प्रयोग चचेरे, मुमेरे, मौसेरे, फुफेरे, भाइयों के लिए किया जाता है। इसी तरह अंकल (Uncal) शब्द का प्रयोग चाचा, मामा, फूफा, मौसा इत्यादि सम्बन्धियों के लिए, आंटी शब्द चाची, मामी, मौसी, बुआ इत्यादि के लिए किया जाता है। डॉ. रिवर्स ने सम्बन्धी सूचक संज्ञाओं की एक तीसरी पद्धति का उल्लेख भी किया है, जिसका प्रयोग जैविक परिवार के सदस्य आपस में करते हैं।

2. विशिष्ट वर्णनात्मक अथवा व्यक्ति सम्बन्ध सूचक संज्ञा–ऐसी संज्ञाएँ केवल उन्हीं व्यक्तियों के लिए प्रयोग की जाती हैं, जिनको प्रत्यक्ष रूप से संबोधित किया जाता है।

उदाहरणार्थ पिता शब्द केवल जैवकीय अथवा सामाजिक जनक के लिए प्रयुक्त किया जाता है। पुत्र, पत्नी, माँ, फूफा, बुआ इत्यादि शब्द विशिष्ट शब्दावली के अन्तर्गत आते हैं।

नातेदारी में अधिकार और कर्तव्यों को निर्धारित करने वाले नियम अथवा रीतियाँ–

नातेदारी के निर्माण के साथ व्यवहार के कुछ नियम भी निर्मित किए जाते हैं। प्रचलित नातेदारी व्यवहार के आधार पर ही स्त्री-पुरुषों के विशेषाधिकार का बँटवारा होता है। कुछ समाजों में इन अधिकारों तथा उत्तरदायित्वों में तारतम्य होता है और कुछ में यह बिल्कुल असंगत होती है।

इन अचार-विचार तथा नियमों को विभिन्न प्रेणियों में बाँटा जा सकता है–

(*i*) आदर भाव के नियम (Rules of Respect)–इस प्रकार के नियम सामाजिक विभेदीकरण में मान्यता प्राप्त अभिव्यक्तियाँ हैं, जैसे भारतीय समाज में पत्नी से अपेक्षा की जाती है कि वह पति के पैर छूकर प्रणाम करे, उसका आदर करे।

(*ii*) परिहार या विमुखता के नियम (Rules of Avoidane)–परिहार का अर्थ दूरी से होता है अर्थात् इस प्रकार के सम्बन्धों में पारस्परिक अर्न्तक्रिया अत्यन्त कम होती है। इस नियम के अनुसार सम्बन्धियों में एक-दूसरे के नाम लेना वर्जित होता है। बात करने पर भी प्रतिबन्ध होते हैं और कभी-कभी एक-दूसरे को देखने तक की मनाही होती है। परिहार के नियम प्रमुख रूप से भाई-बहिन, सास-दामाद, सास-बहु, ससुर-दामाद, पुत्र-वधु, ज्येष्ठ एवं छोटे भाई की पत्नी तथा स्त्री का पति एवं उसकी सबसे बड़ी बहन के सम्बन्धों में देखने को मिलता है। इस प्रकार के नियमों के पीछे दो प्रकार के तथ्य कार्य करते हैं। प्रथमतः परिहार करने वाले दोनों पक्ष एक-दूसरे का सम्मान करें, और द्वितीय यौन सम्बन्धों की अभिव्यक्ति पर रोक। प्रायः सभी प्रकार के समाजों में स्त्री-पुरुषों की भाषा हाव-भाव व वेश-भूषा को लेकर कड़े नियम बनाए गए हैं। भारतीय समाज में पति-पत्नी दूसरे व्यक्तियों की अनुपस्थिति में नाम न लेकर बुलाने की परम्परा है। सामान्यतः पत्नी-पति को 'वो' अथवा अमुक के पिता कहती हैं और पति भी फला की अम्मा कहता है।

परिहार के नियमों की उत्पत्ति के बारे में विद्वानों में मतभेद है, नातेदारी में परिहार के नियम के विषय में दो प्रकार के प्रकार्यवादी व्याख्याएँ दी जाती हैं–रेडक्लिफ ब्राउन ने तर्क दिया है कि परिहार करने वाले व्यवहार में जो सम्मान प्रदर्शित किया जाता है और परिहास में जो औपचारिक अभद्रता है, दरअसल सामाजिक गठबंधन या अपनत्वपूर्ण सहजीविता की अभिव्यक्ति है। परिहार तथा परिहास करने वाले लोगों के अभिनय के परस्पर विरोधी हित होते हैं और वे पारस्परिक हितों को अनदेखा करते हैं। परिहार औरर परिहास के संस्थाकरण की वजह से सम्बद्ध पक्षों के बीच खुलेआम शत्रुतापूर्ण सम्बन्धों के विकसित होने की सम्भावनाएँ कम-से-कम हो जाती हैं। दूसरी प्रकार्यवादी व्याख्या के विषय में मर्डाक ने तर्क देते हुए कहा है कि परिहार पालन इसलिए किया जाता है कि उनके द्वारा निषिद्ध निकटाभिगमन पर बल दिया जाता है। उनके अनुसार, सामाजीकरण के दौरान अगर

पर्याप्त आत्मनियंत्रण रखा जाता है तब आन्तरिक परिहार आवश्यक हैं। उन समाजों में जिनके सदस्यों में आवश्यक संयम नहीं होता परिवार निषिद्ध निकटाभिगमन के खिलाफ अतिरिक्त सुरक्षा प्रदान करते हैं। **टायलर** के अनुसार परिहार का स्वरूप अत्यन्त प्राचीन है और इसके लिए मातृसत्तात्मक परिवार जिम्मेदार है क्योंकि मातृसत्तात्मक परिवार में दामाद परिवार के बाहर का अपरिचित था, अतः सास और दामाद में अन्तर्क्रिया नहीं के बराबर होती थी। यहीं से इस प्रकार के नियमों की शुरुआत हुयी जबकि फ्रेजटू का मानना है कि परिहार का कारण यौन सम्बन्धों में निषेध है। फ्रायड भी फ्रेजर से मिलते-जुलते विचार व्यक्त करते हैं। उनके अनुसार यौन भावना को विकसित होने से रोकने के लिए परिहार तथा विमुखता के नियम बनाए गए हैं। **लोबी** ने परिहार को सामाजिक सांस्कृतिक सन्दर्भ में देखा है। उनका कहना है कि पुत्र-वधु अन्य परिवारों से आने के कारण पति के परिवार से भिन्न प्रकार के सामाजिक, सांस्कृतिक एवं नैतिक मूल्यों का प्रतिनिधित्व करती है। उसकी वेशभूषा और शिष्टाचार सम्बन्धी धारणाएँ पति के परिवार से भिन्न होती है। परिवार में अन्य सदस्यों को उसके प्रभाव से बचाने के लिए ही पुत्र-वधु और सास-ससुर परिहार विघटन को रोकने एवं कुछ व्यक्तियों के बीच अन्तः क्रिया को रोकने के लिए ही परिहार प्रथा की आवश्यकता महसूस हुयी। डॉ. रिवर्स का मत है कि परिहार के व्यवहार द्वैध संगठनों के कारण पनपे होंगे। विषमलिंगियों में यौन सम्बन्धों को रोकने के लिए परिहार पनपा तो समलिंगियों (प्रमुखतः पुरुषों में) परिहार का कारण यह तथ्य हो सकता है कि वे परस्पर विरोधी आदर्शों के सदस्य रहे होंगे।

(*iii*) परिहास (जोकिंग) के नियम (Rules of Joking)–परिहास सम्बन्ध सम्बन्धों की अत्यधिक घनिष्टता का बोध कराता है। परिहास का शाब्दिक अर्थ होता है। विनोदपूर्ण कथन इस लिहाज से परिहास सम्बन्ध परिहास सम्बन्धों के विपरीत है परिहास के अन्तर्गत दो सम्बन्धियों में हँसी-मजाक, मनोरंजनात्मक कथन और कभी-कभी गाली-गलौज एवं अश्लीलता भी सम्मिलित होती है। इस प्रकार के सम्बन्ध प्रमुख रूप से विवाह सम्बन्धियों, व अत्यधिक आयु भेद वाले नातेदारी के बीच में पाया जाता है। परिहास सम्बन्ध मुख्यतः देवर-भाभी, जीजा-साली, जीजा-साला, ननद-भाभी, मामी-भाँजा, मामा-भाँजा, दादा-पोती, दादी-पोता, चाचा-भतीजा, बुआ-भतीजा इत्यादि के बीच में पाया जाता है। परिहास सम्बन्धों की अभिव्यक्ति विशेष व्यवहारों, अवसरों पर अत्यधिक उन्मुक्त रूप से होती है। उदाहरणार्थ होली के अवसर पर जीजा-साली अथवा देवर-भाभी के बीच हास-परिहास, हँसी-मजाक, खिल्ली उड़ाने, नीचा दिखाने, पानी छिड़कने, कपड़े फाड़ने अथवा अन्य अमर्यादित हरकतों के रूप में देखा जा सकता है। दक्षिण अफ्रीका में अधिकांश जनजातियों में मामा-भाँजों के बीच हँसी-मजाक के सम्बन्धों को देखा जा सकता है। भाँजा मामा के घर जबरदस्ती उसकी चीजों को नुकसान पहुँचा सकता है उसके धन को चुरा सकता है। उत्तरी भारत में बुआ एवं भतीजे के बीच परिहास सम्बन्ध पाये जाते हैं। शरदचन्द्र राय ने उरांव जनजाति में

दादी-पोता के बीच विवाह का उल्लेख किया है। बेरियर ऐल्विन ने भी बैगा जनजाति में पोता-दादी विवाह का उल्लेख किया है। पैटीकोस्ट द्वीप में दादा-पोति एवं दादी-पोता विवाह प्रचलित रहा है। इस तरह के विवाह प्रतीकात्मक ही हैं न कि जैविकीय।

परिहास सम्बन्धों के कारण–

परिहास सम्बन्धों के कारणों को विभिन्न विद्वानों ने विभिन्न प्रकार से दिया है। कुछ मानव शास्त्रियों के अनुसार ये सम्बन्ध भावनाओं तथा एहसासों को अभिव्यक्त करने की दृष्टि से सेफ्टीवाल्व का कार्य करते हैं।

वेस्टर मार्क के अनुसार "परिहास सम्बन्ध निकट के रिश्तेदारों में विवाह करने के सामाजिक अवशेष हैं। जीजा-साली परिहास एवं देवर-भाभी परिहास क्रमशः देवर-भाभी विवाह और जीजा-साली विवाह के सूचक हैं।"

रेडक्लिफ ब्राउन के अनुसार "परिहास सम्बन्धों को शत्रुतापूर्ण सम्बन्धों को मित्रतापूर्ण सम्बन्धों के क्रम में बदलने को कहते हैं।"

चेपल तथा **कून** कहते हैं कि "इस प्रकार के सम्बन्ध अन्तर्क्रियाविधि के उत्प्रेरक हैं, अतः स्पष्ट है परिहास सम्बन्ध सैफ्टीवाल्व के साथ-साथ सामाजिक नियंत्रण के साधन भी हैं।"[3]

माध्यमिक सम्बोधन (Teknonymy)

माध्यमिक सम्बोधन परिहार सम्बन्धों का एक स्वरूप है। अधिकांश समाजों में यह देखा जाता है कि कुछ विशिष्ट सम्बन्धों में व्यक्ति एक-दूसरे का नाम नहीं ले सकते। किसी अन्य व्यक्ति के नाम को पुकारने का माध्यम बनाया जाता है। उदाहरणार्थ भारतीय समाज में पत्नी अपने पति का नाम नहीं ले सकती उसे पुकारने के लिए पुत्र या पुत्री अथवा परिवार के सदस्यों के नाम की सहायता लेनी पड़ती है। जैसे फला के पिता फला की माँ इत्यादि। माध्यमिक सम्बोधन का मानवशास्त्र में सर्वप्रथमं प्रयोग ई.वी. टायलर ने किया। विश्व के अधिकांश भागों में इस प्रथा का प्रचलन है माध्यमिक सम्बोधन की उत्पत्ति के बारे में टायलर कहते हैं कि मातृ सत्तात्मक परिवारों में जब पति परिवार के बाहर का सदस्य होता था, तो वह परिवार के अधिकांश सदस्यों के लिए अजनबी ही बना रहता था, अतः अन्य सदस्यों द्वारा उसे पुकारने के लिए स्त्री के नाम की सहायता लेनी पड़ती थी किन्तु लोवी इस मत को स्वीकार नहीं करते। उनके अनुसार यदि मातृसत्तात्मक परिवार माध्यमिक सम्बोधन का एक मात्र कारण है तो इसका प्रचलन पितृसत्तात्मक परिवारों में क्यों हैं? हमारे अनुसार माध्यमिक सम्बोधन श्रद्धा और सम्मान का सूचक है। इस हेतु इसका प्रचलन विश्व के अधिकांश समाजों में है।

(*i*) मामा प्रधान नातेदारी नियम (मातुलेय) (Avunculate)–इस प्रकार की नातेदारी नियम मामा तथा भाँजे-भाँजियों पर लागू होता है। यह व्यवहार प्रमुखतः मातृ सत्तात्मक

अथवा मातृवंशीय समाजों में पाया जाता है। यहाँ माता-पिता की अपेक्षा भाँजे-भाँजियों के बीच प्रमुख़ स्थान रखता है तथा पिता की अपेक्षा उनके प्रति अधिक जिम्मेदारी रखता है। परम्परा के अनुसार मामा अपनी सम्पत्ति भाँजे को देता है और भाँजा अपने पिता के बजाय मामा के लिए काम करता है, तो इसे मामा प्रधान नातेदारी कहते हैं। मातुलेय को आधार बनाकर मानवशास्त्रियों एवं समाजशास्त्रियों ने परिवारों का भी वर्गीकरण किया है यदि भाँजे-भाँजी मामा के घर में रहते हैं और बचपन से लेकर युवावस्था तक अपना समय वहीं व्यतीत करते हैं, तो ऐसे परिवारों को मामास्थानीय परिवार कहते हैं।

इस प्रथा के कुछ स्वरूप उत्तर भारतीय समाजों में देखने को मिलते हैं। यहाँ मामा अपने भाँजे-भाँजियों के विवाह में प्रमुख भूमिका निभाता है। वर-वधु के परिचय से लेकर विदाई तक के संस्कार मामा द्वारा करने होते हैं। कभी-कभी भाँजे-भाँजियों को ज्यादा तरजीह देने के कारण मामा को अपने पुत्र-पुत्रियों के साथ संघर्ष की स्थिति भी उत्पन्न हो जाती है।

(*ii*) बुआ-प्रधान नातेदारी व्यवहार (पितृश्वश्रेय) (Amitate)–इस प्रकार की नातेदारी में बुआ को विशेष भूमिका निभानी पड़ती है। मातुलेय प्रथा के विपरीत बुआ के लिए भाई के पुत्र एवं पुत्रियाँ ज्यादा महत्त्वपूर्ण होते हैं बजाय कि स्वयं उसके पुत्र या पुत्रियाँ। बुआ ही अपने भतीजे-भतीजियों का पालन-पोषण करती है। अर्थात् भतीजे-भतीजी बुआ के यहाँ बड़े होते हैं। उनकी शिक्षा-दीक्षा का प्रबन्ध बुआ ही करती हैं। भतीजे और भतीजियाँ भी बुआ का माँ से अधिक सम्मान करते हैं और बुआ की सम्पत्ति के उत्तराधिकारी होते हैं। दक्षिण भारत की टोड़ा जनजाति में बुआ ही बच्चे का नामकरण संस्कार करती है।

मानवशास्त्रियों का मानना है कि विवाहोपरान्त दोनों पक्षों में सन्तुलन एवं अन्तर्क्रिया बनाए रखने के लिए मातुलेय तथा पितृश्वश्रेय प्रथाओं का उदय हुआ क्योंकि लड़की विवाह के पश्चात् दूसरे परिवार में चली जाती है, अतः पितृश्वश्रेय प्रथा के द्वारा वह अपने जन्म मूलक परिवार से निरन्तर सम्पर्क में रहती है वही मातुलेय प्रथा के द्वारा मामा अपनी बहन के परिवार के साथ सम्पर्क बनाता है।

(*iii*) सहप्रसविता या सहकष्टी अथवा कुवेद (Couvade)–इस प्रकार की नातेदारी व्यवहार मात्र पति-पत्नी तक सीमित रहता है। इस प्रथा का सम्बन्ध प्रसविता से है जिसमें पत्नी के गर्भवती होने से लेकर सन्तानोत्पत्ति तक पति-पत्नी के साथ समस्याओं को झेलने का अभिनय करते हैं। जो भी कष्ट स्त्री को होता है, उसकी अभिव्यक्ति उसके पति द्वारा की जाती है यदि पत्नी दर्द से कराहती है तो पति भी कराहने का नाटक करता है यदि पत्नी भोजन में परहेज करती है तो वह भी भोजन में परहेज करता है। पति को भी पत्नी के कमरे में रखा जाता है और बच्चे होने के बाद भी जब तक पत्नी को शुद्ध नहीं माना जाता पति भी अछूत रहता है। मानवशास्त्रियों द्वारा इस प्रकार के नियम खासी तथा टोडा जनजाति में खोजे गए। सहकष्टी के पीछे कई तर्क दिए जाते हैं। **मैलिनोवस्की** ने इस व्यवस्था को

पति-पत्नी के बीच के प्रेमभाव को जोड़ने वाला बताया है। उन्होंने इसे सामाजिक नियम की संज्ञा देते हुए कहा है कि इससे पति-प्रेम बढ़ता है। कुछ लेखकों ने इसकी मनोवैज्ञानिक व्याख्या की है। उन्होंने इस रिवाज को पति की उस इच्छा का द्योतक माना है जिससे वह पत्नी के कष्टों में सहभागी बनता है।

डॉ. श्यामचरण दुबे के अनुसार–"जनजातियों में बहुपति विवाह प्रथा पाई जाती है अतः जैवकीय पिता कौन है, इसका निर्धारण कठिन होता है अतः जिसमें पति के द्वारा सन्तान हेतु यौन सम्बन्ध बनाया गया होता है। वह सहकष्टी रीति का पालन करके अपने को सन्तान का पिता घोषित करता है। अतः इस प्रथा का जन्म सामाजिक पितृत्व का निर्धारण करने के लिए हुआ।

भारत में नातेदारी संगठन तथा व्यवस्था
(Kinship Organisation & System in India)

भारतीय समाज में नातेदारी व्यवस्था और संगठन का अध्ययन अधिकांशतः हिन्दुओं से ही सम्बन्धित है। परिवार, विवाह एवं नातेदारी से सम्बन्धित विभिन्न क्षेत्रीय अध्ययनों से इस पर काफी प्रकाश पड़ता है। इस सन्दर्भ में एस.सी. नायर तथा मदान ने भारत में उत्तरी क्षेत्र का तथा इ.के.गफ और मैकियम ने भारत के दक्षिणी क्षेत्र का गहन अध्ययन किया है, जो एक ग्राम विशेष अथवा प्रदेश तक ही सीमित रहा है। इसी प्रकार से श्रीमती लीला दुबे ने भी अपनी 'Sociology of Kinship' नामक पुस्तक में विभिन्न अध्ययनों पर टिप्पणी की है। लुई ड्यूमा ने भी उत्तरी तथा पश्चिमी क्षेत्र में कुछ ग्रामों का तुलनात्मक अध्ययन करके अपने निष्कर्ष प्रस्तुत किए हैं। भारत में नातेदारी व्यवस्था का वैज्ञानिक और सर्वथा व्यवस्थित अध्ययन करने का श्रेय डॉ. इरावती कर्वे को दिया जा सकता है, जिन्होंने 'Kinship Organization in India' नामक कृति में भौगोलिक तथा भाषायी दृष्टि से नातेदारी का विस्तृत उल्लेख किया है।

उत्तर भारत में नातेदारी व्यवस्था (Kinship Management in North India)

डॉ. इरावती कर्वे ने उत्तर भारत में नातेदारी की प्राचीन तथा आधुनिक दोनों ही स्वरूपों का वर्णन किया है, जिसका सारतत्त्व निम्नलिखित हैं–

1. प्राचीन तथा ऐतिहासिक युगीन नातेदारी व्यवस्था–इसके निम्नांकित दो प्रमुख भाग हैं–

(क) वेदों और ब्राह्मणों से प्राप्त सामग्री की नातेदारी व्यवस्था–यद्यपि इन ग्रन्थों वंशावलियों का वर्णन नहीं किया गया है, तथापि सूक्त, पद, कथाएँ तथा ब्राह्मणों के संस्कार सम्बन्धी सामग्री के आधार पर ही नातेदारी का वर्णन किया गया है। इनमें (अ) पीढ़ियों को व्यक्त करने वाले तथा (ब) जन्मगत और विवाहगत परिवार के सदस्यों के लिए कतिपय

महत्त्वपूर्ण सम्बन्धियों के प्रमुख सन्दर्भ शब्द निम्नलिखित हैं–(*i*) माता-मातृ, अम्बा-नानी, (*ii*) पिता-तात, (*iii*) बहन-भगिनी, (*iv*) भाई-भ्रातृ, (*v*) ससुर-श्वसुर, आर्य, (*vi*) पुत्र-सुत, (*vii*) पत्नी-भार्या, आर्या, तथा (*viii*) पति के लिए आर्य।

विवाह तथा नातेदारी (बन्धुत्व) प्रथाओं के सम्बन्ध में इस युग में बहुत कम साधन उपलब्ध हुए हैं, तथापि यम और यमी नामक जुड़वा भाई-बहन के विवाह का उल्लेख हुआ है। प्राचीन युग में वर-वधु, भिन्न-भिन्न स्थानों के होते थे। समाज में ससुर तथा बहू में परिहास सम्बन्ध, देवर-भाभी में परिहास सम्बन्ध, विवाह और यौन सम्बन्धों में भी कुछ उल्लेख प्राप्त हुए हैं।

(ख) प्राचीन युग से प्राप्त सामग्री की नातेदारी व्यवस्था–इसका आधार महाभारत नामक महाकाव्य ग्रन्थ है। इस युग की तमाम प्रथाएँ वैदिक काल के सदृश हैं, जिसमें वंशावलियों, विवाहों तथा नातेदारी के अनेक विवरण मिलते हैं। इसी अवधि में विभिन्न स्मृतियों का लेखन भी प्रारम्भ हुआ, जिसमें पारिवारिक संस्कारों एवं जातिगत व्यवहार का भी वर्णन किया गया है। यद्यपि इस युग में भी सन्दर्भ शब्द वैदिक-युगीन ही थे, किन्तु इनका प्रयोग अब वर्गीकृत नातेदारों के लिए भी किया जाने लगा था। इस युग के परिवार में सबसे बड़े पुत्र का अधिक महत्त्व था, उसे ही सम्पत्ति में उत्तराधिकार प्राप्त होता था तथा वही पिण्ड और श्रद्धा संस्कार पूरे करता था। देवर को अपनी भाभी के साथ परिहास और यौन सम्बन्धी छूट प्राप्त थे। महाभारत में राजाओं की पत्नियाँ-रानियाँ विभिन्न प्रदेशों से सम्बन्धित थीं तथा कोई भी व्यक्ति अपने परिवार, वंश, कुल या गोत्र में विवाह सम्बन्ध नहीं करता था। इस युग में वंश, कुल गोत्र, सपिण्ड और सप्रवर विवाहों के निषेध का प्रचलन था। समाज में वर्ण और आश्रम व्यवस्था भी प्रचलित थी।

2. वर्तमान नातेदारी व्यवस्था–उत्तरी भारत की नातेदारी व्यवस्था के वर्तमान युग में सिन्ध, पंजाब, दिल्ली, कश्मीर और सिंधी, पंजाबी, काश्मीरी, हिन्दी, बंगाली, बिहार, असमिया तथा नेपाली भाषाएँ सम्मिलित की गई हैं। यह सम्पूर्ण क्षेत्र भाषा तथा संस्कृति की दृष्टि से अत्यधिक विविधतायुक्त है तथा भारत पर हुए अधिकांश आक्रमणों का सामना भी इसको ही करना पड़ता है। इस क्षेत्र में सांस्कृतिक मिश्रण भी बहुत अधिक हुआ है, इसके बावजूद यह क्षेत्र आज भी परम्परागत हिन्दू रूढ़ियों का मजबूत किला बना हुआ है। अयोध्या, वाराणसी, केदारनाथ, बद्रीनाथ, प्रयाग, हरिद्वार, ऋषिकेष आदि यहाँ के पवित्र-पावन, तीर्थ-स्थल हैं। इस क्षेत्र में प्रचलित नातेदारी संज्ञाएँ निम्नलिखित हैं–(*i*) पिता-बाबू, बापू, बाबा, बप्पा, बाप, (*ii*) माता-अम्मा, माँ, माई, आई, अय्या, (*iii*) बहन-बहिन, बहन, बाहण, बोन (*iv*) पुत्र-पूत, लड़का, बेटा, (*v*) पुत्री-कन्या, बेटी, लड़की। नये प्रचलित शब्दों में ताई, चाची, जेटी, माँ, बड़ी माँ, फुआ, बुआ, फूफा, मौसा, मौसी, मामा, मामी, भानजा, भानजी, पोता, परपोता, जेष्ठ, जेठानी, ननद तथा ननदोई आदि प्रमुख हैं।

इन क्षेत्र में दो प्रकार के ब्राह्मण उपस्थित हैं, जिनमें से प्रथम को पुजारी या पुरोहित कहते हैं। यह लोग पूजा-पाठ तथा घरेलू संस्कार आदि के आधार पर जीवकोपार्जन करते हैं। दूसरी प्रकार के ब्राह्मण भूस्वामी हैं। प्रथम प्रकार के ब्राह्मणों में एक वे हैं, जो दाह-संस्कार की क्रिया कराते हैं, जबकि दूसरे प्रकार के ब्राह्मण केवल मंगल-कार्य सम्पन्न करते हैं। इस क्षेत्र में निम्न वर्ग से लड़की ली जाती है, किन्तु दी नहीं जाती। प्रत्येक व्यक्ति अपने ही वर्ग में विवाह करना पसन्द करता है। इसी के कारण यहाँ कुलीनतावाद और दहेज-प्रथा का जन्म हुआ है। यहाँ की कुछ जातियाँ कायस्थ तथा वैश्य भी हैं, जो सब अन्तर्विवाही हैं। क्षत्रियों और राजपूत जातियों में आज भी अनुलोम विवाह का अधिक प्रचलन है। परिवार का संगठन सम्पूर्ण उत्तरी भारत में एक जैसा है, जिसमें पिता की तरफ से 7 और माता की तरफ 5 पीढ़ियों की वैवाहिक दूरी रखी जाती है।

इस क्षेत्र में पितृस्थानीय और पितृसत्तात्मक परिवारों की प्रधानता है। यहाँ विनिमय विवाह का प्रचलन नहीं है। इस क्षेत्र की अन्य प्रथाओं में न्यौता प्रथा, अनुलोम विवाही प्रथा, गौना प्रथा प्रमुख है। इस क्षेत्र की अन्य प्रथाओं में ब्राह्मण, खत्री, कायस्थों तथा वैश्यों के अतिरिक्त अन्य जातियों में देव विवाह का भी प्रचलन है। इस प्रकार से उत्तरी क्षेत्र का नातेदारी संगठन बहुत कुछ प्राचीन भारत जैसा ही है। अधिकांश लोग अपने रक्त सम्बन्धियों के साथ ही रहना अधिक पसन्द करते हैं तथा विवाह सम्बन्धियों से मिलना-जुलना कुछ कम ही करते हैं। लड़की बाल्यावस्था में रक्त सम्बन्धियों तथा विवाहोपरान्त विवाह सम्बन्धियों के साथ रहती है।

दक्षिणी भारत में वर्तमान नातेदारी व्यवस्था

(Present Kinship Management in South India)

दक्षिणी क्षेत्र में कर्नाटक, आन्ध्र प्रदेश, तमिलनाडु, केरल तथा मालाबार प्रदेश सम्मिलित हैं। यहाँ की प्रमुख भाषाएँ कन्नड़, तमिल, तेलगू, मलयालम आदि हैं। दक्षिणी भारत में अधिकांश परिवार पितृवंशीय तथा पितृस्थानिक हैं, जबकि कुछ जगहों में मातृवंशीय तथा मातृस्थानिक परिवार भी पाए जाते हैं। पश्चिमी-दक्षिणी जनसमूह में मालाबार के नायर, तियान तथा मुस्लिम मोपलाओं में मातृसत्तात्मक परिवार हैं, जिनको 'थारवाड' कहते हैं। इन परिवारों में विवाह सम्बन्धी नहीं रहते हैं, जबकि कुछ परिवारों में रक्त सम्बन्धी भी नहीं रहते हैं।

इस क्षेत्र की जातियाँ विभिन्न कुलों में विभाजित हैं तथा वे सब बहिर्विवाही नियमों का पालन भी करती है। इनके कुलों का नामकरण पेड़-पौधों, जीव-जन्तुओं तथा अन्य वस्तुओं पर आधारित होता है। इन विभिन्न कुलों में आपस में विवाह करने पर कोई प्रतिबन्ध नहीं है, अतएव एक ही गाँव के विभिन्न कुल परस्पर करते हैं। इस क्षेत्र में नये कुल से वधू प्राप्त करने का प्रश्न तभी पैदा होता है, जबकि पहले वाले कुल ने अपने सभी

दायित्वों को पूरा कर दिया हो। आन्ध्र तथा कर्नाटक के कुछ हिस्सों में दो बहनों के बच्चे भी परस्पर विवाह कर सकते हैं, किन्तु इसको अभी तक अच्छा नहीं माना जाता है।

इस क्षेत्र में कुछ ऐसे भी विवाह प्रचलित हैं, जिनको सामाजिक स्वीकृति के सम्बन्ध में वरीयता प्राप्त है। किसी-किसी क्षेत्र में व्यक्ति अपनी बहन की बड़ी लड़की को विवाह में प्रथम वरीयता देता है तो ममेरे-फुफेरे भाई-बहन का विवाह भी अधिमान्य विवाह माना जाता है। ममेरे-फुफेरे विवाह का दूसरा स्वरूप वह होता है, जिसमें एक व्यक्ति अपने मामा की लड़की से विवाह करता है। तेलंगाना के रेड्डी तथा तमिलनाडु के कल्लर लोगों में यह विवाह अधिक प्रचलित है। दक्षिणी भारत में जाति अनुलोम विवाह भी प्रचलित हैं, तथापि सभी कुल अन्तर्विवाह का पालन करते हैं।

इस क्षेत्र में भी विवाह सम्बन्धी कुछ निषेध भी पाए जाते हैं, जिनमें एक पुरुष अपनी बड़ी बनह की लड़की से विवाह कर सकता है, किन्तु छोटी बहन की लड़की से कदापि नहीं कर सकता। ब्राह्मणों के अतिरिक्त अन्य सभी जातियों में विधवा-पुनर्विवाह का प्रचलन है, तथापि यह विवाह जेठ या देवर से नहीं हो सकता है। इसी प्रकार से एक व्यक्ति अपनी मौसी की पुत्री से भी विवाह नहीं कर सकता है। इस क्षेत्र में उत्तर की ही भाँति साली विवाह भी प्रचलित है, तथापि बड़ी साली से विवाह करने पर निषेध है। नातेदारी संज्ञा की दृष्टि से उत्तर की भाँति दक्षिणी क्षेत्र में विवाह सम्बन्धियों के लिए भिन्न-भिन्न शब्द नहीं हैं। उदाहरणार्थ–सास-ससुर, देवर, ननद, बहू तथा दामाद आदि के लिए कोई भी शब्द नहीं हैं। यहाँ कुल बहिर्विवाह का पालन किया जाता है तथा अपरिचित क्षेत्रों में विवाह सम्बन्ध कम होते हैं। यहाँ पर नातेदारी का क्षेत्र उत्तर की तुलनाकृत काफी सीमित हैं।

अभ्यास प्रश्न

1. नातेदारी को परिभाषित कीजिए।
2. उत्तराधिकार के नियमों का उल्लेख कीजिए।
3. नातेदारी की श्रेणियों और संज्ञाओं का वर्णन कीजिए।
4. नातेदारी के प्रमुख नियमों को समझाइए।
5. गोत्र, वंश, प्रवर और कुल पर टिप्पणी लिखिए।
6. उत्तर और दक्षिण भारत की नातेदारी में अंतर को स्पष्ट कीजिए।

संदर्भ

1. Theodorson, A Modern Dictionary of Sociology, p. 129
2. Robert Fox, Kinship and Marriage : An Anthropological Perspective, p. 27

12

भारत में परिवार
(Family in India)

समाज की विभिन्न इकाईयों में परिवार अत्यधिक महत्त्वपूर्ण इकाई है। इसे प्राथमिक समूहों में प्रथम समूह करार दिया जाता है। प्राथमिक समूहों से हमारा तात्पर्य ऐसे समूहों से है, जिनमें सदस्यों के आपसी सम्बन्ध अत्यधिक घनिष्ठ होते हैं, जिन्हें हम आमने-सामने के सम्बन्ध भी कहते हैं। ऐसे समूहों में सम्बन्धों की प्रकृति, प्रेम सहानुभूति स्वेच्छिता, प्रत्यक्ष और अप्रत्यक्ष सम्बन्धों पर आधारित होती है। चूँकि परिवार भी एक प्राथमिक समूह है। अतः इसके अन्तर्गत सभी सदस्य उपरोक्त विषयों को ग्रहण करते हुए स्वयं को सुरक्षित अनुभव करते हैं।

समाजशास्त्रियों का मत है कि परिवार से ही समाज का प्रारम्भ हुआ है। यहीं से मानव जीवन का उद्‌विकास होता है और प्रायः परिवार के सदस्य के हाथों ही मृत्यु के बाद मनुष्य के अन्तिम संस्कार भी पूरे किए जाते हैं। यही कारण है कि परिवार की सदस्यता स्वीकार करने के लिए व्यक्ति विवश है। परिवार में ही निवास करते हुए बालक अपने जीवन का महत्त्वपूर्ण समय व्यतीत करता है और विभिन्न प्रकार की शिक्षाएँ ग्रहण करता है। अतः परिवार को जीवन की प्राथमिक पाठशाला कहा जाता है।

मनुष्य का जन्म विकास और समाजीकरण मानव में ही प्रारम्भ होता है और उसी परिवार के प्रसार में समाज का निर्माण होता है। परिवार मानव जीवन की महत्त्वपूर्ण इकाई है और वह जीवन के लिए सबसे अधिक आवश्यक भी है, क्योंकि समाज की निरन्तरता को बनाए रखने का तो यह एक प्रमुख माध्यम है किन्तु साथ ही व्यक्ति की अनिवार्य आवश्यकताओं, जैसे–भोजन, आवास, यौन संतुष्टि के क्षेत्र में भी परिवार एक महत्त्वपूर्ण माध्यम है, संस्था के रूप में एक प्रक्रिया माना गया है।

प्राचीन परिवार और परिवार के आधुनिक रूप में स्पष्ट परिवर्तन दृष्टिगोचर हैं। कुछ विद्वान इसमें केवल पति-पत्नी और उसके बच्चे को ही परिवार का सदस्य मानते हैं, लेकिन कुछ विद्वान परिवार के अन्तर्गत दादा-दादी, चाचा-चाची, चचेरे भाई-बहनों आदि को भी परिवार के आवश्यक सदस्य समझते हैं।

परिवार शब्द अंग्रेजी भाषा 'Family' का हिन्दी अनुवाद है। स्वयं Family शब्द लैटिन भाषा के शब्द Famulos से उत्पन्न है जिसका तात्पर्य माता-पिता बच्चे तथा नौकर होता है। परिवार बिना बच्चों के पूर्ण नहीं है। बच्चों के अभाव में दम्पत्ति (Couple) को गृहस्थ कहेंगे ना कि परिवार।

परिवार के वास्तविक अर्थ को समझने के लिए हमें विभिन्न समाजशास्त्रियों द्वारा प्रस्तुत निम्नलिखित परिभाषाओं का अवलोकन भी आवश्यक प्रतीत होता है–

परिवार की परिभाषाएँ (Definitions of Family)

मैकाइवर तथा पेज–"परिवार उस समूह को कहते हैं जिसमें (स्त्री-पुरुष का) यौन सम्बन्ध पर्याप्त निश्चित होता है यह इतना छोटा और शक्तिशाली है कि सन्तान के जन्म और पालन-पोषण की व्यवस्था करने की क्षमता रखता है।"[1]

बर्जेस और लॉक–"परिवार उन व्यक्तियों का समूह है जो विवाह, रक्त सम्बन्ध अथवा गोद लेने के सम्बन्धों के आधार पर संयुक्त हो। विभिन्न व्यक्ति एक साधारण गृहस्थी का निर्माण करते हैं। पति-पत्नी, माता-पिता, तथा भाई-बहिन के रूप में एक-दूसरे से अन्तः क्रियाएँ करते हैं। और एक सामान्य संस्कृति की स्थापना और उसकी देखरेख करते हैं।"[2]

निमकॉफ–"परिवार लगभग एक स्थायी समिति है जिसकी स्थापना पति-पत्नी द्वारा होती है, चाहे उनके सन्तान हो या न हो।"[3]

बीसेज तथा **बीसेंज**–"परिवार से हमारा तात्पर्य माता-पिता और सन्तानों के बीच विद्यमान सम्बन्धों की एक व्यवस्था से है।"[4]

जिस्बर्ट–"परिवार का अर्थ आमतौर से एक ऐसे स्त्री-पुरुष से है जो एक या एक से अधिक बच्चों के साथ स्थायी रूप से सम्बद्ध हो।"[5]

मजूमदार एवं **मदान**–"परिवार ऐसे व्यक्तियों का समूह है, जो एक मकान में रहता हो, रक्त द्वारा सम्बन्धी हो और स्थान स्वार्थ तथा पारस्परिक कर्तव्य आदि के आधार पर समान होने की चेतना रखते हों।"[6]

मरडॉक–"परिवार एक ऐसा सामाजिक समूह है जिसके लक्षण सामान्य निवास, आर्थिक सहयोग और जन्म है। इनमें दो लिंगों के बालिग शामिल हैं जिनमें कम-से-कम दो व्यक्तियों में स्वीकृति यौन सम्बन्ध होता है और जिन बालिग व्यक्तियों में यौन सम्बन्ध होता है। उनके अपने या गोद लिए हुए एक या अधिक बच्चे होते हैं।"

डॉ. एस.सी. दुबे–"परिवार में स्त्री और पुरुष दोनों को सदस्यता प्राप्त रहती है। उनमें से कम-से-कम दो विपरीत यौन व्यक्तियों को यौन सम्बन्धों की सामाजिक स्वीकृति रहती है और उनके संसर्ग से उत्पन्न सन्तान मिलकर परिवार का निर्माण करती है।"

इलियट और मेरिल के अनुसार–"परिवार एक जैवकीय सामाजिक इकाई के रूप में परिभाषित किया जा सकता है। जो पति-पत्नी और उनके बच्चों द्वारा निर्मित होता है। परिवार को एक सामाजिक संस्था कहा जा सकता है, जो एक सामाजिक मान्यता प्राप्त संगठन के द्वारा मानव की निश्चित आवश्यकताओं की पूर्ति करता है।"

जनगणना के आधार पर परिवार के अर्थ को निम्नलिखित रूप से व्यक्त किया गया है–

"परिवार का अर्थ दो या अधिक व्यक्तियों के ऐसे समूह से है जो साथ-साथ रहते हैं जिनका परस्पर सम्बन्ध रुधिर, विबाह अथवा गोद लेने के संस्कार के द्वारा स्थापित है।"

उपरोक्त परिभाषाओं के आधार पर परिवार को निम्न बिंदुओं में प्रस्तुत किया जा सकता है–

1. स्त्री-पुरुष के यौन सम्बन्ध।
2. समाज द्वारा यौन सम्बन्धों की मान्यता।
3. सन्तानोत्पत्ति।
4. सन्तानों का पालन-पोषण।
5. निश्चित आवास की व्यवस्था।

परिवार की सामान्य विशेषताएँ
(Features of Family)

परिवार की सामान्य विशेषताएँ निम्नलिखित हैं–

1. यौन सम्बन्ध–विवाह सम्बन्ध या पति-पत्नी सम्बन्ध या यौन सम्बन्ध परिवार में स्त्री-पुरुष के वैवाहिक सम्बन्धों के फलस्वरूप पति व पति सम्बन्धों का निर्माण होता है और उनमें यौन सम्बन्ध स्थापित होते हैं अर्थात् समाज वैवाहिक सम्बन्धों के द्वारा यौन सम्बन्ध स्थापित करने की स्वीकृति प्रदान करता है। यौन सम्बन्ध ही परिवार का मुख्य आधार है। जिनकी अनुपस्थिति में परिवार के अस्तित्त्व की कल्पना भी नहीं की जा सकती है।

2. विवाह का स्वरूप–विवाह का कोई-न-कोई स्वरूप प्रत्येक समाज में प्रचलित रहता है। यह स्वरूप एक विवाह हो सकता है या बहु विवाह।

3. वंशनाम की व्यवस्था–प्रत्येक परिवार में (वंश) नाम की व्यवस्था होती है। जिसके आधार पर उसे पहिचाना जाता है। यह पितृवंशीय हो सकता है या मातृवंशीय।

4. एक सामान्य निवास स्थान–प्रत्येक परिवार में निवास के लिए एक सामान्य निवास होता है। परिवार के सभी सदस्य एक स्थान पर रहते हैं। वैवाहिक सम्बन्धों के बाद या तो स्त्री अपने पति के घर जाकर रहती है या पुरुष स्त्री के घर जाकर रहता है। इन्हें क्रमशः पितृ स्थानीय निवास तथा मातृ स्थानीय निवास कहते हैं। कभी-कभी ऐसा होता है

कि पति-पत्नी दोनों अपने घर छोड़कर अन्य स्थान पर रहने लगते हैं, जिसे नवस्थानीय निवास कहा जाता है।

5. आर्थिक व्यवस्था–परिवार के भरण-पोषण के लिए एक निश्चित आर्थिक व्यवस्था होती है। आर्थिक व्यवस्था के अभाव में किसी प्रकार के अस्तित्त्व की कल्पना नहीं की जा सकती है।

मैकाइवर एवं **पेज** ने अपनी पुस्तक 'Society' में परिवार की कुछ **सामान्य विशेषताओं** का उल्लेख किया है।

1. सार्वभौमिकता–इतिहास साक्षी है कि जब से मनुष्य ने समूह रूप में सामाजिक तौर पर निवास करना सीखा, परिवार नामक संस्था की स्थापना हुई। वास्तव में परिवार एक ऐसी संस्था है जो प्रत्येक देश के प्रत्येक काल में किसी-न-किसी रूप में अवश्य पायी जाती है। अतः स्पष्ट है कि आदिम समाज से लेकर आज तक इस प्रथा का प्रचलन है।

2. भावात्मक आधार–परिवार का यह प्रमुख लक्ष्य है कि इसके सभी सदस्यों के सम्बन्ध भावात्मक होते हैं। अर्थात् सभी सदस्य भावनाओं की डोर से बँधे रहते हैं। परिवार प्रेम, स्नेह, सहानुभूति, आत्मीयता जैसे भावनात्मक प्रवृत्तियों पर आधारित है। पति-पत्नी का एक-दूसरे के लिए महान बलिदान अनुराग एवं सेवा भाव तथा सन्तानों के दुखों के लिए कष्ट झेलना और सन्तानों को अपने माता-पिता एवं भाई-बहिनों के प्रति अत्यधिक प्रेम एवं अनेक दुःख-सुख में सम्मिलित होना परिवार की विशेषताएँ हैं।

3. रचनात्मक प्रभाव–परिवार ही पहला वातावरण है, जो जिसका सामना मनुष्य को सबसे पहले करना पड़ता है। परिवार ही में शारीरिक और मानसिक दोनों प्रकार के विकास सम्बन्ध हैं।

4. सीमित आकार–परिवार का आकार सभी सामाजिक संगठनों में सबसे छोटा है। प्रायः इसमें केवल माता-पिता और सन्तानों को ही सम्मिलित किया जाता है।

5. सामाजिक ढाँचे में केन्द्रीय स्थिति–परिवार सभी सामाजिक संगठनों का केन्द्र है। जिस प्रकार मनुष्य के शरीर में मस्तिष्क का विशेष महत्त्व है उसी प्रकार समाज में परिवार का भी श्रेष्ठ स्थान है। समाज का रूप परिवार की इकाइयों द्वारा ही निश्चित होता है। कुछ प्रसिद्ध समाजशास्त्रियों ने परिवार की महत्ता पर जोर देते हुए कहा है कि–समाज को हम परिवार का संग्रह भी कहते हैं।

6. सदस्यों का उत्तरदायित्व–परिवार के प्रत्येक सदस्य का उत्तरदायित्व असीमित है। परिवार के हर सदस्य को अपना कार्य परिवार की उन्नति को धन में ध्यान में रख कर करना पड़ता है। पारिवारिक जिम्मेदारियों का मनुष्य के जीवन के साथ गहरा सम्बन्ध है। ये जिम्मेदारियाँ जिन्दगी भर उसका पीछा नहीं छोड़तीं।

7. परिवार की स्थायी और अस्थायी स्थिति–परिवार की यह वह विशेषता है जो विश्व में किसी भी सामाजिक समूह में नहीं पायी जाती है। परिवार का व्यवस्थित रूप पति

और पत्नी दोनों की मौजूदगी में रहता है जब इसमें से किसी एक की मृत्यु अथवा दोनों की मृत्यु या दोनों में तलाक आदि हो जाता है तो ऐसी सूरत में परिवार की प्रकृति अस्थायी हो जाती है और स्थायी स्थिति के लिए है कि संसार एक सार्वभौमिक संस्था है।

परिवार के कार्य (Functions of Family)

परिवार विविध कार्यों को सम्पन्न करता है। परिवार के द्वारा किए जाने वाले कार्यों का समाज की रचना का व्यक्ति की मूलभूत आवश्यकताओं की पूर्ति में महत्त्वपूर्ण हाथ रहा है। विभिन्न विद्वानों ने परिवार के कार्यों को भिन्न-भिन्न दृष्टिकोण से वर्गीकरण किया है। उनके द्वारा बतलाए गए आधारों पर परिवार के कार्य इस प्रकार बताए जा सकते हैं–

1. परिवार के मौलिक एवं सार्वभौमिक कार्य–परिवार के कार्य कुछ इस प्रकार के हैं। जो प्रत्येक सांस्कृतिक सभ्यता में उनके द्वारा सम्पन्न होते चले आ रहे हैं और व्यक्ति की आवश्यकताओं की पूर्ति के आधार स्तम्भ हैं इसलिए इन्हें मौलिक कहा गया है।

2. परिवार की संरचना में प्राणिशास्त्रीय कार्य–परिवार की संरचना में प्राणी शास्त्रीय कार्यों का अत्यधिक महत्त्व है। इनके अन्तर्गत निम्न बातों पर विचार किया जाता है।

(*i*) स्त्री-पुरुष की यौन इच्छाओं की पूर्ति–सन्तानोत्पत्ति के लिए जरूरी है कि पहले यौन इच्छाओं की सन्तुष्टि के लिए यौन सम्बन्धों की स्थापना की जाए। परिवार का यह कार्य बहुत महत्त्वपूर्ण कार्य समझा जाता है। इसी कार्य के आधार पर विवाह आदि का प्रचलन है।

(*ii*) सन्तानों की उत्पत्ति–इसे परिवार का मुख्य कार्य समझा जाता है। हर स्त्री पुरुष की यह हार्दिक इच्छा होती है कि उसके वंश का नाम चलता रहे। कुछ देशों में जैसे अमेरिका तथा रूस में सन्तानोत्पत्ति को काफी प्रोत्साहित किया जाता है और परिवारों को विशेष प्रकार की सुविधाएँ उपलब्ध हैं।

(*iii*) बच्चों का पालन-पोषण–यह भी परिवार का एक महत्त्वपूर्ण कार्य है। बच्चा जब तक स्वयं कमाने योग्य नहीं हो जाता उस समय तक माता-पिता उसकी देखभाल करते हैं। यह कार्य परिवार के अन्य सदस्यों द्वारा अर्थात् माता-पिता के अतिरिक्त, सुचारु रूप से सम्भव नहीं क्योंकि प्रेम माता-पिता का अपने बच्चों के प्रति होता है वह और किसी का नहीं।

3. परिवार के मनोवैज्ञानिक कार्य–परिवार का यह अत्यन्त महत्त्वपूर्ण कार्य है। इसके अन्तर्गत प्रेम, शांति, सन्तुष्टि तथा स्नेह सम्बन्धी कार्य आते हैं। यह कार्य व्यक्ति के मानसिक विकास में सहायक होता है। परिवार में व्यक्ति सभी प्रकार की चिन्ताओं और भय से मुक्त रहता है। उसमें सुरक्षा की भावना पनपती है। परिवार में बच्चे को सभी प्रकार की आवश्यकताओं, भावनाओं एवं इच्छाओं की पूर्ति होती है, जिससे व्यक्ति को आगे बढ़ने के

लिए प्रोत्साहन मिलता है। परिवार एक विश्राम गृह है, जहाँ पर व्यक्ति सुरक्षा पूर्वक आरम्भ कर सकता है तथा अनेक चिंताओं एवं दुखों से शांति पा सकता है। इस प्रकार परिवार व्यक्ति को जन्म से लेकर मृत्यु तक स्नेह प्रदान करता है, जिससे उसकी अनेक मनोवैज्ञानिक आवश्यकताओं की पूर्ति होती है।

4. परिवार के परम्परागत कार्य–परिवार के उपरोक्त कार्यों के अतिरिक्त कुछ ऐसे कार्य हैं जो संस्कृति और सभ्यताओं के अनुसार बदलते रहते हैं। इन्हें परम्परागत या ऐच्छिक कार्य कहा जाता है। ये निम्न प्रकार हैं–

(*i*) आर्थिक कार्य–परिवार आदिकाल से ही आर्थिक क्रियाओं का केन्द्र बिन्दु रहा है। उपभोग, उत्पादन, विनिमय, वितरण, क्रय, विक्रय आदि भी कार्य के द्वारा सम्पन्न होते हैं। समाज में व्यक्ति की स्थिति और पद के अनुसार कार्यों के श्रम विभाजन का कार्य परिवार द्वारा सम्पन्न किया जाता है।

(*ii*) सांस्कृतिक कार्य–प्रत्येक समाज की अपनी संस्कृति होती है, जिसकी निरन्तरता प्रदान करना परिवार का प्रमुख कार्य है। परिवार एक पीढ़ी से दूसरी पीढ़ी को अपने रीति-रिवाजों, परम्पराओं, रूढ़ियों, आदर्शों, नैतिक शिक्षा, मूल विश्वास आदि को हस्तांतरित करता है। इसलिए इसे सांस्कृतिक सभ्यता का केन्द्र बिन्दु भी कहते हैं। इस प्रकार समाज की संस्कृति के संचार में परिवार का प्रमुख हाथ होता है।

(*iii*) धार्मिक कार्य–आधुनिक और प्राचीन परिवार के स्वरूप में काफी अन्तर दिखाई पड़ता है। प्राचीन परिवार में धर्म के प्रति सम्बन्धित विश्वासों और विचारों का निष्ठा से पालन किया जाता था। जहाँ तक धर्म का सम्बन्ध है प्रत्येक धर्म का आधार पवित्र विधाओं एवं मानव को सम्पूर्ण मानव बनाने वाली शिक्षाओं से है, लेकिन यह बात भी अपनी जगह सही प्रतीत होती है कि प्राचीन समय में परिवार के सभी सदस्यों प्रायः अंधविश्वासी होकर वास्तविक और मनमाने ढंग से सम्बन्धित नियमों का पालन किया करते थे। आज जबकि मनुष्य प्रत्येक विषय को वैज्ञानिक ढंग से अथवा तर्क के आधार पर सोचने का आदी हो चुका है, परिवार आधुनिक स्थिति में भी धार्मिक कार्यों अथवा संस्कारों को पूरा करता है। धर्म से सम्बन्धित समाज व्यावहारिक और सैद्धान्तिक ज्ञान मनुष्य परिवार से ही सीखता है।

(*iv*) राजनैतिक कार्य–आज परिवार में राज्य के लगभग सभी तत्त्व पाए जाते हैं। राज्य की तरह परिवार में भी एक मुखिया होता है। इसके अतिरिक्त प्रत्येक परिवार के अपने नियम होते हैं, जिन्हें परिवार के सभी सदस्यों को मानना पड़ता है।

सरकार शान्ति व्यवस्था के लिए नियमों-कानूनों और विधियों का सहारा लेती है।

इसी प्रकार परिवार प्राथमिक रूप से शान्ति की शिक्षा देता है, जो सदस्यों की नैतिकता विकसित करती है।

(*v*) मनोरंजनात्मक कार्य–परिवार मनोरंजन की एक इकाई है। यह अपने सदस्यों के लिए मनोरंजन की व्यवस्था करता है। परिवार एक ऐसा मनोरंजन का केन्द्र है जो बिना पैसों के मनोरंजन की व्यवस्था करता है। ये मनोरंजन उनमें अनुशासन की भावना पैदा करता है। मनोरंजन के प्रमुख आधार बच्चों की बातें, पत्नी का प्रेम, परस्पर हँसी-मजाक, लोकगीत, लोक कथाएँ, व्यक्तिगत अनुभव, भजन-कीर्तन, विभिन्न उत्सव आदि में सदस्य का स्वास्थ्य मनोरंजन हो जाता है।

(*vi*) शैक्षणिक कार्य–परिवार जीवन की प्रथम पाठशाला है। जहाँ बच्चा अपने माता-पिता, भाई-बहन, तथा अन्य बड़ों से प्रेम, सहानुभूति, तथा सहयोग, आज्ञाकारिता, अनुशासन आदि गुणों की शिक्षा ग्रहण करता है। परिवार के सदस्यों द्वारा दी गई शिक्षा को वह जीवन भर नहीं भुला सकता क्योंकि उसका स्थायी और आन्तरिक प्रभाव बच्चों पर पड़ता है।

(*vii*) सामाजिक कार्य–परिवार से ही समाज बनता है। जो कार्य परिवार के होते हैं वही समाज के माने जाते हैं। समाज के कार्यों को निम्न भागों में विभाजित किया गया है–

(क) प्रस्थिति सम्बन्धी कार्य–परिवार अपने प्रत्येक सदस्य को स्थिति प्रदान करता है। प्रत्येक व्यक्ति को इस स्थिति के अनुकूल ही कार्य करना पड़ता है। उदाहरण के लिए जब इंग्लैण्ड के 'किंग एडवर्ड' ने साधारण स्त्री से विवाह करने की इच्छा प्रकट की, तो वहाँ के शाही खानदान और संसद ने इसका विरोध किया, क्योंकि राजा की पारिवारिक और सामाजिक स्थिति के तहत यह कार्य सम्भव ना था। परिणाम स्वरूप ऐसा करने के लिए राजा को अपना राजपाठ छोड़ना पड़ा।

(ख) समाजीकरण–परिवार का दूसरा प्रमुख सामाजिक कार्य अपने सदस्यों का समाजीकरण करना है। समाजीकरण का अर्थ मनुष्य को समाज के योग्य बनाना है। जब कोई बालक परिवार में जन्म लेता है तो परिवार के सभी सदस्य उसके समाजीकरण में सहायक सिद्ध होते हैं। परिवार में विश्वास करते हुए, बालक को खाना, पीना, उठना, बैठना दूसरों का आदर करना तथा भाषा एवं शिक्षा सम्बन्धी आवश्यकताओं की पूर्ति करायी जाती है और उसे विभिन्न निर्देशन दिए जाते हैं। जिन बच्चों को जंगली जानवर उठा ले जाते हैं उन्हें सामान्य व्यक्तियों की भाँति जीवन के आचार व्यवहार करने नहीं आते।

(ग) सभ्यता का एक पीढ़ी से दूसरी पीढ़ी को हस्तान्तरण–परिवार का सामाजिक

दृष्टि से तीसरा महत्त्वपूर्ण कार्य मानव सभ्यता को एक पीढ़ी से दूसरी पीढ़ी में हस्तान्तरित करता है। परिवार द्वारा ही हम समाज तक मानव समाज के अनुभवों को थोड़े ही समय में सीखने में समर्थ हो सके हैं।

(घ) सामाजिक नियंत्रण–बच्चा परिवार में सामाजिक गुणों को सीखता है और यह गुण उसे आदर्श नागरिक बनाने में सहायक होते हैं। लेकिन इन गुणों को अर्जित करने में व्यक्ति को विभिन्न प्रकार के बन्धनों एवं नियंत्रणों का सामना करना पड़ता है। परिवार अपने सदस्यों पर प्रभावशाली नियंत्रण स्थापित करता है। प्रायः देखा गया है कि परिवार के नियंत्रण इतने शक्तिशाली होते हैं कि इनके द्वारा बड़े-बड़े कार्य हो जाते हैं। जो कार्य कठोर राजनीतिक नियंत्रण अथवा नियमों द्वारा सम्भव नहीं वह कार्य परिवार के वृद्ध सदस्यों के प्रेम और डाँट-फटकार से हो जाते हैं। इस प्रकार हमने देखा है कि परिवार अपने सदस्यों पर सामाजिक नियंत्रण रखता है जिसकी वजह से कोई भी सदस्य बुरा कार्य करते समय हिचकिचाता है।

संयुक्त परिवार
(Joint Family)

संयुक्त परिवार, जाति प्रथा, भाषायी समूह और ग्रामीण समुदाय परम्परागत हिन्दू सामाजिक संरचना के प्रमुख अंग रहे हैं। इन चारों में से संयुक्त परिवार और जाति व्यक्ति के जीवन में महत्त्वपूर्ण रूप से भाग लेते रहे हैं। इस प्रकार हिन्दू समाज की इकाई व्यक्ति नहीं संयुक्त परिवार है। वस्तुतः संयुक्त परिवार एक ऐसा परिवार है जिसमें कई पीढ़ी के व्यक्ति सम्मिलित रूप में रहते हों और सब सदस्यों का सब कुछ (सम्पत्ति, आय, व्यय आदि) सम्मिलित हो। परम्परात्मक संयुक्त परिवार की वास्तविक रूपरेखा विभिन्न समाजशास्त्रियों की परिभाषाओं से और अधिक स्पष्ट हो जाएगी।

परिभाषा (Definition)

किंग्सले डेविस–"संयुक्त परिवार में एक सामान्य पुरुष, पूर्वज से युक्त पुरुष, अविवाहित सन्तानों एवं विवाह द्वारा समूह में सम्मिलित की गई स्त्रियाँ होती हैं। ये समस्त सदस्य सामान्य घर में रह सकते हैं या आस-पास कई घरों में रह सकते हैं। प्रत्येक अवस्था के व्यक्ति संयुक्त परिवार में रहते हैं तथा इसके सदस्यों से यह आशा की जाती है कि वे अपने आप एक जगह एकत्र करेंगे और उस सम्पूर्ण से कुल उत्पादन का अपना भाग प्राप्त करेंगे।"[7]

इरावती कार्वे–"संयुक्त परिवार उन व्यक्तियों का समूह है जो सामान्यतया एक मकान में रहते हैं एक ही रसोई में बना भोजन करते हैं। सम्पत्ति के एक समान स्वामी हैं, एक समान पूजापाठ करते हैं और आपस में किसी खास प्रकार के रक्त सम्बन्ध से बँधे रहते हैं।"[8]

आई.पी. देसाई–"किसी भी घराने को संयुक्त परिवार की मान्यता के लिए सम्मिलित सम्पत्ति और आय, सम्मिलित निवास, सम्मिलित चूल्हा, सम्मिलित स्वामित्व और कतिपय अधिकारों का, कर्तव्यों का एक साथ होना आवश्यक है।"[9]

उपरोक्त विचारकों की परिभाषाओं में थोड़ी बहुत भिन्नता है, लेकिन फिर भी इनके आधार पर संयुक्त परिवार के वास्तविक अर्थ को स्पष्ट किया जा सकता है। व्यावहारिक तौर पर एक ही घर में भोजन करना या एक ही छत के नीचे रहना आदि संयुक्त परिवार की आवश्यक दशाएँ प्रतीत नहीं होती। सच तो यह है कि संयुक्त परिवार के सदस्य अलग-अलग घरों में या नगरों में रहते हुए भी संयुक्त रूप में समान सम्पत्ति, आय, व्यय, आदि की व्यवस्था कर सकते हैं। इसलिए संक्षेप में संयुक्त परिवार के वास्तविक अर्थ को निम्न शब्दों में व्यक्त किया जा सकता हैं–

यह एक ऐसा परिवार है, जिसमें कई पीढ़ी के लोग सम्मिलित रूप से रहते और सदस्यों का सब कुछ (सम्पत्ति, आय, व्यय आदि) समान होता है।

संयुक्त परिवार की विशेषताएँ (Future of Joint Family)

(1) संयुक्त निवास–संयुक्त परिवार में कई पीढ़ी के लोग एक साथ रहते हैं। इनका घर या निवास स्थान भी सम्मिलित होता है यदि परिवार का कोई सदस्य भ्रमण, नौकरी, शिक्षा, बीमारी, आदि के कारण बाहर चला जाता है तो भी उसका सम्बन्ध संयुक्त परिवार के साथ बना रहता है। उदाहरणार्थ यदि संयुक्त परिवार के कुछ पुरुष सदस्य अपने बाल बच्चों के साथ विभिन्न नगरों में चले जाते हैं तो भी उनका सम्बन्ध अपने अविभाजित पैतृक गृह या संयुक्त निवास से बना रहता है। डॉ. आई.पी. देसाई ने इसी मत का समर्थन किया है। डॉ. श्यामचरण दुबे ने इसके विपरीत मत प्रकट करते हुए कहा है कि "यदि दूर-दूर छिटके हुए मूल परिवारों को संयुक्त परिवार मान लिया जाता है तो भारत के ही नहीं वरन् संसार के अधिकांश मूल परिवारों को संयुक्त परिवार कहना पड़ेगा।" वास्तव में डॉ. दुबे का कथन ठीक प्रतीत नहीं होता क्योंकि सदस्यों के जिस व्यवसाय या नौकरी के लिए दूर-दूर चले जाने पर कानूनी तौर पर संयुक्त निवास या अन्तिम रूप से संयुक्त परिवार से सम्बन्ध नहीं टूटता।

(2) संयुक्त भोजन—संयुक्त परिवार की एक विशेषता यह है कि सब सदस्यों का भोजन या खाना-पीना सम्मिलित होता है। सच तो यह है कि संयुक्त परिवार की यह विशेषता कृषि युग तक तो ठीक मालूम होती थी। लेकिन आज के औद्योगिक युग में इस विशेषता का लोप होता जा रहा है। इसलिए आधुनिक समय में संयुक्त परिवार के सदस्य नौकरी या व्यवसाय के कारण अलग-अलग नगरों में रहते हुए व भोजन करते हुए भी संयुक्त परिवार को बनाए रखते हैं।

(3) बड़ा आकार—हिन्दू संयुक्त परिवार के अन्तर्गत पिता, पुत्र उनके पुत्र एवं पुत्रियाँ, सम्बन्धित महिलाएँ आदि सभी आ जाते हैं। इसमें तीन चार पीढ़ियों के व्यक्तियों का एक साथ रहना सामान्य-सी बात है। जोली ने कहा है कि "संयुक्त परिवार में न केवल माता-पिता और बच्चे, भाई और सौतेले भाई ही सामान्य सम्पत्ति पर गुजारा करते हैं वरन् कभी-कभी कई परिवारों के उत्तराधिकारी और नातेदार भी उसमें शमिल हो सकते हैं।"

(4) सामान्य सम्पत्ति—संयुक्त परिवार में सम्पत्ति सब की साझी होती है, सम्मिलित होती है और उनके सम्पत्ति में समान अधिकार होते हैं। संयुक्त परिवार में रहने वाले सभी व्यक्ति सामान्य सम्पत्ति के लाभ उठाते हैं, उनके पालन-पोषण व अन्य आवश्यकताओं की पूर्ति भी सामान्य सम्पत्ति के द्वारा होती रहती है। परिवार का मुखिया का कर्ता एक ट्रस्टी की भाँति सामान्य सम्पत्ति का प्रबन्ध करता है और सदस्यों की आर्थिक आवश्यकताओं की पूर्ति करता रहता है। इस सम्बन्ध में एक बात ध्यान देने योग्य है कि परिवार के समस्त सदस्यों का व्यावहारिक रूप में सम्मिलित सम्पत्ति पर एक समान अधिकार होता है।

(5) सहयोगी संगठन—संयुक्त परिवार का प्रमुख आधार सहयोग और भाईचारा है। संयुक्त परिवार के सदस्यों में सहयोग की अनुपम भावना देखने को मिलती है सदस्य एक चहारदीवारी के अन्दर न रहते हुए और एक साथ भोजन न करते हुए भी अपने सम्पूर्ण का एक अविभाज्य अंग मानते हैं, सबके दुख-सुख को अपना मानते हैं और सबकी हानि लाभ को अपनी हानि-लाभ समझते हैं। ऐसी स्थिति में संयुक्त परिवार को एक सहयोगी संगठन कहना अधिक उपयुक्त होगा।

(6) एक समान पूजा-पाठ—संयुक्त परिवार के समस्त सदस्य एक ही धर्म को मानते हैं और उससे सम्बन्धित पूजा-पाठ अथवा धार्मिक अनुष्ठानों व कर्तव्यों को सामूहिक रूप से सम्पन्न करते हैं। इतना ही नहीं, परिवार को सभी सदस्य समान भाव से एक समान पूर्वजों के प्रति नत मस्तक होते हैं। इस प्रकार संयुक्त परिवार में एक समान पूजा-पाठ परम्परागत तरीके से चलती रहती है।

(7) एक समान सामाजिक कर्तव्य—धर्म या पूजा के अतिरिक्त संयुक्त परिवार के सदस्यों का एक समान सामाजिक योगदान या सहयोग रहता है। जन्म, विवाह, मृत्यु, खुशी

आदि के अवसरों पर परिवार के समस्त सदस्य मिल-जुलकर सामाजिक कर्तव्यों को निभाते हैं और इस प्रकार सम्मिलित रूप से समान सामाजिक कर्तव्यों से बँधे रहते हैं।

(8) एक उत्पादक इकाई—कृषि युग के संयुक्त परिवारों के सम्बन्ध में यह बात सत्य जान पड़ती है। कृषि में संयुक्त परिवार के सभी सदस्य सामान्य भूमि को जोतते हैं बोते हैं और एक साथ मिलकर ही फसल बाँटते हैं भारत के देहातों में जुलाहे, बढ़ई, लोहारों आदि में संयुक्त परिवार एक उत्पादक इकाई के रूप में कार्य करता है।

(9) पारस्परिक कर्तव्य परायणता—संयुक्त परिवार के सदस्य पारस्परिक कर्तव्यों द्वारा एक-दूसरे से बँधे रहते हैं। इस प्रकार संयुक्त परिवार छोटे रूप में समाजवाद हैं। प्रत्येक सदस्य से योग्यता अनुसार काम लिया जाता है और आवश्यकतानुसार वस्तुएँ दी जाती हैं। प्रत्येक सदस्य का एक निश्चित उत्तरदायित्व व स्थिति होती है। प्रत्येक के लिए सब और सबके लिए प्रत्येक, यह विचारधारा संयुक्त परिवार की आधार भूत विशेषता को व्यक्त करती है।

(10) आर्थिक एवं सांस्कृतिक स्थिरता—सम्मिलित और संगठित रूप में रहने के कारण संयुक्त परिवार में आर्थिक स्थिरता बनी रहती है और संस्कृति के प्रमुख तत्त्वों में स्थायित्व रहता है। सब सदस्यों की आर्थिक आवश्यकताओं की पूर्ति का भार समान रूप से कर्ता का उत्तरदायित्व होता है, जो इसका प्रबन्ध सब सदस्यों को उचित रूप से काम में लगाकर करता रहता है। इस प्रकार परिवार अर्थ व्यवस्था में अस्थिरता आने की कम संभावना रहती है। इतना ही नहीं, सदस्यकर्ता के नियंत्रण में सांस्कृतिक तत्त्वों में परिवर्तन का साहस नहीं कर पाते। यह सब क्या है इस प्रकार से आर्थिक एवं सांस्कृतिक स्थिरता की स्थिति है।

उपरोक्त वर्णन से संयुक्त परिवार के अर्थ परिभाषा व विशेषताओं की व्याख्या की जाती है। वस्तुतः संयुक्त परिवार एक ऐसी व्यवस्था है जिसमें सदस्यों को संयुक्त, पर सम्मिलित उत्तरदायित्व को निभाना पड़ता है। आधुनिक युग में संयुक्त परिवार की विशेषताओं में थोड़ा बहुत अन्तर आता जा रहा है।

संयुक्त परिवार के अकार्य (Demerits of Joint Family)

(1) द्वेष एवं कलह—कुछ विद्वानों का मत है कि संयुक्त परिवार द्वेष एवं कलह की जड़ है। आधुनिक युग में व्यक्तिवाद को बहुलता एवं स्वतन्त्रता की बढ़ती हुयी भावना से संयुक्त परिवार के नियंत्रण को शिथिल कर दिया है। कुछ परिवारों में यहाँ तक देखा गया है कि बच्चों के झगड़े को लेकर वर्षों से सींचे गए आपसी सहयोग एवं प्रेम की जड़ सहित हमेशा के लिए नष्ट कर देते हैं।

(2) स्त्रियों का निम्न स्तर–आधुनिक युग में संयुक्त परिवारों में स्त्रियों की दशा दिन-प्रतिदिन गिरती जा रही है। संयुक्त परिवार में पर्दाप्रथा पायी जाती है और सबसे छोटी वधुओं को दासी समझा जाता है वह सबकी सेवा में लगी रहती है। शर्म तथा भय के कारण वह अपने कष्टों को दूसरों से कह भी नहीं पाती। इसलिए संयुक्त परिवार में स्त्री की दुर्दशा रहती है।

(3) गतिशीलता में बाधक–संयुक्त परिवारों में सामाजिक एवं स्थानीय गतिशीलता को अपना करके एक असंतुलित समाज का निर्माण किया है। एक ओर संयुक्त परिवार परम्परागत मनोवृत्ति को स्थान देकर स्थान परिवर्तन पर रोक लगाते हैं और दूसरी ओर अपने रूढ़िवादी नियमों के धर्म को अंग मानकर व्यक्ति की स्थिति में किसी प्रकार के परिवर्तन की अनुमति नहीं दी जाती।

(4) बाल विवाह को प्रोत्साहन–संयुक्त परिवार में परिवार के वयोवृद्ध लोग यह इच्छा व्यक्त करते हैं कि उनके बेटे पोतों का विवाह उनकी आँखों के सामने हो जाए। इस दृष्टि से संयुक्त परिवार बाल विवाह को जन्म देता है।

(5) औपचारिक सम्बन्ध–संयुक्त परिवार में सदस्यों की संख्या अधिक होने के कारण उनके सहसम्बन्ध औपचारिक हो जाते हैं। फलतः आत्मीयता का हनन होने लगता है और उनके घनिष्ट सम्बन्ध टूटने लगते हैं। परिवार के सदस्यों की संख्या जहाँ कम होगी वहाँ आत्मीयता के सम्बन्ध बने रहते हैं। औपचारिक सम्बन्ध घनिष्टता को समाप्त कर देते हैं।

(6) काम न करने वालों की संख्या में वृद्धि–संयुक्त परिवार में सभी सदस्यों में समान रूप से भरण-पोषण की व्यवस्था हो जाती है। जिसका परिणाम यह होता है कि बहुत से व्यक्ति कार्य करना छोड़ देते हैं।

(7) सन्तानोत्पत्ति में वृद्धि–संयुक्त परिवार के कारण सन्तानें भी अधिक होती हैं। प्रथम तो बाल विवाह होने के कारण अधिक सन्तानें होती हैं तथा द्वितीय कोई उत्तरदायित्व न होने के कारण लोग सन्तानें उत्पन्न करते जाते हैं।

(8) गोपनीय स्थान का अभाव–संयुक्त परिवार में सदस्यों की संख्या अधिक होती है। किन्तु स्थान का अभाव होता है इसलिए नव विवाहितों के लिए एक समस्या खड़ी हो जाती है। जब पति-पत्नी एक-दूसरे को नहीं मिल पाते तो उनमें असंतोष उत्पन्न हो जाता है। **डॉ. राजेन्द्र प्रसाद** के अनुसार "संयुक्त परिवार में लोग मिलते हैं कि उनमें प्रेम का विकास तो दूर की बात है मामूली परिचय भी कम होता है।"

(9) आर्थिक निर्भरता–संयुक्त परिवार के सदस्य अपनी आवश्यकताओं की पूर्ति के लिए एक-दूसरे पर निर्भर रहते हैं। इसलिए कभी-कभी आर्थिक हितों की पूर्ति न होने के

कारण परिवार के सदस्यों में मनमुटाव इतना तीव्र हो जाता है कि पारिवारिक विघटन की स्थिति उत्पन्न हो जाती है।

(10) कमाने वालों में असंतोष–संयुक्त परिवार कुछ ही व्यक्तियों की कमाई पर निर्भर रहता है और कमाने वालों के अतिरिक्त अन्य सदस्य आराम से बैठकर खाते हैं। ऐसी परिस्थिति में कमाने वाले सदस्यों में असंतोष रहता है।

(11) व्यक्तित्त्व के विकास में बाधक–संयुक्त परिवार में सामूहिक उत्तरदायित्व की भावना के कारण व्यक्तियों का विशेष रूप से शिशुओं का विकास नहीं हो पाता है। यदि किसी बालक में किन्हीं विशेष गुणों के लक्षण मिलते हैं तो वह समान नियंत्रण के कारण उनका विकास नहीं कर पाते हैं। संयुक्त परिवार एकांगी उन्नति में बाधक सिद्ध होता है। अतः व्यक्तित्त्व के विकास के उचित मार्ग प्राप्त नहीं हो पाते हैं।

(12) निर्धनता–संयुक्त परिवार में परिवार के सदस्यों का कार्यक्षमता का पतन होने लगता है। इसलिए परिवार में निर्धनता बढ़ने लगती है। उत्पादन की कमी और सम्पत्ति के बटवारे के कारण निर्धनता और भी अधिक बढ़ जाती है।

(13) अप्राकृतिकता–संयुक्त परिवार में बच्चों को माता-पिता का अधिक प्यार नहीं मिल पाता और साथ ही साथ माता-पिता बच्चों की आवश्यकताओं की पूर्ति नहीं कर पाते।

संयुक्त परिवार के प्रकार्य (Merits of Joint Family)

संयुक्त परिवार भारतीय सभ्यता एवं समाज की मौलिक इकाई है। भारतीय संस्कृति एवं सामाजिक संरचना का मूल आधार संयुक्त परिवार पर ही आधारित है। यह एक ऐसी इकाई है। जहाँ व्यक्ति जन्म से ही सदस्य बनकर इसके सिद्धान्तों का पालन करता है। वर्तमान युग स्वतन्त्र विचारों का युग है। इसलिए व्यक्तियों में संयुक्त परिवार के प्रति आस्था कम होती जा रही है। किन्तु यह नहीं भूलना चाहिए कि आस्था से कम होने से इसके गुण समाप्त होते हैं। गुण एवं दोषों का सही-सही मूल्यांकन हम निम्न शीर्षकों के आधार पर कर सकते हैं–

1. परिवार के सदस्यों के लिए सामाजिक बीमा–संयुक्त परिवार का प्रमुख गुण पारिवारिक सदस्यों के लिए एक सामाजिक बीमा के रूप में कार्य करना है। संयुक्त परिवार में सभी सदस्य एक साथ रहते हैं। अतः कोई सदस्य आपत्ति में फँस जाए या कभी किसी के ऊपर शारीरिक या मानसिक असमर्थता आ जाए तो वे संयुक्त रूप से उसकी सहायता करेंगे। संयुक्त परिवार में बीमार, वृद्ध बेकार अपाहिज आदि सभी की आवश्यकता की सभी वस्तुएँ प्राप्त होती हैं। इस प्रकार से संयुक्त परिवार, परिवार के सभी सदस्यों को सामाजिक

बीमें की भाँति उसकी रक्षा करता है।

2. हम की भावना—परिवार के सभी सदस्यों में एक साथ मिलकर काम करने की भावना की अधिकता पाई जाती है। जिसे 'हम' की भावना कहते हैं।

3. बच्चों के पालन-पोषण की व्यवस्था—संयुक्त परिवार में बच्चों के पालन पोषण का भार मुखिया पर होता है, भले ही बच्चों के माता-पिता अयोग्य व बेकार हों इस प्रकार संयुक्त परिवार बच्चों के विकास व पालन-पोषण की व्यंवस्था हैं।

4. व्यक्तित्त्व का विकास—संयुक्त परिवार में रहकर बालक का शारीरिक व मानसिक, सामाजिक तथा नैतिक विकास होता है। इसलिए संयुक्त परिवार व्यक्तित्त्व के विकास का एक साधन है।

5. सामाजिक नियन्त्रण—संयुक्त परिवार अपने परिवार के सदस्यों को पारिवारिक प्रथाओं, रीति-रिवाजों एवं सामाजिक व्यवहारों का ज्ञान प्रदान करता है। जिससे व्यक्ति अपने व्यवहार को समाज की आवश्यकताओं के अनुसार ढाल लेता है और सामाजिक नियन्त्रण की भावना का विकास करता है।

6. मितव्ययिता—मितव्ययिता संयुक्त परिवार का मुख्य गण है। इसमें धन की बचत होती है। इसमें सभी सदस्य सहयोग की भावना से जीवन निर्वाह करते हैं। यदि संयुक्त परिवार का ह्रास हो जाए तो परिवार का स्वरूप ही नष्ट होने लगता है। सम्मिलित परिवार की सम्मिलित आय से ही मितव्ययिता सम्भव हो सकती है।

7. समष्टिवाद की भावना एवं शक्ति की इकाई—संयुक्त परिवार का अन्य लक्ष्य सदस्यों में समष्टिवाद की भावना का उदय करना तथा शक्ति की एकता को उत्पन्न करना है। परिवार के सभी सदस्य अपनी शक्ति को संयुक्त रूप से अधिक समझते हैं। संयुक्त परिवार में शारीरिक, आर्थिक, सामाजिक तथा बौद्धिक शक्ति सम्मिलित रूप से पाई जाती है। इसमें सभी सदस्य परस्पर मिलकर कार्य करते हैं इसलिए संयुक्त परिवार को समष्टिवाद का जनक कहा गया है।

8. सुरक्षा की भावना—संयुक्त परिवार के सभी सदस्यों की आवश्यकताओं की पूर्ति की जाती है और संकट काल में उनके अधिकारों की सुरक्षा भी की जाती है। इसलिए संयुक्त परिवार का प्रत्येक सदस्य अपने हितों को सुरक्षित समझता है।

9. असहायों की रक्षा—संयुक्त परिवार में ऐसे सदस्यों का भी समुचित रूप से पालन-पोषण होता है, जो शारीरिक अयोग्यता के कारण अथवा किसी लम्बी बीमारी के कारण अथवा किसी दैनिक आपत्ति के कारण कार्य करने एवं आजीविका कमाने में असमर्थ संयुक्त परिवार को संकटकालीन सामाजिक बीमा कहा जाता है।

10. नागरिक गुणों का विकास–संयुक्त परिवार में सदस्यों की संख्या अधिक होती है और परिवार के मुखिया का नियन्त्रण सभी सदस्यों पर होता है। परिवार में रहकर बच्चा सहयोग, त्याग, प्रेम, परोपकार, आज्ञा, पालन आदि दैनिक गुणों को सीखता है। इसलिए यह कहा जाता है कि संयुक्त परिवार नागरिक जीवन की पृथक पाठशाला है।

11. संस्कृति की रक्षा–संयुक्त परिवार सदैव से रूढ़िवादी रहे हैं और नवीनता का विरोध करते हैं। ऐसे परिवारों में सभी सदस्य उसी प्रकार कार्य करते हैं जैसे कि उनके पूर्वज करते आए हैं। परिणामस्वरूप सभी सदस्य का जीवन अपनी प्रथाओं परम्पराओं लोकचारों और धर्म के अन्तर्गत व्यतीत होता रहता है यही विशेषताएँ बिल्कुल उसी रूप में पीढ़ी दर पीढ़ी हन्तान्तरित होती रहती हैं। इसमें संस्कृति को तो स्थिरता प्राप्त होती है साथ ही सदस्य में भी मानसिक रूढ़ता का विकास होता है।

12. मनोरंजन का साधन–संयुक्त परिवार में सदस्यों की संख्या अधिक होती है। जो आपस में मनोविनोद करके अपने पारिवारिक जीवन को सुखी बनाते हैं।

13. नवविवाहित दम्पत्ति को सुविधा–संयुक्त परिवार में नवविवाहित दम्पत्ति को अपना पारिवारिक जीवन व्यतीत करने की सुविधा रहती है। क्योंकि परिवार का मुखिया उसकी आवश्यकता की पूर्ति स्वयं करता है और उनके लिए पहले से ही आवश्यक सामग्रियों का प्रबन्ध रखता है।

14. आदर की भावना–आदर की भावना का गुण हमें संयुक्त परिवार से ही मिलता है। संयुक्त परिवार ही एक ऐसी सामाजिक संस्था है, जहाँ व्यक्ति को अनुभवी कुशल तथा योग्य व्यक्ति मिलते हैं। जिन्हें समाज द्वारा आदर एवं सम्मान की दृष्टि से देखा जाता है। संयुक्त परिवार से ही व्यक्ति में आदर की भावना का उदय होता है और इसी संस्था से व्यक्ति में एक-दूसरे के प्रति सम्मान की भावना जागृत होती है।

15. राजनीतिक दृष्टि से उच्च स्थान–संयुक्त परिवार का राजनीतिक दृष्टि से भी एक ऊँचा स्थान होता है क्योंकि संयुक्त परिवार में मतदाताओं की संख्या अधिक होती है इसलिए सभी राजनीतिक दल चुनाव के समान अपने पक्ष में मत प्राप्त करने की आशा से संयुक्त परिवार को ऊँची भावना से देखते हैं।

16. आत्मगौरव–संयुक्त परिवार में सदस्यों की संख्या अधिक होने के कारण सभी सदस्य मिलकर एक साथ काम करते हैं। उनमें संगठन की भावना बलवती होती है और उन्हें पारिवारिक संगठन और शक्ति का गर्व होता है।

17. कामकाजी महिलाओं को सहयोग–घर से बाहर कार्यरत महिलाओं को अपने बच्चों की चिंता नहीं होती। वे संयुक्त परिवार में आसानी से पल जाते हैं तथा उन्हें

क्रेच में नहीं छोड़ना पड़ता है।

संयुक्त परिवार में आधुनिक परिवर्तन
(Modern Transformation in Joint Family)

संयुक्त परिवार प्रणाली भारतीय समाज की एक महत्त्वपूर्ण व्यवस्था है। धीरे-धीरे संयुक्त परिवार प्रणाली में दोष उत्पन्न होते गए फलतः उसकी परम्परागत संरचना और कार्यों में तीव्र गति में परिवर्तन हो रहा है। संयुक्त परिवार का आकार छोटा होता जा रहा है और आज व्यक्ति अपनी पत्नी और बच्चों के साथ रहकर ही अपनी आय का पूर्ण उपयोग करने के पक्ष में होता जा रहा है। समष्टिगत मनोवृत्ति ही संयुक्त परिवार के सदस्यों में भी द्वैतीयक सम्वन्धों का विकास हो रहा है। संयुक्त परिवारों में पूजा भी संयुक्त रूप से ही की जाती है। सभी धार्मिक पर्वों व अवसरों पर जैसे दिवाली, दशहरा, होली या मुण्डन, नामकरण संस्कार, अनुष्ठान आदि पर परिवार के सभी सदस्य भी सम्मिलित रूप से भाग लेते हैं। संयुक्त परिवार के मुखिया का भी महत्त्व घटता जा रहा है और उसका परिवार पर नियंत्रण कम होता जा रहा है। कर्ता के स्थान पर युवा सदस्यों के अधिकारों में वृद्धि होती जा रही है। अधिकांश संयुकत परिवारों में जीविकोपार्जन का कार्य युवा सदस्यों के हाथों में हो गया है। इस कारण संयुक्त परिवार की पारिवारिक स्थिति में काफी अन्तर आ गया है। वर्तमान संयुक्त परिवार अपने परम्परागत व्यवसाय को छोड़कर अन्य व्यवसायों द्वारा जीवकोपाजन करने लगा है। अब परिवार के सदस्य की स्थिति का निर्धारण भी उसकी योग्यता व कुशलता के आधार पर होने लगा है।

संयुक्त परिवार के विघटन के कारक
(Factors of Disorganisation of Joint Family)

समाज के नये-नये आविष्कारों के होने से संयुक्त परिवार का स्वरूप भी बदलता जा रहा है। पाश्चात्य शिक्षा और सभ्यता, औद्योगीकरण, संयुक्त परिवार प्रणाली नई सभ्यता की पूर्ति करने में असमर्थ सिद्ध हुयी है। इसलिए इस व्यवस्था का तीव्र गति से ह्रास हो रहा है। संयुक्त परिवार के विघटन की पुष्टि में सन् 1851 की जनगणना रिपोर्ट में लिखा गया है– "गाँवों में प्रत्येक तीसरा परिवार ऐसा होता है जिसके सदस्यों की संख्या तीन या उससे कम होती है। छोटे घरों को इतने अधिक अनुपात में होना इस बात का सूचक है कि परिवार देश की परम्परागत व्यवस्था के अनुसार नहीं रहते। संयुक्त परिवार से अलग होने तथा पृथक घर स्थापित करने की प्रवृत्ति प्रबल है।" संयुक्त परिवार को विघटित करने वाले निम्नलिखित कारक हैं–

(1) औद्योगीकरण एवं नगरीकरण–संयुक्त परिवार को विघटित करने वाले कारकों में औद्योगीकरण और नगरीकरण का सबसे अधिक योग है। प्राचीन काल में व्यक्ति सामूहिक रूप से कृषि कार्य करता था। इस सामूहिक कार्य में परिवार के सभी सदस्य मिलकर कार्य करते थे। किन्तु यह व्यवस्था औद्योगीकरण के प्रभाव से समाप्त होने लगी। औद्योगीकरण ने रोजगार के नये-नये अवसर प्रदान किए। नये-नये व्यवसायों का जन्म हुआ और श्रम की मांग हुई। संयुक्त परिवार के सदस्य अपने परम्परागत उद्योग-धन्धों को छोड़कर नये व्यवसायों की ओर आकर्षित होने लगे व स्वतन्त्रतापूर्वक जीविकोपार्जन करने लगे। औद्योगीकरण ने व्यक्ति की योग्यता का मापदण्ड बनाकर व्यक्तिवादी विचारधारा को प्रोत्साहन दिया। इन सबका परिणाम यह हुआ कि संयुक्त परिवार के अधिक सक्षम एवं कुशल सदस्य अपने श्रम का लाभ स्वयं ही उठाने के उद्देश्य से स्वतन्त्र रूप से परिवारों की स्थापना करने लगे। औद्योगीकरण ने गाँवों के कुटीर उद्योग-धन्धों को भी नष्ट कर दिया और इनमें लगे अनेक व्यक्ति बेकार हो गए ऐसे व्यक्तियों का बहुत बड़ा भाग जीविका की खोज में नगरों में आकर रहने लगा। इससे ग्रामीण संयुक्त परिवारों का विघटन आरम्भ हो गया और गाँवों की आत्मनिर्भरता बिल्कुल समाप्त हो गयी।

औद्योगीकरण ने नगरीकरण को प्रोत्साहन दिया और नगरीकरण ने संयुक्त परिवार को विघटित करने में योगदान दिया। नगरीकरण के विकास ने कृषि के महत्त्व को कम कर दिया। लोग गाँव छोड़कर शहरों में रहने लगे। नगरों में संयुक्त परिवार को तनिक भी प्रोत्साहन नहीं मिला। इसके कई कारण हैं। शहरों में छोटे-छोटे निवास स्थान होते हैं। जहाँ पर बड़े परिवार नहीं रह सकते हैं। साथ ही साथ शहरों में रहने वालों में व्यक्तिवाद की भावना आ जाती है क्योंकि परिवार के सभी सदस्य एक स्थान पर काम न करके भिन्न-भिन्न स्थानों पर काम करते हैं। इससे पारस्परिक प्रेम, मेल सहयोग की भावना समाप्त हो जाती है और प्रत्येक सदस्य अलग से अपना घर बसाना चाहता है।

(2) पाश्चात्य संस्कृति एवं शिक्षा का प्रभाव–पाश्चात्य संस्कृति और शिक्षा का जो प्रभाव भारतीय समाज पर पड़ा उससे न केवल संयुक्त परिवार ही वरन् भारतीय सभ्यता का भी हनन हुआ। पाश्चात्य संस्कृति, सभ्यता एवं शिक्षा ने हमारे युवक एवं युवतियों पर इतना प्रभाव डाला है कि वे अपनी पुरानी संस्कृति को भूलकर पश्चिमी देशों की नकल करने लगे हैं। होटलों में जाना, क्लबों में जाना, सिनेमा देखना आदि सभी तत्त्व संयुक्त परिवार को विघटन की ओर ले जा रहे हैं।

(3) यातायात के साधनों में उन्नति–कृषि युग में सामाजिक गतिशीलता अत्यधिक कम थी। लोगों के चाहने पर भी वे एक जगह से दूसरी जगह आ जा नहीं सकते

थे, क्योंकि उस समय आज की तरह यातायात के साधन उपलब्ध नहीं थे। परन्तु अब यह कठिनाई न रही। इसीलिए नौकरी के लिए उद्योग-धन्धों या व्यापार, वाणिज्य के लिए अब दूर-दूर तक जाकर बस जाना सरल हो गया। इससे भी संयुक्त परिवार की स्थिरता को धक्का लगा।

(4) नवीन अधिनियमों का प्रभाव–अंग्रेजी शासकों ने वे कानून पास किए जो कि संयुक्त परिवार के पोषक नहीं थे। तमाम ब्रिटिश न्यायालय ऐसे निर्णय दिया करते थे, जो सदैव संयुक्त परिवार एक बहुत ही महत्त्वपूर्ण विशेषता खो रहा है। संयुक्त परिवार वर्तमान समय में न्यायालयों द्वारा प्रोत्साहित की जाने वाली व्यष्टिवादी प्रवृत्तियों का शिकार बन रहा है। संयुक्त परिवार में स्त्रियों को सम्पत्ति का अधिकार देकर और भी अधिक संयुक्त परिवार का विघटन किया जा रहा है।

(5) व्यक्तिवाद–संयुक्त परिवार के समष्टिवाद को व्यक्तिवाद धीरे-धीरे समाप्त करता जा रहा है। व्यक्तियों में व्यक्तिवाद की भावना का उदय पाश्चात्य शिक्षा एवं संस्कृति ने किया है। आज प्रत्येक पृथक घर बसा कर रहना चाहता है। जहाँ केवल पति-पत्नी और उनके बच्चे रहते हैं। ये व्यक्ति व्यक्तिगत स्वतन्त्रता पर विश्वास रखते हैं, जो कि संयुक्त परिवार में असम्भव है। व्यक्तिवाद का बाहुल्य स्वार्थ हित में है, इसलिए व्यक्ति अपने सुख, और शान्ति के लिए एकांकी परिवार को अपनाता है।

(6) जनसंख्या में अत्यधिक वृद्धि–भारत में जनसंख्या तीव्र गति से बढ़ रही है। इससे परिवार में ऐसी परिस्थिति उत्पन्न हो जाती है, जबकि परिवार की भूमि अथवा जायदाद सब सदस्यों के भरण-पोषण हेतु पर्याप्त नहीं होती और नौकरी या व्यवसाय की खोज में सदस्यों को परिवार छोड़ना पड़ता है। इससे संयुक्त परिवार का विघटन होता है।

(7) स्त्रियों में कलह–व्यक्तिवाद की भावना के विकास से आज कल सास, बहू, ननद, भौजाइयों और देवरानियों, जेठानियों का एक घर में निर्वाह करना कठिन होता जा रहा है। छोटी-छोटी बातों को लेकर झगड़ा करना और फिर राई का पर्वत बनाकर अपने पति से चुगली करना अनेक स्त्रियों की खास विशेषता होती है। अतः वे अपने पुरुषों को संयुक्त परिवारों को छोड़ने के लिए सहमत कर लेती हैं। आजकल अधिकांश स्त्रियाँ संयुक्त परिवार में रहना पसन्द नहीं करती हैं। अतः संयुक्त परिवार तेजी से टूट जाते हैं।

(8) स्त्री शिक्षा–स्त्रियों में शिक्षा का प्रसार होने और उनमें सामाजिक व जागरूकता बढ़ने से भी संयुक्त परिवारों की स्थिरता को काफी आघात पहुँचा है। आज की स्त्रियाँ अपना जीवन स्वतन्त्रतापूर्वक व्यतीत करना चाहती हैं, किन्तु संयुक्त परिवार उनके मार्ग में बाधा उत्पन्न करता है। संयुक्त परिवार में वृद्ध व्यक्ति उनसे प्राचीन प्रणालियों एवं

रीति-रिवाज की आशा करते हैं। दूसरी ओर शिक्षित स्त्रियाँ उन सब बातों को महत्त्व नहीं देतीं इसका परिणाम घरेलू झगड़े होते हैं और दोनों पृथक-पृथक रहना पसन्द करते हैं।

(9) कार्य तथा पद में अन्तर–संयुक्त परिवार में सामान्यतः व्यक्ति को कार्य के अनुसार स्थिति नहीं मिलती है। जिसके फलस्वरूप वे क्षुब्ध होकर अन्यत्र रहने की व्यवस्था कर लेते हैं। संयुक्त परिवार में सब व्यक्ति समान रूप से जाते हैं। किन्तु कुछ व्यक्ति बिना कार्य एवं परिश्रम किए परिवार में एक मुख्य स्थान बनाए रहते हैं। जिसके परिणामस्वरूप कार्य करने वाले के मन में भेद उत्पन्न होने लगता है और वह पृथक आवास की व्यवस्था करता है।

संयुक्त परिवार का भविष्य (Future of Joint Family)

संयुक्त परिवार के क्रमिक विघटन को देखते हुए ऐसा लगता है कि इसका भविष्य अंधकारमय है। कपाड़िया जी इस सम्बन्ध में दृष्टिकोण रखते हैं। उन्होंने लिखा है कि "हिन्दू परिवार के इतिहास और मनोवृत्तियों को देखते हुए आज भी संयुक्त परिवार का विघटन ठीक अहिन्दू समझा जाता है। क्योंकि वह हिन्दू परिवार के इतिहास और मनोवृत्तियों की अवहेलना करता है। आई.पी. देसाई के अध्ययनों से ज्ञात होता है कि अधिकांश हिन्दू संयुक्त परिवार व्यवस्था को अच्छा समझते हैं और इसकी उपयोगिता से प्रभावित है।

जब तक भारतीय कृषि और ग्रामीण उद्योगों में भौतिक एवं क्रान्तिकारी परिवर्तन नहीं होते, तब तक उनमें संयुक्त परिवार प्रथा लड़खड़ाते हुए किसी प्रकार अपना अस्तित्त्व कायम रखेगी। शिक्षित जनता में समानता स्वतन्त्रता और व्यष्टिवाद की भावनाएँ हैं, ये संयुक्त परिवार की व्यवस्था पर कुठाराघात करने वाली है। शहरों में आर्थिक संघर्ष की उग्रता, रहन-सहन के मानदण्ड की उच्चता इस व्यवस्था में बड़ी बाधक है। इन परिस्थितियों के होते हुए भी यह सम्भव है कि पुरुष संयुक्त परिवार प्रथा को किसी प्रकार निभा ले जाए किन्तु स्त्रियों से यह आशा नहीं रखी जा सकती। समानाधिकार के भावों में अनुप्राणित युवतियाँ सास की दासता में रहने की अपेक्षा, पृथक परिवार बना कर रहना अधिक अच्छा समझती हैं। इस सम्बन्ध में श्री मर्चेन्ट ने बड़ा उपयोगी अनुसन्धान किया है। उन्होंने हिन्दू विवाह और परिवार के सम्बन्ध में युवकों और युवतियों से अनेक प्रश्न पूछे थे। इनमें एक प्रश्न संयुक्त परिवार के सम्बन्ध में था। युवकों में 40 से 90 प्रतिशत ने संयुक्त परिवार के पक्ष में राय थी और 43.51 प्रतिशत ने घोर विरोध किया।

"हम चाहे न चाहे, परिवार का विघटन हो रहा है। पृथक परिवारों की संख्या बढ़ रही है। ऐसा प्रतीत होता है कि संयुक्त परिवार होने पर कई दृष्टियों से, यह प्रथा हिन्दू समाज को काफी समय तक प्रभावित करती रहेगी।"

अभ्यास प्रश्न

1. परिवार से क्या अभिप्राय है?
2. परिवार की परिभाषा देते हुए इसकी प्रमुख विशेषताओं पर चर्चा कीजिए।
3. परिवार के प्रकार्यों में आए परिवर्तनों का उल्लेख कीजिए।
4. संयुक्त परिवार क्या है?
5. क्या भारतीय परिवार विघटित हो रहे हैं?

संदर्भ

1. MacIver, R.M. and C.H. Page, Society : An Introductory Analysis, p. 230
2. Burges and Locke, The Family, p. 81
3. Nimkoff, Marriage and Family, p. 6
4. Biesanz and Biesanj, Modern Society, p. 210
5. P Gisbert, Fundamental of sociology, p. 83
6. Mazumdar and Madan, An Introduction to Social Anthropology, p. 48
7. K Davis, Human Society, p. 419
8. Iravati Karve, Kinship Organization in India, p. 10
9. I P Desai, The joint family in India : An analysis, Sociological bulletin, Vol. V no. 2.

13

भारत में धर्म
(Religion in India)

भारत एक बहुधर्मी समाज है जिसके लगभग 80 प्रतिशत हिन्दू 14 प्रतिशत इस्लाम तथा शेष अन्य धर्मों के अनुयायी पाए जाते हैं विश्व का शायद ही ऐसा कोई धर्म हो जिसके अनुयायी भारत में न पाए जाते हों। प्रमुख धर्मों का परिचय यहाँ दिया जाएगा।

हिन्दू धर्म
(Hinduism)

हिन्दू धर्म भारत की प्राचीन वैदिक व्यवस्था एवं सनातनी परम्परा का वाहक है। इस प्रकार यह भारत का सर्वाधिक प्राचीन धर्म है। ईसा के लगभग 2000 वर्ष पूर्व इसे आर्य धर्म कहा जाता था। वेदों एवं पुराणों की रचना के समय यह क्रमशः वैदिक और पौराणिक धर्म कहा जाने लगा।

विदेशियों, आक्रान्ताओं, तीर्थ यात्रियों, जिनमें अधिकतर, अरब अथवा रोम के थे भारत को हिन्दुस्तान कहकर पुकारते थे। प्रश्न यह उठता है कि हिन्दुस्तान शब्द की उत्पत्ति कैसे हुई? हिन्दुस्तान अर्थात् हिन्दुओं का स्थान, लोग 'सिन्धु' को हिन्दु उच्चारित करते थे अतः 'सिन्धु' के पार रहने वाले लोग हिन्दू कहलाए और उनके धर्म को हिन्दू धर्म कहा गया। इस प्रकार लगभग 400 ईसवी के बाद सनातन धर्म को हिन्दू कहा जाने लगा। भारत में हिन्दू धर्म के अनुयायियों की संख्या अधिक है। लगभग 80 प्रतिशत लोग हिन्दू धर्म में आस्था रखने वाले हैं।

हिन्दू धर्म पर पिछले अध्याय में विस्तार पूर्वक प्रकाश डाला गया है। यहाँ पर भारतीय समाज पर हिन्दू धर्म के प्रभावों की चर्चा की जाएगी।

हिन्दू धर्म का भारतीय समाज पर प्रभाव
(Impact of Hinduism on Indian Society)

हिन्दू धर्म का समाज पर पड़ने वाले प्रभाव का वर्णन हम निम्नलिखित बिन्दुओं द्वारा कर सकते हैं–

(1) भिन्न जीवन विधि के सम्बन्ध में उदार भाव–हिन्दू समाज सहिष्णुता के लिए प्रसिद्ध है। इसमें परस्पर विरोध तत्त्वों, सिद्धान्तों और वृत्तियों को बटोर कर एक समाज में समेटने का प्रयास किया गया है। विपरीत विश्वासों, रीति-रिवाजों, साधनाओं, उपासनाओं और सामाजिक प्रबन्ध, उत्तराधिकार आदि की योजनाओं को इसमें स्थान है।

(2) सह अस्तित्त्व की अतिशयता–धर्म और संस्कृत के क्षेत्र में विविधता और अन्तर्गत समूहों की स्वाधीनता एक सीमा तक वरेण्य है। यह सीमा लाँघने पर अरूपता (Amorphousness) और असंगठन का डर रहता है। हिन्दू समाज में सह अस्तित्त्व का निर्वाह जितना अधिक किया गया है। उतना शायद किसी और समाज में नहीं।

(3) हिन्दू व्यवस्था में समन्वय की प्रकृति–हिन्दू धर्म में विवाह और विग्रह को समाप्त कर समझौते करने की प्रवृत्ति काफी बड़े रूप में दिखाई देती हैं। विवाद और विग्रह से समाज की शक्ति क्षीण होती है और उपयोगी सीमित साधनों का निरर्थक क्षय होता है। समाज को संगठित रूप से एक निर्दिष्ट दिशा की ओर ले जाने के लिए विवाद और विग्रह से बचाने की आवश्यकता हिन्दू समाज व्यवस्थापकों ने अनुभव की और हिन्दू धर्म को इस अनुरूप बनाया कि वह सभी पंथों, समुदायों, समूहों, मत-मतान्तरों को अपने में समेट सके। हिन्दू धर्म के इस तथ्य को समन्वित कर लिया।

वर्तमान भारतीय समाज एक द्रवण पात्र के रूप में विद्यमान है। इसका क्षेत्र हिन्दू धर्म को जाता है।

(4) आज्ञापालन और स्वामिभक्ति–हिन्दू समाज व्यवस्था में समाज को बिखरने से बचाने के लिए सब प्रकार का प्रयत्न किया गया। "समाज व्यवस्था को बनाए रखना है, चाहे कितना ही मूल्य चुकाना पड़े।" यह आदर्श सदैव दृष्टि में रखा गया। समाज की स्थिति अनुशासन पर निर्भर है। जनसाधारण जितना ही अधिक शासकों और नियामकों की आज्ञा मानते रहेंगे उतनी ही आसानी से सामाजिक जीवन चलता रहेगा। सामाजिक व्यवस्था को और भी अधिक सुगमतापूर्वक (Smoothy) चलाने के लिए यह आवश्यक है कि आज्ञा मानने वाले अपने लिए की गई आज्ञाओं को उचित समझें। हिन्दू धर्म में इस प्रकार की व्यवस्था समाज व्यवस्था को स्थायी बनाने में अद्वितीय रूप से सहायक सिद्ध हुई।

(5) पवित्रता की अवधारणा–हिन्दू धर्म पवित्र जीवन व्यतीत करने के लिए प्रतिबद्धता को दर्शाता है। इस उद्देश्य की पूर्ति के लिए विभिन्न संस्कारों, यज्ञों इत्यादि का प्रावधान किया गया है।

(6) कर्तव्यों का निर्धारण–हिन्दू धर्म व्यक्तियों को अपने कर्तव्यों का पालन करने पर बल देता है। व्यक्ति को मृत्यु पर्यन्त अपने कर्तव्यों को नहीं छोड़ना चाहिए। गीता में श्री कृष्ण ने अर्जुन को अपना कर्म करने का उपदेश देते हुए कहा है **"कर्मेण्यवाधिकारस्ते मा फलेषु कदाचनः।"** अर्थात् व्यक्ति को फल की चिन्ता किए बिना कार्य करते जाना चाहिए। गीता में श्री कृष्ण एक स्थान पर कहते हैं **"स्वधर्मे निधन श्रेयः पर धर्मो भयावहः"** अर्थात्

व्यक्ति को अपना कर्तव्य छोड़कर दूसरे कर्तव्यों को नहीं अपनाना चाहिए। हिन्दू धर्म की यह भावना भारतीय समाज को दृढ़ करने में महत्त्वपूर्ण भूमिका निभा रही है।

(7) व्यक्ति के अन्दर गुणों के विकास में सहायक–व्यक्ति के समक्ष अधिदैविक लक्ष्य को निर्धारित कर हिन्दू धर्म ने परिस्थितियों से उत्पन्न निराशा को दूर कर व्यक्तियों के अन्दर आशा का संचार किया है।

(8) भारतीय संस्कृति की निरन्तरता बनाए रखने में सहायक–विश्व में कई संस्कृतियों ने जन्म लिया और एक समय पश्चात् वे समाप्त हो गयी, किन्तु भारतीय संस्कृति आदि काल से लेकर वर्तमान काल तक जीवित है और प्रासंगिक है। इसका श्रेय हिन्दू धर्म को ही जाता है। समय-समय पर उत्पन्न हुई अनेक विपत्तियों को सहते हुए हिन्दू धर्म ने एक पुरुषार्थी समाज का निर्माण किया।

इस प्रकार हम देखते हैं कि भारतीय समाज किसी न किसी रूप में हिन्दू धर्म से प्रभावित है। हिन्दू धर्म का प्रभाव क्षेत्र न केवल हिन्दुओं तक ही सीमित है बल्कि सभी धर्मों को यह प्रभावित करता है।

इस्लाम धर्म
(Islam)

इस्लाम धर्म का शाब्दिक अर्थ होता है 'शान्ति में प्रवेश' इस्लाम धर्म के प्रवर्तक मुहम्मद साहब का जन्म मक्का शहर में 570 ई. में हुआ। उनके जन्म के समय मक्का में कोई स्थायी राज्य व शासन नहीं था। हर तरफ लालसा, वासना, कत्ल का साम्राज्य बिखरा पड़ा था, जन्म के थोड़े समय बाद मो. साहब के माता-पिता का देहान्त हो गया। इनका पालन-पोषण इनके दादा ने किया। मु. साहब एक आध्यात्मिक पुरुष थे और सत्य की तलाश में हिरा नामक गुफा में 15 वर्षों तक ध्यान लगाते रहें। इस दौरान कहते हैं कि अल्लाह का दूत इत जिब्राइल उन्हें उपदेश देता रहा। जिसका संकलन कुरान के रूप में है। बाद में मुहम्मद साहब ने अनेक विपत्तियों और कष्टों को सहते हुए अल्लाह के संदेश को लोगों तक पहुँचाया। समाज में व्याप्त बुराइयों को दूर किया। मु. साहब के अनुयायी मुसलमान कहलाए। मुसलमान का अर्थ है "जो इमान रखे अर्थात् जो सच्चाई के रास्ते पर चले। विश्व में इस्लाम प्रचार-प्रसार बड़ी तेजी के साथ हुआ, भारत में इस्लाम अरबों के साथ सातवीं शताब्दी में आया, वर्तमान समय में भारत में हिन्दुओं के पश्चात् मुसलमान की संख्या है जो कि 12.50 प्रतिशत है।"

इस्लाम में कुरान को ऐसी पुस्तक माना है जिसमें ईश्वर के कहे गए वाक्य वैसे ही अंकित है जैसा ईश्वर द्वारा कहा गया है। जिसमें कोई परिवर्तन नहीं है। प्रत्येक मुसलमान का यह कर्तव्य है कि वह कुरान के अनुरूप आचरण करे।

इस्लाम में तीन प्रमुख अंगों का उल्लेख किया गया है, वे हैं–(1) इमान (2) इबादत (3) इहसान।

(1) इमान–इमान का तात्पर्य है अल्लाह में विश्वास करना। प्रत्येक मुसलमान को यह विश्वास होना चाहिए कि अल्लाह अच्छे और बुरे कार्यों का फल कयामत के दिन देगा।

(2) इबादत–इबादत के अन्तर्गत पाँच बातें आती हैं–

(*i*) नमाज–प्रत्येक मुसलमान को दिन में पाँच बार नमाज पढ़ना चाहिए, नमाज अल्लाह की आराधना का माध्यम है।

(*ii*) कलमा–कलमा पढ़ना प्रत्येक मुसलमान का धर्म है कलमा इस प्रकार है "ला इलाह इलइलाह मुहम्मद उर रसूलल्लाह।"

इसका अर्थ होता है–ईश्वर एक है और मुहम्मद उसके एक मात्र पैगम्बर (दूत) हैं।

(*iii*) जकात–प्रत्येक मुसलमान को अपने आय का 40वाँ भाग दान करना चाहिए।

(*iv*) रोजा–प्रत्येक मुसलमान को रमजान के महीने में सूर्यास्त से पहले कुछ भी नहीं खाना चाहिए।

(*v*) हज–प्रत्येक मुसलमान को अपने जीवन में कम-से-कम एक बार मक्का और मदीना की यात्रा करनी चाहिए।

(3) इहसान–प्रत्येक मसुलमान को अल्लाह के प्रति कृतज्ञ रहना चाहिए और बुरे कार्यों से दूर रह कर सत्कार्यों में जीवन व्यतीत करना चाहिए। कुरान में यह निर्देश है कि प्रत्येक मुसलमान को सुअर का मास एवं मदिरा का परित्याग करना चाहिए।

इस्लाम धर्म की प्रमुख शिक्षाएँ (Principal Teachings of Islam)

इस्लाम धर्म की प्रमुख शिक्षाएँ निम्नलिखित हैं–

(1) मूर्ति पूजा का विरोधी–इस्लाम धर्म में निराकार ईश्वर में विश्वास किया जाता है, जिसके कारण इस्लाम धर्म के अनुयायी मूर्ति-पूजा विरोधी हैं।

(2) विश्वास एवं समर्पण–सभी धर्मों का मूल आधार है 'विश्वास', जिसे हम तर्कों की कसौटी पर नहीं कस सकते। अगर ऐसा हम करते हैं तो उसकी नींव हिल जाएगी। इस्लाम धर्म भी अपने अनुयायियों को पवित्र धर्म ग्रन्थ कुरान में विश्वास करने के आदेश देता है। उनमें लिखी बातों पर तर्क की अनुमति नहीं देता।

(3) एकेश्वरवाद–मो. साहब से पूर्व अरब में बहुदेववाद प्रचलित था। इसके स्थान पर उन्होंने एक ही ईश्वर में विश्वास करने की बात कही। इस्लाम धर्म में एक ही ईश्वर को मान्यता प्रदान की गयी है। मुहम्मद साहब के अनुसार हमें किसी अन्य शक्ति पर विश्वास नहीं करना चाहिए।

(4) पैगम्बर की परम्परा–पैगम्बर का अर्थ है पैगाम या सन्देश लाने वाला। पथभ्रष्ट मानवता को वह समय-समय पर सही मार्ग बताने के लिए अपने पैगम्बर भेजता

रहता है। मो. साहब अल्लाह का पैगाम पृथ्वी पर लेकर आए थे। इसीलिए उन्हें पैगम्बर कहा जाता है।

(5) पुनर्जन्म में विश्वास नहीं–इस्लाम धर्म के अनुसार यह मान्यता है कि कयामत के दिन खुदा सभी मरे हुए प्राणियों के अच्छे-बुरे कार्यों का हिसाब करेगा और उसी के अनुरूप उन्हें स्वर्ग या नर्क देगा।

(6) कर्तव्यों की महानता–इस्लाम धर्म में अनुयायियों को अपने कर्तव्य बोध का जो उपदेश दिया गया है वह काबिले तारीफ है। उसके अनुसार वही व्यक्ति एक शुद्ध मुसलमान है जो अल्लाह के बताए गए नियमों का अक्षरशः पालन करता हो। इस धर्म में नियमों और कर्तव्यों के पालन में कड़ाई बरती गयी है और पथ से भटके हुए मुसलमानों को कौम से निकाल देने का आदेश देता है।

सिख धर्म
(Sikhism)

तेरहवीं शताब्दी से आगे भारत के सबसे महत्त्वपूर्ण धार्मिक आंदोलन थे–भक्ति और सूफी आन्दोलन। भक्ति हिन्दू संतों का आन्दोलन था और सूफी मुसलमान संतों का, मगर दोनों में कई समानताएँ थीं। दोनों ही धार्मिक रूढ़िवाद के विरोधी थे। दोनों ने ही प्रेम, ईश्वर भक्ति और मानवबंधुत्व पर बल दिया। दोनों ने ही एकता के लिए प्रयास किए। दोनों ने जाति प्रथा और कर्मकाण्ड पर प्रहार किया और, जैसा कि पहले बताया गया है, अनेक भक्ति संत तथाकथित कमजोर जातियों में पैदा हुए थे। सभी बिरादरियों के लोगों को एक-दूसरे के नजदीक लाने में इन आंदोलनों ने महत्त्वपूर्ण भूमिका अदा की। इस काल में एक नए सिख धर्म का उदय हुआ। गुरु नानक को आदि गुरु मानकर उनकी सीखों और उपदेशों का पालन करने वाले ही सिख कहलाए। इस गुरु शृंखला में दस गुरु हुए हैं इनमें आदि गुरु नानक और अंतिम गुरु गोविंद सिंह थे। सिख धर्म इन्हीं दस गुरुओं के उपदेशों और शिक्षाओं का संकलित रूप हैं।

गुरु नानक का जीवन परिचय (Life of Guru Nanak–An Introduction)

गुरुनानक का जन्म 1469 ई. में पंजाब प्रांत के तलवंडी (वर्तमान ननकाना साहिब, पाकिस्तान) में हुआ था। इनके पिता का नाम मेहता कालू और माता का नाम तृप्ता था। प्रारंभ में धार्मिक एवं चिंतनशील होने के कारण प्राकृतिक वन स्थलों में भ्रमण के पश्चात् इन्हें धर्म के वास्तविक स्वरूप का ज्ञान हुआ। इन्हें ज्ञात हुआ कि सभी धर्म परमपिता परमेश्वर को ही विभिन्न नामों से जानते और मानते हैं। उन्होंने अपने उपदेशों में सभी धर्मों के मूल तत्त्वों को समेट लिया। गुरुनानक ने आध्यात्मिक दर्शन और सिद्धान्तों की रहस्यमय

उलझनों से अपने उपदेशों को मुक्त रखा। गुरु नानक के मध्यम वर्गीय विचारों ने हिंदू और मुसलमान को मिलाने में सेतु का कार्य किया। यही कारण है कि एक शिष्य में हिंदू और मुसलमान दोनों थे। अपने जीवन काल में गुरुनानक ने कभी-कभी अपनी विचारों को धर्म विशेष का नाम नहीं दिया। गुरु नानक के उपदेश एवं शिक्षाएँ एक ग्रंथ में संकलित की गयीं, जो ग्रंथ साहब के नाम से विख्यात हैं। दसवें गुरु गोविंद सिंह ने सिखों में केश, कंघा, कच्छा, कड़ा और कृपाण धारण करने की परंपरा प्रारंभ की जो आज तक प्रचलित है।

नानक की शिक्षाएँ एवं सिद्धांत (Teachings and Principles of Nanak)

1. ईश्वर एक है। सभी धर्म उसी एक परमपिता परमेश्वर को अलग-अलग नामों से संबोधित करते हैं।
2. बहुदेववाद निराधार एवं निरर्थक है, इस कारण धार्मिक असहिष्णुता एवं पारस्परिक वैमनस्य बढ़ता है।
3. गुरु के माध्यम से भगवत् प्राप्ति हो सकती है।
4. जाति प्रथा एवं छुआछूत सामाजिक कलंक हैं। सभी एक ईश्वर की संतान हैं और सभी समान है।
5. गुरु नानक ने मद्यपान एवं धूम्रपान का निषेध किया है।
6. गुरु नानक ने महात्मा कबीर की भांति अंधविश्वासों एवं कर्मकाडों का घोर विरोध किया। उनका विचार था कि जो व्यक्ति मन से धर्मात्मा है और अच्छे विचार रखता है वही धार्मिक व्यक्ति है।

वास्तव में गुरु नानक की धार्मिक विचारधारा का आधार मानव मूल्यों एवं गुणों पर आधारित है। करुणा, सहानुभूति, संतोष, संयम, ईमान, प्रेम, सत्य, सहिष्णुता, विनय भक्ति या सत्कर्म ही उनके धर्म के प्रमुख अंग हैं। हिंदू धर्म और इस्लाम की कई मान्यताओं को समन्वय से सिख धर्म का उदय हुआ था। सिखों के धर्म ग्रंथ आदि ग्रंथ में भक्ति पर सूफी संतों की रचनाएँ संकलित हैं

जैन धर्म
(Jainism)

जैन धर्म के संस्थापक स्वामी महावीर थे। उनका वास्तविक नाम वर्धमान था। वह वज्जि गणराज्य के राजकुमार थे। इनके पिता का नाम सिद्धार्थ एवं माता का त्रिशिला था। जैनियों का विश्वास है कि महावीर से पहले 23 अन्य तीर्थंकर हुए थे। जिनके सर्वप्रथम तीर्थंकर ऋषभदेव थे। महावीर 24वें एवं अंतिम तीर्थंकर थे।

जैनियों के अनुसार प्रत्येक पदार्थ में चाहे वह पत्थर हो वृक्ष हो, मनुष्य हो या पशु हो, आत्मा विद्यमान है। ईसी कारण वे अहिंसा पर बहुत बल देते हैं और इस बात का प्रयत्न

करते हैं कि किसी जीव को कष्ट न पहुँचे और उसकी हत्या न हो।

महावीर ने सिखलाया कि सम्यक् विश्वास, सम्यक् ज्ञान और सम्यक् आचार वे साधन हैं, जिनके द्वारा कोई भी व्यक्ति मोक्ष प्राप्त कर सकता है।

जैन धर्म में कर्मकांड और आचार कर्म के कोई निर्धारित नियम नहीं है। इसमें सदाचार और सद्व्यवहार पर बल दिया गया है।

बाद में चलकर जैन लोग दो संप्रदायों–श्वेतांबर और दिंगबर में बंट गए। श्वेतांबर सफेद कपड़े पहनने लगे और दिगंबर आकाश को ही अपना वस्त्र समझकर नंगे रहने लगे।

बौद्ध धर्म
(Buddhism)

ईसा पूर्व छठी शताब्दी में एक और महान् धार्मिक नेता–गौतम बुद्ध हुए। वे बौद्ध धर्म के प्रवर्तक थे। उनकी जीवन कथा गाथाओं, साहित्यिक ग्रंथों, चित्रों और मूर्तियों से मिलती हैं।

बुद्ध ने निम्नलिखित चार आर्य सत्यों का उपदेश दिया–1. इस संसार में दुःख है। 2. इस दुःख का कारण है। 3. यह कारण इच्छा या तृष्णा है। 4. वासना को नष्ट करके दुःख को दूर किया जा सकता है। आवागमन के बंधन से मुक्ति या दुःख की समाप्ति के लिए मनुष्य को 'सद्मार्ग' से परिचित होना चाहिए जिसे उन्होंने अष्टांगिक मार्ग कहा। इस अष्टांगिक मार्ग में निम्नलिखित आठ बातें सम्मिलित हैं–(1) सम्यक् दृष्टि, (2) सम्यक् संकल्प, (3) सम्यक् वाक्, (4) सम्यक् कर्म, (5) सम्यक् आजीव, (6) सम्यक् व्यायाम (श्रम), (7) सम्यक् स्मृति और (8) सम्यक् समाधि।

बुद्ध ने मध्यम मार्ग के महत्त्व पर बल दिया। उनके अनुसार पवित्र जीवन बिताने के लिए मनुष्य को दोनों प्रकार की अति से बचना चाहिए। न तो उग्र व्रत करना चाहिए और न ही सांसारिक सुखों में लगे रहना चाहिए। महावीर की भाँति बुद्ध ने भी अहिंसा का उपदेश दिया, किन्तु उन्होंने इस पर इतना बल नहीं दिया जितना महावीर ने।

बुद्ध ने वेदों को प्रमाण नहीं माना और जाति प्रथा पर आधारित सामाजिक विषमताओं को स्वीकार नहीं किया। उनके अनुसार कोई भी व्यक्ति संघ में शामिल हो सकता था।

बौद्ध संघ बहुत ही अनुशासनबद्ध और जनतांत्रिक संगठन थे। वर्ष भर बौद्ध भिक्षु और भिक्षुणियाँ अपने धर्म के सिद्धांतों का प्रचार करने के लिए घूमते रहते थे। केवल वर्षा ऋतु में ही वे विहारों में रहते थे।

सम्राट अशोक ने भारत और अन्य देशों में बौद्ध धर्म के प्रचार में सहायता दी। कालक्रम में यह धर्म श्रीलंका, वर्मा, पश्चिमी और मध्य एशिया, तिब्बत और चीन तथा वहाँ

से कोरिया और जापान में फैल गया। यह बड़े आश्चर्य की बात है कि बौद्ध धर्म अपनी जन्मभूमि में लगभग लुप्त हो गया किन्तु बौद्ध धर्म की कुछेक विशेषताएँ बाद में हिन्दू धर्म का अंग बन गयी।

बाद में चलकर बुद्ध के अनुयायी दो संप्रदायों–हीनयान और महायान में बँट गए। हीनयान संप्रदाय ने अष्टांगिक मार्ग के प्रत्यक्ष अनुसरण द्वारा व्यक्ति के निर्वाण पर बल दिया। दूसरी ओर, महायान संप्रदाय ने बुद्ध की पूजा ईश्वर के रूप में शुरू कर दी और इस बात पर बल दिया कि न सिर्फ भिक्षु और भिक्षुणियाँ बल्कि सभी लोग निर्वाण प्राप्त कर सकते हैं। बुद्ध की मूर्ति पूजा शुरू होने से भारत और भारत की कला का बहुत विकास हुआ।

यहूदी धर्म
(Judaism)

यहूदी धर्म की बुनियादी शिक्षा एक ईश्वर में विश्वास है। यह ईश्वर यहवा है जो अपना प्रजा से प्रेम करता है, किंतु जब वे कुमार्ग पर चलते हैं तो उनसे बदला लेता है। यहूदियों के कुछ परवर्ती धर्मोपदेशकों (पैगंबरों) ने कहा कि ईश्वर मानव मात्र से प्रेम करता है और पश्चाताप करने वाले पापी को क्षमा कर देता है। यहूदी धर्म न्याय, दया और विनम्रता सिखाता है। यहूदियों का एक महत्त्वपूर्ण विश्वास यह है कि उनको पवित्र करने आत्म संसार को पाप एवं दुष्टता से मुक्त कराने के लिए मसीहा (त्राणकर्ता) एक दिन पृथ्वी पर अवतरित होगा। ईसाइयों का विश्वास है कि ईसा ही यहाँ 'मसीहा थे और इसीलिए वे ईसा को 'क्राइस्ट' या खीष्ट और 'मसीहा' कहते हैं, किंतु यहूदियों का विश्वास है कि मसीहा ने अभी तक जन्म नहीं लिया है। यहूदी धर्म ने ही परवर्ती एकेश्वरवादी ईसाई और मुस्लिम धर्मों के लिए मार्ग प्रशस्त किया।

यहूदियों के धर्मग्रंथ (Religious Work of Judaism)

'ओल्ड टेस्टामेंट' यहूदियों की पवित्र धर्म पुस्तक हैं। इन पुस्तकों में यहूदियों का इतिहास है और वह धार्मिक नैतिक नियमावली है जिसका उन्हें पालन करना चाहिए। इनमें पुराण, आख्यान और कविता तो है ही, साथ ही चिकित्सा और ज्योतिष की बातें भी हैं। ये पुस्तकें यहूदियों और ईसाई दोनों के लिए पवित्र व पूज्य है।

ईसाई धर्म
(Christianity)

ईसाई धर्म के संस्थापक जीसस एक यहूदी थे। उनका जन्म जरुसलम के निकट बैथला नामक स्थान पर हुआ था। उनकी माता का नाम मेरी था। जीसस के जीवन के पहले

30 वर्षों में विषय में हमारा ज्ञान बहुत अपूर्ण है। इस समय वे अपना उपदेश सीधे-सादे शब्दों में कहानियों के द्वारा दिया करते थे। उनके इन उपदेशों को साधारण व्यक्ति सरलता से समझ लेते थे। वे बहुत से रोगों की चिकित्सा भी सफलतापूर्वक कर लेते थे। इस बात की सब जगह प्रसिद्धि हो गई। उनका सादा जीवन, आकर्षण व्यक्तित्त्व, सबके लिए अत्यधिक प्रेम और सहानुभूति के कारण बड़ी संख्या में लोग उनके अनुयायी हो गए।

जीसस निर्भीक होकर उन बातों की कटु आलोचना करते थे, जिन्हें वे बुरा समझते थे। इस कारण बहुत से धनी और प्रभावशाली लोग उनके शत्रु हो गए। इन दोनों ने फिलिस्तीन के रोमन गवर्नर पोण्टियस पाइलेट से जीसस के विरुद्ध शिकायत की कि जीसस अपने को यहूदियों का राजा कहता है। और इस प्रकार यहूदियों को रोमन शासकों के विरुद्ध विद्रोह करने के लिए भड़का रहा है। इस पर जीस को बंदी बना लिया गया और उन्हें क्रॉस पर प्राणदंड दिया गया। इसी कारण ईसाई क्रॉस को पवित्र चिह्न मानते हैं। ईसाईयों का विश्वास है कि क्रॉस पर बलिदान होने के तीसरे दिन जीसस जीवित हो गए। इसी को मृत्यु के बाद पुनर्जीवित होना कहा जाता है। प्रति वर्ष इसी घटना की स्मृति में ईसाई लोग ईस्टर का त्यौहार मनाते हैं। 'गुड फ्राइडे' वह दिन समझा जाता है, जिस दिन जीसस की मृत्यु हुई थी। ऐसा विश्वास किया जाता है कि पुनर्जीवन के बाद चालीस दिन तक वे अपने मित्रों व शिष्यों के बीच में रहे और अंत में स्वर्ग चले गए। बड़े दिन को ईसाई उनके जन्म के उपलक्ष्य में मनाते हैं।

ईसाई संवत् 1 ईसवी से प्रारंभ होता है। परंपरा के अनुसार इसे जीसस के जन्म का वर्ष माना जाता है। ए.डी. अर्थात् एनो डोमिनी जिसका अर्थ है स्वामी के संवत् में। जीसस कहते थे कि ईश्वर का राज्य शीघ्र की स्थापित होने वाला है और मनुष्य ईश्वर प्रेम से पवित्र होकर और उसमें पूर्ण आस्था रखकर उस ईश्वर के राज्य की स्थापना कर सकता है। वे ईश्वर को पिता और अपने को ईश्वर का पुत्र कहते थे। वे मनुष्य मात्र से प्रेम करते थे। मनुष्यों को अपने पड़ोसियों से प्रेम करने की शिक्षा देते थे।

ईसाई धर्म के अनुसार इस पृथ्वी पर जीसस क्राइस्ट का जन्म ईश्वर का उद्देश्य पूरा करने के लिए हुआ था। मनुष्यों का पाप से उद्धार करने के लिए वे इस संसार में रहे और इसीलिए उन्होंने अत्यंत कष्टपूर्ण मृत्यु झेली। ईसाइयों का विश्वास है कि जीसस मृत्यु के पश्चात् भी जीवित रहे। इसीलिए उन्होंने सब मनुष्यों को आशा दिलाई कि जो कोई पापों के लिए पश्चाताप करेगा और ईश्वर कृपा के लिए प्रार्थना करेगा उसकी ईश्वर अवश्य रक्षा करेंगे।

जीसस की सीधी-सादी शिक्षाएँ मनुष्यों के हृदयों में घर कर गई। उन्होंने उनमें नवीन आत्म विश्वास और साहस का संचार किया। धीरे-धीरे रोम में ईसाई धर्म का प्रचार बढ़ा और सेंट पीटर गिरजाघर का बड़ा पादरी इस संसार में जीसस क्राइस्ट का प्रतिनिधि माना जाने लगा। ईसाई लोग उसे पोप अर्थात् पिता कहने लगे।

कहा जाता है कि रोम का सम्राट कान्स्टेटाइन भी ईसाई बन गया। चौथी शताब्दी के अंत तक ईसाई धर्म रोम के साम्राज्य का धर्म बन गया था। इस समय तक ईसाई चर्च का संगठन धर्मतंत्रात्मक रीति से होने लगा था।

इंजील/बाइबिल (Bible)

ईसाइयों की धर्म पुस्तक 'बाइबिल' अथवा 'इंजील' है। इसका शाब्दिक अर्थ है 'पुस्तक'। इंजील के दो मुख्य भाग हैं। पहले भाग में जिसे ओल्ड टेस्टामेण्ट कहते हैं, यहूदियों के धार्मिक विश्वासों का इतिहास है और दूसरे भाग न्यू टेस्टामेण्ट में जीसस क्राइस्ट का जीवन चरित्र और शिक्षाएँ दी हुई हैं। इंजील पहले यहूदियों की भाषा हिब्रू में लिखी गई थी। बाद में इसका यूनानी भाषा में अनुवाद किया गया। इंजील का अंग्रेजी अनुवाद, जिसका आजकल साधारणतया सर्वत्र प्रयोग किया जाता है, सत्रहवीं सती के शुरू में इंग्लैंड के राजा जेम्स प्रथम की आज्ञानुसार तैयार किया गया था।

धर्म एवं सामाजिक एकता
(Religion and Social Unity)

धर्म व्यक्तियों को अपने-अपने कर्तव्य करते रहने का पाठ सिखाता है। समाज के अन्तर्गत विभिन्न विविधताओं वाले समूह पाए जाते हैं। जिनकी अपनी-अपनी बोली, भाषा-पहनावा, खान-पान, संस्कार इत्यादि होता है। यदि सभी समूह अपने-अपने हितों के आधार पर व्यवहार करना शुरू कर दे तो समाज में अराजकता फैल जाएगी और सामाजिक विघटन की प्रक्रिया प्रशस्त होगी, किन्तु इस स्थिति में धर्म एक प्रभावी भूमिका निभाता है और सभी लोगों के आचरण करने के लिए एक सामान्य संहिता (Common Code) निर्धारित करता है। इस संहिता के द्वारा प्रत्येक व्यक्ति के हित को सुरक्षित करने का हर सम्भव उपाय किया जाता है। इस प्रक्रिया में यदि किसी के साथ न्याय नहीं हो पा रहा है, तो उसे देवीय भय या पूर्व जन्म के कर्मों के आधार पर तर्क देकर सन्तुष्ट कर दिया जाता है। इस प्रकार धर्म-समाज में सामन्जस्य की स्थिति को बनाए रखा जाता है।

भारतीय समाज एक बहुधर्मी समाज है। यहाँ पर विश्व के सभी धर्म पाए जाते हैं। लेकिन मुख्य रूप से भारत की जनसंख्या का 98 प्रतिशत भाग हिन्दू व इस्लाम धर्म के अनुयायियों का है इन दो धर्मों के बीच एकीकरण और विघटन की प्रक्रिया पिछले एक हजार वर्षों से चलती चली आ रही है। विभिन्न विशिष्ट अवसरों पर इन धर्मों में अन्तर क्रिया होती है उदाहरण के लिए होली, दीवाली, ईद, दशहरा आदि ऐसे त्यौहार हैं जो इतने व्यापक स्तर पर मनाए जाते हैं कि इनमें हिन्दू और मुसलमान दोनों भाग लेते हैं। इन त्योहारों के साथ मेलों का भी आयोजन किया जाता है, जिससे ये मेले मात्र धार्मिक महत्त्व के नहीं होते वरन्

सामाजिक एकता में महती भूमिका निभाते हैं। हिन्दू, मुसलमान दोनों ही धर्मों के शिल्पी अपनी कला के नमूने लेकर आते हैं, कलाकार आकर अपनी कलाओं का प्रदर्शन करते हैं। अतिरिक्त कृषि उत्पादन यहाँ बेचने के लिए लाया जाता है–गाय, बैल, घोड़ा, हाथी आदि का क्रय, विक्रय होता है। प्रत्येक मेला एक धार्मिक और धर्म निरपेक्ष अवसर होता है। जिसमें सभी धर्मों के लोग एक उत्साह से भाग लेते हैं और इस प्रकार सामाजिक एकता और दृढ़ होती है।

इसी प्रकार मेलों के साथ-साथ तीर्थ स्थलों की यात्रा भी धार्मिक एकता के साथ-साथ सामाजिक एकता को मजबूत बनाती है। हिन्दुओं में चार तीर्थ स्थल चारों दिशाओं में है। उत्तर में बद्रीनाथ, दक्षिण में रामेश्वरम् पश्चिम में द्वारिका, पूर्व में पुरी। काशी और प्रयाग भी ऐसे पवित्र स्थल हैं, जहाँ हिन्दू श्रद्धालु अपने जीवन में एक बार अवश्य जाना चाहते हैं। दक्षिण भारत में आंध्र प्रदेश के तिरुपति, केरल में गुरुब्यूर, और कर्नाटक में मंत्रालय ऐसे ही पवित्र तीर्थ स्थल हैं जहाँ सभी जातियों के हिन्दू तीर्थ यात्रा करने जाते हैं। इसके माध्यम से सभी जातियों में आपसी भाई चारा विकसित तो होती ही है साथ ही स्थानीय गैर हिन्दू लोगों से मेल-मिलाप होता है एवं सांस्कृतिक आदान-प्रदान के माध्यम से सामाजिक एकता सुदृढ़ होती है।

सामाजिक एकता का विघटन तब होता है जब धर्म का इस्तेमाल व्यक्ति विशेष के हितों की पूर्ति के लिए किया जाता है अथवा राजनीतिक दल सम्प्रदाय विशेष समूह विशेष, अपने स्वार्थों की पूर्ति के लिए धर्म को माध्यम बनाते हैं। धर्म तब सामाजिक एकता के लिए खतरा बन जाता है। जब वह साध्य न होकर साधन बन जाता है। इसका उदाहरण 2002 में हुए गुजरात के साम्प्रदायिक दंगे हैं, जिसमें अपना वोट बैंक बढ़ाने के फिराक में हिन्दू व मुसलमान दोनों धर्मों के शीर्ष नेताओं द्वारा क्या भूमिका निभायी गयी। यह सर्वविदित है। विभिन्न धर्मों के लोग अपने-अपने धर्मों के नाम पर चिकित्सालय, स्कूल, धर्मशालाएँ इत्यादि स्थापित किए हैं। इस प्रकार के कार्य भी सामाजिक विघटन को बढ़ावा देते हैं। इस प्रकार हम देखते हैं कि धर्म संगठनकारी भूमिकाएँ तो निभाते हैं, किन्तु कुछ लोगों द्वारा धर्म के नाम पर ऐसी गतिविधियाँ की गयी जिससे धार्मिक कट्टरता को बढ़ावा मिला और धर्म एक विघटनकारी संस्था के रूप में सामने आया।

अभ्यास प्रश्न

1. भारत में पाए जाने वाले प्रमुख धर्मों की चर्चा कीजिए।
2. धर्म के प्रकार्यों और अकार्यों की व्याख्या कीजिए।
3. हिन्दू धर्म के प्रमुख सिद्धांतों का उल्लेख कीजिए।

4. इस्लाम धर्म के प्रमुख सिद्धांतों का उल्लेख कीजिए।
5. सिख धर्म के प्रमुख सिद्धांतों का उल्लेख कीजिए।
6. यहूदी धर्म के प्रमुख सिद्धांतों का उल्लेख कीजिए।
7. इसाई धर्म के प्रमुख सिद्धांतों का उल्लेख कीजिए।

14

हिन्दू विवाह
(Hindu Marriage)

न गृहं गृहमित्या हुर्गृहणी, गृहमुच्यते!
गृहंतु गृहिणी ही नमरण्यसदृशं मतम्!![1] शान्तिपर्व 144/6

उपर्युक्त श्लोक से स्पष्ट होता है कि गृहपति के लिए स्त्री को ब्याहकर लाना अनिवार्य है। गृहणी के बिना गृहस्थ जीवन के संस्कारों का सम्यक् रूप से निर्वाह नहीं हो सकता। बिना गृहणी के घर जंगल के समान होता है। हिन्दू विवाह में संस्कारों का महत्त्व उपर्युक्त श्लोक से स्पष्ट हो जाता है। 'विवाह' शब्द तैत्तिरीय संहिता और ऐतरेय ब्राह्मण में आया है। महाब्राह्मण में एक स्थल पर लिखा है कि पहले पृथ्वी और आकाश साथ-साथ थे। वे अलग-अलग हो गए। तब उन्होंने कहा कि हम लोग ब्याह कर लें और सहयोग करें। यह स्थल भी मनुष्य के पूर्व वर्णित जुड़वाँ स्त्री-पुरुष की कल्पना की ओर संकेत करता है। हिन्दू विवाह अन्य धर्मों के विवाहों की तरह समझौता नहीं है अपितु यह जन्म-जन्मान्तर का साथ माना जाता है। यह एक ऐसा पवित्र संस्कार माना जाता है, जिसे तोड़ना ईश्वरीय विधान के प्रतिकूल माना जाता है। इस प्रकार के संस्कारों में विवाह विच्छेद का कोई स्थान नहीं है। वस्तुतः हिन्दू विवाह स्त्री-पुरुष का वह पवित्र सम्बन्ध है, जिसके द्वारा धर्म, प्रजा (संतान) व रति (काम) के उद्देश्यों को उपलब्ध किया जाता है और कर्तव्यों अथवा धर्म को प्रधानता दी जाती है। हिन्दू विवाह को परिभाषित करते हुए **कपाड़िया** लिखते हैं कि "हिन्दू विवाह एक संस्कार है, विवाह प्राथमिक रूप से कर्तव्यों की पूर्ति के लिए होता है। इसलिए विवाह का मौलिक उद्देश्य धर्म था।"[2]

हिन्दू विवाह एक संस्कार के रूप में
(Hindu Marriage in the Form of a Ritual)

हिन्दू विवाह को धार्मिक संस्कार मानने के निम्नलिखित कारण हो सकते हैं–

(1) विवाह पद्धति में धार्मिक कार्यों के द्वारा सम्पन्न होना–हिन्दू विवाह पद्धति में कुछ ऐसे धार्मिक विधि-विधान अथवा कृत्य सम्मिलित हैं, जिनको पूरा किए बिना विवाह

को पूर्ण नहीं माना जाता है। ये प्रमुख धार्मिक कृत तीन हैं–यज्ञ, पाणिग्रहण और सप्तपदी। यज्ञ द्वारा अग्नि देवता को लाई, जौ, खीलें, मिष्ठान, आदि की आहुतियाँ दी जाती हैं और मन्त्रों का उच्चारण करते हुए भावी वैवाहिक जीवन के प्रति आस्था व्यक्त की जाती है। पाणि ग्रहण के अन्तर्गत कन्या का दान वर को किया जाता है और वह इस दान को सहर्ष ग्रहण करता है। कन्यादान भगवान को साक्षी मानकर मन्त्रों के उच्चारण द्वारा सम्पन्न किया जाता है। सप्तपदी की क्रिया में वर-वधू गाँठ बाँधकर अग्नि देवता के चारों ओर सात कदम चलते हैं जिसका अभिप्राय होता है कि जीवन-पर्यन्त वे परमात्मा का स्मरण करते रहेंगे और इस सम्बन्ध को चिर स्थायी बनाए रखेंगे। इस प्रकार इन धार्मिक कृत्यों के आधार कर हिन्दू विवाह धार्मिक संस्कार है।

(2) विवाह के बिना मोक्ष की प्राप्ति सम्भव नहीं है–हिन्दू दर्शन के अनुसार जीवन के चार प्रमुख उद्देश्य हैं–धर्म, अर्थ, काम और मोक्ष। इन उद्देश्यों की प्राप्ति हेतु जीवन को चार आश्रमों में बाँट दिया गया है–ब्रह्मचर्य आश्रम, गृहस्थाश्रम, वानप्रस्थ आश्रम और सन्यास आश्रम। इन विभिन्न आश्रमों के द्वारा हिन्दू जीवन के परम लक्ष्य 'मोक्ष' को प्राप्त करने पर बल दिया गया है। गृहस्थ आश्रम में व्यक्ति अपने धर्म अथवा कर्तव्यों का पालन करते हुए अर्थ औरर काम को प्राप्त होता है। अर्थ का अभिप्राय धन के अर्जन से है और काम का अभिप्राय ऐन्द्रिक एवं मानवीय सुखों से है। गृहस्थाश्रम के उपरान्त व्यक्ति वानप्रस्थ में प्रवेश करता है और इस आश्रम में वह अपना सारा जीवन ईश्वर अराधना एवं गाँव के बाहर बच्चों को शिक्षा देने में लगा देता है। सन्यास आश्रम में वह अपने देहात या नगर को छोड़कर विभिन्न स्थानों पर भ्रमण करता है और सबको एक समान समझते हुए मोक्ष प्राप्ति की दिशा में प्रयत्नशील रहता है। गृहस्थ आश्रम जो कि हिन्दू स्मृतिकारों के अनुसार धर्मानुकूल है और इसमें प्रवेश विवाह के द्वारा ही होता है। इस प्रकार व्यक्ति अपने ये जीवन अथवा गृहस्थ आश्रम में प्रवेश धर्म का पालन करते हुए विवाह की संस्था द्वारा करता है। ऐसी स्थिति में हिन्दू विवाह की धार्मिक संस्कारिता स्वतः स्पष्ट हो जाती है।

(3) हिन्दू विवाह का प्रमुख उद्देश्य धर्म है–हिन्दू विवाह इस अर्थ में भी धार्मिक संस्कार है, क्योंकि इसका प्रमुख उद्देश्य सन्तान उत्पन्न करना या यौन इच्छाओं की तृप्ति नहीं है वरन् धार्मिक कर्तव्यों का पालन करना है। वास्तव में हिन्दू विवाह का प्राथमिक आदर्श यही है कि पति व पत्नी दोनों सम्मिलित रूप से धार्मिक कर्तव्यों का पालन करते हुए पाँच महायज्ञों, ब्रह्मयज्ञ, भूत यज्ञ, पितृयज्ञ, देवयज्ञ, और अतिथि यज्ञ को पूरा करें।

(4) कन्यादान स्वयं ही एक धार्मिक संस्कारात्मक कृत्य है–किसी भी अन्य समाज में कन्यादान परमात्मा को साक्षी मानकर नहीं किया जाता है। इस प्रकार दान स्वयं एक धार्मिक कृत्य है और इसका असीमित पुण्य है। यही कारण है प्रत्येक हिन्दू व्यक्ति अपने जीवन के दौरान एक कन्या के विवाह में अवश्य योगदान देता है, ताकि उसे मोक्ष की

प्राप्ति हो। ऐसी स्थिति में कन्यादान स्वयं ही एक धार्मिक संस्कारात्मक कृत्य है। इस प्रकार कन्यादान का कृत्य हिन्दू विवाह की धार्मिकता की नींव को और दृढ़ करता है।

(5) पतिव्रत और सतीत्व की धारणाएँ–हिन्दू विवाह में पायी जाने वाली पतिव्रत और सतीत्व की धारणाएँ भी विवाह के धार्मिक संस्कारात्मक स्वरूप की ओर संकेत करती हैं। पतिव्रत्य का अर्थ यह है कि स्त्री विवाह हो जाने के बाद किसी अन्य पुरुष का विचार न करे, चाहे पति में कितनी ही कमियाँ क्यों न हों। इसी प्रकार सतीत्व इस तथ्य की ओर संकेत करता है कि पत्नी अपनी स्वतन्त्रता सत्ता को पूर्ण रूप से पति में विलीन कर दे और पति को ही देवता, शिवशंकर व परमेश्वर तुल्य मानें। हिन्दू धर्मशास्त्रों में ऐसा भी उल्लेख मिलता है। स्त्री द्वारा पत्नी धर्म का पालन करने पर पत्नी के सब तीर्थ सम्पन्न हो जाते हैं और सती साधवी स्त्री के चरणों की धूल द्वारा भूमण्डल शीघ्र ही पवित्र हो जाता है। **प्रो. कपाड़िया** ने इस सन्दर्भ में ठीक ही लिखा है, "जिस प्रकार नदी समुद्र में मिलने के बाद अपनी स्वतन्त्र सत्ता को छोड़ देती है, ठीक उसी प्रकार हिन्दू पत्नी से यह आशा की जाती है कि वह अपनी स्वतन्त्र सत्ता को पति में विलीन कर दे और उसके (पत्नी) जीवन में केवल यह ही आदर्श है कि वह देखे पति को सब सेवाएँ उचित रूप से सम्पन्न होती हैं व पति की सन्तुष्टि ही पत्नी के जीवन का परम सुख है। यह सब कुछ इस बात का स्पष्ट परिचायक है कि हिन्दू विवाह एक धार्मिक संस्कार है।

(6) हिन्दू विवाह परमपिता द्वारा निर्धारित होता है–हिन्दू धर्मशास्त्र इस तथ्य की ओर इंगित करते हैं कि विवाह ईश्वरीय विधान है और ईश्वर अथवा परमपिता परमात्मा द्वारा निर्धारित संस्था है। इसलिए विवाह बन्धन को तोड़ने का अधिकार मनुष्य का नहीं है। वस्तुतः यह तो जन्म जन्मांतर का नाता है। इसे निभाना ही निभाना है और मृत्यु भी इस बन्धन को पृथक नहीं कर सकती। इस दृष्टि से भी हिन्दू विवाह धार्मिक संस्कार है।

(7) अन्य धार्मिक विधि-विधान–संस्कार के तौर पर और भी ऐसे अनेक विधि-विधान सम्पन्न किए जाते हैं जिनसे हिन्दू विवाह की धार्मिकता की नींव दृढ़ होती है। विवाह से सम्बन्धित अनेक धार्मिक कृत्यों में वेदमन्त्र, यज्ञ आदि की धूम रहती है। यह सब धार्मिक विधि बिधान आज भी टूटे-फूटे रूप में विद्यमान हैं। इसलिए यह आधार भी विवाह के धार्मिक संस्कारात्मक रूप को ही महत्त्व देता है। वस्तुतः विवाह बन्धन के तय हो जाने बाद से ही धार्मिक विधि-विधानों का यह सिलसिला विवाह के सम्पन्न हो जाने तक चलता रहता है।

हिन्दू विवाह के उद्देश्य या आदर्श

(Aims of Hindu Marriage)

सामान्यतया हिन्दू विवाह के आदर्शों अथवा उद्देश्यों को दो प्रमुख भागों में बाँटा जा सकता है–

1. धर्मशास्त्र में वर्णित हिन्दू विवाह के उद्देश्य या आदर्श

(*i*) **धर्म**–हिन्दू दर्शन के अनुसार विवाह का सबसे उत्तम एवं प्रमुख उद्देश्य धर्म है। धर्म का अभिप्राय है, पवित्रता व अनुशासन की भावना से कर्तव्यों का पालन करना। प्रत्येक हिन्दू पुरुष के जीवन में कुछ धार्मिक कर्तव्य होते हैं और इन कर्तव्यों को निभाने अथवा सम्पन्न करने के लिए पत्नी की आवश्यकता होती है। इसलिए विवाह न केवल आवश्यक है। वरन् धार्मिक कृत्यों को निभाने के लिए अनिवार्य है। धर्मशास्त्रों के अनुसार स्त्री की समस्त धार्मिक क्रियाओं का मूल कारण है। इसलिए सीता की अनुपस्थिति में रामचन्द्र जी को यज्ञ के लिए सोने की प्रतिमा बनानी पड़ी थी। वास्तव में स्त्री अथवा पत्नी के अभाव में कोई भी धार्मिक कृत्य पूर्ण नहीं समझा जाता था। वेदों का आदेश है कि धार्मिक क्रियाएँ पुरुष को अपनी स्त्री के सहयोग से सम्पन्न करनी चाहिए। इसलिए धार्मिक कर्तव्यों का पालन हिन्दू विवाह का धार्मिक उद्देश्य है।

(*ii*) **प्रजा**–प्रजा अथवा सन्तान का उत्पादन भी हिन्दू विवाह का दूसरा उद्देश्य है। सन्तान के द्वारा समाज की निरन्तरता बनी रहती है। इसलिए विवाह के द्वारा परिवार में सन्तान उत्पन्न करने से पितृ ऋण की सन्तुष्टि होती थी। हिन्दू व्यक्ति को अपने जीवन में तीन ऋणों को चुकाना होता है। ये ऋण हैं–पितृ ऋण, देव ऋण, ऋषि गण! इस प्रकार विवाह ही संस्था द्वारा सन्तान उत्पन्न करके पितृऋण को चुकाया जाता है। सम्भवतया इसीलिए ऋग्वेद में वर्णित पाणिग्रहण के मन्त्रों में वर वधू से कहता है कि उत्तम सन्तान के लिए मैं तेरा पाणिग्रहण करता हूँ। महाभारत में कहा गया है कि सन्तान को जन्म देना इतना बड़ा धर्म है कि इसकी तुलना में अग्नि होम तीनों वेद नगण्य है। सन्तान ही तीनों वेद हैं और जन्म देने वाले देवता हैं।

(*iii*) **रति**–रति अथवा यौन सुख की तृप्ति को हिन्दू विवाह का सामान्य उद्देश्य अथवा आदर्श माना जाता है। जहाँ हिन्दू धर्मशास्त्रकारों ने इस उद्देश्य को आवश्यक माना है वहीं यह नियन्त्रण भी लगाया है कि पत्नी के अतिरिक्त सम्भोग अन्य स्त्री से न किया जाए। विवाह के इस उद्देश्य को भी धर्मानुकूल माना जाता है। क्योंकि हिन्दू व्यक्ति को जीवन में चार पुरुषार्थों अथवा उद्देश्यों की प्राप्ति करनी होती है। ये चार पुरुषार्थ हैं–धर्म, अर्थ, काम और मोक्ष। काम की प्राप्ति विवाह की संस्था द्वारा सम्भव होती है। फिर भी विवाह के इस उद्देश्य को निम्नतम स्थान प्राप्त है। "यद्यपि रति विवाह का एक प्रकार्य है फिर भी इसको तीसरा स्थान दिया गया है। जिससे यह संकेत मिलता है कि वह सबसे कम मान्यता प्राप्त उद्देश्य है।"

2. हिन्दू विवाह के कुछ अन्य उद्देश्य

धर्मशास्त्रों में वर्णित उपरोक्त तीन उद्देश्यों के अतिरिक्त हिन्दू विवाह के कुछ अन्य उद्देश्यों का भी उल्लेख किया जा सकता है। ये निम्न हैं–

(i) परिवार के सदस्यों के प्रति कर्तव्य पालन–हिन्दू विवाह का उद्देश्य, धर्म, प्रजा और रति तक ही सीमित नहीं वरन् सभी पारिवारिक सदस्यों के प्रति पति और पत्नी को सम्मिलित उत्तरदायित्व को पूरा करना है। ताकि पारिवारिक वातावरण सुखी हो। वस्तुतः हिन्दू विवाह पारिवारिक उत्तरदायित्व को पीढ़ी दर पीढ़ी हस्तांतरित करता रहता है।

(ii) संस्कृति की निरन्तरता–हिन्दू विवाह के द्वारा सांस्कृतिक तत्त्वों की निरन्तरता बनायी रखी जा सकती है। विवाह के द्वारा नवीन पति पत्नी इस उत्तरदायित्व को अपने ऊपर ले लेते हैं और सांस्कृतिक तत्त्वों की प्रथा, परम्परा, धर्म आदि के रूप में अपनी सन्तानों को देते रहते हैं। इस प्रकार सांस्कृतिक जीवन की निरन्तरता बनी रहती हैं।

(iii) सामाजिक जीवन की निरन्तरता–समाज अथवा वंश की निरन्तरता को बनाए रखने का महत्त्वपूर्ण कार्य भी हिन्दू विवाह के द्वारा सम्पन्न होता रहता है। विवाह की संस्था द्वारा उत्पन्न संतानें सामाजिक जीवन के विभिन्न क्षेत्रों में मृत व्यक्तियों के रिक्त स्थानों की पूर्ति करती रहती है। अतः सामाजिक जीवन की निरन्तरता का उत्तरदायित्व भी हिन्दू विवाह के द्वारा सम्पन्न होता रहता है।

(iv) व्यक्तित्त्व का सर्वांगीण विकास–विवाह स्त्री व पुरुष के व्यक्तित्त्व के सर्वांगीण विकास के लिए भी जरूरी है। उसी मानव प्राणी को पूर्ण समझा जाता है। जिसके पति अथवा पत्नी व बच्चे हों। इस प्रकार विवाह द्वारा स्त्री और पुरुष एक-दूसरे की मानसिक, शारीरिक व अन्य आवश्यकता की पूर्ति करते हुए अपने व्यक्तित्त्व का सर्वांगीण विकास करते हैं और होने वाले बच्चों को भी उचित दिशा प्रदान करते हैं।

हिन्दू विवाह के स्वरूप या प्रकार (Types of Hindu Marriage)

हिन्दू विवाह के विभिन्न स्वरूपों अथवा प्रकारों का वर्णन मनु, नारद तथा याज्ञवलक्य स्मृति में मिलता है। इसके अनुसार हिन्दू विवाह के आठ स्वरूप या प्रकार बताए गए हैं–

(1) ब्रह्म विवाह–इस विवाह में कन्या का पिता विद्वान, योग्य व चरित्रवान युवक वर ढूँढ़ कर उसको अपने घर पर आदर सहित आमंत्रित करता है और धार्मिक संस्कार द्वारा कन्या को वर का दान करता है। इस विवाह के तीन प्रमुख अंग हैं–(*i*) माता-पिता की स्वीकृति (*ii*) विवाह संस्कार (*iii*) दहेज का न देना। मनुस्मृति में लिखा है कि इस विवाह में कन्या को केवल एक वस्त्र से अलंकृत करके उसका दान किया जाता है। यह विवाह, विवाह के अन्य प्रकारों अथवा स्वरूपों से श्रेष्ठ माना जाता है।

(2) दैव विवाह–इस विवाह में कन्या के पिता एक विस्तृत यज्ञ की व्यवस्था करते हैं। इस यज्ञ के लिए बड़े-बड़े विद्वानों और योग्य विद्वान युवकों को आमंत्रित किया जाता है। कन्या को वस्त्रों तथा आभूषणों से अलंकृत करके उस योग्य व विद्वान युवक को सौंप दिया जाता है। वस्तुतः विस्तृत यज्ञ करने में कुशल पुरोहित को अलंकार युक्त कन्या को देना ही दैव विवाह कहलाता है। इस विवाह का प्राचीन काल में प्रचलन अधिक था, क्योंकि

उस समय यज्ञ में देवताओं का पूजन चला करता था। अलतेकर का विचार है कि देव पूजा का युग न रहा तो ये दैव विवाह होने भी बन्द हो गए।

(3) आर्ष-विवाह—इस विवाह में कन्या का पिता वर से एक गाय तथा एक बैल या दो गाय तथा दो बैल लेकर कन्या का वर के साथ विवाह सम्पन्न कर देता है। कुछ विचारकों का कहना है कि यह विवाह आदिवासियों के क्रय विवाह से मिलता-जुलता है। परन्तु इस विवाह में रम्स के तौर पर इतना काम लिया जाता है कि इसे क्रय विवाह कहना अनुचित होगा।

(4) प्रजापत्य विवाह—ब्रह्म विवाह की भाँति इस विवाह में भी किसी प्रकार की दिखावट नहीं की जाती है। इस विवाह में कोई उत्सव भी नहीं रखा जाता, बल्कि वर तथा कन्या को यज्ञशाला में बैठकर साथ-साथ धर्म सहित जीवन व्यतीत करने का उपदेश दिया जाता है। इस विवाह में प्रजा अर्थात् सन्तान उत्पन्न करने की प्राथमिकता दी जाती है और ऐसा ही उपदेश दिया जाता है।

(5) असुर विवाह—इस विवाह में वर, कन्या के पिता या कुटुम्बियों को धन देकर कन्या को प्राप्त करता है। यह एक प्रकार से कन्या विक्रय है। हिन्दू समाज की निम्न जातियों में आज भी इस प्रकार का विवाह होता है। सरगुजा के आदिवासियों में असुर विवाह पाया जाता है।

(6) गान्धर्व विवाह—यह विवाह आजकल के प्रेम विवाह के समान है। जब वर तथा कन्या बिना विवाह संस्कार के एक-दूसरे की इच्छापूर्वक सम्भोग करने लगते हैं और एक साथ रहने लगते हैं तब इसे गान्धर्व विवाह कहा जाता है। वात्स्यायन ने काम सूत्र में इस विवाह को आदर्श विवाह माना है। शकुन्तला और दुष्यन्त का विवाह गान्धर्व विवाह का अच्छा उदाहरण है।

(7) राक्षस विवाह—लड़ाई करके, छीना-झपटी द्वारा अथवा कपट से कन्या से विवाह करना राक्षस विवाह कहलाता है। यह प्रथा एक प्रकार से युद्ध जीतने का पारितोषिक है। ऐसा मालूम होता है कि यह प्रथा उस समय से चली आ रही है। जब स्त्रियाँ युद्ध का पारितोषिक समझी जाती थी। इस विवाह को क्षत्रिय विवाह भी कहा जाता है। क्योंकि क्षत्रिय लोग ही युद्ध किया करते थे। पृथ्वीराज चौहान और संयोगिता का विवाह इसी के अन्तर्गत आता है।

(8) पैशाच विवाह—यह विवाह सब स्वरूपों में अधम समझा जाता है क्योंकि इस प्रकार के विवाह में नशे में उन्मत या सोती हुई कन्या को एकान्त में दूषित कर देना ही पर्याप्त है। मनु ने इस प्रकार के विवाह को पापिष्ठ कहा है। इस प्रकार स्पष्ट है कि जिस महिला के साथ बलात्कार किया जाता था, उसे ही पत्नी रूप में ग्रहण कर लिया जाता था। परन्तु ऐसे विवाह का स्तर सबसे निम्न समझा जाता था।

इन आठ प्रकार के विवाह वर्णन से यह स्पष्ट है कि हिन्दू सामाजिक व्यवस्था में स्मृतिकारों ने विवाह के जितने भी प्रकार हो सकते हैं, उन सबको पाने या समझने का प्रयास किया गया है। यह सब सामाजिक व्यवस्था की बेहतरी के लिए किया गया जान पड़ता है। इन स्वरूपों में से पहले चार को उत्तम माना गया है और अन्तिम चार अधम माने जाते हैं। वस्तुतः विवाह के यह आठ स्वरूप हमारे ऋषि मुनियों की सूझ-बूझ का परिणाम है।

आधुनिक युग में हिन्दू विवाह (Hindu Marriage in Modern Times)

आधुनिक युग में हिन्दुओं में प्रचलित विवाह के स्वरूप वर्तमान काल में हिन्दुओं में दो प्रकार अथवा स्वरूपों ब्रह्म और असुर विवाह का प्रचलन है। प्रो. मजूमदार का कहना है कि "यद्यपि साधारणतया हिन्दू समाज में ब्रह्म विवाह उच्च जाति में और असुर विवाह निम्न जाति में प्रचलित है तथापि उच्च जाति में भी असुर विवाह पूर्णतया समाप्त नहीं हो गया है–

ब्रह्म विवाह–जैसा कि प्रारम्भ में उल्लेख किया गया है कि कन्या के संरक्षण योग्य वर को चुनते हैं और एक नियत दिन पर मित्रों एवं सगे-सम्बन्धियों के साथ आमंत्रित करते हैं और उसे फिर अन्न, वस्त्र, अलंकार, उपहार आदि सहित कन्या को दान देते हैं। इस विवाह को सम्पन्न करने के लिए कुछ धार्मिक संस्कारों का सम्पन्न करना आवश्यक रहता है। 'यज्ञ', पाणिग्रहण 'सप्तपदी', धार्मिक संस्कार है। इस प्रकार हिन्दू विवाह एक पवित्र बंधन और जन्म-जन्मान्तर का नाता है। यह स्वरूप हिन्दुओं की उच्च जातियों में प्रचलित है।

असुर विवाह–यह विवाह वर्तमान काल में हिन्दुओं की निम्न जातियों में प्रचलित हैं। कन्या मूल्य लेकर लड़की की शादी की जाती है। धर्म शास्त्रों में कन्या मूल्य अनुचित बताया गया है। सम्भवतया इसी कारण इसको हिन्दुओं की उच्च जातियों में पसन्द नहीं किया जाता है।

अतः आज के युग में हिन्दू विवाह के आठ प्रकारों में से अवशेष के रूप में केवल दो का ही प्रचलन है। ब्रह्म विवाह में भी आधुनिक युग की कुछ बुराइयाँ आती जा रही हैं और असुर विवाह का भी प्रारम्भिक रूप नहीं रहा है।

गन्धर्व विवाह–वर्तमान समय में रोमांस पर आधारित विवाहों का प्रचलन बढ़ा है। विवाहपूर्व प्रेम सम्बन्धों के कारण इसे प्रेम विवाह भी कहते हैं। इस प्रकार के विवाह में वर अथवा वधु का चयन अभिवाहकों द्वारा नहीं वरन् लड़का एवं लड़की स्वयं करते हैं। माता-पिता की भूमिका औपचारिक रहती है। वे मात्र आशीर्वाद देने के निमित्त रहते हैं।

हिन्दू विवाह के नियम (विवाह साथी एवं क्षेत्र का चयन)
(Laws of Hindu Marriage)

हिन्दू विवाह में विवाह से सम्बन्धित कई निषेध एवं निर्योग्यताएँ पायी जाती हैं। जिसके अन्तर्गत यह निश्चित होता है कि जीवन साथी का चुनाव किन समूहों से नहीं करना है अथवा किन समूहों से करना है। इस प्रकार पर विवाह साथी के चयन को अनुलोम विवाह एवं प्रतिलोम विवाह, अन्तर्विवाह एवं बहिर्विवाह की श्रेणियों में बाँटा जाता है–

(1) अनुलोम विवाह (Hypergamy)

हिन्दू समाज में भिन्न-भिन्न समूहों का स्तर असमान होता है जैसा कि वर्णाश्रम व्यवस्था से स्पष्ट है कि समाज में चार प्रकार के वर्ण (स्तर) पाए जाते हैं। जब उच्च वर्ग, उच्च जाति, उच्च कुल, उच्च गोत्र से सम्बन्धित व्यक्ति का विवाह निम्न वर्ण, जाति, कुल, गोत्र एवं वंश वाली लड़की का विवाह निम्न सामाजिक स्तर की लड़की से होता है। उदाहरणार्थ ब्राह्मण वर्ण के लड़के का विवाह क्षत्रिय, वैश्व अथवा शूद्र की लड़की से होता है तो ऐसे विवाहों को अनुलोम विवाह कहा जाएगा। मनु ने अनुलोम विवाह का अनुमोदन करते हुए लिखा है कि एक ब्राह्मण, क्षत्रिय, वैश्य, एवं शूद्र की कन्या से एवं वैश्य अपने स्तर के अतिरिक्त शूद्र की कन्या का वरण कर सकता है। अनुलोम विवाह को कुलीन विवाह भी कहते हैं। कुलीन विवाह का अर्थ उच्च कुल के लड़के के लिए निम्न कुल की लड़कियाँ प्राप्त करना।

अनुलोम विवाह के परिणाम–अनुलोम विवाह के परिणाम निम्नलिखित हैं–

(*i*) बेमेल विवाह–अनुलोम विवाह के कारण लोग अपने पुत्र का विवाह सामाजिक प्रतिष्ठा के कारण उच्च कुल में करना पसन्द करते हैं। इस क्रम में लोग अपनी लड़की की शादी प्रौढ़ उम्र के व्यक्ति के साथ ही कर देते हैं।

(*ii*) बाल विवाह तथा बाल विधवाओं की समस्या–अनुलोम विवाह के चलते उच्च कुल में लड़की की शादी करने की प्रतिस्पर्धा में लोग अपनी पाँच-छः वर्ष की उम्र की बच्चियों का विवाह कर देते हैं। बाल विवाहों के साथ बाल विधवाओं की समस्या भी बढ़ती है।

(*iii*) बहुपति एवं बहुपत्नी विवाह का उदय–अनुलोम विवाह के कारण वर पत्नी एवं बहुपति विवाह प्रथा अस्तित्त्व में आती है। चूँकि उच्च कुल में लड़के और निम्न कुल में लड़कियों की कमी की वजह से विवाह साथी चुनने का क्षेत्र अत्यन्त सीमित हो जाता है। अतः उच्च कुल में बहुपत्नी विवाह होना स्वाभाविक है। पूर्वी बंगाल में कुछ समय पहले तक बहुपति विवाह का अस्तित्त्व था। कभी-कभी पत्नियों की संख्या इतनी हो जाती थी कि उन्हें याद करने के लिए एक रजिस्टर की व्यवस्था करनी पड़ जाती थी।

अनुलोम विवाह के कारण विभिन्न सामाजिक बुराइयाँ, यथा–दहेज प्रथा, कन्या, मूल्य, वर मूल्य, सती प्रथा, महिलाओं का शोषण, इत्यादि जन्म लेती हैं।

(2) प्रतिलोम विवाह (Inverse Marriage)

अनुलोम विवाह के विपरीत जब निम्न स्तर का वर्ग उच्च स्तर की कन्या से विवाह करता है तो इस प्रकार के विवाह को प्रतिलोम विवाह कहते हैं। उदाहरणार्थ यदि एक शूद्र वर्ण का व्यक्ति ब्राह्मण, क्षत्रिय अथवा वैश्य वर्ग की कन्या से विवाह करता है। शास्त्रों में इस प्रकार के विवाह को स्त्रियों की निम्नता का परिचायक बताया है। स्मृतिकारों ने प्रतिलोम विवाह की घोर निंदा की है तथा ऐसे विवाहों से उत्पन्न संतानों को चांडाल की संज्ञा दी।

अतोऽविशिष्टस्त्वधमों गुरुदार प्रधर्षकः आदि वाक्यों द्वारा इस प्रकार के विवाह की अधमता का संकेत दिया गया है।

(3) अन्तर्विवाह (Endogamy)

वरण क्षेत्र के आधार पर इस प्रकार के विवाह के जीवन साथी की चयन हेतु कुछ निश्चित क्षेत्र अथवा समूह होते हैं। अर्थात् समूहों के अन्दर ही विवाह किया जा सकता है बाहर नहीं। साधारणतया भिन्न धर्म, जाति, प्रजाति, जनजाति, राष्ट्र और वर्ग की कन्याओं से ब्याह करना अच्छा नहीं समझा जाता। इसके फलस्वरूप अनेक प्रकार के अन्तर्विवाह अर्थात् ब्राह्म समूहों के जीवन साथी वरण करने पर प्रतिबंध उत्पन्न हो गए हैं। अन्तर्विवाह के कुछ मुख्य रूप इस प्रकार हैं–

(*i*) धर्म अन्तर्विवाह (Religion Endogamy)
(*ii*) जाति अन्तर्विवाह (Caste Endogamy)
(*iii*) जनजाति अन्तर्विवाह (Tribe Caste Endogomy)
(*iv*) उपजाति अर्न्तविवाह (Sub Caste Endogomy)
(*v*) क्षेत्र विवाह (Regional Endogomy)
(*vi*) प्रजाति विवाह (Racial Endogomy)
(*vii*) वर्ग अन्तर्विवाह (Class Endogomy)

(*i*) धर्म अन्तर्विवाह–वधू की जीवन प्रणाली वर के अनुरूप हो इसके लिए यह आवश्यक समझा जाता है कि वधू ऐसे समूह से ली जाए, जीवनचर्या तथा मौलिक विश्वास और दृष्टिकोण वर के समूह के अनुरूप हों। एक सीमा तक तो भेद हो सकता है। यही नहीं कुछ सीमा तक तो भेद होना अच्छा समझा जाता है। इनमें इतना अधिक अन्तर नहीं होना चाहिए कि परस्पर अनुकूलन में कठिनाई होने लगे और समय पर अनुकूलन न हो पाने के कारण जीवन दुःखमय हो जाए। धर्म जीवनचर्या, विश्वासों और दृष्टिकोणों का प्रगाढ़ रूप से प्रभावित करता है। फलतः भिन्न धर्मावलम्बियों में केवल अन्तर ही नहीं होता, वरन् प्रायः

विरोधाभाव और एक-दूसरे के प्रति हेय दृष्टि, द्वेष और किन्हीं दशाओं में घृणा उत्पन्न हो जाती है, जैसे कट्टर मुसलमान हिन्दुओं के लिए काफिर और अनुदार हिन्दू मुसलमानों के लिए 'म्लेच्छ' और ईसाइयों के लिए 'क्रिस्तान' आदि शब्द निम्नता सूचक अर्थ में प्रयोग करते हैं। भिन्न-भिन्न पर्व-त्यौहार, सांस्कारिक कृत्य और विश्वासों के कारण 'भिन्न धर्मावलम्बियों में विवाह' निषेध है।

***(ii)* जाति अन्तर्विवाह**–जातियों में परस्पर घृणा भाव होने पर भी बाह्य जाति में विवाह करना वर्जित किया गया है। कुछ तो जाति की श्रेष्ठता हीनता के आधार पर और कुछ जातीय संगठन की सुदृढ़ता की रक्षा करने के उद्देश्य से जातीय अन्तर्विवाह का नियम बना लिया गया।

***(iii)* जनजाति अन्तर्विवाह**–जातियों की तुलना में जनजातियाँ कहीं अधिक पृथक समूह हैं और एक जनजाति के लोग दूसरी जनजाति में कन्याएँ ब्याहना नहीं पसन्द करते। यद्यपि युद्ध में छीनी हुई स्त्रियों को पत्नी बनाने की रीति प्रचलित है, पर साधारणतया भिन्न जनजातियों के परिवार में विवाह सम्बन्ध की वर्जना की जाती है। जनजातियों में कन्या के विवाह के सम्बन्ध में यह प्रति संघ केवल अन्य जनजातियों तक ही सीमित नहीं है, वे भिन्न वाले सभ्य समाजों में भी अपनी कन्या ब्याहना पसन्द नहीं करते और न ही वे अन्य सभ्य लोग ही ऐसे विचार पसन्द करते हैं।

***(iv)* उपजाति अन्तर्विवाह**–ऊपर जो जातीय अन्तर्विवाह का नियम बताया गया है। उसका विस्तार होकर प्रायः यह नियम उपजातियाँ क्षेत्रीय होती हैं, जैसे ब्राह्मणों में कान्यकुब्ज, सारस्वत, मैथिल आदि उपजातियाँ स्थानवाची हैं। कई जातियों में उपजातियाँ स्थानीय न होने पर भी अन्तर्विवाही होती हैं, जैसे कायस्थों में श्रीवास्तव, सक्सेना आदि।

***(v)* क्षेत्र अन्तर्विवाह**–भिन्न-भिन्न भौगोलिक क्षेत्रों में आहार-व्यवहार आदि जीवनचर्या के तत्त्व पृथक होने से भिन्न प्रदेश से कन्या ब्याहना वर्जित माना जाता है। जब तक कि उनके निकट के ही परिवार उस स्थान में न जा सके हों। भौगोलिक प्रदेश बदल जाने से प्रायः उपजाति भी बदल जाती है, इसलिए उपजातीय विवाह वर्जन व्यवहारिक रूप में क्षेत्रीय विवाह वर्जन भी बन जाती है, और भिन्न क्षेत्रीय विवाह वर्जित करने के सम्बन्ध में कोई नियम अथवा निश्चित प्रथा बनाने की आवश्यकता नहीं पड़ती।

***(vi)* प्रजाति अन्तर्विवाह**–भिन्न प्रजातियाँ भिन्न भूभागों में रहती है और उनकी संस्कृति तथा जीवन क्रम में काफी अन्तर होता है। इसलिए भिन्न प्रजाति में विवाह प्रायः नहीं होते। जब कभी भिन्न प्रजातियाँ एक ही भूभाग में आकर बस जाती हैं, तब आरम्भ में तो विजेता प्रजातीय वर्ग विवाह सम्बन्धों में अपनी पृथकता बनाए रखने की चेष्टा करता है पर नए प्रदेश में रम जाने के बाद वह पूर्ण अर्न्तविवाही न होकर विजित प्रजाति की कन्याएँ स्वीकार करने का नियम मान लेता है पर अपनी कन्याएँ किसी भी दशा में विजित प्रजाति में नहीं देना चाहता। प्रजातियों के संघर्ष सम्मिलन से प्रजातीय अन्तर्विवाह कुलीन

विवाह या Hypergamy का रूप ग्रहण कर लेता है। इसी कारण संसार में रक्त का सम्मिश्रण काफी हो चुका है और प्रजातियाँ अपने प्रारम्भिक रूप में नहीं मिलती हैं।

(*vii*) **वर्ग अन्तर्विवाह**—भिन्न सामाजिक वर्गों में विवाह अच्छी दृष्टि से नहीं देखा जाता पर आधुनिक काल में स्तर गतिशीलता बढ़ गई है, क्योंकि अब समृद्धि का साधन केवल भूमि ही नहीं है। जिसका स्वामित्व कठिनाई में बदलता है। अपने जीवनकाल में अनेक लोग निम्न वर्ग से उच्च वर्ग में प्रवेश कर जाते हैं। कोई आवश्यक नहीं कि उनके ससुराल सम्बन्धी उन्हीं की भांति स्तर बदल सकें। ऐसी दशा में भिन्न-भिन्न वर्गों के परिवार विवाह सम्बन्ध द्वारा बँधे रहते हैं और पुरानी रिश्तेदारी में वर्ग का अन्तर होने पर भी कभी विवाह करना पड़ सकता है। भिन्न वर्ग में विवाह न करने के संबंध में कभी कोई ऐसे निश्चित नियम नहीं रहे। हाँ, उनके पसंद न किए जाने के कारण उनके प्रति तिरस्कार का भाव अवश्य रहा है। जब कभी वर्ग का निश्चय पूर्णतया जन्म से होने की स्थिति उत्पन्न हुई जैसे कि हिन्दुओं की वर्ण व्यवस्था में तब अवश्य भिन्न वर्ग में विवाह वर्जित करने के संबंध में निश्चित नियम बने।

निकट रक्त सम्बन्धियों में विवाह वर्जन—निकट से अर्थ है व्यक्ति सम्बन्धियों में यथा पिता-पुत्री, माता-पुत्र, भाई बहन के मध्य विवाह सम्बन्धों में निषेध प्रत्येक समाजों में पाया जाता है। निकटाभिगमन निषेध न सिर्फ मानव शास्त्रियों, समाजशास्त्रियों, नीतिशास्त्रों एवं शास्त्रकारों के फलस्वरूप न केवल रोगग्रस्त सन्तति उत्पन्न होती है, बल्कि नैतिक आध्यात्मिक एवं वैज्ञानिक रूप से पतित समाज भी पैदा होता है।

(4) बहिर्विवाह (Exogamy)

जिस प्रकार किन्हीं समूहों के अन्तर्गत ही वरण करने का नियम है, वैसे ही वरण करने में कुछ समूहों को छोड़कर चलने का भी विधान है अर्थात् ऐसा नियम है कि अमुक समूह में से कन्याएँ नहीं ब्याह सकते, अवश्य ही इसके बाहर वरण करना होगा। इस प्रकार के प्रतिबन्ध बहिर्विवाह की प्रथा को जन्म देते हैं।

परिभाषा—"बर्हिविवाह वह रीति है जिसके द्वारा निश्चित समूह क्षेत्र अथवा भौगोलिक दिशा में स्थित कन्या के वरण का वर्णन किया जाता है। मनुष्य को समाज को पशुत्व से मनुष्यत्व की ओर लाने में बहिर्विवाह की संस्था की तुलना में शायद ही किसी संस्था को योगदान रहा हो। नर और मादा के प्राकृत संबंध को अधिकतर दशाओं में भाई-बहिन संबंध बना देने और इसके लिए आवश्यक संयम उत्पन्न कराने में बर्हिविवाह की भावना बहुत सहायक रही है। बहिर्विवाह ने मनुष्य जाति को प्रकृत पशु स्तर से नैतिक स्तर पर ला दिया है। मनुष्य के अनुभव और उसके जगत में नैतिक दिशा का योग कराने वाला होने में बहिर्विवाह का महत्त्व सर्वाधिक समझना चाहिए।

बहिर्विवाह की उत्पत्ति–निकट रक्त संबंधियों में परस्पर विवाह संबंध का वर्जन सार्वभौमिक रूप से व्यापक है। साइबेरिया के चुकची आदि एक आध दृष्टान्त छोड़कर उक्त सम्बन्धियों में विवाह न होने पाए इसके लिए सर्वत्र कठोर नियम रहते हैं। बहुत सम्भव है कि धर्म में आदि रूप टोटमवाद की उत्पत्ति इन्सेस्ट वर्जन के उद्देश्य को लेकर हुई हो। इन्सेस्ट, वर्जन बहिर्विवाह का आदि रूप है।

बहिर्विवाह के स्वरूप (Structure of Exogamy)

(1) निकट रक्त सम्बन्धियों में विवाह वर्जन (2) दूरस्थ रक्त संबंधियों के मध्य विवाह वर्जन (3) सपिण्ड विवाह वर्जन (4) सप्रवर विवाह वर्जन (6) उपजाति विवाह वर्जन (7) निश्चित भौगोलिक दिशाओं में विवाह वर्जन।

दूरस्थ रक्त संबंधियों में परस्पर विवाह वर्जन

इन्सेस्ट वर्जन के सिद्धान्त का विस्तार करके उसे दूरस्थ संबंधियों के प्रति लागू करने की प्रथा कुछ समाजों में विशेष मिलती है। सम्भवतः जिन धार्मिक परम्पराओं में ब्रह्मचर्य और भिक्षुत्व का विधान है, ऐसे सम्बन्धियों में परस्पर विवाह की मनाही की गई है। उदाहरणार्थ चचेरे, ममेरे, मौसेरे, फुफेरे भाई-बहनों में परस्पर विवाह प्रतिबन्धित होते हैं।

सपिण्ड विवाह वर्जन–याज्ञवलक्य स्मृति के भाष्यकार विज्ञानेश्वर ने सपिण्ड का अर्थ समान देहपिण्ड वाला किया है। जिन दो व्यक्तियों के शरीर में समान पूर्वक के देहकण प्रजनन के स्रोत से विद्यमान होते हैं, उन्हें सपिण्ड माना जाता है। पुत्र अपने पिता का सपिण्ड है। यही नहीं रक्त संबंधियों के सभी सहोदरों और सहोदराओं तथा सौरस और सौरसाओं का भी वह सपिण्ड है। इस प्रकार सपिण्ड संबंध समान क्षेत्र तथा समान बीज के स्रोत से होता है। शारीरिक दृष्टि से आंशिक रूप से भाई-बहिन होने के कारण सपिण्डों में विवाह वर्जित किया गया है। सपिण्ड की व्यापकता को सीमित करने की आवश्यकता समझी गई और इसलिए विवाह वर्जन के लिए याज्ञवलक्य ने मातृपक्ष में पाँच पीढ़ियाँ तक और पिता के वंश में सात पीढ़ियों तक ही सपिण्डता मानी है।

सगोत्र विवाह वर्जन–काणे ने रायल एशियाटिक सोसाइटी के जर्नल (वर्ष 1935) में गोत्र शब्द की विस्तृत व्याख्या की है। ऋग्वेद में गोत्र "शब्द की आवृत्ति अनेक बार हुई है। गोत्र में प्रायः 'गोशाला' अथवा गायों का समूह यह अर्थ लिया गया है। गायों के झुण्ड के समान दिखाई देने वाले बादलों के लिए भी गोत्र शब्द आया है और कहीं-कहीं गोत्र में पर्वतमाला का अर्थ भी प्रगट होता है। गोत्र शब्द कई बार दुर्ग और समूह का अर्थ प्रगट करने के लिए भी प्रयुक्त हुआ है। समूह से संकुचित होकर गोत्र शब्द मनुष्य समूह के लिए भी प्रगट किया जाने लगा।

पुराणों में इसका दृष्टांत नहीं मिलता पर कालान्तर में रक्त सम्बन्धियों के समूह के लिए गोत्र शब्द का प्रयोग होने लगा। अतः इस आधार पर सगोत्र विवाह का वर्जन कर दिया गया।

प्रवर विवाह वर्जन—वर्जन व्यक्तियों का प्रवर समान हो तो वे पति-पत्नी नहीं बन सकते। प्रवर गणना की प्रथा प्राचीन है। यद्यपि ऋग्वेद में 'प्रवर' शब्द नहीं आता, पर लगभग समान अर्थ में वहाँ 'आर्षेय' शब्द का प्रयोग मिलता है। 'आर्षेय' ऋषि शब्द से सम्बद्ध है। अग्नि की पूजा करते समय लोग कुछ प्राचीन ऋषियों का उल्लेख इस प्रकार से करते थे—"मैं अग्नि का आवाहन करता हूँ, जैसे और्व भृगु और अन्नवान् ने किया था।" ऐसे सन्दर्भ में बड़े ऋषियों का ही नाम लिया जाता था। एक व्यक्ति के प्रायः एक से अधिक प्रवर ऋषि होते थे। अनेक ऋषियों में से 'आर्षेय' के लिए कुछ ऋषियों को ही चुना गया था। कदाचित इसी (वरण) के कारण इन्हें 'प्रवर ऋषि' कहने लगे होंगे। यद्यपि 'प्रवर में प्रायः अपने पूर्वज प्रसिद्ध ऋषियों का ही वरण करने का विचार था, पर धीरे-धीरे अपने वंश परम्परा से भिन्न दूसरे प्रसिद्ध ऋषियों का भी वरण प्रवर' के लिए होने लगा। इसलिए प्रवर में विवाह वर्जित कर दिया गया।

उपजाति विवाह—वर्जन जाति जिन खण्डों में विभक्त होती हैं, उन्हें उपजाति कह सकते हैं। प्रायः ये उपजातियाँ अन्तर्विवाही होती हैं, पर अल्पसंख्यक जातियों की उपजातियाँ बहिर्विवाही भी हो सकती हैं। ये उपजातियाँ कभी-कभी तो एक उपजाति का एक गोत्र होने के कारण बहिर्विवाही होती हैं। ऐसी अवस्था में उपजाति में एक से अधिक गोत्र होने पर भी ये बहिर्विवाही हो सकती हैं। खत्रियों की उपजातियाँ कपूर, टंडन आदि बर्हिविवाही होती हैं। कपूर लड़का कपूर परिवारों के अतिरिक्त अन्य खत्री परिवारों से ही अपनी वधू का चयन कर सकता है। सोमवंशी, चौहान आदि क्षत्रियों की उपजातियाँ भी इसी प्रकार का नियम मानती हैं ये उपजातियाँ अपने को एक परिवार अथवा वंश का विस्तार समझती हैं। खत्रियों में और राजपूतों की उपजातियाँ वर-अवर क्रम में रखी जा सकती हैं इसलिए इनमें बहिर्विवाह नियम के साथ-साथ अनुलोम विचार का भी प्रचलन है।

निश्चित भौगोलिक दिशा में विवाह वर्जन—कतिपय जातियों में विवाह संबंध निश्चित करने में दिशा का विचार किया जाता है। इस दृष्टि से विवाह वर्जन का निर्णय करने में लड़की और लड़के के लिए भिन्न-भिन्न दिशाएँ नियत होती हैं। उदाहरण के लिए कोई व्यक्ति 'व' स्थान पर रहता है, जहाँ उसके अन्य कुटुम्बीजन भी रहते हैं। वह अपने लड़कों का विवाह 'व' से प्रवर 'स' क्षेत्र के परिवारों का वर्जन आवश्यक होगा और निश्चित दिशा में पड़ता है इसलिए पुत्र का विवाह उस दिशा में वर्जित हो जाता है जिससे 'अ' क्षेत्र हैं और इसी प्रकार कन्या का विवाह 'स' क्षेत्र की दिशा में वर्जित हो जाता है। अतः दिशा विशेष में विवाह वर्जन अन्ततः कुलीनता-अकुलीनता के विश्वास से उत्पन्न हुआ माना जा सकता है। अपना मूल स्थान छोड़कर अन्य स्थानों पर जा बसने पर यह नियम टूटने लगता

है। मूल स्थान का पता लगाकर खींचतान करके यह नियम चलाया जाना भी उत्तरोत्तर कठिन होता जा रहा है। अहीर, किसान आदि कई जातियों में इस प्रकार से दिशा विशेष में लड़के अथवा लड़की का विवाह वर्जित करने की रीति एक सीमा तक पायी जाती है।

हिन्दू विवाह में आधुनिक परिवर्तन
(Recent Trends in Hindu Marriage)

हिन्दू विवाह का परम्परागत स्वरूप धीरे-धीरे परिवर्तित होता जा रहा है। हिन्दू विवाह अधिनियम 1955 विशेष विवाह अधिनियम 1954 के चलते पररम्परागत हिन्दू विवाह पर्याप्त रूप से प्रभावित हुआ। उन प्रभावों को निम्नलिखित रूप में व्यक्त किया जा सकता है–

(1) अन्तर्जातीय विवाह–हाल के बने सामाजिक विधानों ने विवाह सम्बन्धी अनेकों अड़चनों को दूर कर दिया है। इन अड़चनों में जो महत्त्वपूर्ण अड़चन दूर है वह है विभिन्न जातियों में विवाह सम्बन्धों की छूट। इन अधिनियमों से पहले हिन्दू समाज में अपनी ही जातियों को उपजाति में विवाह करने की सामाजिक मान्यता प्राप्त थी और विशेष परिस्थिति में अनुलोम विवाह (उच्च जाति के लड़के का निम्न जाति के लड़के से विवाह) भी शास्त्रों द्वारा मान्य था, जबकि प्रतिलोम विवाह (निम्न जाति के लड़के का उच्च जाति की लड़की से विवाह) की अनुमति नहीं थी। अब अनुलोम या प्रतिलोम के आधार पर विवाह सम्बन्धों में कोई बाधा नहीं रह गई है वरन् अन्तर्जातीय विवाह को प्रोत्साहन मिल रहा है क्योंकि अधिनियमों के अन्तर्गत जाति में विवाह जरूरी नहीं रहा है।

(2) एक विवाह–अब बहुपत्नी विवाह का प्रचलन समाप्त होता जा रहा है और एक विवाह का प्रचलन सामान्य हो गया है क्योंकि दोनों ही अधिनियमों में विवाह की पहली शर्त यह है कि विवाह तभी वैध होगा जब विवाह के समय दोनों पक्षों में से किसी का भी विवाह साथी (पति या पत्नी) जीवित न रहा हो। इन अधिनियमों के बनने से पहले हिन्दू समाज में बहुपत्नी विवाह का प्रचलन सामान्य-सी बात थी। ऐसे उदाहरण भी मिलते हैं कि बंगाल में एक कुलीन पुरुष की सौ से भी अधिक पत्नियाँ होती थीं और इन कुलीन पुरुषों को अपनी पत्नियों के बारे में याद रखने के लिए डायरियाँ रखनी पड़ती थीं। लेकिन अब बहुपत्नी विवाह समाप्त हो गया है और एक विवाह ही आदर्श रह गया है।

(3) हिन्दू विवाह का क्षेत्र बढ़ गया है–हिन्दू विवाह अधिनियम, 1955 के अनुसार अब गोत्र और प्रवर विवाह करना आवश्यक नहीं रह गया है। इतना ही नहीं सपिंड विवाह की सीमा भी कम कर दी गई है–अब माता की तीन पीढ़ी और पिता की पाँच पीढ़ी छोड़कर ही विवाह सम्बन्ध किए जा सकते हैं। इस प्रकार इन सामाजिक विधानों ने प्रत्येक हिन्दू व्यक्ति के लिए विवाह करने के क्षेत्र को काफी बढ़ा दिया है जिससे वर व वधू के चुनाव में पहले से कहीं अधिक सुविधा हो गई है।

(4) जीवन साथी का स्वतन्त्र चुनाव—परम्परागत आधार पर हिन्दू विवाह के अन्तर्गत जीवन साथी का चुनाव माता-पिता या संरक्षक की अनुमति से होता था, लेकिन अब इस प्रकार का प्रतिबन्ध नहीं रहा है। हिन्दू विवाह अधिनियम, 1955 के अनुसार यदि कन्या की आयु 18 वर्ष या इससे अधिक है और वर की आयु 21 वर्ष या इससे अधिक है तो विवाह के लिए संरक्षकों की अनुमति की आवश्यकता नहीं है और ऐसे विवाह को कानूनी प्रमाण-पत्र न्यायालय से मिल सकता है। 'विशेष विवाह अधिनियम 1954' के अनुसार वर और वधू संरक्षकों की सहमति के बिना ही रजिस्ट्री करवाकर विवाह कर सकते हैं, लेकिन शर्त यह है कि वे दोनों (वर और वधू) 21 वर्ष की आयु से कम न हों। इस प्रकार आज विवाह सम्बन्धों के मामले में स्वतन्त्र चुनाव को पर्याप्त स्थान मिलता जा रहा है।

(5) विवाह विच्छेद का अधिकार—परम्परागत आधार पर हिन्दू विवाह में विवाह विच्छेद को स्थान नहीं था, वरन् विवाह को तो जन्म-जन्मांतर का नाता समझा जाता था और इस बन्धन को निभाना ही होता था। लेकिन 'हिन्दू विवाह अधिनियम, 1955' और विशेष विवाह अधिनियम 1954 ने इस परम्परात्मक आदर्श को बिल्कुल ही बदल दिया है। हिन्दू विवाह अधिनियम की धारा 1 के अनुसार पति अथवा पत्नी में किसी को भी न्यायालय में प्रार्थना-पत्र प्रस्तुत करने पर कुछ निश्चित आधारों पर विवाह विच्छेद किया जा सकता है। विशेष विवाह अधिनियम के अनुसार तो पति-पत्नी की पारस्परिक सहमति के द्वारा भी विवाह विच्छेद किया जा सकता है। इस प्रकार आधुनिक समय में जीवन की संकटमय स्थिति का विवाह विच्छेद के कारण अन्त होता जा रहा है।

(6) बाल विवाह पर रोक—हिन्दू विवाह से सम्बन्धी इस धारणा में कि लड़कियों का विवाद जल्द-से-जल्द कर देना उचित है, आज पर्याप्त परिवर्तन होता जा रहा है। अब बाल विवाह की अनुमति नहीं रह गई है—हिन्दू विवाह अधिनियम, 1955 (संशोधित) के अनुसार विवाह के समय कन्या की आयु 18 वर्ष और लड़के की आयु 21 वर्ष होनी चाहिए। विशेष विवाह अधिनियम के अन्तर्गत भी बाल विवाह पर रोक लगी हुई है।

इस प्रकार विवाह के क्षेत्र में बने हाल के नियमों से हिन्दू विवाह पर अनेक व्यवहारिक प्रभाव पड़े हैं, जिनके आधार पर हिन्दू समाज में नवीन पीढ़ी परम्परागत विवाह सम्बन्धी अनेक मान्यताओं को त्याग दी जा रही है।

हिन्दू विवाह अधिनियम 1955—हिन्दू विवाह अधिनियम 1955 के मुख्य तौर पर दो भाग है—एक भाग का सम्बन्ध विवाह की शर्तों में है और दूसरे भाग का सम्बन्ध विवाह विच्छेद जैसी बातों से हैं—'हिन्दुओं' में हिन्दुओं के अतिरिक्त बौद्ध, जैन, सिक्ख भी सम्मिलित हैं—

हिन्दू विवाह की मुख्य शर्तें–

(*i*) विवाह के समय किसी भी पक्ष की पत्नी या पति जीवित न होने चाहिए।

(*ii*) कोई भी पक्ष विकृत मस्तिष्क वाला या पागल नहीं होना चाहिए।

(*iii*) वर 18 तथा वधू 15 वर्ष से कम न होने चाहिए।

(*iv*) दोनों पक्ष निषेधात्मक सम्बन्धों की श्रेणी में न आते हों। यदि प्रथा आज्ञा देती हो तो ठीक है।

(*v*) दोनों पक्ष एक-दूसरे से सपिंड न हों।

(*vi*) यदि कन्या की आयु 18 वर्ष से कम है तो विवाह के लिए संरक्षक की अनुमति आवश्यक है।

(*vii*) कानूनी प्रमाण पत्र हेतु राज्य सरकारें अपने-अपने राज्यों में इन विवाहों को रजिस्टर्ड करने की व्यवस्था कर सकती हैं।

न्यायिक पृथक्करण–न्यायिक पृथक्करण का अभिप्राय यह है कि इनके द्वारा पति-पत्नी को एक-दूसरे से अलग रहने का अधिकार मिल जाता है। परन्तु विवाह सम्बन्ध नहीं हुआ है। इस अधिनियम की धारा 10 के अनुसार दोनों पक्षों में से कोई भी निम्न आधारों पर न्यायिक पृथक्करण के लिए प्रार्थना पत्र प्रस्तुत कर सकता है–

(1) प्रार्थना पत्र देने के लगातार दो वर्ष पहले से दूसरे पक्ष ने प्रार्थी को छोड़ दिया है।

अथवा

(2) एक पक्ष के ऐसे जुल्म या अत्याचार का दोषी हो चुका है कि प्रार्थी उसके साथ रहने में भयभीत है।

अथवा

(3) दूसरे पक्ष प्रार्थना-पत्र प्रस्तुत करने के ठीक पहले तक यौन रोगों से पीड़ित हैं।

अथवा

(4) कोई पक्ष प्रार्थना पत्र प्रस्तुत करने के ठीक पहले तक यौन रोगों से पीड़ित है।

अथवा

(5) प्रार्थना-पत्र प्रस्तुत करने के दो वर्ष पहले से लगातार विक्षिप्त चित्त का है।

इस प्रकार न्यायिक पृथक्करण से विवाह सम्बन्ध नहीं टूटता वरन् फिर विवाह सम्बन्ध पर स्वतन्त्र तौर से विचार करने का समय मिल जाता है।

इस अधिनियम की धारा 13 के अनुसार पति अथवा पत्नी में से किसी के भी न्यायालय में प्रार्थना-पत्र प्रस्तुत करने पर निम्न आधारों पर विवाह विच्छेद कर दिया जाता हैं–

(1) दोनों में से कोई एक पक्ष पर पुरुष या पर स्त्री गामी है।

अथवा

(2) दोनों में से कोई एक पक्ष धर्म परिवर्तन के कारण हिन्दू नहीं रहा।

अथवा

(3) दोनों में से कोई एक पक्ष प्रार्थना-पत्र प्रस्तुत के कम-से-कम तीन वर्ष पूर्व सें विषाक्त कुष्ठ रोग से पीड़ित है जिसका इलाज सम्भव नहीं है।

अथवा

(4) दोनों में से कोई एक पक्ष प्रार्थना-पत्र प्रस्तुत करने में कम-से-कम तीन वर्ष पूर्व ऐसे विक्षिप्त चित्त का है कि उसका कोई इलाज ही नहीं हो सकता।

अथवा

(5) दोनों में से कोई एक पक्ष प्रार्थना-पत्र प्रस्तुत करने में कम-से-कम तीन वर्ष पूर्व से संक्रामक यौन रोगों से पीड़ित है।

अथवा

(6) दोनों में से किसी एक पक्ष ने सांसारिक जीवन त्याग कर सन्यास ले लिया है।

(7) दोनों में से किसी एक पक्ष के बारे में सात वर्ष से उनके जीवित होने का समाचार उन लोगों को नहीं मिला है। उन्हें जिन्हें उसके जीवित होने का समाचार मिलना चाहिए था।

अथवा

(8) दोनों में से जिस पक्ष के विरुद्ध 'न्यायिक पृथक्करण' का हुक्म हुआ था उनमें उस आदेश के दो वर्ष बीत जाने पर भी सहवास प्रारम्भ नहीं हुआ।

(9) वैवाहिक अधिकारों के 'पुनः प्रतिष्ठान' की राजाज्ञा के बावजूद दूसरे पक्ष ने दो वर्ष बीत जाने पर उसका पालन न किया हो।

उपरोक्त व अधारों के अतिरिक्त निम्न आधारों पर भी विवाह विच्छेद के लिए प्रार्थना-पत्र प्रस्तुत किया जा सकता है–

(1) यदि इस अधिनियम के लागू होने के पूर्व पति ने दूसरा विवाह कर लिया हो, तो उसकी स्त्री विवाह विच्छेद के लिए प्रार्थना-पत्र दे सकती है।

(2) यदि इस अधिनियम के लागू होने के पूर्व पति ने दूसरा विवाह किया तब उसकी पत्नी जीवित थी, अब भले ही न रही हो, तब भी उसकी स्त्री चाहे तो तलाक के लिए प्रार्थना-पत्र प्रस्तुत कर सकती है।

(3) यदि विवाह के उपरान्त पति बलात्कार, अप्राकृतिक व्यभिचार का अपराधी हो तब भी उसकी पत्नी उससे विवाह विच्छेद कर सकती है।

विवाह के तीन वर्ष के अन्दर-अन्दर विवाह विच्छेद के लिए कोई प्रार्थना पत्र नहीं दिया जा सकता अथवा हाईकोर्ट को यह विश्वास दिला दिया जाय कि एक पक्ष के साथ घोर अत्याचार हो रहा है।

अभ्यास प्रश्न

1. हिन्दू विवाह पद्धति की चर्चा करते हुए इसके संस्कार पक्ष का उल्लेख कीजिए।
2. मुस्लिम विवाह एक समझौता है कथन की व्याख्या कीजिए।
3. हिन्दू विवाह के प्रमुख प्रकार बताइए।
4. हिन्दू विवाह पद्धति में आए परिवर्तनों पर टिप्पणी लिखिए।
5. हिन्दू विवाह पृथक्करण के आधार बताइए।

संदर्भ

1. Mahabharat, Shantiparva, 144/6
2. K. M. Kapadia, Marriage and Family in India, p. 173

15

मुस्लिम विवाह एवं परिवार (Muslim Marriage and Family)

मुस्लिम समाज की संस्थाएँ इस्लाम की मान्यताओं एवं आदर्शों पर आधारित हैं। इस प्रकार मुसलमानों में प्रत्येक कार्य उनके धार्मिक ग्रन्थ कुरान शरीफ की मान्यताओं व आदर्शों के अनुसार ही किया जाता है और मुस्लिम कानून भी स्वयं कुरान शरीफ के अनुसार ही है। मुस्लिम कानून को शरीयत भी कहा जाता है। शरीयत के अनुसार मुसलमानों में विवाह अथवा 'निकाह' को एक शिष्ट समझौता माना जाता है, धार्मिक संस्कार नहीं। मुस्लिम विवाह में वे सब बातें मिलती हैं जो भारतीय संविदा या समझौता अधिनियम के अनुसार होना चाहिए।

मुस्लिम विवाह को उर्दू में निकाह कहते हैं। मुस्लिम समाज में विवाह को एक संविदा माना जाता है। यह संवाद दो व्यक्तियों में होता है और अपनी मर्जी से होता है। मुस्लिम विवाह में 'प्रस्ताव और स्वीकृति' ये दोनों आवश्यक मानी गई हैं।

परिभाषा (Definition)

अली के अनुसार–"विवाह एक दीवानी संविदा है जिसके परिपूर्ण होने के लिए प्रस्ताव तथा स्वीकृति आवश्यक है तथा प्रस्ताव की स्वीकृति होने के साथ उन सभी अधिकारों तथा कर्तव्यों का उदय होता है जो संविदा द्वारा निर्मित होते हैं।"

मुस्लिम विधि के अनुसार–"विवाह स्त्री एवं पुरुष के बीच ऐसी दीवानी संविदा है, जिसका उद्देश्य उन दोनों के बीच समागत को वैधता प्रदान करना तथा सन्तान उत्पन्न करना है।"

हेदया के अनुसार–"मुस्लिम विवाह एक समझौता है जिसका उद्देश्य यौनिक सम्बन्धों और बच्चों के प्रजनन को कानूनी रूप देना है तथा समाज के हित में पति-पत्नी और उनसे उत्पन्न सन्तानों के अधिकार व कर्तव्य को निर्धारित कर सामाजिक जीवन का नियमन करना है।"

मुल्ला के अनुसार "मुस्लिम विवाह एक शिष्ट समझौता है जिसका उद्देश्य बच्चे उत्पन्न करना तथा उन्हें वैध घोषित करना है।"[1]

कपाड़िया के अनुसार "इस्लाम में विवाह एक अनुबन्ध है जिसमें दो साथियों के हस्ताक्षर होते हैं। इस अनुबन्ध का प्रतिफल 'मेहर' अर्थात् वधू की भेंट दी जाती हैं।"[2]

इस प्रकार मुसलमानों में विवाह दो विषम लिंगियों के बीच एक समझौते के रूप में स्वीकार किया गया है। अतः इसमें भारतीय समझौता अधिनियम की सभी आवश्यक बातें मौजूद हैं; जैसे–(1) समझौते के लिए किसी भी पक्ष से एक प्रस्ताव रखा जाए (2) इस प्रस्ताव के दोनों पक्षों की ओर से स्वतन्त्र स्वीकृति प्राप्त हो। (3) समझौता करने के लिए दोनों पक्ष सक्षम हो (4) समझौते के प्रतिफल के रूप में कुछ धन हो।

मुस्लिम विवाह के उद्देश्य (Objectives of Muslim Marriage)

(1) समागम की इच्छा को सन्तुष्ट करना (2) गृहस्थ जीवन को व्यवस्थित बनाए रखना (3) परिवार की वृद्धि (4) आत्मा का अनुशासन जो कि स्त्री तथा बच्चों की देख-रेख के कारण होता है। (5) गुण सम्पन्न सन्तानों की उत्पत्ति।

मुस्लिम विवाह में भारतीय समझौता अधिनियम में पाई जाने वाली तीन शर्तों का पालन होता है। ये समझौते निम्न हैं–

(1) किसी एक पक्ष की ओर से एक प्रस्ताव (2) उस प्रस्ताव में दोनों पक्षों की स्वतन्त्र स्वीकृति (3) समझौते के प्रतिफल के रूप में कुछ धन या सम्पत्ति का दिया जाना।

मुस्लिम विवाह की शर्तें (Conditions of Muslim Marriage)

(1) निकाह का प्रस्ताव लड़के की ओर से होना चाहिए और उसकी स्वीकृति लड़की की ओर से।
(2) निकाह के समय समझौता करने के लिए लड़के व लड़की की उम्र 15 वर्ष से अधिक होनी चाहिए।
(3) निकाह का प्रस्ताव और स्वीकृति एक ही बैठक में होने चाहिए।
(4) लड़की की स्वीकृति साक्षियों के समक्ष होने चाहिए। साक्षियों के रूप में दो बालिग पुरुषों अथवा एक बालिग पुरुष और दो बालिग महिलाओं का होना जरूरी है।
(5) नाबालिग बच्चों के विवाह संरक्षकों की अनुमति से हो सकते हैं।
(6) एक मुसलमान एक साथ चार महिलाओं से निकाह कर सकता है परन्तु एक स्त्री एक समय में एक ही पुरुष से निकाह कर सकती है।
(7) पुरुष दूसरे धर्म की औरत के साथ निकाह कर सकता है। परन्तु मूर्ति पूजक से नहीं।
(8) निकाह माता, दादी, नानी, सास, पुत्री, पोती, नातिन, भांजी, भतीजी, पुत्र की पत्नी आदि निकट रक्त सम्बन्धियों से नहीं हो सकता वैसे गोत्र प्रवर आदि का कोई प्रतिबन्ध नहीं है।

(9) निकाह समझौते के प्रतिफल के रूप में लड़के द्वारा लड़की को मेहर देने का वचन देना आवश्यक है। इसकी अनुपस्थिति में निकाह समझौता पूरा नहीं होता है और न ही पति को पत्नी से सहवास का अधिकार मिल पाता है। मेहर चार प्रकार के होते हैं।

***(i)* निश्चित मेहर**–निश्चित मेहर विवाह के पूर्व या विवाह के समय पति-पत्नी के मध्य तय हो जाता है। यह पति की आर्थिक स्थिति और वधू की मांग पर निर्भर करता है।

***(ii)* उचित मेहर**–यदि विवाह के समय कोई मेहर तय नहीं हुआ होता है, तो अदालत दोनों पक्षों की पारिवारिक स्थिति देखकर निश्चित करती है। इस मेहर को मेहर उल मिस्ल भी कहा जाता है।

***(iii)* तुरन्त मेहर**–यह वह मेहर है जो विवाह से पहले या सहवास के पहले पति द्वारा पत्नी को देना होता है। इसे मुवज्जल मेहर भी कहा जाता है।

***(iv)* स्थगित मेहर**–यह मेहर तलाक अथवा विवाह विच्छेद के बाद दिया जाता है यह मेहर विवाह के समय निश्चित हो जाता है, लेकिन इसको विवाह विच्छेद या अन्य किसी घटना के समय देना पड़ता है। सच तो यह है कि इस मेहर को चुकाए बिना विवाह विच्छेद वैध नहीं होता।

मुस्लिम विवाह के भेद (Disparities of Muslim Marriage)

मुस्लिम विवाह के दो प्रमुख भेद पाए जाते हैं–(1) निकाह (2) मुताह–मुसलमान में निकाह अधिकतर प्रचलित है और स्थायी विवाह है। यदि निकाह में कुछ नियमों का पालन नहीं किया जाता, उस विवाह को फासिद कहते हैं। फासिद विवाह का कोई अलग रूप नहीं है। वरन् यह तो निकाह का एक ही रूप है जो कमियाँ पूरी होने पर निकाह मान लिया जाता है। इसके अतिरिक्त मुताह विवाह की शर्तें निम्न प्रकार हैं–(1) सहवास का समय निश्चित होता है। यह समय एक दिन एक माह या एक साल कुछ भी हो सकता है। (2) मेहर का निश्चित उल्लेख होता है। (3) पत्नी को निश्चित मेहर का अधिकार होता है यदि यौन सम्बन्ध हो गया है। (4) ऐसे विवाह से उत्पन्न बच्चों को माता-पिता की सम्पत्ति पर अधिकार मिल जाता है। भारत में मुताह विवाह अधिक प्रचलित नहीं है।

मुस्लिम समाज में विवाह निषेध (Marriage Prohibition in Muslim Marriage)

(1) मुसलमान स्त्री को केवल हिन्दू पुरुष से निकाह करने का अधिकार प्राप्त है।
(2) एक मुसलमान पुरुष चार स्त्रियों से एक साथ विवाह कर सकता है। परन्तु एक मुसलमान स्त्री एक समय में केवल एक पुरुष से ही विवाह कर सकती है।
(3) पुरुष 'किताविया' स्त्री अर्थात् ईसाई और यहूदी स्त्री के साथ विवाह कर सकता है, परन्तु मूर्ति पूजक के साथ नहीं।

(4) मुसलमान में विवाह बहुत ही निकट के रक्त सम्बन्धियों के साथ नहीं हो सकता। जैसे–माता, दादी, पुत्र या पौत्री, भाई, बहिन, नानी, सास, भौजी, पुत्र-वधु आदि निकट के सम्बन्धियों से विवाह नहीं कर सकता है। परन्तु मुसलमान में चचेरी बहन या ऐसी सौतेली बहन से जिसकी माँ दूसरी हो विवाह किया जा सकता है।

(5) जिन्होंने एक ही माता का दूध पिया हो उनका विवाह नहीं हो सकता।

(6) तीर्थ यात्रा के समय विवाह सम्बन्ध वर्जित है, अगर विवाह करेगा तो बातिल माना जाएगा।

(7) रोगी से विवाह अमान्य है, परन्तु रोग ठीक होने पर यदि समागम हो जाता है तो वैध हो जाता है।

(8) तलाक शुदा स्त्री से पुनः विवाह निषेध है अर्थात् जैसे–'अ' अपनी स्त्री 'ब' को तलाक दे देता है तो वह उससे फिर तभी विवाह कर सकता है, जबकि वह पिछले किसी अन्य स्त्री से विवाह करके उसे तलाक दे देती है तभी 'अ' और 'ब' पुनः विवाह कर सकते हैं।

(9) गर्भवती स्त्री से विवाह निषेध है। यदि किसी स्त्री के पति की मृत्यु हो गयी हो, उससे तलाक हो गया हो वो वह स्त्री 'इद्दत' की अवधि तक दूसरा विवाह नहीं कर सकती यदि करेगी तो विवाह बातिल माना जाएगा।

इद्दत क्या है? उस अवधि या समय को कहते हैं जिसके अन्दर विवाह नहीं होता। इस समय में यह देखा जाता है कि स्त्री गर्भवती नहीं है। यह तीन चार मास के समय को इद्दत कहते हैं। किन्तु गर्भ के बच्चे के उत्पन्न होने पर उसके साथ विवाह किया जा सकता है। इस प्रकार कुछ परिस्थितियाँ ऐसी हैं जिसके बदलने पर विवाह हो जाता है।

मुस्लिम विवाह में एक प्रस्ताव आया है। प्रायः यह लड़के की ओर से 'खिलसा' के रूप में निकाह का प्रस्ताव आता है। लड़की की ओर से इसकी स्वीकृति होती है। यह स्वीकृति दो पुरुषों या एक पुरुष तथा दो स्त्रियों के समक्ष एक ही बैठक में होना चाहिए। ये पुरुष तथा स्त्रियाँ इसकी गवाही इसके गवाह होते हैं यदि प्रस्ताव के समय में और स्वीकृति दूसरे समय में हो तो वह विवाह वैध नहीं होगा। लड़के की ओर से स्वीकृति के रूप में 'मेहर' देने का वचन दिया जाता है।

मेहर से आशय–मेहर वह राशि है जो पति विवाह के लिए पत्नी को देता है। मेहर की रकम की अदायगी विवाह के पहले और बाद में की जाती है। उसकी रकम निश्चित नहीं होती है। पत्नी को कानून द्वारा अपने पति से मेहर लेने का अधिकार होता है। मेहर पति कन्या को मूल्य के रूप में नहीं देता है बल्कि पत्नी के सम्मान में देता है। पत्नी अपना मेहर छोड़ भी सकती है परन्तु छोड़ने के समय उसे बालक होना चाहिए।

यह मेहर चार प्रकार की होती हैं–

(1) निश्चित मेहर–निश्चित मेहर वह मेहर होती है, जो विवाह के समय पति पत्नी में निश्चित रूप से तय हो जाता है।

(2) मेहर उल मिस्ल या उचित मेहर–उचित मेहर पति और पत्नी और स्थिति को देखकर कम तय किया जाता है। ऐसा मेहर निश्चित किया जाता है।

(3) मुवज्जल मेहर (सत्वर मेहर)–यह वह मेहर होता है। जो विवाह के होते ही दिया जाता है। यह मेहर जिस किसी भी समय मांगा जाए, दिया जाना चाहिए वैसे मेहर विवाह से पूर्व या सम्भोग से पूर्व पति को चुकाना पड़ता है।

(4) स्थगित मेहर (मुअज्जल मेहर)–यह वह मेहर है जो विवाह के समय निश्चित हो जाता है, लेकिन इसको विवाह–विच्छेद या अन्य किसी घटना के समय देना पड़ता है। इसको चुकाए बिना विवाह वैध नहीं होगा।

उपरोक्त चारों प्रकार के मेहर का धन कितना होगा, यह निश्चित नहीं होता। प्रायः यह कन्या और वर की योग्यता व सामाजिक स्थिति पर निर्भर होता है।

मेहर का महत्त्व

(1) इस व्यवस्था के कारण ही पति के ऊपर असीमित प्रकार पर प्रतिबन्ध लग जाता है। अर्थात् वह बार-बार विवाह के लिए धन कहाँ से लाएगा।

(2) मेहर मुस्लिम स्त्री के वैवाहिक जीवन को सुरक्षित रखती है।

(3) मेहर का धार्मिक महत्त्व–मेहर अदा न करने वाले व्यक्ति को मोक्ष प्राप्त नहीं होगा। अतः मुस्लिम विवाह धर्मिक संस्कार व तलाक मेहर प्राप्ति के बाद ही हो सकता है।

यह स्त्री का सौदा न होकर विवाह को स्थायित्व प्रदान करने का एक शक्तिशाली आधार है।

इसके अतिरिक्त मुस्लिम विवाह निम्न प्रकार के हैं–

(1) बातिल

(2) फासिद

(3) सही।

विवाह की उन तीन कोटियों के कारण ही मुस्लिम विवाह पूर्ण रूप से भारतीय संविदा का रूप दिखायी देता है। इसके अतिरिक्त एक चौथी कोटि और है जिसको मुताह के नाम से जाना जाता है। यह चौथे प्रकार की कोटि केवल शिया मुसलमानों में पायी जाती है। सुन्नी मुसलमान इसका विरोध करते हैं। इस्लाम धर्म के पूर्व अरबों में यह विवाह प्रचलित था। इस्लाम के आगमन के बाद मु. साहब ने इसका विरोध किया उसके बाद उनके उत्तराधिकार 'खलीफा' 'उमर' ने इसका कड़ा विरोध किया। इसी कारण 'इथना अशारी' अभी तक इसको अपनाते हैं।

विवाह के विभिन्न प्रकारों को वर्णन निम्न प्रकार हैं–

(1) बातिल–अर्थात् जिस विवाह का आधार ही गलत हो और जिसका समझौता पूर्ण तरह से शून्य हो यह विवाह अवैध होने के कारण इससे किसी प्रकार के फर्ज या जिम्मेदारियाँ नहीं उत्पन्न होती। बातिल विवाह के अन्तर्गत निम्न शर्तें होती हैं–

(1) एक पति के होते हुए यदि मुस्लिम स्त्री दूसरा विवाह कर लेती है तो वह विवाह बातिल कहलाएगा।

(2) मूर्ति पूजक स्त्री, पुरुष से या पुरुष स्त्री से विवाह करते हैं तो ऐसा विवाह बातिल कहलाता है।

(3) बहुत समीप के रक्त सम्बन्धियों (2 पीढ़ी आगे और 2 पीढ़ी पीछे) में होने वाला विवाह बातिल कहा जाता है।

(4) चार पत्नियों के होते हुए पाँचवीं से शादी बातिल कहलाएगी।

(5) तीर्थ यात्रा के समय होने वाला विवाह बातिल माना जाएगा।

(6) गर्भावस्था में होने वाला विवाह बातिल कहलाता है।

(7) एक ही माँ का दूध पीने वालों में होने वाला विवाह बातिल कहलाता है।

(8) धोखे एवं दबाव से होने वाले विवाह भी बातिल कहलाता है।

(9) पागलपन नशे की दशा आदि में होने वाले विवाह बातिल कहलाते हैं।

फासिद–अर्थात् अनियन्त्रित विवाह ऐसा विवाह है जिसका आधार तो ठीक है मगर जो किसी औपचारिक विधि के पूरा न होने से अवैध होता है। इसमें विवाह के बाद भी इन विधियों को पूरा कर लेने से विवाह वैध हो जाता है। ऐसे विवाह निम्न हैं–

(1) पाँचवीं पत्नी से विवाह तभी वैध होगा जब पहली चार पत्नियों में से किसी को तलाक दे दे।

(2) नाबालिगों से विवाह संरक्षक की अनुमति प्राप्त कर लेने से।

(3) बिना गवाह विवाह की बाद में गवाही लेकर वैध बनाया जा सकता है।

(4) इद्दत समय खत्म होने पर विवाह वैध माना जाएगा।

(5) रोगी के ठीक के उपरान्त उससे पूर्व में किया विवाह वैध हो जाता है।

(6) मूर्ति पूजक स्त्री या पुरुष के धर्म परिवर्तन कर लेने पर विवाह वैध हो जाता है।

(7) इस प्रकार फासिद विवाह कुछ परिस्थितियों में परिवर्तन कर लेने से वैध हो जाता है।

सही–सही विवाह वे होते हैं जो पूर्णतया वैध होते हैं तथा संविदा में कोई कमी नहीं होती।

मुस्लिम में विवाह विच्छेद (Divorce in Muslims)

मुस्लिम में विवाह विच्छेद अथवा तलाक अत्यधिक सरल है, परन्तु यह विशेषाधिकार पर परम्परागत तरीके से पुरुषों को ही प्राप्त है और महिलाओं को इस प्रकार की छूट नहीं दी गयी है।

वर्तमान परिस्थिति में विवाह विच्छेद या तलाक इस ढंग से हो सकता है–

मुलसमानों में विवाह विच्छेद या तलाक के ढंग–बिना न्यायालय के हस्तक्षेप के परम्परागत तरीके से। न्यायालय द्वारा मुस्लिम विवाह विच्छेद अधिनियम 1939 के अनुसार–

बिना न्यायालय के विवाह विच्छेद–मुस्लिम तलाक कानून के अनुसार पति जब चाहे तब पत्नी को तलाक दे सकता है। ये दो प्रकार का होता है–लिखित और मौखिक, लिखित तलाक नामा कहलाता है। मौखिक तलाक के कानून में तीन प्रकार हैं–

(*i*) तलाक ए अहसन–इसमें पति एक बार तुहरों के मध्य समय तीन बार तलाक शब्द का उच्चारण करता है और तीसरे तुहर (मासिक धर्म) तक यौन सम्बन्ध नहीं करता।

(*ii*) तलाक उद इद्दत–इसमें पति एक ही तुहर में तीन बार तलाक शब्द कहता है। अब यह तलाक अध्यादेश के द्वारा निष्क्रिय कर दिया गया है।

(*iii*) जिहर–इसमें पति-पत्नी को ऐसी स्त्री से तुलना करता है, जिससे विवाह निषिद्ध है। तो पत्नी अपने पति को प्रायश्चित करने को कहती है। यदि पति प्रायश्चित नहीं करता तो अदालत तलाक करा सकती है।

तीन तलाक को भारत सरकार द्वारा तीन तलाक निषेध अध्यादेश 2019 के द्वारा समाप्त किया जा चुका है। इसके अलावा तलाक के अन्य प्रकार हैं।

(2) इला–इसमें पति अल्लाह की कसम खाकर चार महीने अथवा अधिक समय तक पत्नी से यौन सम्बन्ध न करने की प्रतिज्ञा करता है।

(3) खुला–जब पति-पत्नी दोनों सही दिमाग के हों और बालिग हो तो पत्नी की इच्छा पर एक-दूसरे की रजामन्दी से तलाक हो सकता है।

(4) मुबारत–यह पति-पत्नी की पारस्परिक इच्छा व सहमति से होता हैं, परन्तु इसमें खुला तलाक की भाँति पति द्वारा पत्नी को कुछ रुपया नहीं देना पड़ता है।

न्यायालय द्वारा विवाह विच्छेद तलाक–1939 के मुस्लिम विवाह विच्छेद अधिनियम के अनुसार एक मुस्लिम स्त्री निम्नलिखित आधारों पर पति को तलाक दे सकती है–

(1) जब पति का चार वर्ष तक पता न चले।

(2) जब पति दो वर्ष तक पत्नी का भरण न करे।

(3) जब पति को सात वर्ष अथवा इससे अधिक काल की सजा अन्तिम रूप में मिल चुकी है।

(4) जब पति तीन वर्ष तक वैवाहिक कर्तव्य पूरा न कर सके।

(5) जब पति नपुसंक हो।

(6) जब पति पागल हो।

(7) जब पति दो साल से कुष्ठ रोग अथवा गुप्त रोग से पीड़ित हो।

(8) जब पति क्रूरता का व्यवहार करे अपना अनैतिक जीवन बिताने के लिए बाध्य धार्मिक कार्यों में बाधा पहुँचाए।

(9) जब विवाह संरक्षक ने 15 वर्ष की आयु के पूर्व कर दिया हो और 18 वर्ष पूरे होने से पहले इसके लिए अदालत में आवेदन कर दिया हो तब विवाह विच्छेद हो सकता है पर दोनों में यौन सम्बन्ध स्थापित न हुए हों।

(10) मुस्लिम कानून द्वारा स्वीकृत अन्य आधार पर भी तलाक हो सकता है।

उपरोक्त विवेचन से स्पष्ट है कि मुस्लिम समाज में तलाक अत्यधिक सरल है और पुरुष के लिए तो इस मामले में विशेषाधिकार मिले हुए हैं। 1939 में मुस्लिम विवाह विच्छेद अधिनियम द्वारा महिलाओं को भी इस दिशा में सुविधाएँ मिली हैं। विवाह विच्छेद अधिक सरल होने पर उनका जीवन अस्थायी नहीं है वरन् विवाह विच्छेद अधिक संख्या में नहीं होता। कुछ भी हो यह कहना उपयुक्त ही है कि मुसलमानों में महिलाओं को तलाक प्राप्त करने के अधिकार सीमित हैं।

हिन्दू और मुस्लिम विवाह में अन्तर

(Difference between Hindu and Muslim Marriage)

हिन्दू विवाह	मुस्लिम विवाह
1. हिन्दू विवाह एक धार्मिक संस्कार है विवाह के उद्देश्य–(*i*) धर्म (*ii*) प्रजा (*iii*) रति	1. मुस्लिम विवाह एक शिष्ट समझौता है धर्म विवाह के उद्देश्य (*i*) यौन सुख (*ii*) संतान उत्पादन और उनका वैधकरण
2. दहेज या वर मूल्य प्रथा का प्रचलन है।	2. मेहर की प्रथा है।
3. हिन्दुओं में धर्मशास्त्र के अनुसार विशेष परिस्थितियों में एक से अधिक पत्नियाँ हो सकती हैं।	3. मुसलमानों में चार पत्नियाँ रखने की अनुमति है। बहुपत्नी विवाह को मान्यता प्राप्त है।
4. सगोत्र व सपिण्ड विवाह निषेध है।	4. मुसलमानों में कुछ निकट के सम्बन्धियों को छोड़कर सगोत्र व सपिण्ड विवाह जैसा कोई निषेध नहीं है।
5. हिन्दुओं में अस्थायी विवाह का विधान नहीं है।	5. मुसलमानों में स्थायी विवाह अथवा निकाह के अतिरिक्त अस्थायी अथवा मुताह विवाह की भी अनुमति प्राप्त है।
6. हिन्दुओं में साधारणतया विधवा विवाह मान्य नहीं है इसके अतिरिक्त इद्‌दत जैसे समय का बन्धन नहीं।	6. विधवा विवाह मान्य है और इद्‌दत का पालन अनिवार्य है।

7. विवाह एक जन्म-जन्मांतर का नाता है।	7. विवाह एक समझौता है इसलिए इसे तोड़ा भी जा सकता है।
8. विवाह विच्छेद कठिन है।	8. तलाक, सरल, परिवार में हो सकता है।
9. विवाह विच्छेद न्यायालय द्वारा ही हो	9. तलाक सरल है।
10. बाल विवाह का प्रचलन है, लेकिन अब इस पर रोक है।	10. बाल विवाह का प्रचलन है।
11. धर्म पर अधिक बल दिया जाता है।	11. भरण पोषण की शर्त आवश्यक माना गया है।

मुस्लिम परिवार
(Muslim Family)

मुस्लिम परिवार की स्थापना समाज द्वारा स्वीकृत पति-पत्नी के निकाह या समझौते पर आधारित होती है। परिवार पितृ सत्तात्मक होता है और परिवार अपनी सम्बन्धी अधिकार पर उत्तरदायित्व पुरुषों के हाथ में होते हैं। बच्चों के उपनाम पिता के वंश के नाम से चलते हैं। बच्चे रहित पति-पत्नी किसी नाते रिश्तेदार के एक बच्चे को गोद लेकर परिवार के क्रम को बनाए रखते हैं। मुस्लिम परिवार पितृ सत्तात्मक ही नहीं होता वरन् हिन्दुओं की भांति पितृ स्थानी भी होता है। विशेष परिस्थितियों में किन्हीं-किन्हीं परिवारों में हिन्दुओं की भाँति घर जमाई बनाने की प्रथा भी पायी जाती है लेकिन ऐसा अपवाद के रूप में होकर है नियम के रूप में नहीं। इनके सब परिवारों की स्थिति तथा सिद्धान्त बराबर या समान होते हैं फिर भी व्यवहार में परिवारों में ऊँच-नीच का एक क्रम का संस्तरण पाया जाता है।

मुस्लिम परिवार की विशेषताएँ (Features of Muslim Family)

मुस्लिम परिवार की आधारभूत विशेषताएँ निम्न हैं–

(1) परिवार धार्मिक कर्तव्यों की पूर्ति है–मुसलमानों में परिवार धार्मिक ग्रन्थ कुरान के आधार पर नियमित, नियंत्रित, निर्देशित व संचालित होता है। इस प्रकार मुस्लिम परिवार का मुख्य तत्त्व अल्लाह ताला पर विश्वास रखते हुए पारिवारिक कर्तव्यों को ठीक प्रकार से निभाना होता है। ऐसा कहा जाता है कि जो पति-पत्नी को अल्लाह की ओर से असीम सुख मिलता है और अल्लाह के संदेश के अनुसार न चलने पर दंड मिलता है। इस प्रकार परिवार धार्मिक कर्तव्यों की पूर्ति में महत्त्वपूर्ण भूमिका अदा करता है।

(2) परिवारों की सामाजिक स्थिति में असमानता–इस्लाम धर्म के जन्म के आधार पर किसी प्रकार के भेदभाव का हामी नहीं है। इस्लाम के अनुसार सब मुसलमान

और उनके परिवार सामाजिक दृष्टि से बराबर हैं, न कोई ऊँचा है और न कोई नीचा। सभी अल्लाह के लिए बराबर हैं परन्तु व्यावहारिक तौर पर मुसलमानों के परिवार में भी ऊँच-नीच का क्रम या संस्तरण देखने को मिलता है। मुसलमानों में भी हिन्दू जातियों की तरह संस्तरण पाया जाता है श्री पी.हार्डी का कथन है कि भारत में तुर्क और गैर तुर्क, बाहर से आए मुसलमान व काले मुसलमान, गुलाम मुसलमान व परिवर्तित मुसलमान आदि। इसी प्रकार डॉ. कैलाशनाथ शर्मा ने लिखा है "भारतीय मुसलमानों में सैयदों का स्थान सबसे ऊँचा या श्रेष्ठ है। सैयद अपने आपको मु. साहब और उनके दामाद अली का वंशज बतलाते हैं, इसलिए उनका स्थान आता है। इसके बाद राजपूत मुसलमान का स्थान आता है। व्यावसायिक, जैसे–जुलाहा, दर्जी, नाई, मनिहार आदि की स्थिति राजपूत मुसलमानों के बाद आती है। मुसलमानों में सबसे निम्न स्तर पर लाल बेगी मेहतर हैं। विभिन्न मुस्लिम परिवारों की सामाजिक स्थिति इसी संस्तरण में पाए जाने वाले क्रम के अनुसार निश्चित होती रही है।"

(3) परिवार के सदस्यों की स्थित्तियों में समानता–इस्लाम किसी भी प्रकार की असमानता को स्वीकार नहीं करता, परन्तु परिवार के सदस्यों की स्थितियों के सम्बन्ध में यह सिद्धान्त खरा नहीं उतरता। परिवार में पिता की स्थिति सबसे श्रेष्ठ या ऊँची होती है, लड़कियों की तुलना में लड़कों की स्थिति अच्छी रहती है इसके अतिरिक्त महिलाओं पर पुरुषों की तुलना में कहीं अधिक प्रतिबन्ध रहते हैं। पुरुष व लड़के स्वतन्त्रतापूर्वक घूम फिर सकते हैं, परन्तु महिलाओं व लड़कियों को घर की चारदीवारी में ही रहना होता है। परिवार में सदस्यों की प्रस्थिति आयु के आधार पर घटती-बढ़ती है।

(4) संयुक्त परिवार प्रणाली–भारतीय मुसलमानों में हिन्दुओं की भाँति संयुक्त परिवार प्रणाली का प्रचलन पाया जाता है। संभवतया यह हिन्दुओं की संयुक्त परिवार प्रणाली का मुस्लिम समाज पर विशेष प्रभाव है। देहातों में मुसलमानों में संयुक्त परिवारों का पाया जाना मुस्लिम जीवन की एक सामान्य विशेषता है, लेकिन नगरों में औद्योगीकरण, पाश्चात्य शिक्षा, व्यक्तिवादिता आदि कारणों से मुस्लिम संयुक्त परिवारों का विघटन हो रहा है और उनका स्थान एकाकी या मूल परिवार लेते जा रहे हैं।

(5) सामाजिक जीवन की निरन्तरता–समाज अथवा वंश की निरन्तरता को बनाए रखने का महत्त्वपूर्ण कार्य भी मुस्लिम परिवार द्वारा सम्पन्न होता है। परिवार में उत्पन्न नयी सन्तानें सामाजिक जीवन के विभिन्न क्षेत्रों में व्यक्तियों के रिक्त स्थानों की पूर्ति करती रहती हैं। इतना ही नहीं परिवारों में सन्तान न होने पर किसी नाते रिश्तेदार के बच्चे को गोद ले लिया जाता है। ताकि वंश की निरन्तरता कायम रखी जा सके। इस प्रकार स्पष्ट

है कि सामाजिक जीवन की निरन्तरता बनाए रखना हिन्दू परिवार की भाँति मुस्लिम परिवार की अपनी महत्त्वपूर्ण विशेषता है।

(6) संस्कृति की निरन्तरता–मुसलमान लोग अपने रहन-सहन, रीति-रिवाज, मान्यताओं, परम्पराओं व मूल्यों को बनाए रखने के लिए विशेष ध्यान रखते हैं। इसलिए मुस्लिम परिवार में परिवार के बड़े-बूढ़े सदस्य इन सांस्कृतिक तत्त्वों में बच्चों को प्रारम्भ से ही दीक्षित करते रहते हैं। इस प्रकार सांस्कृतिक तत्त्व अविराम गति से पीढ़ी-दर-पीढ़ी हस्तान्तरित होते रहते हैं और सांस्कृतिक निरन्तरता बनाए रखते हैं। वस्तुतः मुस्लिम परिवार संस्कृति की निरन्तरता को बनाए रखने में महत्त्वपूर्ण भूमिका अदा करता है।

(7) परिवार में महिलाओं की स्थिति संतोषजनक–जहाँ तक सम्पत्ति में अधिकार का प्रश्न है, मुस्लिम स्त्री किसी पुरुष से कम या पीछे नहीं, मेहर के अधिकार ने मुस्लिम महिला को पर्याप्त संरक्षण प्रदान किया है। मुस्लिम स्त्री का धार्मिक अधिकार भी है–कुरान शरीफ का पढ़नां, नमाज पढ़ना व अन्य धार्मिक कृत्यों में भाग लेना आदि मुस्लिम महिला के लिए खुला है। लेकिन इतना सब कुछ होते हुए भी मुस्लिम स्त्री की स्थिति पुरुष की तुलना में काफी असंतोषजनक है। सामाजिक प्रतिबन्ध, अशिक्षा, पर्दा प्रथा, संयुक्त परिवार प्रथा आदि के कारण मुस्लिम स्त्री की स्थिति असंतोषजनक बनी हुयी है।

मुस्लिम परिवार के कुछ संस्कार (Some Rituals of Muslim Family)

(1) सतवाँ–मुस्लिम स्त्री के गर्भ धारण करने पर खुशियाँ मनायी जाती हैं और गर्भ धारण से सातवें महीने पर उत्सव मनाया जाता है, जिसे सतवाँ कहा जाता है। इस उत्सव में नाते रिश्ते व मुहल्ले की औरतों को आमंत्रित किया जाता है, जो बच्चे के जन्म के बारे में गाने बनाकर गाती हैं और प्रसन्नता व्यक्त करती हैं। इस दृष्टि से सन्तान का होना मुस्लिम परिवार में अत्यन्त आनन्द व सुख का विषय है।

(2) अकीका–यह संस्कार बच्चे के जन्म के बाद सातवीं रात को मनाया जाता है। यह हिन्दुओं के नामकरण संस्कार से मिलता-जुलता है। इसमें मौलवी बच्चे का नाम रखने के लिए आते हैं और खुदा से दुआ माँगते हैं। इस दिन खुशी में बकरे की बलि दी जाती है और मांस को गरीबों में बाँटा जाता है। इस दिन बच्चे के बाल भी काटे जाते हैं और कहीं-कहीं बच्चे के बालों के वजन के बराबर सोना भी दान दिया जाता है।

(3) चालीसवाँ–यह संस्कार बच्चे के जन्म से चालीसवें दिन मनाया जाता है। इस दिन तक बच्चे की माँ अपवित्र मानी जाती है। इस दिन नमाज पढ़ी जाती है। अल्लाह से दुआ मांगी जाती है। उपहार दिए जाते हैं और मिठाई बाँटी जाती है।

(4) बिसमिल्लाह खानी—जब बालक चार साल, चार महीने व चार दिन का होता है, तो बिसमिल्लाह खानी संस्कार मनाया जाता है। यह एक प्रकार से विद्यारम्भ संस्कार है। मुसलमान इस संस्कार में बच्चे से बिसमिल्ला शब्द का उच्चारण करवाते हैं और पाटी पर लिखने की शुरुआत करवाते हैं।

(5) खतना—यह मुसलमान में बचपन का सबसे महत्त्वपूर्ण संस्कार है। सामान्यतया खतना संस्कार उस समय होता है, जब लड़के की उम्र 4 से 6 वर्ष की होती है। वैसे यह संस्कार 18 वर्ष की अवस्था तक हो सकता है। इस संस्कार वाले दिन हज्जाम आकर लड़के के लिंग के आगे की खाल काट देता है, लड़के से कुछ प्रतिज्ञाएँ कराता है और कुरान की आयतों को पढ़ने को कहता है। इस दिन लड़के को इष्टमित्र व नाते रिश्तेदारों द्वारा उपहार भेंट किए जाते हैं और पिता की ओर से दावत का भी आयोजन किया जाता है। सच तो यह है कि इस संस्कार के बाद ही लड़का पूरी तरह से मुसलमान होता है, नमाज पढ़ने व रोजा रखने का अधिकारी होता है।

(6) निकाह—मुसलमानों में निकाह एक प्रकार का समझौता है, फिर भी इसमें संस्कार के तौर पर कुछ कृत्य सम्पन्न किए जाते हैं। विवाह का प्रस्ताव लड़के वाले की ओर से आता है और दोनों पक्षों से एक-दूसरे के बारे में जाँच-पड़ताल कर लेने के बाद ही निकाह की तारीख निश्चित करते हैं। निकाह वाले दिन वह शोभा यात्रा के साथ बारात लेकर लड़की वालों के घर पहुँचता है। बारात का स्वागत किया जाता है और काजी एवं गवाहों के सामने लड़की की पूर्ण सहमति से ही निकाह की रस्म पूरी होती है।

(7) अन्तिम संस्कार—मुसलमानों में अन्तिम संस्कार बड़ी शान्ति में सम्पन्न किया जाता है। स्नान कराने के बाद लाश को नये तहमत, कुर्ते व पटके में एक नयी खाट पर लिटा दिया जाता है। मृत आत्मा की शान्ति के लिए फातिहा पढ़ा जाता है और धीरे-धीरे खत्म को कब्रिस्तान ले जाते हैं, जहाँ कुछ विशेष क्रियाओं के द्वारा लाश को कब्र में दफना दिया जाता है।

मुसलमानों में सामाजिक संस्तरण या जाति व्यवस्था
(Social Bedding or Caste Provisions in Muslims)

इस्लाम धर्म किसी प्रकार के भेद-भाव को स्वीकार नहीं करता है। हजरत मोहम्मद साहब ने एक बार स्वयं कहा था कि "ऐ मुसलमान तुम्हारा अल्लाह एक है। वह तुम सबका जनक है। गोरे रंग वाले श्रेष्ठ नहीं और काले रंग वाले हीन नहीं हैं। ऊँचे व श्रेष्ठ तो वे हैं जो पवित्रता का व्यवहार अल्लाह में विश्वास रखते हुए करते हैं", लेकिन इस सबके बावजूद भी व्यावहारिक तौर पर मुसलमानों में ऊँच-नीच का संस्तरण या हिन्दुओं की जाति प्रथा

जैसी व्यवस्था देखने को मिलती है। **लेवी** महोदय ने लिखा है कि "मो. साहब की इच्छा थी कि जन्म अथवा वंश के आधार पर किसी को छोटा-बड़ा, ऊँचा-नीचा न समझा जाए, फिर भी मोहम्मद साहब के वंश के लोग अथवा उनके वंश से सम्बन्धित लोग अपने को अन्य मुसलमानों की तुलना में श्रेष्ठ या ऊँचा मानते हैं।" इसीलिए कहा गया है—पैगम्बर साहब के कबीले का कोई पुरुष-स्त्री गुलाम नहीं हो सकता। पैगम्बर की मृत्यु के बाद मुसलमानों में दो वर्ग बन गए—अरब में रहने वाले मुसलमान और अरब के बाहर रहने वाले मुसलमान। अरब से बाहर के मुसलमानों को मवाली कहा गया, इसके साथ भेदभाव बरता गया और इन्हें विजित देश में भूमि, सम्पत्ति या घर लेने का अधिकार नहीं दिया गया। उत्सवों में इनको अन्तिम कतार में बैठाया जाता था और अन्य मुसलमान उनके साथ नगरों में घूमने-फिरने में अपमान समझते थे। धर्मशास्त्र समानता की बात अवश्य कहता है परन्तु यह समानता व्यवहारिक तौर पर देखने को नहीं मिलती वरन् सामाजिक संस्तरण देखने को मिलता है। सच तो यह है कि मुसलमानों में संस्तरण हिन्दुओं की जातियों के समान ही है। **पी. हार्डी** का कथन है कि भारत में तुर्क और तुर्क के बाहर से आए मुसलमान, अफगानी वंशज, गोरे मुसलमान व काले मुसलमान, गुलाम मुसलमान व परिवर्तित मुसलमान आदि के भेद स्पष्ट रूप से पाए जाते हैं। मौलिक रूप से यह भेद-भाव जन्म पर आधारित है। इसी प्रकार **डॉ. कैलाशनाथ शर्मा** ने लिखा है कि भारतीय मुसलमानों में सैय्यदों का स्थान सबसे ऊँचा है और वे सबसे श्रेष्ठ हैं। सैय्यदों के बाद इस सोपान क्रम से क्रमशः शेख, गमल और पठान लोगों का स्थान आता है। पठानों के बाद राजपूत मुसलमानों का स्थान आता है और व्यावसायिक जातियाँ, जैसे—जुलाहा, दर्जी, नाई, मनिहार आदि की स्थिति राजपूत मुसलमानों के बाद आती है। मुसलमानों में सबसे निम्न स्तर पर लोग वेगी मेहतर हैं और गौरिया आते हैं।

डॉ. नर्मदेश्वर प्रसाद ने अपनी पुस्तक में उल्लेख किया है कि मुसलमानों में हिन्दुओं की जाति प्रथा जैसा संस्तरण पर्याप्त मात्रा में विद्यमान है। सच तो यह है कि भारतीय मुसलमानों ने हिन्दुओं से प्रभावित होकर अपने समाज की जातियों अथवा वर्गों में बाँट लिया है। भले ही इनकी जातियों का रूप हिन्दुओं से थोड़ा भिन्न हो, लेकिन इतना निश्चित है कि लोग भी जन्म के आधार पर अपने को ऊँचा या नीचा मानते हैं। बहुत ऊँचे मुसलमान नीचा काम करना पसन्द नहीं करते और अपनी लड़कियों को नीचे मुसलमानों में नहीं देते हैं—सैय्यद शेख की लड़की ले सकता है परन्तु शेख सैय्यद की लड़की नहीं ले सकता है। कुछ भी हो, यह कहना उचित है कि भारतीय मुसलमानों में हिन्दुओं की जाति व्यवस्था की भाँति संस्तरण विकसित हो चुका है।

अभ्यास प्रश्न

1. 'मुस्लिम विवाह एक समझौता है' कथन की व्याख्या कीजिए।
2. मुस्लिम विवाह पद्धति की प्रमुख विशेषताओं की चर्चा कीजिए।
3. मुस्लिम विवाह विच्छेद पर टिप्पणी करिए।
4. मुस्लिम परिवार की प्रमुख विशेषताएँ लिखिए।
5. मुस्लिम विवाह एवं परिवार में आए परिवर्तनों पर चर्चा कीजिए।

संदर्भ

1. D.F. Mulla, Principles of Mahomedan Law, p. 233
2. K. M. Kapadia, Marriage and Family in India, p. 195

16

ईसाई विवाह एवं परिवार
(Christian Marriage and Family)

विवाह मानव समाज की आवश्यकता है। ईसाईयों के समाज में भी विवाह का उल्लेखनीय स्थान है। हाँ, इतना अवश्य है कि ईसाईयों में विवाह के उद्देश्य, आदर्श, विधि आदि हिन्दू और मुस्लिम विवाह से भिन्न है। सच तो यह है कि हिन्दू और मुस्लिम विवाह स्वयं एक-दूसरे से भिन्न है, इसी प्रकार ईसाई विवाह की हिन्दुओं और मुसलमानों के विवाहों से अलग अपनी विशिष्टता है।

ईसाई विवाह की परिभाषा एवं अर्थ

(Meaning and Definition of Christian Marriage)

उत्तर भारत में संयुक्त चर्च के अनुसार–"विवाह समाज में एक पुरुष और एक स्त्री के मध्य ऐसे समझौते के रूप में परिभाषित किया जा सकता है, जो सामान्य तौर पर जीवन पर्यन्त चलता है और जिसका उद्देश्य यौन सम्बन्ध, पारम्परिक संसर्ग एवं परिवार की स्थापना करना होता है।"

उपरोक्त परिभाषा से स्पष्ट है कि ईसाई समाज में विवाह स्त्री-पुरुष के मध्य समझौते के साथ-साथ एक पवित्र बन्धन भी है, क्योंकि ईसाई धर्म में इस समझौते के जीवन-पर्यन्त चलने की कामना की जाती है। यह तथ्य विवाह के अवसर पर पादरी के सम्बोधनों से और भी स्पष्ट हो जाता है। अवसर पर पादरी वर-वधू को सम्बोधित करते हुए कहता है, "अब तुम पति-पत्नी के केवल औपचारिक समझौते से ही बंधे हुए नहीं हो वरन् विवाह संस्कार के पवित्र बँधन से भी बँध गए हो।"

इस प्रकार ईसाई विवाह यौन सम्बन्ध, पारस्परिक संसर्ग एवं परिवार की स्थापना हेतु किया गया ऐसा समझौता है, जिसका दृष्टिकोण संस्कारात्मक है और जो स्वयं में स्थायी है।

ईसाई विवाह का उद्देश्य (Objectives of Christian Marriage)

ईसाई विवाह के निम्नलिखित उद्देश्य को स्पष्ट किया जा सकता है–

(1) यौन सम्बन्धी इच्छाओं की सन्तुष्टि–ईसाई विवाह का प्रथम उद्देश्य समाज द्वारा मान्यता प्राप्त तरीके से यौन सम्बन्धी इच्छाओं या कामनाओं की संतुष्टि करना है। प्रत्येक मानव की यह एक आवश्यकता है, इसलिए विवाह द्वारा यौन सम्बन्धों के निर्धारण के लिए साथ-साथ उनकी तुष्टि या तृप्ति पर भी बल दिया गया है। विवाह के उद्देश्य के रूप में यौन सम्बन्धी इच्छाओं का पहला स्थान देने का कारण यह है कि यौन सम्बन्धी इच्छाओं की सन्तुष्टि हो जाने से समाज में व्यभिचार और पाप नहीं फैल पाता। संभवतया इसलिए सेण्टपाल ने कहा है–"यदि अविवाहित व्यक्ति संयम से नहीं रह सकते हों तो पाप से जलने की अपेक्षा विवाह करना ही अधिक ठीक होगा।" इसके अतिरिक्त बच्चों का जन्म एवं सामाजिक जीवन की निरन्तरता भी यौन सम्बन्धों पर आधारित रहती है और इस प्रकार ईश्वर की सेवा करने का अवसर प्राप्त होता है। इस सन्दर्भ में ठीक ही कहा गया है, "सन्तानोत्पति के द्वारा विवाहित स्त्री-पुरुष ईश्वर की निर्माणकारी क्रिया में भाग लेते हैं, जबकि बच्चों के पालन-पोषण के द्वारा ईश्वर की पालक शक्ति को व्यक्त करते हैं।"

(2) पारस्परिक सहभाव–ईसाई विवाह का दूसरा महत्त्वपूर्ण उद्देश्य दो अपरिचित स्त्री-पुरुष को एक-दूसरे के निकट लाकर सहभाव या साथी भाव विकसित करना ताकि जीवन में पूर्णता प्राप्त की जा सके। ईसाई धर्म के अनुसार विवाह के सम्बन्ध में यह धारणा पायी जाती है कि विवाह ईश्वर की इच्छा से किया गया पवित्र एवं स्थायी बन्धन है, जिसमें पति-पत्नी की दुख-सुख अथवा प्रत्येक परिस्थिति में एक-दूसरे को साथी बनाए रखना है।

(3) परिवार की स्थापना–प्रत्येक समाज में परिवार की स्थापना हेतु विवाह आवश्यक है। ईसाई समाज में भी परिवार को बसाने की दृष्टि से विवाह को एक साधन माना गया है। यह ठीक भी है क्योंकि बिना विवाह के सुखद परिवार या घर की कल्पना भी कैसे की जा सकती है।

ईसाई विवाह के मुख्य चरण (Major Stages in Christian Marriage)

(1) जीवन साथी का चुनाव या कोर्टशिप–ईसाई समाज में विवाह के लिए जीवन साथी का चुनाव करने वाले पक्ष स्वयं करते हैं। विवाह इच्छुक लड़के व लड़की एक-दूसरे से सम्पर्क स्थापित करके भली-भांति समझने का प्रयास करते हैं और दोनों की सहमति हो जाने पर ही विवाह तय हो पाता है। लड़के-लड़की के विवाह से पूर्व विवाह की सहमति के लिए एक-दूसरे को समझने के लिए जो आपसी बातचीत या सम्पर्क चलता है, उसे कोर्टशिप कहा जाता है। वास्तव में कोर्टशिप का उद्देश्य लड़के-लड़की की सहमति में

विवाह के लिए जीवन साथी का चुनाव करना होता है। इस प्रकार जीवन साथी का चुनाव या कोर्टशिप ईसाई विवाह का प्रारम्भिक चरण है। जीवन साथी का चुनाव अति निकट के रक्त सम्बन्धियों जैसे चचेरे, फुफेरे या ममेरे भाई-बहिनों को छोड़कर किया जाता है।"

(2) विवाह संस्कार–ईसाईयों में विवाह को संविदा के साथ-साथ एक पवित्र बंधन या संस्कार भी माना जाता है। इसलिए विवाह के दौरान संस्कार के तौर पर कुछ धार्मिक कृत्यों को भी सम्पन्न किया जाता है। जीवन साथी के चुनाव के बाद लड़के-लड़की की मंगनी या सगाई होती है इसके लिए सम्बन्धित माता-पिता को चर्च के पादरी को सूचित करना होता है और चर्च में पादरी की स्वीकृति से मंगनी के दिन व समय इष्ट मित्रों को आमंत्रित किया जाता है। मंगली के समय लड़के-लड़की सबसे मध्य बैठाये जाते हैं और पादरी द्वारा धार्मिक ग्रन्थ बाइबिल से कुछ विशेष अंशों को पढ़ा जाता है। इसके बाद विवाह की स्वीकृति के द्वारा के रूप में लड़का अंगूठी, नारियल, रुपया तथा बाइबिल की एक प्रति लड़की को भेंट करता है। ऐसी भेंट लड़की की ओर से लड़के को भी जाती है। पादरी महोदय इन भेंट की हुई अंगूठियों को लड़के-लड़की को पहना देता है और मंगनी की विधिवत घोषणा करता है। मंगनी का यह कार्यक्रम जलपान, मिठाई वितरण आदि से समाप्त होता है।

मंगनी के बाद पति-पत्नी को विवाह के लिए चर्च के अधिकारी को विवाह की तिथि से लगभग तीन सप्ताह पहले एक प्रार्थना-पत्र देना होता है। इस प्रार्थना-पत्र में दोनों पक्षों को अपने परिवारों का संक्षिप्त परिचय देना होता है और इसके साथ चर्च की सदस्यता एवं चरित्र की शुद्धता का प्रमाण-पत्र भी संलग्न करना होता है। चर्च को पादरी प्रार्थना-पत्र प्राप्ति के बाद बारी-बारी से तीन रविवारों को सम्बन्धित पक्षों के विवाह की सूचना को प्रकाशित करता है। ताकि यदि किसी को इस विवाह से आपत्ति हो तो उसकी सुनवाई की जा सके।

विवाह के दिन निश्चित समय पर वर व वधू निमंत्रित व्यक्तियों के साथ चर्च में आ जाते हैं। जिस समय वधू का चर्च के अन्दर प्रवेश होता है, उस समय उसके सम्मान व स्वागत के लिए चर्च का घण्टा बजाया जाता है और बैठे हुए व्यक्ति भी खड़े हो ज़ाते हैं एवं गीत गाकर स्वागत करते हैं। चर्च के अन्दर लड़की को लड़के के बायीं ओर बैठाया जाता है। इस अवसर पर वर व वधू इस पवित्र बंधन को निभाने का वचन देते हैं और आपस में अपनी अँगूठियों को बदलते हैं। इसके बाद पादरी महोदय घोषणा करते हैं कि ये दोनों व्यक्ति आज से पति-पत्नी हो गए हैं। अन्त में पादरी साहब विशेष प्रार्थना करते हुए पति-पत्नी दोनों को आशीर्वाद देते हैं।

ईसाई लोगों में धार्मिक विवाह के अतिरिक्त भारतीय ईसाई विवाह अधिनियम 1872 के अनुसार सिविल मैरेज की भी सुविधा है। यह विवाह अदालती तौर पर रजिस्ट्रार

के सामने प्रार्थना-पत्र प्रस्तुत करने पर होता है–इस अधिनियम के अन्तर्गत निम्न शर्तों का पालन करना आवश्यक है–

(*i*) विवाह के समय वर व वधू की आयु क्रमशः 16 व 13 वर्ष से कम नहीं होनी चाहिए।

(*ii*) विवाह के समय किसी भी पक्ष का पति या पत्नी जीवित नहीं होना चाहिए।

(*iii*) विवाह के लिए पति-पत्नी को दो गवाहों व पादरी या रजिस्ट्रार के सामने शपथ ग्रहण करनी होती है।

ईसाईयों में विवाह विच्छेद (Divorce in Christians)

सैद्धान्तिक तौर पर ईसाईयों में विवाह को ईश्वर का पवित्र बन्धन माना गया है, इसलिए, विवाह विच्छेद को अच्छा नहीं समझा जाता। फिर भी व्यावहारिक कठिनाइयों के कारण विवाह विच्छेद को स्वीकार कर लिया गया है। भारतीय ईसाइयों में विवाह विच्छेद या तलाकों की संख्या यूरोप व अमेरिका में रहने वाले ईसाइयों से काफी कम है। भारतीय ईसाईयों के विवाह विच्छेद के लिए 'भारतीय विवाह विच्छेद अधिनियम 1969' बना हुआ है।

(*i*) पति ने ईसाई धर्म को छोड़कर कोई अन्य धर्म स्वीकार कर लिया है और किसी अन्य स्त्री के साथ विवाह कर लिया हो।

(*ii*) पति ने निषिद्ध सम्बन्धों के अन्तर्गत आने वाली किसी स्त्री के साथ यौन सम्बन्ध स्थापित कर लिया हो।

(*iii*) पति ने किसी अन्य स्त्री के साथ विवाह कर लिया हो और उसके साथ यौन सम्बन्ध स्थापित कर लिया हो।

(*iv*) पति बलात्कार, अप्राकृतिक व्यभिचार एवं पशुता का अपराधी हो।

(*v*) पति के द्वारा किसी दूसरी स्त्री के साथ अनुचित मैथुन किया गया हो और पत्नी को कम-से-कम दो वर्ष से परित्याग कर दिया हो।

(*vi*) पति बहु विवाह-व्यभिचार का अपराधी हो।

(*vii*) पति पत्नी के साथ निर्दयतापूर्ण व्यवहार करता हो।

इस अधिनियम की धारा 19 के अनुसार अग्रलिखित दशाओं में ईसाई विवाह अमान्य घोषित किया जा सकता है–

(*i*) विवाह के समय कोई पक्ष नपुंसक हो।

(*ii*) पति-पत्नी एक-दूसरे के निषेधात्मक रक्त सम्बन्धी या विवाह सम्बन्धी हो।

(*iii*) कोई भी एक पक्ष विवाह के समय पागल हो।

(*iv*) दोनों में से किसी का भी पहला पति या पत्नी जीवित हो।

विवाह के अवैध घोषित करने के लिए हाई कोर्ट द्वारा प्रमाणित राजाज्ञा होनी चाहिए। यदि विवाह के लिए किसी पक्ष को स्वीकृत छल या कपट द्वारा ली गयी, तो हाईकोर्ट ऐसे विवाह को अवैध घोषित कर सकता है। धारा 22 के अनुसार, व्यभिचार, क्रूरता अथवा परित्याग के कारण न्यायिक पृथक्करण प्राप्त किया जा सकता है। धारा 23 के अनुसार, पति-पत्नी में से किसी के द्वारा भी वैवाहिक अधिकारों के पुनः स्थापन के लिए प्रार्थना पत्र दिया जा सकता है। धारा 34 के अन्तर्गत कोई-कोई को पति से भरण-पोषण की मांग करने की व्यवस्था की गयी है। इस अधिनियम की धारा 50 के अनुसार, विवाह विच्छेद की राजाज्ञा प्राप्त होने के छः महीने पश्चात् कोई भी पक्ष दूसरा विवाह कर सकता है, बशर्ते कि इस अवधि के बीच किसी प्रकार की कोई अपील नहीं की गयी हो।

उपर्युक्त अधिनियम को संशोधित किया गया तथा 'भारतीय तलाक (संशोधन) अधिनियम, 2001' 3 अक्टूबर, 2001 से प्रभावी हो गया है। इस अधिनियम के द्वारा 132 वर्ष पुराने 'भारतीय तलाक अधिनियम, 1899' में संशोधन कर इसकी धारा 10, 17 और 20 में महिलाओं और पुरुषों दोनों के मामले में एकरूपता ला दी गई है।

ईसाई विवाह की बदलती परिस्थिति
(Changing Scenari in Christian Marriage)

ईसाई धर्म में नैतिकता पर प्रारम्भ से ही अत्यधिक बल दिया गया है और यौन सम्बन्धों को उत्तम जीवन के लिए ठीक नहीं माना गया है। यौन प्रवृत्तियों को नियंत्रित न करने की स्थिति में ही विवाह करना उचित समझा गया है। **सेण्ट पाल** महोदय ने विवाह सम्बन्धी विचारों को व्यक्त करते हुए कहा है कि पुरुष के लिए अच्छा है कि वह महिलाओं को स्पर्श न करे। लेकिन अविवाहित व्यक्ति संयम से नहीं रह सकते हों तो पाप से जलने की अपेक्षा विवाह करना ही अधिक ठीक होगा।

इस प्रकार परंपरागत दृष्टिकोण से ईसाई धर्म में विवाह को निम्न स्थान दिया गया है, लेकिन आधुनिक समय में विवाह के सम्बन्ध में यह परम्परागत धारणा बदल गई है। इस धारणा की स्थापना ईश्वर की इच्छा से हुयी है, परिवार मानव जीवन के लिए आवश्यक व अपरिहार्य है इसलिए परिवार को स्थापित करने का एक मात्र साधन विवाह बन्धन है। यह कोई पाप नहीं है इसमें केवल यौन सम्बन्ध ही नहीं होता है वरन् पति-पत्नी के मध्य मानसिक व आध्यात्मिक सम्बन्ध भी विकसित होता है जो अन्तिम रूप से ईश्वर प्राप्ति की ओर ले जाता है। इसलिए विवाह को ईश्वरीय इच्छा के रूप में माना जाना चाहिए।

अभ्यास प्रश्न

1. भारत में ईसाई परिवार की संरचना बताइए।
2. ईसाई विवाह के उद्‌देश्यों का वर्णन कीजिए।
3. ईसाई विवाह के प्रमुख चरणों का उल्लेख कीजिए।

17

भारत में अभिसरण एवं एकीकरण : भौतिक लक्षणों में सहभागिता एवं सांस्कृतिक क्षेत्र (Convergence and Integration in India : Sharing of Material Traits and Cultural Space)

मनुष्य की क्रियाओं का जैवकीय आधार आवश्यक है। अपनी शारीरिक आवश्यकताओं और इच्छाओं की पूर्ति के लिए वह क्रियाएँ करता है परन्तु पशु और मनुष्य की क्रियाओं में जिस कारण अन्तर आता है, वह तथ्य शरीर की सीमाओं से पृथक है। वह सावयव अतिरेक हैं उससे शारीरिक व्यवहारों का रूप निर्धारित होता है। उनका संचालन एवं नियंत्रण होता है। इस अर्थ में सांस्कृतिक सावयव अतिरेक है। सार्थक प्रतीकों का संकुलन है। संस्कृति मानसिक तथ्य है। कलाकार की मूर्ति बनाने की क्षमता मानसिक ज्ञान है। इसलिए वह संस्कृति का अंग है। बनी हुई पत्थर की मूर्ति उपकरण है, अतः वह सभ्यता की थाती है। सार्थक प्रतीकों का संकुलन होने के कारण संस्कृति को सीखा जाता है और उसका सहभागी हुआ जाता है। **जॉनसन** के अनुसार सांस्कृतिक वस्तुओं का सम्प्रेषण न हो। वह दूसरों तक न पहुँचे, तो संस्कृति कहीं नहीं जाएगी, अतः स्पष्ट है कि मनुष्य ने मूल्यों का वास्तविक रूप देने में, अपनी क्रियाओं से सांस्कृतिक वस्तुओं का सृजन किया या दी हुई वस्तुओं को मूल्यवान मानकर संस्कृति का अंग बना लिया। इन वस्तुओं का विवेचन करने से संस्कृति के सम्पूर्ण अन्तर्वस्तु का विश्लेषण नहीं हो पाया। यद्यपि संस्कृतियाँ एक-दूसरे से भिन्न हुआ करती हैं परन्तु उनमें कुछ ऐसे सार्वलौकिक तत्त्व होते हैं जो सामुदायिक जीवन में सहायक होते हैं। निम्नलिखित तथ्य संस्कृति के सार्वलौकिक अंग हैं, भाषा, भौतिक वस्तुएँ, कला, मिथिक और विज्ञान, धर्म, परिवार और दूसरी सामाजिक व्यवस्थाएँ, सम्पत्ति का सम्प्रत्यय और स्वरूप, सरकार, युद्ध आदि।

मानव ही संस्कृति का निर्माता हुआ अन्य चौपाये नहीं, क्योंकि मानव में कुछ विशिष्ट प्रकार की शारीरिक संरचनाएँ पायी जाती हैं जो कि उसे वह शक्ति या क्षमता

उपलब्ध कराती है जो अन्य चौपायों में सम्भव नहीं है। **लेस्ली व्हाइट** ने मानव की उन पाँच विशेषताओं का उल्लेख किया है जिसके कारण मानव संस्कृति का निर्माता हुआ।

ये पाँचों विशेषताएँ निम्नलिखित हैं–

(1) सीधे खड़े हो सकने की क्षमता

(2) स्वतन्त्रतापूर्वक घुमाए जा सकने वाले हाथ

(3) तीक्ष्ण एवं केन्द्रित की जा सकने वाली दृष्टि

(4) मेधावी मस्तिष्क

(5) प्रतीकों के निर्माण की क्षमता

संस्कृति की विशेषताएँ (Features of Culture)

लोगों की जीवन शैली संस्कृति है। लोगों ने चिन्तन और अनुभूति तथा क्रिया करने के जो ढंग सीख लिए हैं, वही संस्कृति है। संस्कृति सामाजिक आवश्यकता की पूर्ति करती है, इसलिए उसे विरासत के रूप में सुरक्षित किया जाता है। संस्कृति में भौतिक एवं मानसिक जगत की रचनाएँ सम्मिलित होती है। साधारण औजार से लेकर जटिल एवं सूक्ष्म भौतिक रचनाएँ संस्कृति का अंग होती हैं और विचार, विश्वास, पद्धति, कला, दर्शन, कानून आदि सभी संस्कृति के अंग हैं। परिस्थिति के अनुसार समंजित होने का गुण भी संस्कृति में होना चाहिए, अन्यथा सन्तोष प्राप्त नहीं हो सकेगा।

संस्कृति की विशेषताएँ निम्नलिखित हैं–

(1) संस्कृति सीखी जाती है–संस्कृति के तथ्य सीखे जाते हैं। जीवन यापन के लिए जिन वस्तुओं और व्यवहार शैली तथा चिन्तन शैली की आवश्यकता होती है, उनकी पूर्ति संस्कृति करती है इसलिए शिशुकाल से ही संस्कृति के तथ्य सीखे जाने लगते हैं। बालक प्रारम्भ से ही खाना, सोना, खेलना, सफाई रखना आदि अपनी समूह की सांस्कृतिक विशेषताओं के अनुसार सीख़ने लगता है। शीघ्र ही वह भाषा सीख नियम बन्धन, खेल के नियम, कक्षा का व्यवहार आदि सीख लेता है। वयस्क होने पर वह जटिल सामाजिक सम्बन्धों को सीखता है। किसी वृत्ति में दक्षता प्राप्त करके जीविका कमाता है। व्यक्ति जो कुछ भी करता है, संस्कृति के सीखे तथ्यों के आधार पर ही करता है। प्रत्येक समूह सांस्कृतिक सांतत्य बनाए रखने के लिए नयी पीढ़ी को इस तरह सामाजीकृत करता है कि वह संस्कृति के मूलतत्त्वों को अवश्य सीख जाय। प्राथमिक संस्थाएँ और पुरानी पीढ़ी इन कार्यों की भली-भाँति करती है।

(2) संस्कृति अनुतोषण प्रदान करती है–मनुष्य की मौलिक आवश्यकता की पूर्ति संस्कृति द्वारा, निर्धारित शैली के अनुसार होती है। भोजंन, आरक्षण, यौन सम्बन्ध, सम्पत्ति सम्बन्ध आदि मौलिक आवश्यकताएँ सांस्कृतिक नियमों के अनुसार पूरी हो जाती है। संस्कृति की विशेषता यही है कि वह जीवन-यापन में सहायक हो। जब वह ऐसा नहीं

कर पाती है तो असंतोष बढ़ता है और अनेक प्रकार के सांस्कृतिक परिवर्तन होने लगते हैं। परिस्थिति प्रतिकूल होने के कारण संस्कृति के अनेक तथ्य अप्रकार्यवादी अर्थात् सामाजिक संगठन में स्वीकारमूलक भूमिका अदा करने वाले नहीं रह जाते हैं। संस्कृति तभी तक सन्तोष प्रदान कर पाती है, जब तक वह सामाजिक संगठन उत्पन्न करती है। सामाजिक संगठन से सुरक्षा भाव उत्पन्न होता है। समान संस्कृति रखने वाले लोग परस्पर सहयोगात्मक सम्बन्ध रखते हैं। वे अपने अनुभव के सहभागी होते हैं। इस कारण वे संगठित और सुरक्षित रहते हैं। संस्कृति के असन्तोष मिलने के कारण व्यक्ति में यह भाव भी जागृत हो जाता है कि उसकी सांस्कृतिक जीवन शैली सर्वश्रेष्ठ है। इस भाव को 'इथनों सेन्ट्रीज्म' कहते हैं।

(3) संस्कृति सामाजिक होती है—संस्कृति इसलिए सामाजिक है कि वह समूह के अनुभव का सामूहिक स्वरूप होती है। संस्कृति के तथ्य एक साथ रहने वाले व्यक्ति के द्वारा स्वीकार किए जाते हैं। संस्कृति के प्रकार्य भी सामाजिक होते हैं। व्यक्ति के समूह को संस्कृति द्वारा समाजीकृत किया जाता है। संस्कृति ही यह निर्धारित करती है कि लोगों के आचार व्यवहार और भाव कैसे हैं? इन सबको प्रकट करने के लिए संरूप प्रदान करती है। सांस्कृतिक संरूपों से समंजन स्थापित करके सामुदायिक जीवन को सातत्यपूर्ण बनाते हैं। संस्कृति लोगों की इच्छाओं और व्यवहारों पर नियंत्रण रखती हैं।

(4) यथार्थ और आदर्श पक्ष—संस्कृति के गोचर तथ्य यथार्थ हैं। इसके अन्तर्गत हम मनुष्य द्वारा निर्मित प्रत्येक वस्तु को रख सकते हैं। मनुष्य के प्रगट व्यवहार को भी यथार्थ समझा जाता है, परन्तु वस्तुओं और व्यवहारों के प्रत्यक्ष पहलू को आदर्श कहते हैं। व्यक्ति के व्यवहारों के पीछे निहित प्रेरणा और उद्देश्य संस्कृति वे आदर्श पक्ष हैं। प्रायः व्यक्ति में यथार्थ और आदर्श रूप में अन्तर होता है। जैसे आदर्श पक्ष में सभी धर्मों को समान माना जाता है परन्तु व्यवहार पक्ष में धर्म के आधार विचलित व्यवहार होते रहते हैं। इसी तरह भौतिक वस्तुओं में कोई न कोई प्रतीकात्मक पक्ष निहित रहता है। जैसे किसी की मृत्यु पर समुदाय को प्रीतिभोज। मौत इतनी भयानक घटना होती है कि सामूहिक भोजन करके लोग अपनी एकता का परिचय देते हैं और शोक ग्रस्त परिवार को संवेगात्मक बल प्रदान करते हैं।

(5) संस्कृति में अभियोजनशीलता होती है—संस्कृति में लोच होता है। उसमें परिस्थिति के अनुसार अभियोजन की क्षमता होती है। मनुष्य के सामुदायिक जीवन में भौगोलिक पर्यावरण का विशेष स्थान होता है। जिन समाजों में विज्ञान और प्रविधि का विकास इतना अधिक नहीं है कि परिस्थितियों पर नियंत्रण रखा जा सके, वहाँ पर भौगोलिक परिस्थिति ही संस्कृति के लक्षण निर्धारित करती है। उत्तरी भारत अपनी उपजाऊ भूमि और कृषि प्रधानता के कारण ऐसी संस्कृति रखता है जो कृषि पर आधारित और कृषि को प्रोत्साहित करने वाली है जैसे, विवाह के लगन तभी होते हैं जब रवी और खरीफ की फसल कटती है। हिन्दू विवाह संस्कार में अनेक रस्में कृषि वस्तुओं सिंचाई, मिट्टी और कृषि

उपकरणों से सम्बन्धित है। इसी तरह भू-मरुस्थलीय संस्कृति वहाँ की परिस्थिति के अनुसार होती है दी हुई परिस्थिति में कौन-सी जीवन शैली उपयुक्त सिद्ध होगी, इसे सांस्कृतिक अभियोजनशीलता ही निर्धारित करती है परन्तु कुछ सांस्कृतिक, ऐतिहासिक कारणों से इतनी कठोर होती हैं कि परिस्थिति में बदल जाने पर भी सरलता से अपने आप को नहीं बदलती इस कारण सांस्कृतिक विलम्बन उत्पन्न हो जाता है। भौतिक और अभौतिक परिस्थितियाँ संस्कृति को बदलने के लिए चुनौती प्रस्तुत करती है। परन्तु जैसे-जैसे विज्ञान और प्रविधि का प्रभाव बढ़ता रहा है, प्राकृतिक परिस्थिति का निर्धारक पक्ष कम होता जा रहा है। परन्तु आर्थिक और राजनैतिक परिस्थितियाँ सांस्कृतिक अभियोजनशीलता के लिए हमेशा चुनौती उपस्थित करती है।

(6) संस्कृति में संगतिपूर्णता होती है—प्रत्येक संस्कृति अपने सभी अंगों का ऐसा समुच्चय बनाती है कि उन सबसे अन्तर्सम्बन्ध होते हैं। संस्कृति एक ऐसी माला के समान है जिसके सभी फूल एक सूत्र में पिरोए होते हैं। अगर ऐसा न हो तो समाज में वैयक्तिक और सामूहिक जीवन सुचारुरूप से नहीं चल पाएगा। जब तक भारतीय समाज कृषि प्रधान था तब तक सम्पूर्ण ग्राम्य संस्कृति का हर पक्ष कृषि तथा स्वजनों की एकता पर आधारित था। परन्तु औद्योगीकरण के साथ-साथ नयी सामाजिक आवश्यकताओं की पूर्ति करने के लिए सांस्कृतिक परिवर्तन हो रहे हैं। प्रायः ग्राम्य संस्कृति नगरीय संस्कृति के लिए असंगत एवं अनुपयुक्त सिद्ध होती है। असंगति के कारण सामाजिक परिवर्तन प्रारम्भ हो जाते हैं और शीघ्र ही किसी अंश में पुनः सांस्कृतिक संगति स्थापित हो जाती है। आज के तीव्र गति से बदलते हुये समाज में सांस्कृतिक तादात्मय का बना रहना कठिन है इसलिए संस्कृति में किसी-न-किसी पक्ष में असंगति उत्पन्न हुआ करती है, परन्तु फिर भी प्रत्येक संस्कृति के कुछ मौलिक आधार संगति पूर्णता में बनाने में सहायक होते हैं।

भौतिक और अभौतिक संस्कृति (Material and Non-material Culture)

आगवर्न एवं निमकॉफ ने 1922 में अपनी पुस्तक (Cultural Lag) में भौतिक और अभौतिक सांस्कृतिक परिवर्तन को समझने के लिए किया।

(1) भौतिक संस्कृति—भौतिक संस्कृति मानव द्वारा निर्मित सभी दृश्य वस्तुओं से मिलकर बनती है। वह सभी कुछ जो मानव की इन्द्रियों द्वारा बोधगम्य है भौतिक संस्कृति के अर्न्तगत आता है। उदाहरणार्थ—पेन, किताबें, मशीनें, यंत्र, वस्त्र, पंखे, घड़ियाँ, रेलें, मोटर साइकिल, जहाज, मकान, कारखाने, मोबाइल, टेलीफोन, टी.वी., कम्प्यूटर, स्टूल, मेज, इत्यादि। सरल समाजों से जटिल समाजों की तरफ बढ़ते हुए हमें भौतिक संस्कृति में जटिलता के दर्शन होते हैं। भौतिक संस्कृति के निम्नलिखित लक्षण हैं—

(*i*) भौतिक संस्कृति मूर्त होती और यह देखी जा सकती है अर्थात् इसका निश्चित आकार होता है।

(*ii*) भौतिक संस्कृति का विकास सरल से जटिल की तरफ होता है।

(*iii*) भौतिक संस्कृति में तीव्र परिवर्तन होता है।

(*iv*) भौतिक संस्कृति बिना परिवर्तित हुए गतिशील होती है। उदाहरणार्थ वायुयान का आकार एक जगह से दूसरे जगह जाने में परिवर्तित नहीं होता किन्तु अभौतिक संस्कृति (विचार) परिवर्तित हो जाते हैं।

(2) अभौतिक संस्कृति–अभौतिक संस्कृति को मैकाइवर एवं पेज ने वास्तविक संस्कृति माना है सोरोकिन इसे भावात्मक संस्कृति बताते हुए लिखते हैं "यह संस्कृति समाज की उस अवस्था का चित्रण करती है, जबकि समाज का स्वरूप आध्यात्मिक, प्रतीकात्मक तथा अभौतिक होता है।"

ऐसी संस्कृतियों में ईश्वर की शक्ति तथा धर्म में अगाध श्रद्धा होती तर्क का स्थान नगण्य होता है, संसार को मिथ्या माना जाता है। ऐसी संस्कृतियों के उदाहरण हैं–ताओवादी धर्म, ब्राह्मण कालीन भारतीय संस्कृति तथा मध्यकालीन यूरोप की संस्कृति आदि। इस प्रकार के जीवन दर्शन पर आधारित संस्कृतियों को सोरोकिन ने शैशवावस्था में बतलाया है। अभौतिक संस्कृति में प्रथा, विश्वास, मूल्य-परम्पराएँ, साहित्य, ज्ञान, कला, भाषा, नैतिकता आदि अभौतिक संस्कृति के निम्नलिखित लक्षण हैं। अभौतिक संस्कृति के लक्षण निम्नलिखित हैं–

(*i*) अभौतिक संस्कृति अमूर्त होती है, अर्थात् यह देखी नहीं जा सकती है। इसका निश्चित आकार नहीं होता है।

(*ii*) अभौतिक संस्कृति में परिवर्तन अत्यन्त धीमें होते हैं।

(*iii*) अभौतिक संस्कृति जब गतिशील होती है तब उनमें परिवर्तन आ जाता है। उदाहरणार्थ अरबों से आया इस्लाम धर्म भारत में अपना रूप परिवर्तित कर लिया और जाति व्यवस्था से संयुक्त हो गया।

संस्कृति एवं व्यक्तित्त्व
(Culture and Personality)

संस्कृति एवं व्यक्तित्त्व उतना उचित संप्रत्यय नहीं है जितना संस्कृति में व्यक्तित्त्व का है। मानवीय व्यक्तित्त्व को प्रभावित करने वाले अनेक तथ्य हैं। इन तथ्यों को मनोविज्ञान, मानवशास्त्र और मनोचिकित्सा के क्षेत्रों से ढूँढ़ा जा सकता है। निम्नलिखित मान्यताएँ इसे स्पष्ट करती हैं–

(1) समाज, संस्कृति और व्यक्तित्त्व संतुलित 'सामुच्य' है।

(2) व्यक्ति के अनुभव समाज द्वारा प्राप्त होते हैं परन्तु यह भी सत्य है कि व्यक्ति सांस्कृतिक वातावरण में आच्छादित रहता है। संस्कृति में व्यक्ति के जीवन मूल्य, अभिवृत्तियाँ, सम्प्रेषण और क्रियाएँ निर्मित होती हैं।

(3) समाज व्यक्तियों की भूमिका भी निर्धारित करता है। उनके समक्ष ऐसे लक्ष्य रखता है जो मान्य होते हैं। समाज एक नैतिक व्यवस्था भी प्रदान करता है। व्यक्ति के व्यवहारों को नियंत्रित करता है।

(4) केवल यही जगत वास्तविक सत्य है, जिसे मनुष्य ने बनाया है। इसे किसी सत्ता को सामाजिक यथार्थ के अन्तर्गत नहीं रख सकते हैं।

(5) व्यक्ति में रचनाशीलता और स्वतन्त्रता का अंश होता है।

(6) संस्कृति अपना स्वतन्त्र अस्तित्त्व नहीं रखती है। संस्कृति तार्किक अमूर्तिकरण है। संस्कृति और व्यक्तित्त्व मिलकर गतिशील सज्जाकार बनाते हैं। इन स्थापनाओं से यह स्पष्ट होता है कि व्यक्तित्त्व समाज द्वारा निर्मित होता है। व्यक्ति निर्माण की प्रक्रिया में जो तथ्य लगते हैं वे संस्कृति से प्राप्त होते हैं। इस कारण समाज व्यक्तित्त्व और संस्कृति तीनों अर्न्तसम्बन्धित होकर एक ही इकाई बनाते हैं।

लिटन ने व्यक्तित्त्व और संस्कृति के सम्बन्ध को निम्नलिखित बिन्दुओं में समझाया है–

(1) व्यक्ति का व्यक्तित्त्व बचपन के अनुभव के अनुसार निर्मित होता है। बचपन को पालन-पोषण का प्रभाव अन्त तक स्थायी होता है।

(2) समान अनुभव में पालने वाले व्यक्ति का व्यवहार भी समान ही होगा।

(3) प्रारम्भ से बच्चों का जिस प्रकार पालन-पोषण किया जाता है, इसका प्रभाव व्यक्तित्त्व पर पड़ता है। यद्यपि एक ही संस्कृति में पाए जाने वाले परिवार अपने बच्चों का पलन समान रीति से करते हैं। फिर भी अलग-अलग परिवारों में भिन्नताएँ आ जाती हैं। इसी कारण एक ही संस्कृति में अनेक प्रकार के व्यक्तित्त्व निर्मित होने लगते हैं। परन्तु उनमें कुछ समानताएँ भी होती हैं, व्यक्तित्त्व के निर्माण में लिन्टन ने प्रारम्भिक अनुभव पर बहुत बल दिया है। परन्तु व्यक्तित्त्व का निर्माण किसी एक कारण से नहीं होता है। उसका निर्माण, आर्थिक, सामाजिक तथा वैचारिक कारकों के अन्तर्सम्बन्ध से होता है। केवल बचपन के अनुभव से नहीं बनता। व्यक्तित्त्व व्यक्ति की उस भूमिका से बनता है। जिसे समाज में व्यक्ति पूरा करता है।

व्यक्ति के निर्माण में निम्नलिखित कारक विशेष महत्त्व रखते हैं–

(1) शरीर की बनावट सम्बन्धी कारक

(2) समूह की सदस्यता

(3) भूमिका सम्बन्धी

(4) परिस्थिति

(5) मूल्योन्मुखता

संस्कृति और व्यक्ति के सम्बन्ध को समझने के लिए सीखने का सिद्धान्त सबसे सन्तोष जनक है। सीखने के माध्यम से मूल्यों को व्यक्ति अपने अन्दर समाहित कर लेता

है और उन्हीं के अनुसार उसका व्यक्तित्त्व निर्मित होता है। व्यक्ति की दूसरी प्रक्रिया अभियोजन है। व्यक्ति का सम्पूर्ण जीवन सामाजिक सांस्कृतिक परिवेश में मनोवैज्ञानिक आवश्यकताओं की पूर्ति में लगा रहता है। इसी प्रक्रिया को अभियोजन कहते हैं। व्यक्तित्त्व विकासात्मक प्रघटना है। सामाजिक सांस्कृतिक परिवेश में यह प्रकार्यवादी विकास है। व्यक्ति का निर्माण सांस्कृतिक प्रतिमानों के अनुसार होता है। मूल्य और अभिवृत्तियाँ, जो कि संस्कृति से प्राप्त होती हैं व्यक्तित्त्व को सार्थकता प्रदान करती है। इस अर्थ में व्यक्तित्त्व, संस्कृति में होता है।

संस्कृति और सभ्यता
(Culture and Civilisation)

प्रसिद्ध मानव शास्त्री टायलर ने संस्कृति में ही सभ्यता को एक तरह से मिला दिया। दूसरे समाज शास्त्रियों का कथन है कि सभ्यता संस्कृति की उन्नतिशील अवस्था है। उनका विचार है कि प्राचीन समाजों में संस्कृति होती थी, परन्तु उनमें सभ्यता नहीं होती थी। इस प्रकार से यह मालूम हुआ कि संस्कृति आदि काल से थी परन्तु सभ्यता का विकास कुछ समय बाद हुआ। बहुत से समाजशास्त्री आज भी सभ्यता और संस्कृति के अंतर को नहीं सुलझा पाए, लेकिन मैकाइवर के अनुसार संस्कृति और सभ्यता में भिन्नता पायी जाती है। उन्होंने यह भी कहा है कि संस्कृति हमारा अन्तिम लक्ष्य है, और सभ्यता इसकी प्राप्ति का एक साधन है क्योंकि हमारी सभ्यता में वह वस्तुएँ आती हैं जिनका हम रोजाना जिंदगी में इस्तेमाल करते हैं। इस तरह से संस्कृति के अन्तर्गत आचार-विचार कला, धर्म-नैतिकता आदि है तथा सभ्यता के अन्तर्गत समाज की राजनैतिक, आर्थिक और धार्मिक व्यवस्थाएँ आती हैं। इस तरह से हमने देखा कि संस्कृति और सभ्यता दो बहुत कठिन और विवादग्रस्त प्रत्यय हैं। इस सम्बन्ध में मैकाइवर ने अच्छा प्रकाश डाला है हालांकि बहुत से दूसरे समाजशास्त्री अब भी इसको नहीं मानते हैं। आमतौर से भौतिक संस्कृति को हम सभ्यता कहते हैं लेकिन मैकाइवर ने प्रौद्योगिकी को भी शामिल कर लिया है। मैकाइवर एवं पेज ने इन दोनों का भेद साध्य और साधन के आधार पर किया है। यदि यह किसी हिस्से की पूर्ति के रूप में होती है तो सभ्यता के अन्तर्गत आती है। इस तरह से **मैकाइवर** एवं **पेज** ने स्पष्ट शब्दों में लिखा है "हमारा विभेद साध्य और साधन का है।"

हम देखते हैं समाज में हर चीज साध्य सा साधन के रूप में होती है। इसी आधार पर मैकाइवर के अनुसार हम यह निश्चित कर सकते हैं कि वह किसके अन्तर्गत आता है। संस्कृति या सभ्यता के क्षेत्र में। वास्तव में संस्कृति और सभ्यता एक ही शब्द के दो पहलू हैं, संस्कृति ऐसी वस्तु है जिसके मूल्य का निर्धारण नहीं किया जा सकता और जिसका अपना मूल्य होता है। संस्कृति भली या बुरी जैसी है हमारी है। यह हमारे सामने एक प्रतिमान उपस्थित करती है और इससे हम अपने व्यवहार की बातें करते हैं।

जैसा कि हम पहले कह चुके हैं कि मैकाइवर तथा पेज ने सभ्यता के अन्तर्गत इन समस्त वस्तुओं का समावेश किया है जो हमारे उद्देश्यों का साधन है, जैसे टाइप राइटर, बैंक, फैक्टरी और वह वस्तुएँ जो हमें प्रत्यक्ष रूप से संतोष और आनन्द नहीं प्राप्त करती हैं, लेकिन इन साधनों के उपयोग से हमें संतोष और आनन्द प्राप्त होता है।

सांस्कृतिक प्रतिमान (Cultural Paradigm)

सांस्कृतिक प्रतिमान से तात्पर्य एक आदर्श नमूने या प्रेरक सिद्धान्तों से हैं। जो समाज में मनुष्य के व्यवहार को निर्धारितं करता है यानी कौन-सा कार्य ठीक है और कौन-सा गलत इसका फैसला सांस्कृतिक मूल्य या प्रतिमान करते हैं। हर एक संस्कृति में कुछ खास प्रेरणाएँ एवं आदर्श होते हैं जो कि उस संस्कृति के तत्त्वों के स्वरूपों को निर्धारित करते हैं। एक संस्कृति एक व्यक्ति की तरह विचार और क्रिया का समरूप प्रतिमान है। हर एक संस्कृति में अपने कुछ उद्देश्य तथा आदर्श होते हैं जो एक-दूसरे समाज से बिल्कुल भिन्न होते हैं। इसलिए मनुष्यों की क्रियाओं के स्वरूपों को समझने के लिए समाज के इन प्रतिमानों को संस्कृति का अध्ययन करते समय हम उन्हें अलग नहीं कर सकते। संस्कृति के भिन्न-भिन्न भागों के बीच अतः सम्बन्ध से जो व्यवस्था बनती है, उसे संस्कृति के प्रत्येक मुख्य हिस्से को प्रतिमान कहते हैं, जैसे धार्मिक प्रतिमान, पारिवारिक प्रतिमान, आर्थिक प्रतिमान। प्रत्येक संस्कृति में प्रतिमानों की एक व्यवस्था रहती है। यह समाज की संस्कृतियों के व्यवहार को प्रभावित करती है। यह प्रतिमान अमूर्त होते हैं। किसी समूह के सदस्यों के मस्तिष्क या आदतों की रचना में रहते हैं। सांस्कृतिक प्रतिमान का कार्य मनुष्य के व्यवहारों व पारस्परिक सम्बन्धों का प्रमाणीकरण करना है। प्रत्येक समाज और कुछ हद तक प्रत्येक वर्ग का एक प्रतिमान होता है। जो संस्कृति के विभिन्न भागों का पारस्परिक सम्बन्ध है। इनमें से प्रत्येक के कार्य व अस्तित्त्व दूसरे के कार्य में स्वतन्त्र नहीं हैं, जिसको हम संस्कृति कहते हैं वह सांस्कृतिक प्रतिमान और सांस्कृतिक संकुलों की एकता है। इन सबसे परस्पर सम्बन्ध में एक संगठन बनता है जिसे हम सांस्कृतिक प्रतिमान कहते हैं।

सांस्कृतिक सापेक्षवाद (Cultural Relativism)

औसत भारतीय को अपने परिवार से जितना गहरा लगाव होता है शायद एक अमरीकी को उतना न होता हो। दो संस्कृतियों में पाए जाने वाले मिलते-जुलते या भिन्न तत्त्व की तुलना महत्त्वपूर्ण नहीं है। सांस्कृतिक सापेक्षवाद के अनुसार किसी सांस्कृतिक तत्त्व को, उसी संस्कृति के सम्पूर्ण में रखकर समझना सापेक्षवादी विश्लेषण है। जैसे, भारतीय परिस्थिति में गरीबी, बेकारी, सामाजिक सुरक्षा का अभाव आदि अनेक बातों के अन्तर्गत जब परिवार के लगाव या परिवारवाद को रखकर समझा जाए तभी विश्लेषण महत्त्वपूर्ण होगा।

सांस्कृतिक संकुल (Cultural Complex)

किसी बुनियादी सम्प्रत्यय या क्रिया के आधार पर संगठित सांस्कृतिक लक्षण सांस्कृतिक संकुल कहलाते हैं, जैसे–विवाह की संस्था से सम्बन्धित वर की तलाश, दहेज प्रणाली, पाणिग्रहण संस्कार, विदाई और मिलन आदि सांस्कृतिक संकुल है। हिन्दू समाज में गाय को केन्द्र मानकर मृतक शरीर को आभूषण, धन, बर्तन, सुगन्ध और ममी आदि के साथ कब्र में सुरक्षित रखने का प्रयत्न सांस्कृतिक संकुल है।

सांस्कृतिक मूल्य (Cultural Value)

प्रत्येक समाज में प्रचलित आदर्श, मूल्य और लक्षण उस समाज की संस्कृति समझे जाते हैं। संस्कृति जिन मूल्यों को प्रधानता देती है, सामाजिक जीवन गठन भी उन्हीं के अनुसार होता है। मैक्स वेवर ने मूल्य और आर्थिक क्रियाओं का सह सम्बन्ध बताया है। पश्चिमी यूरोप में धार्मिक नैतिकता के कारण धन का अर्जन और उपभोग उचित मूल्य माना गया। जहाँ जटिल आर्थिक क्रियाएँ उत्पन्न हुईं, वहीं पूंजीवादी व्यवस्था खड़ी हुई। चीन और भारत में धार्मिक मूल्यों के कारण धन को पाप का सहभागी माना गया। आर्थिक क्रियाएँ बड़ी सरल रहीं और जटिल पूंजीवादी व्यवस्था वहाँ पहले नहीं उत्पन्न हुयी।

सांस्कृतिक क्षेत्र (Cultural Scope)

सांस्कृतिक क्षेत्र की परिकल्पना सर्वप्रथम विसलर ने की। संस्कृति क्षेत्र एक ऐसा क्षेत्र है जहाँ पर लगभग एक ही के मूल्य, विश्वास, व्यवहार के तौर-तरीके लोगों द्वारा अपनाए जाते हैं। एक ही भौगोलिक क्षेत्र में ऐसे तत्त्व विस्तृत होते हैं। दूसरे शब्दों में किसी भी संस्कृति की विशेषताएँ एक निश्चित भौगोलिक क्षेत्र में फैली हो तो सम्बन्धित संस्कृति का सांस्कृतिक क्षेत्र कहलाता है। **हाबल** सांस्कृतिक क्षेत्र को परिभाषित करते हुए कहते हैं, "एक सांस्कृतिक क्षेत्र भौगोलिक क्षेत्र के उस भाग के रूप में परिभाषित किया जा सकता है, जिसे संस्कृति इतनी मात्रा में समानता प्रकट करती है कि उसे उन संस्कृतियों से पृथक कर देती है जो क्षेत्र के बाहर हैं।"

जैसा कि पहले उल्लेख किया जा चुका है कि इसका सर्वप्रथम प्रयोग बिसलर ने किया। उन्होंने इसका प्रयोग अमरीकी इण्डियन संस्कृति के अध्ययन के क्रम में दोनों संस्कृतियों की पृथकता दर्शाने हेतु किया। सांस्कृतिक क्षेत्र को परिभाषित करते हुए **श्यामाचरण दुबे** लिखते हैं, "कतिपय संस्कृति तत्त्व या सांस्कृतिक संकुल एक विशेष भौगोलिक क्षेत्र में फैलकर संस्कृति क्षेत्र का निर्माण करते हैं।" यदि हम अमेरिका और एशिया महाद्वीप के समाजों के अध्ययन करें तो यह पाएँगे कि उनमें कुछ ऐसे समाज हैं जो परस्पर सांस्कृतिक निकटता प्रदर्शित करते हैं एवं कुछ ऐसे हैं जो सांस्कृतिक तौर से एक-दूसरे से दूर है। उदाहरणार्थ–चीनी संस्कृति और रेड इण्डियन संस्कृति दोनों पृथक विशेषताओं वाली संस्कृतियाँ हैं, जबकि चीनी और जापानी संस्कृति में काफी समानताएँ

देखी जाती हैं। सांस्कृतिक क्षेत्र को हम भारत के सन्दर्भ में भी देख सकते हैं। भारत में सांस्कृतिक क्षेत्र के निर्धारक भाषा, धर्म, पन्थ, क्षेत्र, वेशभूषा इत्यादि हैं, जिसमें भाषा सांस्कृतिक क्षेत्र का प्रमुख आधार है। राजस्थान, पंजाब, आन्धप्रदेश, तमिलनाडु, असम इत्यादि का अपना एक विशिष्ट क्षेत्र है, जो भाषागत आधार पर निर्मित है। 1956 के राज्य पुनर्गठन अधिनियम द्वारा भाषा को राज्यों का निर्माण का एक आधार मान लिया गया है और इस प्रकार आन्ध्र प्रदेश का गठन किया गया और तेलगू भाषा के आधार पर भारत को दो प्रमुख सांस्कृतिक क्षेत्रों उत्तर क्षेत्रों तथा दक्षिणी क्षेत्रों में विभाजित किया गया। उत्तर एवं दक्षिण दोनों भागों में स्थापत्य कला खान-पान, रहन-सहन, परिधान, आभूषण, बोलचाल इत्यादि क्षेत्रों में स्पष्ट विभाजक रेखा देखी जा सकती है।

सांस्कृतिक क्षेत्रों का निर्माण एकाएक नहीं वरन् धीरे-धीरे होता है अर्थात् इसका अस्तित्त्व शून्य में नहीं उद्विकास में निहित है। एक संस्कृति के तत्त्वों को दूसरी संस्कृतियाँ अपनाती हैं। इस प्रकार संस्कृति का उद्विकास होता है। कोई भी संस्कृति, कुछ पक्षों में तो दूसरी संस्कृति के तत्त्वों में ग्रहण कर सकती है, लेकिन अन्य पक्षों में वह कठोर हो सकती है। भारतीय संस्कृति विचार करने और सहन करने में बड़ी उदार है, लेकिन सामाजिक संस्थाओं–जाति, परिवार, विवाह आदि के प्रति स्थिरता बनाए हुए है। ग्राह्य संस्कृति दूसरी संस्कृति के तत्त्व तभी अपनाती है, जब उसकी सामाजिक आवश्यकताओं की पूर्ति होती है। बिना अपना मौलिक चरित्र विकृत किए हुए कोई भी संस्कृति दूसरी संस्कृति से प्राप्त तत्त्व को कुछ इस तरह अपना ली है कि उनसे विघटन नहीं होता। इस प्रकार उद्विकास द्वारा एक पृथक संस्कृति अस्तित्त्व में आती है। जो कुछ समय पश्चात् अपनी मूल संस्कृति से पूर्णतया अलग विशेषताओं वाली हो जाती है।

अभिसरण एवं एकीकरण (Convergence and Integration)

विसलर की मान्यता है कि प्रत्येक संस्कृति क्षेत्र में वह केन्द्र ढूँढ़ा जा सकता है जहाँ संस्कृति तत्त्व एवं संस्कृति संकुल का प्रसार हुआ है। संस्कृति तत्त्वों के प्रसार में घने जंगल, रेगिस्तान, महासागर, पर्वत आदि प्रमुख बाधाएँ हैं तथा यातायात एवं संचार के साधन सहायक हैं। संस्कृति क्षेत्र के सन्दर्भ में भौगोलिक सीमाओं की कितनी महत्ता है इसको इंगित करते हुए **हरस्कोविट्स** लिखते हैं–"संस्कृति क्षेत्र महत्त्वपूर्ण है, चूँकी यह दिखाता है कि किस प्रकार से आन्तरिक संगठन की भाँति भूमि के विस्तार में भी मानव सभ्यता की एकता कायम रहती है।"

वर्तमान वैश्वीकरण के दौड़ में जहाँ संचार साधनों की इतनी उन्नति हुयी है कि समस्त विश्व एक ग्राम के रूप में परिवर्तित हो गया है। सांस्कृतिक क्षेत्र विशेष का निर्धारण करना सरल कार्य नहीं रह गया। वर्तमान युग समान संस्कृतियों का युग है फिर भी एक नयी प्रवृत्ति का उदय हो रहा है, जिसकी अन्तिम परिणति संस्कृतिवाद है।

भारतीय परिप्रेक्ष्य में सांस्कृतिक क्षेत्रों की सहभागिता
(Sharing of Cultural Space in Indian Paradigm)

सांस्कृतिक क्षेत्र को समझने के पश्चात् हम सांस्कृतिक क्षेत्रों के भौतिक लक्षणों में सहभागिता का अध्ययन करेंगे और इसे भारतीय परिप्रेक्ष्य में जानने का प्रयास करेंगे। जैसा कि हरस्कोविट्स ने कहा "संस्कृति पर्यावरण का मानव निर्मित भाग है, अतः मनुष्य द्वारा निर्मित की गयी प्रत्येक वस्तु संस्कृति के अन्तर्गत आती है। भारत में भारतीय संस्कृति विश्व की सर्वाधिक प्राचीन संस्कृति है। सिन्धु घाटी सभ्यता से वर्तमान काल तक एक निश्चित संस्कृति यहाँ विद्यमान रही है जो भारतीय जनमानस में जीवन्धता बनाए रखती है। भारतीय संस्कृति के कुछ भौतिक लक्षण अथवा विशेषताएँ हैं, जो मिलकर एक विशेष सांस्कृतिक क्षेत्र का निर्माण करते हैं। इसके अन्तर्गत कला, खान-पान, विश्वास, वेशभूषा इत्यादि का उल्लेख किया जा सकता है।

(1) कला (Art)

कला के अन्तर्गत हम स्थापत्य कला, मूर्तिकला, चित्र कला इत्यादि को शामिल करते हैं। भारतीय कलाओं में लोकमंगल की कामनाओं को देखा जा सकता है। यह वह तथ्य है जो भारतीय संस्कृति की मूलभूत विशेषता को प्रकट करती है। मोहनजोदड़ों से प्राप्त मूर्ति भारतीय कला का पहला उदाहरण कहा जा सकता है। इसके पश्चात् मौर्य कला, गुप्त कला में शनैः-शनैः इस विधान का विकास हुआ, जिससे दो प्रमुख केन्द्र गान्धार कला और मथुरा कला का विकास हुआ।

अरबों के आक्रमण के पश्चात् हिन्दू और मुसलमानों की वस्तुकला के तत्त्वों का समन्वय होना प्रारम्भ हो गया। हिन्दुओं ने मुसलमानों को मस्जिदों के गुम्बदों को मन्दिरों के लिए स्वीकार किया, फलतः उत्तर भारत में मन्दिरों की डिजाइन पर मुसलमानों की वास्तुकला का बहुत अधिक प्रभाव पड़ा है। मन्दिरों के अलावा अन्य इमारतों पर भी मुलसमानों की मीनारों, गुम्बदों, डाटों और बड़े-बड़े कमरों की विशेषताओं का प्रभाव पड़ा। मुसलमानों की वास्तुकला पर हिन्दुओं की दो विशेषताओं का असर पड़ा। हिन्दुओं की वास्तुकला में मकानों की मजबूती के साथ-साथ शालीनता विश्व में अनोखी है। मुसलमानों ने इन दोनों समन्वित विशेषताओं को अपनी इमारतों में स्वीकार किया। इसी प्रकार चित्रकला और गीत-संगीत में भी हम सम्मिलित सांस्कृतिक तत्त्वों को देख सकते हैं।

चित्रकला में तुर्की, ईरानी तथा प्राचीन भारतीय शैलियों का समन्वय हुआ। उत्तर भारत में इस काल में राजपूत, कांगड़ा और जम्मू शैलियाँ प्रचलित हुईं। अकबर ने हिन्दुओं और मुसलमानों की शैलियों के समन्वय के लिए एक शिक्षणालय खोला और इस प्रकार मुगल शैली का विकास हुआ। इस शैली में पुरानी कहानियों तथा धार्मिक गाथाओं के वजाय वास्तविक युद्धों, साधारण मनुष्यों, पक्षियों, पत्तियों और फूलों का चित्रण प्रारम्भ हुआ।

हिन्दुओं के प्रभाव से चित्रों में ऊपर दिखाने वाली सुन्दरता बढ़ी और गम्भीर कलात्मक विशेषताओं का महत्त्व घट गया।

गान-विद्या में दिल्ली के सुल्तानों के दरबारों में पूर्ण समन्वय हो गया था। सूफियों के प्रभाव से व्यक्ति के गानों और कविताओं को साज के साथ गाने का रिवाज प्रारम्भ हुआ। हिन्दुओं ने मुसलमानों को अपने साज तथा राग दिए और मुसलमानों ने सितार और तबला के साज के साथ कव्वाली तथा ख्याल के राग दिए। वास्तव में गान विद्या में हिन्दू और मुसलमानों के सांस्कृतिक तत्त्वों का समन्वय अधिक हुआ है।

मिश्रित सांस्कृतिक सम्पदा का उद्‌विकास
(Development of Composite Cultural Estate)

भारतीय समाज को द्रवण पात्र कहा जाता है क्योंकि इसमें विभिन्न संस्कृतियों व प्रजातीय तत्त्वों का मिश्रण पाया जाता है। भारत वर्ष की मौलिक विशेषताओं में किसी एक धर्म, प्रजाति, संस्कृति का उल्लेख नहीं किया जा सकता। यहाँ विश्वासों, मूल्यों, प्रथाओं, जनरीतियों, रहन-सहन, भोजन, वस्त्र, व्यवहार के तौर-तरीकों की इतनी अधिक बहुलता पायी जाती है कि एक राष्ट्र के अन्तर्गत कई राष्ट्रों का आभास होता है। विश्व की जितनी भी आक्रमणकारी शक्तियाँ भारत की ओर आकृष्ट हुयीं और इस पर आक्रमण किया यहाँ के भावनात्मक बंधन से अपने आप को युक्त न कर सकी और यही की होकर रह गयी। यहाँ की विभिन्न संस्कृतियाँ द्रविणियन, आर्यन, सीथियन, पार्थिव, कुषाण, ईरानी, तुरानी, अरबी इस्लामिक इत्यादि ने मिलकर एक ऐसी संस्कृति का निर्माण किया जो अपने आप में मौलिक एवं अनूठी है।

भारत देश का एक लंबा इतिहास है और जिसके संरचनात्मक व सांस्कृतिक तत्त्वों का अविछिन्न विकास हुआ है। इसलिए अब हम सिन्धु घाटी सभ्यता से लेकर अब तक पारंपरिक समाज सांस्कृतिक पद्धति के परिप्रेक्ष्य में ही भारतीय मूल्य पद्धति का अध्ययन करेंगे और समय-समय पर आए परिवर्तनों पर दृष्टिपात करेंगे। इससे हमें पता चलेगा कि हमारी उस भारतीय सभ्यता के सुव्यवस्थित मूल्यों के समय के प्रवाह में किस प्रकार अनेकों परिवर्तन आए हैं, जिसकी तारतम्यता उल्लेखनीय रही है।

सिन्धु घाटी की सभ्यता–भारत का सर्वप्रथम व्यवस्थित एवं सुनियोजित सामाजिक जीवन सिन्धु घाटी सभ्यता में परिलक्षित होती है यह सभ्यता न केवल अपने सुनियोजित नागरिक जीवन के लिए जानी जाती है अपितु कला, धर्म, संस्कृति साथ-ही-साथ सुव्यवस्थित आर्थिक जीवन के लिए भी विख्यात है। यहाँ से प्राप्त मृद्‌भांडों, मोहरों, मूर्तियों तथा अन्य अवशेषों से इसकी सांस्कृतिक सम्पदा की जानकारी मिलती है। सिन्धु घाटी सभ्यता के समाज एवं संस्कृति को निम्नलिखित बिन्दुओं द्वारा वर्णित किया जा सकता है–

(1) सामाजिक जीवन–सिन्धु घाटी सभ्यता को समाज के बारे में यह अनुमान लगाया जाता है कि यह मातृ सत्तात्मक समाज था। समाज तीन भागों में विभक्त था–(1) पुरोहित वर्ग (2) व्यापारिक वर्ग (3) जनसाधारण अथवा श्रमिक वर्ग।

(2) धार्मिक जीवन–सिन्धु घाटी से प्राप्त भारी मात्रा में मातृ देवी की मूर्तियों शिवलिंग इत्यादि से उनके धार्मिक विश्वासों के बारे में पता चलता है। एक ऐसी मोहर प्राप्त हुयी है जिसमें एक व्यक्ति योगी की मुद्रा में बैठा हुआ है और पशुओं से घिरा हुआ है। इसे विद्वानों ने पशुपति शिव की संज्ञा दी है। सिन्धु घाटी सभ्यता के लोग प्रकृति के भी उपासक थे।

(3) सांस्कृतिक जीवन–विभिन्न प्रकार की मिट्टी और धातु की मूर्तियाँ और उनकी भाव भंगिमाओं से ज्ञात होता है कि उनमें कला के प्रति लगाव था तथा वे संगीत और नृत्य में भी रुचि रखते थे। स्त्रियाँ विभिन्न प्रकार की धातुओं के आभूषण, जैसे हार, भुजबन्ध, अंगूठी, बाली, करधनी और पायल पहनती थी तथा शृंगारिक प्रसाधनों का प्रयोग करती थी।

सिन्धु घाटी सभ्यता लगभग पन्द्रह सौ वर्षों तक अस्तित्त्व में रही बाद में इसे वैदिक कालीन सभ्यता द्वारा प्रति स्थापित कर दिया गया।

वैदिक सभ्यता
(Vedic Culture)

ऋग्वैदिक सभ्यता के निर्माता आर्य थे, जिन्होंने लगभग 2,000 ई. पूर्व से कई समूहों से मध्य एशिया से भारत में प्रवेश किया। वैदिक काल को दो भागों में विभक्त किया गया है।

(1) ऋग्वैदिक सभ्यता काल (1500 से 1000 बी.सी.)

(2) उत्तर वैदिक सभ्यता काल (1000 से 600 बी.सी)

(1) ऋग्वैदिक सभ्यता काल (Rigvedic Culture Period)

ऋग्वेद हमारा सबसे पहला साहित्यिक स्रोत है जिससे हमें लोगों के बारे में पता चलता है जो ई.पू. 1500 के लगभग भारत में आकर बसे हैं। ऋग्वेद की भाषा और विषय वस्तु से पता चलता है कि इसके मंत्रों की रचना लम्बी अवधि में विभिन्न ऋषियों, मुनियों द्वारा की गई थी। वह समय था जब आर्य भारत में आकर बस रहे थे। इन मंत्रों में युद्धप्रिय आर्यों का चित्रण है जो युद्ध में विजय प्राप्ति के लिए उपासनाएँ करते थे और बलि चढ़ाते थे। इनके पास अनगिनत पशु थे, सोना एवं अन्य भौतिक वस्तुएँ थीं। ऋग्वेद के मंत्र युद्ध वीरों और वीर-देवों के गौरव की गाथा सुनाते हैं। विजेता शूरवीर और प्रसन्नचित आर्यों का गुणगान करने वाले मंत्रों की यहाँ कमी नहीं। तेज चमचमाते बालों से सुसज्जित शरयुक्त

चक्रों व घोड़ों से युक्त रथों पर सवार युद्धप्रिय आर्यों ने सप्तसिन्धु या सिन्धु घाटी से आदिवासियों पर आक्रमण किया। लड़ाकू आर्यों ने 99 नगरों को नष्ट-भ्रष्ट कर वहाँ के लोगों पर अपना आधिपत्य जमाया जिन्हें ऋग्वेद में 'दास' कहा गया है।

विजेताओं और विजितों के बीच संघर्ष–विजित लोगों का 'दास' और पाणि के रूप में वर्णन मिलता है। 'पाणि' धनी सौदागर थे। पाणि लोगों की पशु सम्पदा आर्यों के लिए विशेष आकर्षण का कारण थी। सौदागर होने के नाते पाणि लोग पशुओं या अन्य धन सम्पत्ति के बदले में कुछ लिए बिना भला कैसे छोड़ सकते थे। पाणि लोगों की विनिमय पद्धति उन अर्ध यायावर आर्यों की बड़ी बेतुकी जान पड़ी, जो अपने अतिथियों का बड़ा सम्मान करते थे और उन्हें अपने साथ बिठाकर खिलाते-पिलाते थे। आर्यों और अनार्यों के बीच जाति व संस्कृति के इस टकराव पर ही भारतीय संस्कृति और मूल्यों की नींव पड़ी। वर्ण विन्यास, संभ्रात और सामान्य जनता की विभिन्न संस्कृति और धार्मिक नियमों में दोहरी नीति ये सब उसी टकराव की देन है। उसके बाद जो सामंजस्य या समायोजन हुआ उसका श्रेय भी उसी को जाता है।

वस्तुतः सिन्धु घाटी में बसने और वहाँ के लोगों के साथ कार्य संबंध स्थापित हो जाने के बाद आर्यों के लड़ाकू स्वभाव में परिवर्तन आया। उन्होंने वहाँ के लोगों के कई मूल्यों और धारणाओं को अपनाया। इसी समय आर्यों के उच्च वर्ग में संघर्षों की शुरुआत भी हुई। ब्राह्मण ग्रन्थों की रचना कर ब्राह्मणों ने स्वयं को उन क्षत्रियों से ऊँचा मानना शुरू किया जो राजा और योद्धा थे। ब्राह्मण ग्रंथों में बड़े-बड़े यज्ञों का विधान बताया गया है। जिनका व्यय क्षत्रियों को उठाना पड़ता था। क्षत्रियों ने इसका विरोध किया। उनके इस विरोध की झलक हमें उपनिषदों में मिलती है।

(2) उत्तर वैदिक सभ्यता काल (Uttar Vedic Culture Period)

उपनिषदों में आत्मज्ञान को जीवन का अंतिम लक्ष्य माना गया है। उपनिषद् काल में हम देखते हैं कि प्रत्येक वर्ग का व्यक्ति आध्यात्मिक था। उपनिषदों के प्रमुख सिद्धान्त आत्मा से संबंद्ध है और इन सिद्धान्तों का प्रादुर्भाव ब्राह्मण वर्ग के बाहर हुआ। उपनिषदों की भाषा सरल थी इसलिए उन्होंने लोगों का ध्यान आकर्षित किया। बड़े-बड़े धर्म पण्डितों की नई पीढ़ी के लोगों की जटिल बलि प्रथा और धार्मिक विधि विधानों में रुचि कम हो गई। इससे धर्म पण्डितों की सर्वोच्च स्थिति और वर्ण प्रथा को गहरा धक्का लगा।

उपनिषद् काल में जातीय शुद्धता के विचार में भी परिवर्तन आया। किसी समुदाय में विधिवत् प्रवेश पाने के लिए प्रत्येक बच्चों के लिए धार्मिक विधि-विधान या संस्कार अनिवार्य बना दिए गए। इन विधि-विधानों या संस्कारों का प्रथम वर्णन गृह्य-सूत्र में मिलता है। गृह्य सूत्रों में आर्यों के लिए विभिन्न धार्मिक विधि-विधानों या संस्कारों का विस्तृत वर्णन किया गया है। मृत्यु को दृष्टिगत करते हुए ये धार्मिक विधि-विधान मनुष्य के जीवन में नये मोड़ के लिए आवश्यक समझे गए।

लगता है कि सभी परम्परागत समाजों में उच्च वर्ग ने जब-जब अपने निकट अतीत से छुटकारा पाना चाहा है, तब-तब दूरस्थ अतीत का पुनरुद्वार हुआ है। परन्तु लम्बे अन्तराल के कारण पूर्ण रूपेण पुनरुद्वार कभी भी संभव नहीं हुआ। जो कुछ उभर कर सामने आता है वह बड़ा सतही होता है। उपनिषद् काल में वर्ण प्रथा के मूल्यों में पर्याप्त अन्तर आया। ब्राह्मणों और पुरोहितों की स्थिति ने पलटा खाया। निम्न जाति वर्ग, स्त्रियों और उच्च वर्ग की नई पीढ़ी ने पारम्परिक सामाजिक पद्धति के विरुद्ध आवाज उठाई। इस युग में अनेकों अनार्य मूल्यों ने उच्च वर्गीय धारा में प्रवेश पाया। उच्च वर्गीय ब्राह्मणों के गढ़ की नींव इस सीमा तक हिल गई कि पुरोहितों को भी नई विचारधारा में बहना पड़ा।

बौद्धकालीन सभ्यता—सूत्रकाल में स्थापित सामाजिक मूल्यों के बौद्धकाल में पुनः परिवर्तन आया। बौद्ध धर्म का प्रभाव अनूठा था। बुद्ध ने जो कुछ कहा, वह सामान्य जन भाषा में था। ब्राह्मणों के समान क्लिष्ट भाषा में नहीं। उन्होंने सभी मनुष्यों को समानता का उपदेश दिया। ब्राह्मणों की भाषा संस्कृत थी, जिसे केवल उच्चवर्ग के लोग ही समझ सकते थे। बुद्ध की उपदेश सभाओं में सभी जातियों के लोग भाग ले सकते थे। बुद्ध ने महान वैदिक, यज्ञ बलियों को निरर्थक घोषित किया। बौद्ध-धर्म राजाओं, महाराजाओं, सौदागरों, वर्णिकों, कलाकारों और किसानों के बीच बड़ा लोकप्रिय हुआ।

बौद्ध धर्म ने विभिन्न जातियों में असमानता के मूल्य को रेखांकित किया, कठोर श्रम और मितव्ययिता पर जोर दिया, औद्योगिक और व्यापारिक गतिविधियों को बढ़ावा दिया। इस युग में उद्योग और व्यापार में उल्लेखनीय प्रगति हुयी। बौद्ध साहित्य में कई उद्योगों और शिल्पों का वर्णन मिलता है। जातकों में 18 शिल्प संघों या श्रेणियों का उल्लेख है। राजाओं द्वारा इन संघों को मान्यता प्राप्त थी। प्रत्येक संघ का एक प्रमुख होता था। वह राज दरबार का विशेष सदस्य माना जाता था। यही कारण है कि व्यापारी वर्ग ने बहुत उन्नति की।

बौद्ध धर्म ने विभिन्न जातियों में असमानता के मूल्य को रेखांकित किया व कठोर श्रम और मितव्ययिता पर जोर दिया, औद्योगिक और व्यापारिक गतिविधियों को बढ़ावा दिया। इस युग में उद्योग और व्यापार में उल्लेखनीय प्रगति हुई। बौद्ध साहित्य में कई उद्योगों और शिल्पों का वर्णन मिलता है। जातकों में 18 शिल्प संघों या श्रेणियों का उल्लेख है। राजाओं द्वारा इन संघों को मान्यता प्राप्त थी। प्रत्येक संघ का एक प्रमुख होता था। वह राज दरबार का विशेष सदस्य माना जाता था। यही कारण है कि व्यापारी वर्ग ने बहुत उन्नति की।

बौद्ध धर्म ने जन्म के आधार पर जातिभेद और सामाजिक विभाजन को मान्यता दी। इससे पहले जातिभेद वर्ण सिद्धान्त पर आधारित था। भारत पर सतत् विदेशी

आक्रमणों से वर्ण सिद्धान्त को एक और धक्का लगा। उनका रंग गोरा था और बाल सुनहरे थे। पतंजलि ने ब्राह्मणों का वर्णन करते हुए उनके इन्हीं दो गुणों को रेखांकित किया है।

मनुस्मृति काल—सैद्धान्तिक रूप में वर्ण सिद्धान्त पर जोर देने के बावजूद ब्राह्मणों ने भी अपनी जातीय शुद्धता को कुछ सीमा तक खो दिया था। आर्य पूर्व कृष्णवर्ण के उन लोगों से भी उन्हें खतरा था, जो समाज के छोटे तबके के थे। समाज में उनकी संख्या बढ़ी-चढ़ी थी। उनकी संस्कृति, उनके मानदण्ड मूलतः आर्यों से भिन्न थे। जीने के लिए ब्राह्मणों को इन सब चुनौतियों का सामना करना था और बुझती ब्राह्मण परम्पराओं को दीप्त करना था। संकट की इस घड़ी में मनुस्मृति की रचना हुई। ऐसा माना जाता है कि इसकी रचना ऋषि मुनियों ने की थी, जब कि सूत्रों को मनु रचित कहा जाता है। यह उपयुक्त ही है कि पुनरुद्धार काल की इस महान कृति को आदि पिता 'मनु' का नाम दिया गया है क्योंकि इसमें वैदिक परम्परा पर आधारित सामाजिक व नैतिक सिद्धान्तों का प्रतिपादन किया जा सका, जिनके कारण ब्राह्मणों और पुरोहितों के आधिपत्य को स्वीकारा जाता था पर उसी काल में एक ऐसी सामाजिक पद्धति की नींव पड़ी जिसका आज तक बोलबाला है।

अभ्यास प्रश्न

1. संस्कृति की प्रमुख विशेषताओं का वर्णन कीजिए।
2. संस्कृति और व्यक्तित्व में सम्बन्ध स्थापित कीजिए।
3. संस्कृति और सभ्यता में क्या अंतर है?
4. सांस्कृतिक अभिसरण एवं एकीकरण पर प्रकाश डालिए।

18

भारतीय मिश्रित सांस्कृतिक सम्पदा का उद्विकास
(Evolution of Mixed Indian Culture)

मिश्रित सांस्कृतिक सम्पदा के उद्विकास में इस्लाम का योगदान
(Contribution of Islam in Development of Mixed Cultural Estate)

दक्षिण भारत में 7वीं शताब्दी के अन्त में अरबों की पहली बस्ती बसाई गई। इन अरबों ने अपनी संस्कृति को शान्तिपूर्ण तरीकों से फैलाया। उनके शान्तिपूर्ण और नर्म व्यवहार के कारण उनके पड़ोसी इतना अधिक विश्वास करने लगे कि उन्होंने पश्चिम से होने वाले सारे व्यापार को अपने हाथों में ले लिया। उनके व्यवहार के कारण ही हिन्दू पड़ोसियों ने उन्हें इस्लाम धर्म के प्रचार में किसी प्रकार की बाधा नहीं पहुँचाई। मालाबार और कारोमण्डल के हिस्सों में 9वीं और 12वीं शताब्दी के बीच में शंकर, रामानुज और आनन्दतीर्थ आदि व्यक्तियों ने अनेक धार्मिक आन्दोलन चलाए। भक्ति और दर्शन के इन विभिन्न वादों को यदि समग्र रूप से देखा जाए तो डॉ. ताराचन्द के मत में इन पर इस्लाम धर्म का काफी असर मालूम पड़ता है। उनके अनुसार, एकेश्वरवाद, आत्म समर्पण, गुरुभक्ति ब्राह्य आडम्बर की ओर उदासीनता और जाति प्रणाली के नियमों की शिथिलता इस्लाम धर्म के प्रभाव को सिद्ध करते हैं। डॉ. ताराचन्द के अनुसार, लिंगायत या जंगम और समुदायों पर भी इस्लाम धर्म का बहुत अधिक प्रभाव पड़ा। मुर्दों को गाड़ना जातियों व लिंग की असमानताओं को दूर करना और विवाह प्रथाओं में सुधार करना इस बात के प्रमाण हैं कि इन समुदायों को इस्लाम धर्म से काफी प्रेरणा मिली। सल्तनत काल के जमाने से संस्कृत की पुस्तकों का फारसी में अनुवाद किया गया। इस काल में न केवल फारसी भाषा में भारतीय संस्कृति पर पुस्तकें लिखी गईं, अपितु अमीर खुसरो, मलिक मुहम्मद जायसी, अब्दुल रहीम खान खाना जैसे मुसलमानों ने हिन्दी साहित्य को भी समृद्ध किया।

मुगलों के भारत में आने के बाद जिन्दगी का एक हिन्दुस्तानी तरीका विकसित हुआ, जिसने हिन्दुओं और मुसलमानों को एक-दूसरे के बहुत नजदीक ला दिया।

(1) शासन व्यवस्था–एक केन्द्र के सारे देश का शासन होने की वजह से देश के सारे निवासियों में सामुदायिक भावना का विकास हुआ।

(2) एक सामान्य भाषा का जन्म–मुगल अरबी और फारसी, मिश्रित भाषा का प्रयोग करते थे और इस भाषा का पंजाबी, हिन्दी, बंगाली, गुजराती, सिन्धी और मराठी भाषाओं पर प्रभाव पड़ा। धीरे-धीरे हिन्दू उर्दू भाषा का जन्म हुआ, जिसे हिन्दुओं और मुसलमानों ने समान रूप से समृद्ध करने की कोशिश की और इसने हिन्दुओं और मुसलमानों को आपस में विचारों कें आदान-प्रदान के लिए एक सरल साधन दिया।

(3) सूफी और भक्ति आन्दोलन–उत्तर भारत में रामानन्द, कबीर, दादू, नानक और महाराष्ट्र में नामदेव और तुकाराम ने आध्यात्मिक स्तर पर मुसलमानों और हिन्दुओं के जीवन में एकता लाने की कोशिश की और सूफी धर्म ख्वाजा मोयनुद्दीन चिश्ती जैसे व्यक्तियों ने भी हिन्दुस्तानी तरीके को विकसित करने में मदद की। इन प्रयत्नों के फलस्वरूप हिन्दुओं व मुसलमानों की संस्कृति के विभिन्न हिस्सों में परिवर्तन हुए।

(4) धर्म–धार्मिक क्षेत्र में मुसलमानों की संस्कृति के प्रभाव का अध्ययन हिन्दू भक्तों और मुसलमानों सूफियों की रचनाओं और उनके प्रभावों से स्पष्ट हो सकता है। हिन्दुओं में बाहरी आडम्बर और छुआछूत का विचार काफी था। मुसलमानों के धर्म में इन दोनों बातों का अभाव था। कबीर ने सबसे पहले हिन्दुओं और मुसलमानों ने धर्म में भेदों को दूर करने की कोशिश की। कबीर के धार्मिक आन्दोलन पर मुसलमानों के सूफीवाद का काफी प्रभाव था। सूफीवाद के अनुसार ईश्वर सब जगह विद्यमान है पर विशेष रूप से मनुष्य के हृदय में रहता है। सूफीवाद के अनुसार सभी धर्म बराबर हैं। कबीर ने हिन्दुओं और मुसलमानों को धार्मिक भेदभाव दूर करने के लिए प्रोत्साहित किया। कबीर की भाँति दादू ने भी विभिन्न धर्मों को मिलाने की कोशिश की। उन्होंने कहा कि सबसे बड़ा धर्म आत्म दर्शन है। इसके लिए हमें अपने अभिमान को दूर करना चाहिए और ईश्वर के सामने आत्मसमर्पण कर देना चाहिए। नानक का नाम भी महत्त्वपूर्ण है। उसने हिन्दी, संस्कृत तथा फारसी भाषा का अध्ययन किया तथा 30 वर्ष की अवस्था में सन्यासी होकर देशदेशान्तर का भ्रमण किया। जिन व्यक्तियों ने कबीर, दादू व नानक की धार्मिक बातों का अनुसरण किया, वे क्रमशः कबीर पंथी, दादू पंथी तथा नानक पंथी कहलाए। इन व्यक्तियों ने हिन्दुओं की जाति संरचना को महत्त्व नहीं दिया। नानक पंथियों ने नानक के विचारों को इतना विकसित किया कि उन्होंने सिक्खों या नानक पन्थ के शिष्यों का एक अलग वर्ग बना

लिया। हिन्दुओं की जाति संरचना और धर्म में इस प्रकार के समन्वय और समता की गुंजाइश न थी, इसलिए ऐसे व्यक्तियों के समूहों की स्थिति स्वतन्त्र हो गई। हिन्दुओं ने मुसलमानों के अनेक धार्मिक आचरणों को स्वीकार किया। मुसलमानों ने पीरों और फकीरों की पूजा आरम्भ कर दी। अनेक हिन्दुओं ने मुहर्रम में ताजिया रखना भी प्रारम्भ कर दिया। सूफीवाद को मानने वाले सन्तों और फकीरों की पूजा हिन्दू और मुसलमान दोनों समान रूप से करते हैं। हिन्दुओं में गुरुभक्ति एक प्रमुख स्थान रखती है। सूफीवाद के सन्तों की पूजा मुसलमानों ने हिन्दुओं के गुरुओं की पूजा आरम्भ कर दी। इस प्रकार हिन्दुओं और मुसलमानों ने धार्मिक क्षेत्र में एक-दूसरे के अनेक तत्त्वों को स्वीकार किया।

हिन्दू धर्म का मुस्लिम संस्कृति पर प्रभाव

(Influence of Hinduism on Muslim Culture)

हिन्दुओं और मुसलमानों की संस्कृतियों के सम्पर्क में दोनों समूह में संस्कृतिकरण हुआ, पर यह संस्कृतिकरण निर्बाध रूप से नहीं हुआ है। दोनों समूहों ने ऐसे सांस्कृतिक लक्षणों को चुना है, जो उनकी संस्कृति के अनुकूल थे। ललित कलाओं में सबसे अधिक संस्कृति समन्वय हुआ जिससे दोनों की ललित कलाएँ प्रभावित हुईं, जिन्हें हिन्दुओं और मुसलमानों ने बिना किसी भेदभाव के स्वीकार किया।

धर्म में भी परिवर्तन हुए। हिन्दुओं और नीची जातियों को भक्ति के द्वारा ईश्वर को प्राप्त करने का मार्ग बतलाया गया और यह भक्ति मार्ग ऊँची जातियों के व्यक्तियों के लिए भी था। इसे इस्लाम धर्म के समता के सिद्धान्त का प्रभाव माना जाता है। धर्म में कोई ऐसा लक्षण स्वीकार नहीं किया गया, जो एक धर्म की बुनियादी बातों को प्रभावित करे। केवल ऐसी बातें ही स्वीकार की गईं जो एक धर्म के अनुयायियों को अतिरिक्त सुविधाएँ देती थीं। जो सम्प्रदाय दोनों धर्मों में गम्भीर परिवर्तन लाना चाहते थे उनके अनुयायियों के स्वतन्त्र समूह बन गए। इसी प्रकार वेश-भूषा और भोजन में केवल लाभकारी लक्षणों को स्वीकार किया गया। हिन्दुओं ने मुसलमानों से स्त्रियों की पर्दा प्रथा को ग्रहण किया क्योंकि इससे स्त्रियों की रक्षा सरल हो गयी। चूंकि अधिकतर हिन्दू ही मुसलमान बनाए गए थे इसलिए संयुक्त परिवार की प्रणाली मुसलमान परिवारों में भी आ गई। इस प्रणाली की रक्षा के लिए स्त्रियों के आर्थिक अधिकारों को छीनना आवश्यक था। इस प्रकार वास्तविक जीवन में मुसलमान पुरुषों ने स्त्रियों के सब अधिकारों को छीन लिया जिससे स्त्रियों की सामाजिक स्थिति बहुत नीचे गिर गई।

हिन्दुओं में प्रारम्भ में मुसलमानों की संस्कृति को अपनाने में झिझक थी, पर मुगल बादशाहों की नीति के फलस्वरूप धीरे-धीरे यह झिझक समाप्त हो गई। अकबर के समय संस्कृतीकरण की प्रक्रिया काफी तेज हो गई। अकबर ने सबसे पहले अपनी शासन नीति को

धर्म निरपेक्ष बनाने की कोशिश की इसलिए संस्कृतीकरण और विसंस्कृतीकरण की प्रक्रिया प्रारम्भ हो गई। इस समय प्रक्रिया का प्रभाव अधिक दिनों तक न रहा क्योंकि औरंगजेब के बाद मुगल बादशाहों में न औरंगजेब की धार्मिक कट्टरता ही रही और न उनका शासन ही उतना दृढ़ रहा।

हिन्दुओं और मुसलमानों में पारस्परिक संस्कृतीकरण की वजह से सामाजिक सहयोगिता की स्थिति उत्पन्न हो गई हिन्दुओं और मुसलमानों ने एक-दूसरे की संस्कृति के तत्त्वों को ग्रहण किया तथा पारस्परिकता बढ़ गई। इन दिनों की संस्कृति में काफी परिवर्तन भी हुआ पर दोनों में कोई भी संस्कृति एक-दूसरे को पहचान सकी। दोनों संस्कृतियों की स्वतन्त्र सत्ता रहते हुए भी ये निकट आ गई। यह निकटता सामाजिक सह जीवन के स्तर तक न आ सकी।

अंग्रेजों के आने के बाद हिन्दुओं और मुसलमानों में निकटता बढ़ी और घटी भी क्योंकि दोनों विदेशियों की राजनीतिक तथा आर्थिक, प्रभुता के शिकार थे। चूंकि हिन्दुओं और मुसलमानों की संस्कृतियों में सामाजिक सहजीवन का स्तर नहीं था। इसलिए अंग्रेजों की विभाजन और शासन की नीति के फलस्वरूप उत्तर भारत के अनेक भागों में हिन्दू मुस्लिम दंगे हुए जिनकी वजह से विसंस्कृतिकरण की प्रक्रिया की एक लहर फिर से आई।

पाश्चात्य संस्कृति का प्रभाव (Influence of Western Culture)

भारत की सामाजिक संरचना पर पाश्चात्य संस्कृति का तीन दिशाओं में प्रभाव पड़ा। जाति प्रणाली के स्वरूप में जो परिवर्तन हुए हैं उनकी विस्तृत विवेचना की जा चुकी है। यहाँ संक्षेप में कह देना पर्याप्त है कि नगरों में जाति प्रणालियों की सब विशेषताओं में कुछ-न-कुछ अन्तर हो गया है। यद्यपि सामान्य रूप से केवल जन्म पर ही एक व्यक्ति की जाति निर्भर करती है तथापि नगरों में अज्ञात रहने की वजह से अनेक व्यक्तियों को अपनी जाति बदल लेने में कोई भी असुविधा नहीं है। जहाँ तक वंशानुगत देशों का प्रश्न है इसमें बहुत अधिक परिवर्तन हो गया है। हजारों नये पेशे आ गए हैं, जिनका किसी भी जाति से सम्बन्ध नहीं हैं इसलिए इन पेशों को चुनने का प्रश्न भी कठिन नहीं है। हाँ, पुराने पेशों को चुनने के लिए जाति का विचार महत्त्वपूर्ण है, विशेष रूप से ऐसे पेशों को चुनने में जिनके साथ सांस्कृतिक पवित्रता की धारा जुड़ी हुई है। ब्राह्मण की महत्ता इस अर्थयुग में अपने आप घट गई है। इसी प्रकार खाने-पीने के नियंत्रण भी शिथिल हो गए हैं। विवाहों का प्रश्न अब भी काफी टेढ़ा है। अन्तर जातीय विवाहों की संख्या बढ़ रही है। जाति संरचना की भांति श्रेणी संरचना उदग्र होती है। पाश्चात्य संस्कृति के प्रभाव के साथ-साथ भारत में श्रेणी संरचना का बनाना प्रारम्भ हो गया। जमींदारी प्रथा के उदय होने के फलस्वरूप यहाँ नए

भूमि सम्बन्ध स्थापित हो गए, जिनके कारण अनेक श्रेणियाँ बन गयीं। इन श्रेणियों के द्वार हर जाति के लिए खुले हैं। इस नई संरचना ने जाति संरचना के आधार पर हुए पुराने खण्डों को एक ओर मिला दिया और दूसरी ओर नए खण्ड बना दिए। ये खण्ड जातियों की भाँति दृढ़, स्पष्ट और बन्द नहीं थे। एक ही नई श्रेणी में अनेक जातियों के व्यक्ति मिलते हैं और एक ही जाति के व्यक्ति विभिन्न श्रेणियों में बँट गए हैं। अंग्रेजों के आने से पहले भारत का आर्थिक ढाँचा सामन्तवादी था पर भारतीय सामतन्वाद, योरोपीय सामन्तवाद से भिन्न था। यहाँ राजा भूमि का मालिक न था। उससे केवल भूमि के उत्पादन का एक हिस्सा लेने का अधिकार था और राजा जिन व्यक्तियों को लगान वसूल करने के लिए नियुक्त करता था, वे वैधानिक रूप में राजा के नौकर थे। यूरोप जैसे सामन्त पर सामन्तवाद की बहुत-सी विशेषताएँ भारतीय समाज में थी। इसमें एक देश में रहने वाले व्यक्तित्त्व सामाजिक दृष्टिकोण से एक-दूसरे से विभाजित और राजनैतिक दृष्टिकोण में एक-दूसरे से स्वतन्त्र रहते थे। अंग्रेजों के आने के बाद देश में औद्योगिक विकास हुआ। एक राजनैतिक भारत की स्थापना हुई और नगरों में पूँजीवादी व्यवस्था का श्री गणेश हुआ। यद्यपि यह पूँजीवादी व्यवस्था भी भारतीय सामतन्वाद की भांति अपूर्ण थी तथापि इसने भारत के आर्थिक ढाँचे को ऊँचे स्तर पर ला दिया।

(1) सामाजिक प्रभाव–सामाजिक क्षेत्र में पाश्चात्य संस्कृति ने स्त्रियों की दशा को बहुत अधिक प्रभावित किया। स्त्रियों को घर के बाहर शिक्षा, नौकरी तथा सामाजिक सेवा करने के अवसर मिले। नागरिक तथा आर्थिक अधिकारों में स्त्रियों को समानता मिल गई। नगरीकरण एवं औद्योगीकरण की प्रक्रियाओं ने तथा भौतिकवादी और व्यक्तिवादी भावनाओं ने संयुक्त परिवार के संगठन को गम्भीर रूप से प्रभावित किया है। जाति प्रणाली से सम्बन्धित मूल्यों में भी क्रान्तिकारी परिवर्तन हुआ है।

(2) साहित्य पर प्रभाव–अंग्रेजी साहित्य संसार के आधुनिक साहित्यों में काफी समृद्ध माना जाता है। इसने हिन्दी के साथ-साथ अन्य सभी प्रान्तीय भाषाओं के गद्य के विकास में साहित्य में इन दोनों अंगों का सब भारतीय भाषाओं में विकास हुआ। इसके अलावा अंग्रेजों ने संस्कृत के सब महत्त्वपूर्ण ग्रन्थों का अंग्रेजी में अनुवाद किया तथा भारतीयों को अप्रत्यक्ष रूप से तार्किक एवं समालोचनात्मक रंग से संस्कृत साहित्य के अध्ययन के लिए प्रोत्साहित किया इतिहास, प्राच्य विज्ञान तथा अन्य विज्ञानों का अध्ययन प्रारम्भ हुआ। सबसे बड़ी बात यह है कि भारतीय साहित्य से एक ओर तो यथार्थवादिता का विकास हुआ और दूसरी ओर रोमांस के आधार पर साहित्य का सृजन बढ़ा।

(3) धार्मिक प्रभाव–ईसाई मिशनरियों ने लगन के साथ चुपचाप ईसाई धर्म का

प्रचार किया। देश के विभिन्न भागों में हजारों व्यक्ति ईसाई हो गए। इनमें अधिकतर ऐसे व्यक्ति थे जो निर्धन थे या पिछड़ी हुई जातियों के थे। इस प्रकार देश में धार्मिक दृष्टिकोण से यह एक नया समूह बन गया। ईसाई धर्म और पाश्चात्य संस्कृति का प्रभाव हिन्दू धर्म पर भी पड़ा। राजा राजमोहन राय ने हिन्दुओं की अनेक प्रमुख विशेषताओं को समाप्त करके अनेक बातों से ईसाई धर्म के अनुरूप हिन्दू धर्म को बनाने के लिए ब्रह्म समाज की स्थापना की। मुम्बई में प्रार्थना समाज का विकास भी इसी दिशा में हुआ। पाश्चात्य भौतिकवाद और यथार्थवाद के दर्शन ने भारतीयों के अध्यात्मवादी दर्शन को भी धक्का पहुँचाया।

(4) आधुनिक शिक्षा का प्रभाव–इसमें सन्देह नहीं है कि अंग्रेजों ने आधुनिक शिक्षा का प्रसार अपने शासन प्रबन्ध चलाने के लिए किया था, उनका उद्देश्य भारत को शिक्षित करना नहीं था। इसलिए सन् 1931 तक केवल 8 प्रतिशत व्यक्ति ही साक्षर हो सके थे। यह शिक्षा औद्योगिक विकास की आवश्यकताओं की पूर्ति नहीं कर सकती थी क्योंकि इसमें टेकनिकल प्रशिक्षा नहीं थी। इसके उपरान्त भी यह शिक्षा उन्नतिशील थी, क्योंकि यह धर्म निरपेक्ष और उदार थी तथा सब जातियों और धर्मों के व्यक्तियों के लिए समान थी। आधुनिक शिक्षित व्यक्तियों ने तार्किक, वैज्ञानिक और प्रजातन्त्रवादी विचारधाराओं को प्रोत्साहित किया। क्योंकि अंग्रेजी साहित्य के द्वारा भारतीयों को इंग्लैंण्ड की सांस्कृतिक परिस्थितियों का ज्ञान हुआ। उनको यह पता चला कि किस प्रकार इंग्लैंड के राजा के हाथ से राजनीति सत्ता जनता के हाथ में आई और किस प्रकार धर्म का प्रभाव राजनैतिक कार्यों से हटा। प्राकृतिक और सामाजिक विज्ञानों के अध्ययन ने न केवल प्राकृतिक परिस्थितियों को समझने के लिए ही अपितु सामाजिक समस्याओं का निराकरण करने के लिए भी वैज्ञानिक और तार्किक दृष्टिकोण दिया। इसकी वजह से भारतीयों को गति प्रणाली, स्त्रियों की दशा, बाल विवाह, विधवा विवाह आदि सामाजिक संस्थाओं का मूल्यांकन करने का अवसर मिलता है। इसलिए व्यक्तिवादी भावना के बढ़ने में भी मदद मिली।

(5) राजनीतिक प्रभाव–राजनीतिक क्षेत्र में अंग्रेजी शासन का प्रभाव बहुत गम्भीर हुआ। अंग्रेजों के आने के पहले यहाँ की शासन व्यवस्था में दो बहुत महत्त्वपूर्ण बातें थी। गाँव की पंचायतें राज्य के अनेक शासन सम्बन्धी कार्यों को सामुदायिक रूप से करती थी और राज्य का शासन प्रबन्ध धर्म पर आधारित था। ब्राह्मणों को विशेष सुविधा मिली हुई थी। इसके अलावा विभिन्न भागों में शासन प्रबन्धन समान था और न शान्ति तथा सुरक्षा थी। अंग्रेजों ने पंचायतों के अधिकार छीन लिए और राज्य के शासन सूत्र में बंध कर शान्ति तथा सुरक्षा स्थापित की। अब कानून की निगाह में सब जाति और धर्म के व्यक्ति समान हो गए। अंग्रेजों के आर्थिक शोषण तथा राजनीतिक प्रभुत्ता ने अनेक व्यक्तियों को राष्ट्रवादी बना दिया। यातायात के साधनों के विकास तथा अंग्रेजी भाषा के माध्यम से राष्ट्रीयता के

विकास में काफी सहायता मिली। अंग्रेजी शिक्षा ने प्रजातन्त्र तथा समाजवाद के विचारों को प्रसारित करने में मदद दी। फलतः राष्ट्रवादी भावना ने जोर पकड़ा जिससे स्वतन्त्रता आन्दोलन तीव्र होता चला गया।

(6) आर्थिक प्रभाव–भारत में किसान अपनी आवश्यकताओं को पूरा करने के लिए अनाज पैदा करता था। उसे बाजार में बेचने की न सुविधाएँ थीं और न आवश्यकताएँ थीं। यातायात के साधनों के विकास की वजह से खेती का व्यापारीकरण शुरु हुआ। अब किसान बाजार में बेचने के लिए अनाज पैदा करने लगा। यह सम्भव हो गया कि विभिन्न प्रकार के कृषि सम्बन्धी उत्पादन के लिए अनुकूल हो। इस प्रकार खेती में स्थानीकरण शुरू हुआ। इससे गाँव की आत्म निर्भरता समाप्त हो गयी।

अंग्रेजों के समय में धर्म, जाति, लिंग, आयु और आर्थिक स्थिति के आधार पर निर्मित सामाजिक संरचना पर कुठाराघात हुआ और व्यक्ति के व्यक्तिगत योग्यता को महत्त्व मिलने लगा। नवीन शिक्षित वर्ग प्रगतिशीलता की ओर उन्मुख हुआ और इस प्रकार लौकिकीकरण को बढ़ावा मिला।

स्वतन्त्र भारत में मिश्रित सांस्कृतिक सम्पदा का उद्विकास के क्रम में परम्परागत स्रोतों को अमान्य कर भारतीय संविधान को एकमात्र प्रमुख स्रोत के रूप में स्वीकार किया गया और धर्म निरपेक्षता, स्वतन्त्रता और समानता के आधार पर नवीन समाज निर्मित करने की बात कही गयी, जो किसी भी प्रकार के भेदभाव से मुक्त होगा। वर्तमान समय में सभी प्रकार के धर्मों को फलने-फूलने का अवसर प्राप्त है किसी भी धर्म को एक-दूसरे धर्म से श्रेष्ठ नहीं माना गया। व्यक्तिगत क्षमताओं के आधार पर पदों एवं अवसरों की व्यवस्था की गयी।

वर्तमान भारत में तीन प्रकार की प्रक्रियाएँ देखी जा सकती हैं, जो यहाँ की सामाजिक सांस्कृतिक व्यवस्था को प्रभावित कर रही है।

(1) आधुनिकीकरण

(2) संस्कृतीकरण

(3) धार्मिक जातीय एवं भाषायी कट्टरता की ओर झुकाव को न्यायोचित ठहराने की प्रक्रिया।

उपर्युक्त विवेचन से स्पष्ट होता है कि भारतीय सांस्कृतिक सम्पदा में अन्य संस्कृतियों का मिश्रण भारतीय सांस्कृतिक विशेषता बन चुकी है। इस तथ्य को नवीन मध्यम वर्ग द्वारा स्वीकार भी कर लिया गया है, जहाँ एक ओर हम वैश्वीकरण की ओर बढ़ रहे हैं वहीं दूसरी ओर धार्मिक जातीय संकीर्णता से उभर पाना अभी भी टेढ़ी खीर साबित हो रहा है। वर्तमान भारतीय समाज इन्हीं दोनों के मध्य संक्रमण की स्थिति से होकर गुजर रहा है, किन्तु इसकी दिशा प्रगतिशील है।

अभ्यास प्रश्न

1. भारत में मिश्रित सांस्कृतिक विरासत के उद्विकास की चर्चा कीजिए।
2. हिन्दू मुस्लिम सांस्कृतिक सामंजस्य पर बिन्दुवार चर्चा कीजिए।
3. भारत पर पाश्चात्य संस्कृति के प्रभावों का उल्लेख कीजिए।